Bestsellers

Dello stesso autore

nella collezione Oscar

Alta finanza
Codice a zero
Il codice Rebecca
La cruna dell'Ago
Una fortuna pericolosa
Le Gazze Ladre
Un letto di leoni
Il Martello dell'Eden
Il mistero degli Studi Kellerman
Notte sull'acqua
Il Pianeta dei Bruchi
I pilastri della Terra
Lo scandalo Modigliani
Sulle ali delle aquile
Il terzo gemello
Triplo
L'uomo di Pietroburgo

nella collezione Omnibus

Il volo del calabrone

KEN FOLLETT

UN LUOGO CHIAMATO LIBERTÀ

Traduzione di Roberta Rambelli

OSCAR MONDADORI

Titolo originale dell'opera: *A place called freedom*

I edizione Omnibus settembre 1995
I edizione Bestsellers Oscar Mondadori maggio 1997

ISBN 88-04-42747-7

Questo volume è stato stampato
presso Mondadori Printing S.p.A.
Stabilimento NSM - Cles (TN)
Stampato in Italia - Printed in Italy

Ristampe:

14 15 16 17 18 19 20

2004 2005 2006 2007

www.librimondadori.it

UN LUOGO CHIAMATO LIBERTÀ

Dedicato alla memoria di John Smith

Quando mi trasferii nell'High Glen House mi dedicai subito con passione al giardinaggio, e fu così che trovai il collare di ferro.

La casa era cadente e il giardino invaso dalle erbacce. Una vecchia signora un po' matta vi aveva abitato per vent'anni senza dare mai neppure una mano di vernice. Poi lei era morta e io avevo comprato la casa dal figlio, concessionario della Toyota a Kirkburn, la città più vicina, a ottanta chilometri.

Forse vi domanderete perché mai qualcuno acquisti una casa cadente a ottanta chilometri dal più vicino centro abitato. Ma io amo questa valle. Nei boschi ci sono cervi timidi, e un nido d'aquila alla sommità della cresta dei monti. In giardino, passavo metà del tempo appoggiato al badile, a guardare le pendici verdeazzurro dei monti.

Però scavavo, anche. Avevo deciso di piantare qualche arbusto intorno a una costruzione secondaria: non è bella, ha le pareti di assi e neppure una finestra, e volevo nasconderla con la vegetazione. Fu proprio scavando lì che trovai una cassetta.

Non era molto grande, più o meno come quelle che contengono dodici bottiglie di vino pregiato. Non era neppure lussuosa: era di legno non verniciato, tenuto insieme da chiodi arrugginiti. La spaccai col badile.

All'interno c'erano due oggetti.

Uno era un grosso libro molto vecchio. Mi emozionai un po': forse era una Bibbia di famiglia, con una storia affascinante scritta sui risguardi... le nascite, i matrimoni e le morti di persone vissute nella mia casa cent'anni fa. Ma rimasi deluso. Quando lo aprii, scoprii che le pagine erano marce e non riuscii a leggere una sola parola.

L'altro oggetto era un sacchetto di tela cerata. Era marcio anche quello e quando lo toccai coi guanti da giardinaggio si disintegrò. Conteneva un cerchio di ferro di una quindicina di centimetri di diametro. Era ossidato, ma il sacchetto di tela cerata aveva impedito che arrugginisse.

Era molto rozzo, probabilmente era stato fatto da un fabbro di paese e in un primo momento pensai che fosse un pezzo di carro o di aratro. Ma perché mai qualcuno l'aveva avvolto meticolosamente nella tela cerata per conservarlo? Il cerchio era spezzato, ed era stato piegato. Cominciai a pensare che fosse il collare imposto a un prigioniero. Quando il prigioniero era fuggito, il cerchio era stato rotto con un pesante attrezzo da fabbro, quindi piegato per rimuoverlo.

Lo portai in casa e cominciai a pulirlo. Ma il lavoro procedeva lentamente; allora lo immersi per una notte in un prodotto antiossidante, e l'indomani mattina ritentai. Mentre lo lucidavo con uno straccio, diventò visibile un'iscrizione.

Era incisa in caratteri antiquati e svolazzanti, e impiegai un po' di tempo per decifrarla. Ma ecco cosa diceva:

Quest'uomo è proprietà di Sir George Jamisson di Fife.
A.D. 1767

Adesso è qui, sulla mia scrivania, accanto al computer. Lo uso come fermacarte. Spesso lo prendo e lo rigiro fra le mani e rileggo l'iscrizione. Se il collare di ferro potesse parlare, mi chiedo, quale storia racconterebbe?

I

SCOZIA

1

La neve coronava le creste dell'High Glen e si estendeva in chiazze madreperlacee sulle sue pendici boscose, come gioielli su un abito di seta verde. Nel fondovalle, un corso d'acqua frettoloso guizzava fra le rocce. Il vento pungente che soffiava verso l'entroterra dal mare del Nord portava folate di nevischio e di grandine.

Per andare in chiesa, quella mattina, i gemelli McAsh, Malachi ed Esther, seguivano un percorso a zigzag sul pendio orientale della valle. Malachi, conosciuto come Mack, indossava un mantello scozzese e pesanti calzoni di tweed, ma sotto le ginocchia le gambe erano nude e i piedi scalzi gelavano negli zoccoli di legno. Comunque era giovane e aveva il sangue ardente, e quasi non si accorgeva del freddo.

Non era il tragitto più breve per arrivare alla chiesa, ma l'High Glen lo affascinava sempre. Le alte pendici dei monti, i boschi silenziosi e segreti e l'acqua argentina costituivano un paesaggio familiare per la sua anima. Aveva visto una coppia di aquile allevare tre nidiate. Come le aquile, anche lui aveva rubato qualche salmone dal fiume che ne brulicava. Salmoni che appartenevano al proprietario del luogo. E come i cervi si era nascosto fra gli alberi restando silenzioso e immobile quando si avvicinavano i guardacaccia.

Il proprietario del luogo era una donna, Lady Hallim,

vedova con una figlia. La terra sull'altro versante della montagna apparteneva a Sir George Jamisson, ed era un mondo diverso. Gli ingegneri avevano aperto grandi squarci nel fianco delle montagne, e monticelli artificiali di scorie deturpavano la valle; grossi carri carichi di carbone percorrevano la strada fangosa, e il fiumicello era nero di polvere. I due gemelli vivevano là, in un villaggio che si chiamava Heugh ed era una lunga fila di basse case di pietra che salivano il pendio come una scalinata.

Erano la versione maschile e femminile della stessa immagine. Avevano entrambi capelli biondi anneriti dalla polvere di carbone, e straordinari occhi verde chiaro. Erano entrambi bassi e avevano spalle larghe e braccia e gambe muscolose. Erano entrambi testardi e polemici.

La tendenza a polemizzare era una tradizione di famiglia. Il padre era stato un anticonformista in tutto e per tutto, pronto a dissentire dal governo, dalla chiesa e da ogni altra autorità. La madre aveva lavorato per Lady Hallim prima di sposarsi, e come molti domestici si identificava col ceto superiore. Durante un inverno freddissimo, quando la miniera rimase chiusa per un mese dopo un'esplosione, il padre morì di "sputo nero", la tosse che uccideva tanti minatori, e la madre si ammalò di polmonite e lo seguì dopo qualche settimana. Ma le discussioni continuavano, soprattutto il sabato sera, nel locale della signora Wheighel, che era l'ambiente più simile a una taverna nel villaggio di Heugh.

I braccianti agricoli e i piccoli fittavoli condividevano il punto di vista della madre dei gemelli. Dicevano che il re era designato da Dio e per questo il popolo doveva obbedirgli. I minatori, invece, avevano sentito idee più nuove. John Locke e altri filosofi affermavano che l'autorità di un governo poteva provenire solo dal consenso popolare. Era una teoria che piaceva a Mack.

A Heugh erano pochi i minatori che sapevano leggere, ma la madre di Mack ne era capace, e lui aveva insistito perché gli insegnasse. Aveva insegnato a entrambi i figli, ignorando le punzecchiature del marito che le rimproverava di avere idee troppo superiori alla sua posizione sociale. Nel locale della signora Wheighel, a Mack veniva chiesto di leggere a voce alta articoli del "Times", dell'"Edinburgh Advertiser" e di periodici politici come il radicale "North Briton". I giornali erano sempre vecchi di settimane, talvolta di mesi, ma gli uomini e le donne del villaggio ascoltavano con avidità i lunghi discorsi riportati parola per parola, le diatribe satiriche e i resoconti di scioperi, proteste e disordini.

Era stato dopo una discussione del sabato sera nel locale della signora Wheighel che Mack aveva scritto la lettera.

Nessuno dei minatori aveva mai scritto una lettera, e c'erano state lunghe consultazioni su ogni parola. Era indirizzata a Caspar Gordonson, un avvocato londinese autore di articoli che ridicolizzavano il governo. La lettera era stata affidata a Davey Patch, il mendicante con un occhio solo, perché la spedisse, e Mack si era domandato se sarebbe mai giunta a destinazione.

La risposta era arrivata il giorno prima, ed era la cosa più emozionante che gli fosse capitata. Era convinto che avrebbe cambiato completamente la sua vita. Avrebbe potuto renderlo libero.

Aveva sempre desiderato essere libero, fin da quando riusciva a ricordare. Da bambino aveva invidiato Davey Patch, che girava di villaggio in villaggio vendendo coltelli, spago e ballate. La vita di Davey gli sembrava meravigliosa perché poteva alzarsi al levar del sole e addormentarsi non appena si sentiva stanco. Invece lui, fin da quando aveva sette anni, era stato svegliato dalla madre qualche minuto prima delle due del mattino, e aveva lavorato nella miniera quindici ore al giorno, fino alle cinque del pomeriggio. Poi tornava a casa barcollando per la stanchezza e spesso si addormentava davanti alla scodella di porridge della cena.

Adesso Mack non desiderava più fare il mendicante, ma aspirava comunque a una vita diversa. Sognava di costruirsi una casa tutta sua in una valle come High Glen, su un pezzo di terra tutto suo, di lavorare dall'alba al tramonto e di riposare durante tutte le ore di oscurità. Sognava di andare a pesca nelle giornate di sole in un luogo dove i salmoni non appartenessero alla proprietaria della terra bensì a chiunque li catturasse. E la lettera che aveva in mano costituiva la possibilità che i suoi sogni si avverassero.

«Non sono sicura che tu faccia bene a leggerla in chiesa» disse Esther mentre procedevano sul pendio gelato del monte.

Neppure Mack ne era sicuro, ma chiese: «Perché no?».

«Ci sarà qualche guaio. Ratchett s'infurierà.» Harry Ratchett era il sovrintendente, l'uomo che dirigeva la miniera per conto del padrone. «Potrebbe perfino dirlo a Sir George, e allora cosa ti farebbero?»

Mack sapeva che aveva ragione, e in cuor suo era ansioso e incerto. Ma questo non gli impedì di discutere. «Se tengo la lettera per me, non servirà a niente» obiettò.

«Be', dovresti mostrarla a Ratchett in privato. Forse ti permetterà di andartene senza tanto chiasso.»

Mack sbirciò la gemella con la coda dell'occhio. Non intendeva fargli una predica: sembrava più preoccupata che ostile. Provò uno slancio d'affetto per lei. Qualunque cosa fosse accaduta, sarebbe stata dalla sua parte.

Tuttavia scosse la testa con ostinazione. «La lettera non riguarda soltanto me. Ci sono almeno cinque ragazzi che vorrebbero andarsene da qui, se sapessero di poterlo fare. E le generazioni future?»

Esther gli rivolse un'occhiata penetrante. «Forse è vero... ma non è questa la vera ragione. Tu vuoi parlare in chiesa e dimostrare che il padrone della miniera ha torto.»

«No!» protestò Mack. Poi rifletté per un momento e sorrise, ironico. «Be', forse c'è qualcosa di vero in ciò che dici. Abbiamo ascoltato tanti sermoni sul dovere di obbedire alla legge e di rispettare chi è superiore a noi. Adesso scopriamo che ci hanno sempre mentito sull'unica legge che ci riguarda più direttamente. E io voglio alzarmi in piedi e gridarlo a tutti.»

«Non dar loro un motivo per punirti» lo esortò Esther, preoccupata.

Mack cercò di rassicurarla. «Sarò umile ed educato per quanto è possibile esserlo» rispose. «Farai fatica a riconoscermi.»

«Umile!» ribatté lei in tono scettico. «Questo vorrei proprio vederlo.»

«Non farò altro che dire com'è la legge... è un errore?»

«È un'imprudenza.»

«È vero» ammise Mack. «Ma lo farò lo stesso.»

Superarono una cresta e scesero sull'altro versante, in Coalpit Glen. Mentre scendevano, l'aria diventò un po' meno fredda. Dopo qualche istante apparve la piccola chiesa di pietra, accanto a un ponte che scavalcava il fiume sporco.

Intorno al camposanto sorgevano le capanne di alcuni fittavoli: erano rotonde, col focolare al centro del pavimento di terra battuta e un foro nel tetto per far uscire il fumo, e l'unico ambiente veniva spartito, durante l'inverno, da persone e bestie. Le case dei minatori, più lontane risalendo la valle, vicine ai pozzi, erano meno squallide; anch'esse avevano pavimento di terra e tetto di zolle, ma ognuna aveva un camino e un comignolo vero e proprio, e la finestrella accanto alla porta era protetta da un vetro. I minatori, poi, non erano costretti a dividere l'abitazione con le mucche. Ma i fittavoli si consideravano liberi e indipendenti e guardavano i minatori dall'alto in basso.

Tuttavia non furono le capanne dei contadini ad attirare l'attenzione di Mack ed Esther e a indurli a fermarsi. Davanti al portico della chiesa sostava una carrozza chiusa tirata da due bei cavalli grigi. Alcune signore in crinolina e pelliccia stavano smontando con l'aiuto del pastore e trattenevano con la mano gli eleganti cappelli di pizzo.

Esther toccò il braccio di Mack e indicò il ponte. Sir

George Jamisson, il padrone della valle e della miniera, lo stava attraversando in groppa a un poderoso cavallo baio.

Jamisson non si faceva vedere da cinque anni. Viveva a Londra, a una settimana di viaggio per nave, due in diligenza. Un tempo, diceva la gente, era un modestissimo bottegaio di Edimburgo che vendeva candele e gin in un negozio d'angolo, e non era più onesto dello stretto indispensabile. Poi un suo parente era morto giovane e senza figli, e George aveva ereditato il castello e le miniere. Su quella base aveva costruito un impero che si estendeva fino a luoghi indicibilmente lontani come Barbados e la Virginia. Adesso era un personaggio rispettabile: baronetto, magistrato e consigliere comunale anziano di Wapping, responsabile della legge e dell'ordine del porto di Londra.

Era venuto a visitare la sua tenuta scozzese assieme a parenti e ospiti.

«Be', ecco fatto» esclamò Esther in tono di sollievo.

«Cosa vorresti dire?» chiese Mack, sebbene l'avesse indovinato.

«Adesso non potrai leggere la lettera.»

«Perché?»

«Malachi McAsh, non fare l'idiota!» esclamò lei. «Non vorrai leggerla di fronte al padrone!»

«Proprio così, invece» rispose lui, ostinato. «Sarà anche meglio.»

2

Lizzie Hallim rifiutò di andare in chiesa in carrozza. Era un'idea sciocca. La strada che partiva da Jamisson Castle era una specie di pista tutta solchi e buche, e i rilievi fangosi erano induriti dal gelo. Il percorso sarebbe stato tutto sobbalzi, la carrozza avrebbe dovuto procedere a passo d'uomo e i passeggeri sarebbero arrivati infreddoliti, indolenziti e probabilmente in ritardo. Voleva andare in chiesa a cavallo.

Simili comportamenti, indegni di una signora, facevano disperare sua madre. «Come farai a trovare marito se ti comporti sempre come un uomo?» chiese Lady Hallim.

«Posso trovare marito quando voglio» rispose Lizzie. Era vero. Tanti uomini s'innamoravano di lei. «Il problema è trovarne uno che io sopporti per più di mezz'ora.»

«Il problema è trovarne uno che non si spaventi facilmente» brontolò sua madre.

Lizzie rise. Avevano ragione entrambe. Gli uomini si innamoravano di lei a prima vista, poi capivano che tipo era e si affrettavano a far marcia indietro. I suoi commenti scandalizzavano da anni la buona società di Edimburgo. Al suo primo ballo, parlando con tre vecchie dame, aveva osservato che il rappresentante del re aveva il sedere grasso, e si era rovinata la reputazione. L'anno prima sua madre l'aveva portata a Londra in primavera per introdurla nella società inglese, ma era stato un disastro. Lizzie parlava a voce troppo alta, rideva troppo e si burlava apertamente dei modi leziosi e degli abiti attillati dei giovani elegantoni che cercavano di corteggiarla.

«Ti comporti così perché sei cresciuta senza un uomo in casa» aggiunse sua madre. «Sei diventata troppo indipendente.» E salì in carrozza.

Lizzie passò davanti alla facciata di pietra di Jamisson Castle, e si avviò verso le scuderie sul lato est. Suo padre era morto quando lei aveva tre anni, e quasi non lo ricordava. Ogni volta che chiedeva di cosa era morto, sua madre rispondeva vagamente: «È stato il fegato». Le aveva lasciate senza un soldo. Da anni sua madre tirava avanti alla meno peggio, ipotecando sempre di più la proprietà in attesa che Lizzie crescesse e sposasse un uomo ricco, in grado di risolvere tutti i loro problemi. Adesso Lizzie aveva vent'anni ed era giunto il momento di decidere il suo futuro.

Era per questo, senza dubbio, che i Jamisson erano tornati a visitare le proprietà scozzesi dopo tanti anni, e le ospiti più importanti erano le vicine, Lizzie e sua madre, che abitavano appena a quindici chilometri. Il pretesto era la festa per il ventunesimo compleanno del figlio minore, Jay, ma la vera ragione era un'altra: volevano che Lizzie sposasse il figlio maggiore, Robert.

La madre di Lizzie era favorevole perché Robert era erede di un grande patrimonio. Sir George era favorevole perché voleva aggiungere la proprietà degli Hallim a quelle dei Jamisson. Anche Robert sembrava favorevole, a giudicare dall'attenzione che aveva dedicato a Lizzie dal momento dell'arrivo, sebbene fosse sempre difficile capire cosa c'era nel cuore di Robert.

Lizzie lo vide nello spiazzo davanti alle scuderie, in attesa che sellassero i cavalli. Somigliava al ritratto della madre appeso nel salone del castello: una donna scialba e solenne con bei capelli e occhi chiari e una bocca dalla piega volitiva. Robert non aveva niente che non andasse: non era brutto, non era né grasso né magro, non puzzava, non beveva troppo e non si vestiva in modo effeminato. Era un ottimo partito, si disse Lizzie. E se le avesse chiesto di sposarlo, probabilmente avrebbe accettato. Non era innamorata di lui, ma sapeva qual era il suo dovere.

Decise di chiacchierare un po' con lui. «È davvero ingeneroso da parte vostra vivere a Londra» disse.

«Ingeneroso?» Robert aggrottò la fronte. «Perché?»

«Perché così non abbiamo nessun vicino.» Lui continuava ad avere un'aria perplessa. A quanto pareva, non aveva un gran senso dell'umorismo. Lizzie spiegò: «Quando voi siete via, non c'è anima viva da qui a Edimburgo».

Alle sue spalle una voce disse: «A parte cento famiglie di minatori e vari villaggi di fittavoli».

«Ha capito benissimo cosa voglio dire» replicò lei, voltandosi. L'uomo che aveva parlato le era sconosciuto. Con la franchezza abituale, gli chiese: «E poi, lei chi è?».

«Jay Jamisson» rispose lui inchinandosi. «Il fratello intelligente di Robert. Come ha potuto dimenticarlo?»

«Oh!» Lizzie aveva sentito dire che era arrivato la sera prima, piuttosto tardi, ma non l'aveva riconosciuto. Cinque anni prima era molto più basso, coi foruncoli sulla fronte e pochi peli biondi sul mento. Adesso era più bello. Ma cinque anni prima non era intelligente, e dubitava che in questo fosse cambiato. «Mi ricordo di lei» rispose. «Riconosco la sua presunzione.»

Jay fece una smorfia. «Avrei dovuto avere davanti l'esempio della sua umiltà e discrezione da imitare, signorina Hallim.»

Robert intervenne: «Ciao, Jay. Benvenuto a Jamisson Castle».

Jay si rabbuiò di colpo. «Smettila con quelle arie da padrone, Robert. Anche se sei il primogenito, non hai ancora ereditato questo posto.»

Lizzie si intromise: «Auguri per il compleanno».

«Grazie.»

«È oggi?»

«Sì.»

Spazientito, Robert chiese: «Vieni in chiesa a cavallo con noi?».

Lizzie vide un lampo d'odio negli occhi di Jay, ma la voce rimase neutra. «Sì, ho detto di sellarmi un cavallo.»

«È meglio andare.» Robert si girò verso la scuderia e alzò la voce: «Sbrigatevi, là dentro!».

«È tutto pronto, signore» gridò uno stalliere. Dopo un momento, furono condotti fuori tre cavalli: un robusto pony nero, una femmina baia chiara e un castrone grigio.

Jay commentò: «Immagino che siano stati noleggiati da qualche mercante di cavalli di Edimburgo». Il tono era critico, ma si avvicinò al castrone e gli accarezzò il collo, lasciando che gli strusciasse il muso contro la giacca blu. Lizzie notò che si trovava a suo agio coi cavalli e li amava.

Lei montò sul pony all'amazzone e uscì al trotto dallo spiazzo. I due fratelli la seguirono, Jay sul castrone e Robert sulla femmina. Il vento gettava il nevischio negli occhi di Lizzie e la neve rendeva infida la strada perché nascondeva buche profonde più di un piede che facevano incespicare i cavalli. Lizzie propose: «Passiamo dal bosco. È più riparato e il terreno è meno irregolare». Non attese il consenso degli altri due, ma spinse il cavallo fuori dalla strada, in mezzo agli alberi dell'antica foresta.

Sotto i pini altissimi il terreno era libero da cespugli. I rivoletti e i tratti acquitrinosi erano ghiacciati e il suolo era impolverato di bianco. Lizzie lanciò il pony al piccolo galoppo. Dopo un momento il castrone grigio la superò. Alzò gli occhi e vide un sorriso di sfida sul volto di Jay: voleva gareggiare. Con un grido d'incitamento, Lizzie lanciò il pony che si avventò pronto.

Sfrecciarono fra gli alberi, schivando i rami bassi e scavalcando i tronchi caduti, e attraversarono i ruscelli fra gli spruzzi. Il cavallo di Jay era più grande e sarebbe stato più veloce nel galoppo, ma le gambe corte e la struttura agile del pony erano più adatte al terreno e a poco a poco Lizzie si portò in testa. Quando non sentì più il cavallo di Jay rallentò e fece fermare Jock in una radura.

Jay la raggiunse presto, ma di Robert non c'era traccia. Lizzie immaginò che avesse troppo buon senso per rischiare il collo in una corsa priva di scopo. Proseguì al passo al fianco di Jay per riprendere fiato. Dai corpi dei cavalli saliva un piacevole tepore che riscaldava i cavalieri. «Mi piacerebbe gareggiare con lei in rettilineo» dichiarò Jay ansimando.

«Se montassi a cavalcioni la batterei» disse Lizzie.

Jay la guardò un po' scandalizzato. Tutte le donne bene educate cavalcavano all'amazzone, era volgare montare a cavalcioni. Lizzie la considerava un'idea sciocca, e quando era sola cavalcava come un uomo.

Studiò Jay con la coda dell'occhio. Sua madre Alicia, seconda moglie di Sir George, era una bionda bellezza seducente e simpatica, e Jay aveva gli stessi occhi azzurri e lo stesso sorriso attraente. «Cosa fa a Londra?» gli chiese.

«Sono nel Terzo Reggimento delle Guardie a Piedi» rispose con orgoglio, e aggiunse: «Sono appena stato promosso capitano».

«Bene, capitano Jamisson, e cos'avete da fare voi valorosi militari?» chiese Lizzie in tono ironico. «C'è la guerra a Londra in questo momento? Qualche nemico da uccidere?»

«C'è parecchio da fare per tenere sotto controllo la marmaglia.»

Lizzie ricordò all'improvviso che Jay era stato un ragazzino meschino e prepotente, e si chiese se il suo lavoro gli piaceva. «E come la tenete sotto controllo?» domandò.

«Per esempio scortiamo i condannati alla forca e facciamo in modo che non vengano salvati dai loro compari prima che il boia abbia fatto il suo dovere.»

«Allora passa il tempo ad ammazzare gli inglesi, da vero eroe scozzese.»

Sembrava che le sue punzecchiature non lo irritassero «Un giorno spero di dare le dimissioni e trasferirmi all'estero.»

«Oh... Perché?»

«Nessuno prende sul serio un figlio cadetto, in questo paese» rispose lui. «Perfino i servitori ci pensano due volte, quando do un ordine.»

«E crede che altrove sarebbe diverso?»

«Nelle colonie è tutto diverso. Ho letto molti libri sull'argomento. La gente è più libera e disinvolta. Là ti accettano per ciò che sei.»

«Cosa vorrebbe fare?»

«La mia famiglia ha una piantagione di canna da zucchero a Barbados. Spero che mio padre me la regali per il ventunesimo compleanno... che sia la mia parte, diciamo così.»

Lizzie lo invidiò. «Fortunato» disse. «Niente mi piacerebbe di più che andare in un altro paese. Dev'essere eccitante.»

«La vita è dura, laggiù» commentò Jay. «Sentirebbe la mancanza delle comodità della patria... i negozi, l'opera, la moda francese e così via.»

«A me non interessano affatto» replicò lei in tono sprezzante. «Detesto questi abiti.» Indossava una gonna con crinolina e un corsetto attillato. «Mi piacerebbe vestirmi come un uomo: pantaloni, camicia e stivali da equitazione.»

Jay rise. «Forse sarebbe un po' troppo perfino a Barbados.»

Lizzie stava pensando: "Ecco, se Robert mi portasse a Barbados, lo sposerei subito".

«E ci sono gli schiavi che fanno tutto il lavoro» aggiunse Jay.

Uscirono dalla foresta a poche centinaia di metri dal ponte. Al di là del piccolo fiume, i minatori stavano entrando in chiesa.

Lizzie pensava ancora a Barbados. «Dev'essere molto strano possedere schiavi e poterne fare tutto quello che si vuole, come se fossero bestie» commentò. «Non le fa effetto?»

«Per niente» rispose Jay con un sorriso.

3

La piccola chiesa era stipata. I Jamisson e i loro ospiti occupavano gran parte dello spazio, le signore con le gonne ampie e gli uomini con spada e tricorno. I minatori e i fittavoli, i fedeli di tutte le domeniche, avevano lasciato una certa distanza tra loro e i nuovi venuti, come se temessero di toccare gli abiti eleganti e di sporcarli di polvere e letame.

Mack aveva usato toni di sfida con Esther, ma adesso era preoccupato. I padroni delle miniere avevano il diritto di frustare i minatori, e per giunta Sir George era un magistrato, quindi poteva far impiccare chi voleva senza che nessuno osasse contraddirlo. Era una pazzia, da parte sua, rischiare di incorrere nella collera di un personaggio tanto potente.

Ma la legge è la legge. Mack e gli altri minatori erano trattati in modo ingiusto e illegale, e ogni volta che ci pensava provava una tale rabbia che avrebbe voluto gridare dai tetti ciò che aveva saputo. Non poteva diffondere la notizia clandestinamente, come se potesse non essere del tutto vera. Doveva comportarsi con fermezza, o fare marcia indietro.

Per un momento pensò di fare marcia indietro. Perché suscitare un vespaio? Poi cominciò l'inno e i minatori cantarono e riempirono la chiesa con le loro voci. Mack udiva dietro di sé la svettante voce tenorile di Jimmy Lee, il miglior cantore del villaggio. L'inno gli ricordava l'High

Glen e il sogno di libertà. Si impose di tenere i nervi a posto e decise di andare fino in fondo.

Il pastore, il reverendo John York, era un quarantenne dai modi blandi e i capelli già radi. Parlava con esitazione, intimidito dallo sfarzo dei visitatori. Il suo sermone aveva per tema la Verità. Come avrebbe reagito quando Mack avesse letto la lettera? L'istinto gli avrebbe suggerito di schierarsi dalla parte del padrone della miniera. Probabilmente dopo la funzione religiosa sarebbe andato a pranzo al castello. Ma era un ecclesiastico e aveva il dovere di difendere la giustizia, indipendentemente dalle reazioni di Sir George... o no?

I muri di pietra della chiesa erano nudi. Non c'erano fuochi accesi, naturalmente, e l'alito di Mack formava nuvolette nell'aria fredda. Studiò il gruppo arrivato dal castello, e riconobbe quasi tutti i Jamisson. Quando lui era ragazzino, passavano molto tempo a Heugh. Sir George era inconfondibile, con la faccia rossa e la pancia prominente. La moglie, al suo fianco, indossava un lezioso abito rosa che forse sarebbe stato bene a una donna più giovane. C'era Robert, il primogenito, con gli occhi duri e l'aria cupa, che a ventisei anni cominciava già ad avere la pancia come il padre. Accanto a lui c'era un bel giovane biondo all'incirca dell'età di Mack: doveva essere Jay, il figlio minore. Un'estate, quando aveva sei anni, Mack aveva giocato ogni giorno con Jay nei boschi intorno a Jamisson Castle, ed entrambi avevano creduto che sarebbero rimasti amici per tutta la vita. Ma l'inverno seguente Mack aveva cominciato a lavorare nel pozzo e non aveva più avuto tempo per giocare.

Riconobbe qualcuno degli ospiti dei Jamisson: Lady Hallim e sua figlia Lizzie erano facce familiari. Da molto tempo Lizzie causava sensazione e scandalo nella valle. La gente diceva che andava in giro vestita da uomo e con un fucile in spalla. Era capace di regalare i suoi stivali a un bambino scalzo e di rimproverarne la madre perché non puliva bene il gradino davanti alla sua porta. Mack non la vedeva da anni. La tenuta degli Hallim aveva una chiesa, perciò non venivano lì tutte le domeniche, ma solo quando i Jamisson erano al castello. Mack ricordava l'ultima volta che l'aveva vista: lei aveva più o meno quindici anni ed era vestita come una vera signora, ma tirava sassi agli scoiattoli come un ragazzaccio.

La madre di Mack, un tempo, era stata cameriera all'High Glen House, la residenza degli Hallim, e dopo il matrimonio c'era tornata diverse volte, la domenica pomeriggio, per rivedere i vecchi amici e mostrare con orgoglio i figli gemelli. Durante quelle visite Esther e Mack avevano giocato talvolta con Lizzie, probabilmente all'insaputa di Lady Hallim. Lizzie era una streghetta, prepotente, egoista e viziata. Una volta Mack l'aveva baciata e lei gli aveva tirato i capelli fino a farlo piangere. A quanto pareva, non era cambiata molto. Aveva un visino da folletto, capelli bruni ricci e occhi scurissimi e maliziosi. La bocca sembrava un arco roseo. Mentre la guardava, Mack pensò: "Mi piacerebbe baciarla adesso". Nell'attimo in cui formulò quel pensiero, lei lo guardò negli occhi: allora lui distolse lo sguardo, imbarazzato, come se gli avesse letto nella mente.

Il sermone terminò. Oltre alla solita funzione presbiteriana, quel giorno doveva esserci anche un battesimo. Jen, la cugina di Mack, aveva dato alla luce il quarto figlio. Il maggiore, Wullie, lavorava già in miniera. Mack aveva deciso che il momento più appropriato per dare l'annuncio sarebbe stato durante il battesimo. Via via che quel momento si avvicinava, gli crebbe una sensazione di vuoto nello stomaco. Poi si disse che non doveva comportarsi da sciocco: rischiava la vita ogni giorno in miniera... perché doveva innervosirlo tanto la prospettiva di sfidare un grasso mercante?

Jen stava accanto al fonte battesimale e appariva affaticata. Non aveva che trent'anni, ma aveva partorito quattro figli, lavorava nel pozzo da ventitré anni ed era esausta. Il signor York spruzzò l'acqua sulla testa del bambino.

Poi suo marito Saul ripeté la formula che trasformava in uno schiavo ogni figlio dei minatori scozzesi. «Impegno questo piccolo a lavorare nelle miniere di Sir George Jamisson, da bambino e da uomo, finché potrà farlo o finché morirà.»

Era il momento scelto da Mack.

Si alzò in piedi.

A quel punto della cerimonia il sovrintendente Harry Ratchett avrebbe dovuto accostarsi al fonte e consegnare a Saul il pagamento tradizionale per aver impegnato il figlio, una borsa con dieci sterline detta "arles". Ma con grande sorpresa di Mack, Sir George si levò in piedi per compiere di persona il rituale.

Mentre si alzava, i suoi occhi incontrarono quelli di Mack.

Per un momento i due uomini rimasero a fissarsi.

Poi Sir George si avviò verso il fonte.

Mack si portò nella corsia centrale della chiesetta e disse a voce alta: «Il pagamento dell'arles non è giustificato».

Sir George si fermò di colpo e tutti girarono la testa verso Mack. Vi fu un silenzio scandalizzato. Mack sentiva il battito violento del proprio cuore.

«Questa cerimonia non ha nessun valore» dichiarò. «Il bambino non può essere impegnato a lavorare nella miniera. Un bambino non può essere ridotto in schiavitù.»

Sir George disse: «Siedi, giovane sciocco, e chiudi la bocca».

La risposta sprezzante incollerì Mack al punto da far svanire tutti i suoi dubbi. «Sieda lei, invece» replicò senza riflettere, e i fedeli si lasciarono sfuggire esclamazioni soffocate di fronte a tanta insolenza. Mack puntò l'indice contro il signor York. «Pastore, nel suo sermone ha parlato della verità... adesso è pronto a difenderla?»

L'ecclesiastico lo guardò, preoccupato. «Cos'è questa storia, McAsh?»

«Schiavitù!»

«Conosci la legge scozzese» disse York in tono ragionevole. «I minatori di carbone sono proprietà del padrone della miniera. Quando un uomo ha lavorato per un anno e un giorno, perde la libertà.»

«Sì» disse Mack. «È mostruoso, ma è la legge. Tuttavia, affermo che la legge non riduce in schiavitù i bambini, e posso provarlo.»

Saul intervenne. «Abbiamo bisogno di quei soldi, Mack!» protestò.

«Prendili» rispose Mack. «Tuo figlio lavorerà per Sir George fino ai ventun anni, e questo vale dieci sterline. Ma...» e alzò la voce. «Ma quando diventerà maggiorenne, sarà libero!»

«Ti consiglio di tenere a freno la lingua» intervenne minaccioso Sir George. «I tuoi sono discorsi pericolosi.»

«Ma sto dicendo la verità» proseguì Mack ostinato.

Sir George diventò paonazzo. Non era abituato a essere sfidato con tanta tenacia. «Mi occuperò di te alla fine della funzione» rispose. Consegnò la borsa a Saul, quindi si rivolse al pastore e disse: «Per favore continui, signor York».

Mack era sbalordito. Non potevano continuare come se niente fosse.

Il pastore disse: «Cantiamo l'inno finale».

Sir George tornò al suo posto. Mack rimase in piedi. Non riusciva a credere che fosse tutto finito.

Il pastore proseguì: «Il secondo salmo: "Perché le genti congiurano, perché invano cospirano i popoli?".»

Alle spalle di Mack una voce disse: «No, no... non ancora».

Si voltò e vide Jimmy Lee, il giovane minatore con la meravigliosa voce tenorile. Era già fuggito una volta e per punizione portava un collare di ferro con la scritta *Quest'uomo è proprietà di Sir George Jamisson di Fife*. Grazie a Dio c'era Jimmy, pensò Mack.

«Non puoi fermarti proprio adesso» disse Jimmy. «La settimana prossima compirò ventun anni. Se ho il diritto di essere libero, voglio saperlo.»

Mamma Lee, la madre di Jimmy, aggiunse: «Vogliamo

saperlo tutti». Era una vecchia caparbia e sdentata, molto rispettata nel villaggio, e la sua opinione era influente. Altri, uomini e donne, si dichiararono d'accordo con lei.

«Non sarai libero» disse con voce stridula Sir George, e tornò ad alzarsi.

Esther tirò il gemello per la manica. «La lettera!» sibilò «Mostragli la lettera!»

Nell'agitazione del momento, Mack l'aveva dimenticata. «La legge dice che le cose stanno diversamente, Sir George» gridò sventolando il foglio.

York chiese: «Cos'è quel foglio, McAsh?».

«È la lettera di un avvocato di Londra che ho consultato.»

Sir George era così indignato che sembrava sul punto di scoppiare. Era un sollievo per Mack che fossero separati da diverse file di banchi, altrimenti il padrone lo avrebbe preso per la gola. «Tu hai consultato un avvocato?» balbettò Sembrava che questo lo offendesse più di tutto il resto.

York chiese: «Cosa dice la lettera?».

«La leggo» rispose Mack. «"La cerimonia dell'arles non ha alcun fondamento nel diritto inglese o scozzese."» Dai fedeli si levò un brusio di commenti sorpresi: quelle parole contraddicevano tutto ciò in cui gli avevano insegnato a credere. «"I genitori non possono vendere ciò che non appartiene loro, vale a dire la libertà di un uomo adulto Possono costringere il figlio a lavorare in miniera fino a quando compirà i ventun anni, però..."» Mack fece una pausa teatrale e lesse il resto, più lentamente: «"... però allora sarà libero di andarsene!"».

All'improvviso, tutti avevano qualcosa da dire. Ci fu un gran chiasso quando un centinaio di persone si mise a parlare, gridare, domandare, prorompere in esclamazioni. Circa la metà degli uomini presenti erano stati impegnati alla nascita e di conseguenza si erano sempre considerati schiavi. Ora si sentivano dire che erano stati ingannati e volevano sapere la verità.

Mack alzò una mano per chiedere silenzio e quasi subito tutti ammutolirono. Per un istante si meravigliò del proprio potere. «Lasciate che vi legga un'altra frase» disse. «"Quando un uomo diventa adulto, la legge vale per lui come vale per chiunque altro in Scozia: dopo aver lavorato da adulto per un anno e un giorno, perde la libertà."»

Si levarono borbottii di rabbia e delusione. Gli uomini si rendevano conto che non era una rivoluzione: in maggioranza non erano più liberi di quanto lo fossero prima. Però i loro figli potevano salvarsi.

York disse: «Fammi vedere quella lettera, McAsh».

Mack si fece avanti e gliela consegnò.

Ancora paonazzo per la collera, Sir George intervenne: «Chi è questo cosiddetto avvocato?».

«Caspar Gordonson» rispose Mack.

«Oh, sì» fece York. «Ne ho sentito parlare.»

«Anch'io» commentò Sir George in tono sprezzante. «Un radicale fatto e finito! È un alleato di John Wilkes.» Tutti conoscevano il nome di Wilkes: era il famoso leader liberale che viveva in esilio a Parigi e minacciava continuamente di tornare per scalzare il governo. Sir George continuò: «Gordonson finirà impiccato, se potrò fare qualcosa. La lettera è un atto di tradimento».

Il pastore rimase sconvolto nel sentir parlare di impiccagioni. «Non credo che sia tradimento...»

«È meglio che si occupi del regno dei cieli» lo interruppe brusco Sir George. «E lasci agli uomini di mondo il compito di decidere cosa è tradimento e cosa non lo è.» E strappò la lettera dalla mano di York.

Scossi dal brutale rimprovero rivolto al pastore, i fedeli tacquero e attesero la sua reazione. York sostenne lo sguardo di Jamisson, e per un momento Mack ebbe la certezza che l'avrebbe sfidato. Ma poi York abbassò gli occhi e Jamisson assunse un'espressione trionfante. Tornò a sedersi. Era tutto finito.

Mack era indignato per la vigliaccheria del pastore. La chiesa avrebbe dovuto rappresentare l'autorità morale. Un pastore che prende ordini dal padrone è superfluo. Mack gli lanciò un'occhiata di aperto disprezzo e chiese in tono di derisione: «Dobbiamo rispettare la legge oppure no?».

Robert Jamisson si alzò, furioso quanto suo padre. «Rispetterete la legge e il vostro padrone vi dirà qual è.»

«Allora è come se la legge non esistesse» ribatté Mack.

«Meglio così, per quel che ti riguarda» rispose Robert. «Sei un minatore. Cosa vuoi fartene della legge? Quanto all'idea di scrivere agli avvocati...» Prese la lettera dalle mani del padre. «Ecco cosa ne penso io.» E strappò in due il foglio.

I minatori si lasciarono sfuggire un grido soffocato. Su quella carta stava scritto il loro futuro, e Robert Jamisson l'aveva fatta a pezzi.

Robert strappò la lettera in frammenti minuti e li lanciò in aria. Dopo un attimo ricaddero su Saul e Jen come coriandoli a un matrimonio.

Mack era angosciato come se fosse morto qualcuno. La lettera era la cosa più importante che gli fosse mai accaduta. Aveva pensato di mostrarla a tutti nel villaggio, aveva immaginato di portarla ad altre miniere di altri villaggi, fino a informare tutta la Scozia. E Robert l'aveva distrutta in pochi secondi.

Nel vedere la sua espressione sconfitta, Robert sorrise trionfante e Mack si infuriò. Non si sarebbe lasciato schiacciare tanto facilmente. La collera lo rese temerario. Non sono ancora finito, pensò. La lettera non c'era più, ma la legge non era cambiata. «Vedo che ha tanta paura da distruggere la lettera» commentò, e si sorprese nel sentire nella propria voce una sfumatura di sferzante disprezzo. «Ma non può strappare la legge di questa terra: è scritta su una carta che non si fa a pezzi con altrettanta facilità.»

Robert, sbalordito, esitò. Non sapeva come rispondere a tanta acutezza. Dopo un momento ordinò in tono rabbioso: «Vattene».

Mack guardò il pastore, e i Jamisson fecero altrettanto. Un laico non aveva il diritto di ordinare a un fedele di uscire da una chiesa. Il signor York avrebbe piegato la testa e permesso al figlio del padrone di buttar fuori qualcuno che apparteneva al suo gregge? «Questa è la casa di Dio o di Sir George Jamisson?» chiese Mack.

Era un momento decisivo, ma York non era all'altezza. Con l'aria di vergognarsi, rispose: «È meglio che te ne vada, McAsh».

Mack non seppe rinunciare a replicare, pur sapendo che era un'imprudenza. «Grazie per il suo bel sermone sulla verità, pastore» disse. «Non lo dimenticherò mai.»

Si voltò. Esther si alzò in piedi e gli fu a fianco. Quando si avviarono lungo la corsia, Jimmy Lee si alzò a sua volta e li seguì. Si alzarono altri due o tre, poi lo fece anche Mamma Lee, e l'esodo divenne generale. Con un sonoro scalpiccio di stivali e un fruscio di abiti femminili, i minatori lasciarono i loro posti seguiti dai familiari. Quando arrivò alla porta, Mack si accorse che tutti i minatori presenti stavano uscendo con lui, e un senso di cameratismo e di trionfo gli fece salire le lacrime agli occhi.

Si radunarono intorno a lui nel camposanto. Il vento era cessato ma adesso nevicava: i grossi fiocchi scendevano pigri sulle lapidi. «Non è giusto che abbia strappato la lettera» dichiarò sdegnato Jimmy.

Molti erano d'accordo con lui. «Scriveremo ancora» propose qualcuno.

Mack obiettò: «Forse non sarà facile far spedire la lettera per la seconda volta». Ma non pensava veramente a quei dettagli. Aveva il respiro affrettato e si sentiva esausto ed euforico, come se avesse salito correndo il pendio dell'High Glen.

«La legge è la legge!» affermò un minatore.

«Sì, ma il padrone è il padrone» commentò un altro, più cauto.

Dopo essersi calmato, Mack cominciò a domandarsi cosa aveva ottenuto. Aveva messo tutti in agitazione, ma questo non avrebbe cambiato lo stato delle cose. I Jamisson avevano rifiutato recisamente di riconoscere la legge. Se non cedevano, cosa potevano fare i minatori? Serviva a qualcosa battersi per la giustizia? Non era meglio inchinarsi al padrone e sperare di prendere un giorno il posto di sovrintendente che adesso era di Harry Ratchett?

Una figuretta avvolta in una pelliccia nera uscì dal portico della chiesa come un segugio appena sguinzagliato. Era Lizzie Hallim, e puntò diritta verso Mack. I minatori si affrettarono a lasciarla passare.

Mack la fissò. Quando era calma era già graziosa, ma ora che il suo volto era animato dall'indignazione, era incantevole. Con gli occhi neri che lanciavano fiamme, chiese: «Chi ti credi di essere?».

«Sono Malachi McAsh...»

«Conosco il tuo nome» replicò lei. «Come hai osato parlare in quel modo al padrone e a suo figlio?»

«E loro, come osano tenerci in schiavitù quando la legge dice che non possono?»

Dai minatori si levò un mormorio di consenso.

Lizzie si guardò intorno. I fiocchi di neve si attaccavano al mantello di pelliccia. Uno le si posò sul naso e lei lo scrollò via con un gesto spazientito. «Siete fortunati ad avere un lavoro pagato» affermò. «Dovreste essere riconoscenti a Sir George perché fa funzionare le miniere e assicura alle vostre famiglie i mezzi per vivere.»

Mack replicò: «Se siamo tanto fortunati, perché hanno bisogno di leggi che ci impediscono di lasciare il villaggio e di cercare un altro lavoro?».

«Perché siete troppo sciocchi per capire quanto state bene!»

Mack trovava piacevole quel battibecco, e non soltanto perché gli permetteva di discutere con una bella aristocratica. Come avversaria era più abile e intelligente di Sir George e di Robert.

Abbassò la voce e adottò un tono interrogativo. «Signorina Hallim, è mai stata in una miniera di carbone?»

Mamma Lee sghignazzò sonoramente.

Lizzie rispose: «Non dire sciocchezze».

«Se un giorno ci andrà, le garantisco che non dirà più che siamo fortunati.»

«Ne ho abbastanza della tua insolenza» ribatté lei. «Dovrebbero frustarti.»

«Probabilmente lo faranno» disse Mack, ma non lo credeva. Non aveva mai visto minatori frustati, lì, ma suo padre aveva assistito a scene del genere.

Lizzie aveva il respiro affrettato, e Mack doveva compiere uno sforzo per non fissarle il seno. Lei disse: «Hai sempre una risposta per tutto. L'hai sempre avuta».

«Sì, ma lei non mi ha mai ascoltato.»

Sentì una violenta gomitata nel fianco. Era Esther, e voleva dirgli di essere prudente, ricordargli che non conveniva mai cercare di mostrarsi più furbi dei nobili. «Penseremo a quello che ci ha detto, signorina Hallim» disse Esther. «E grazie per il consiglio.»

Lizzie annuì con aria condiscendente. «Tu sei Esther, vero?»

«Sì, signorina.»

Lizzie si rivolse a Mack. «Dovresti dare ascolto a tua sorella. Ha più buon senso di te.»

«È la prima cosa vera che mi ha detto oggi.»

Esther sibilò: «Mack... chiudi il becco».

Lizzie sorrise. La sua arroganza svanì di colpo. Un sorriso le illuminò la faccia. Adesso sembrava un'altra persona, cordiale e allegra. «Non sentivo questa frase da molto tempo» commentò ridendo. Mack non seppe trattenersi dal ridere con lei.

Lizzie si voltò e si allontanò continuando a ridacchiare.

Mack la seguì con lo sguardo mentre tornava al portico della chiesa e raggiungeva i Jamisson che uscivano in quel momento. «Mio Dio» commentò scuotendo la testa. «Che donna!»

4

Lo scontro in chiesa aveva irritato Jay. Lo infuriava vedere la gente che non sapeva stare al suo posto. Per volere di Dio e delle leggi del paese, Malachi McAsh doveva passare la vita estraendo il carbone in miniera e Jay Jamisson avere un'esistenza più piacevole. Era un sacrilegio lamentarsi dell'ordine naturale delle cose. E McAsh aveva un modo provocatorio di parlare, come se fosse eguale a chiunque, anche a un aristocratico.

Nelle colonie, invece, uno schiavo era uno schiavo, e non si poneva la questione di un anno e un giorno di lavoro, e tanto meno dei salari. Così dovevano andare le cose, secondo Jay. Nessuno avrebbe lavorato se non vi fosse stato costretto, ed era bene che la costrizione fosse spietata: era più efficace.

Mentre usciva dalla chiesa qualcuno dei fittavoli gli fece gli auguri per il ventunesimo compleanno, ma nessuno dei minatori gli rivolse la parola. Erano affollati in un angolo del camposanto e discutevano fra loro in toni sommessi e irosi. Jay era indignato perché gli avevano rovinato la festa.

Si avviò in fretta sotto la neve verso il palafreniere che teneva i cavalli. Robert era già lì, ma Lizzie no. Jay si guardò intorno cercandola. Aveva pregustato con piacere il ritorno a casa in sua compagnia. «Dov'è la signorina Elizabeth?» chiese al palafreniere.

«Vicino al portico, signor Jay.»

Jay la vide parlare animatamente col pastore.

Robert gli batté con forza l'indice sul petto. «Stammi a sentire, Jay... lascia in pace Elizabeth Hallim, hai capito?»

La sua faccia aveva un'espressione bellicosa. Era rischioso contrastarlo quando era di quell'umore. Ma la rabbia e la delusione diedero a Jay il coraggio necessario. «Cosa diavolo stai dicendo?» chiese in tono aggressivo.

«Non sei tu quello che la sposerà. Sono io.»

«Io non voglio sposarla.»

«Allora non farle la corte.»

Jay sapeva che Lizzie l'aveva trovato attraente e gli era piaciuto chiacchierare con lei, ma non aveva pensato di conquistare il suo cuore. Quando aveva quattordici anni e lei tredici, l'aveva giudicata la ragazza più bella del mondo e si era disperato perché non ricambiava il suo interesse... a dire il vero, non s'interessava a nessun ragazzo. Ma era passato molto tempo. Suo padre voleva che Robert la sposasse, e né Jay né altri, in famiglia, si sarebbero opposti alla sua volontà. Perciò era sorprendente che Robert si lamentasse. Dimostrava che era insicuro, e Robert, come suo padre, raramente era insicuro di se stesso.

Era una soddisfazione rara, per Jay, vedere il fratello preoccuparsi. «Di cosa hai paura?» gli chiese.

«Hai capito benissimo. Hai sempre rubato ciò che era mio fin da quando eravamo bambini: i giocattoli, i vestiti, tutto.»

Un risentimento di antica data spinse Jay a rispondere: «Perché tu avevi sempre quello che volevi, e io non avevo niente».

«Sciocchezze.»

«Comunque la signorina Hallim è ospite in casa nostra» tagliò corto Jay in tono più ragionevole. «Non posso ignorarla, ti pare?»

Robert strinse le labbra in una smorfia ostinata. «Vuoi che ne parli con nostro padre?»

Queste parole magiche avevano posto fine a tante dispute infantili. I due fratelli sapevano che il padre avrebbe dato sempre ragione a Robert. Una ben nota amarezza strinse la gola di Jay. «D'accordo, Robert» dichiarò. «Cercherò di non interferire con il tuo corteggiamento.»

Balzò a cavallo e si allontanò al trotto, lasciando a Robert il compito di scortare Lizzie al castello.

Jamisson Castle era una fortezza di pietra grigio scuro con torrette e bastioni, e aveva l'aspetto imponente e minaccioso di molte dimore di campagna scozzesi. Era stato costruito settant'anni prima, quando il primo pozzo di carbone della valle aveva cominciato a portare ricchezza al padrone.

Sir George aveva ereditato la proprietà da un cugino della prima moglie. Quando Jay era bambino, suo padre era sempre stato ossessionato dal carbone. Aveva impegnato tutto il tempo e il denaro per aprire nuovi pozzi, trascurando di apportare migliorie al castello.

Jay vi aveva trascorso l'infanzia, tuttavia non gli piaceva. Le enormi stanze tutte spifferi del piano terreno – il salone, la sala da pranzo, il salotto, la cucina e lo stanzone della servitù – erano disposte intorno a un cortile centrale con una fontana che era gelata da ottobre a maggio. Era un posto impossibile da riscaldare. I grandi camini accesi in ogni camera da letto bruciavano quantità notevoli del carbone della miniera, ma non servivano a mitigare l'aria gelida delle camere dai pavimenti di pietra, e i corridoi erano così freddi che bisognava indossare il mantello per andare da una stanza all'altra.

Dieci anni prima la famiglia si era trasferita a Londra lasciando poco personale per badare al castello e tenere d'occhio la selvaggina. Per qualche tempo erano tornati ogni anno: portavano con sé invitati e servitori, prendevano a nolo a Edimburgo i cavalli e una carrozza, assumevano le mogli dei fittavoli perché lavassero i pavimenti, tenessero accesi i fuochi e vuotassero i vasi da notte. Ma con l'andare del tempo Sir George era diventato sempre più restio a lasciare la sua attività, e le visite si erano diradate.

Il ritorno alle vecchie usanze non entusiasmava Jay. Ma Lizzie Hallim era una sorpresa piacevole, e non solo perché gli offriva la possibilità di tormentare il privilegiato fratello maggiore.

Raggiunse le scuderie e smontò. Accarezzò il collo del castrone. «Non è fatto per le corse a ostacoli, ma si comporta bene» disse allo stalliere porgendogli le redini. «Sarei felice di averlo nel mio reggimento.»

Lo stalliere sorrise. «Grazie, signore» rispose compiaciuto.

Jay andò nel salone, grande e tetro e con angoli in ombra dove la luce delle candele non riusciva a penetrare Un levriero scozzese era sdraiato su un vecchio tappeto di pelliccia davanti al fuoco di carbone. Jay lo urtò con la punta del piede per farlo spostare e si avvicinò per scaldarsi le mani.

Sopra il camino c'era il ritratto della prima moglie di suo padre, la madre di Robert, Olive. Jay odiava quel quadro. La donna aveva un'aria solenne e virtuosa, e guardava dall'alto in basso tutti coloro che erano venuti dopo di lei. Quando era morta all'improvviso di febbri a ventinove anni, Sir George si era risposato, ma non aveva mai dimenticato il primo amore. Trattava la madre di Jay, Alicia, come una mantenuta, un giocattolo privo di posizione sociale e di diritti, e faceva sì che Jay si sentisse quasi un figlio illegittimo. Robert, il primogenito, l'erede, era il prediletto: a volte Jay avrebbe voluto chiedere se era nato per immacolata concezione.

Voltò le spalle al ritratto. Un valletto gli portò un calice di vin brûlé e Jay lo sorseggiò con piacere. Forse sarebbe servito ad allentare la tensione allo stomaco. Quel giorno suo padre avrebbe annunciato quale sarebbe stata la sua parte del patrimonio di famiglia.

Sapeva che non ne avrebbe avuto la metà, e neppure un decimo. Robert avrebbe ereditato la tenuta con le ricche miniere, e la flotta di navi che già dirigeva. Sua madre gli aveva consigliato di non discutere sull'argomento: sapeva che suo padre era irremovibile.

Robert non era soltanto il prediletto. Era tutto suo padre. Jay era diverso, e per questo il padre lo disprezzava. Robert era astuto, spietato, avaro. Jay era spensierato e spendaccione. Sir George detestava coloro che sperperavano il denaro, soprattutto il suo. Più di una volta gli aveva gridato: «Io sudo sangue per guadagnare il denaro che tu butti al vento!».

Jay aveva peggiorato le cose pochi mesi prima con un debito di gioco enorme, novecento sterline. Aveva convinto la madre a chiedere al padre di pagare. Era un patrimonio che sarebbe bastato per comprare Jamisson Castle, ma Sir George avrebbe potuto permetterselo. Invece aveva reagito come se gli avessero amputato una gamba. Da allora Jay aveva perso ancora al gioco, ma il padre non lo sapeva.

Non contrastare tuo padre, gli aveva suggerito la madre. Chiedi qualcosa di modesto. Spesso i figli cadetti si trasferivano nelle colonie: c'erano buone probabilità che il padre gli regalasse la piantagione di canna da zucchero di Barbados, con la casa padronale e gli schiavi africani. Jay e la madre ne avevano parlato con Sir George, che non aveva risposto sì ma non aveva neppure detto no, e adesso Jay aveva grandi speranze.

Suo padre entrò dopo qualche minuto e batté i piedi per scrollare la neve dagli stivali. Un valletto lo aiutò a togliersi il mantello. «Manda un messaggio a Ratchett» gli ordinò Sir George. «Voglio che due uomini stiano di guardia al ponte ventiquattr'ore al giorno. Se McAsh cerca di andarsene, devono catturarlo.»

Sul fiume c'era un solo ponte, ma dalla valle si poteva uscire anche per un'altra strada. Jay disse: «E se McAsh passa dalla montagna?».

«Con questo tempo? Può tentare. Non appena sapremo che è fuggito, manderemo una squadra lungo la strada e faremo in modo che lo sceriffo e un gruppo di soldati lo aspettino dall'altra parte. Ma dubito che ce la farà a passare.»

Jay non ne era sicuro: i minatori erano resistenti come i cervi, e McAsh era ostinato. Ma preferì non contraddire il padre.

Poi arrivò Lady Hallim. Aveva gli occhi e i capelli scuri come la figlia, ma non la sua focosa vivacità. Era piuttosto grassa e la faccia carnosa era incisa da rughe di disapprovazione. «Dia a me il mantello» le propose Jay, e l'aiutò a liberarsi della pesante pelliccia. «Si avvicini al fuoco. Ha le mani fredde. Gradisce un po' di vin brûlé?»

«Com'è gentile, Jay» esclamò lei. «Sì, con piacere.»

Entrarono anche gli altri che erano stati in chiesa. Si strofinavano le mani per scaldarle e lasciavano cadere fiocchi di neve sul pavimento. Robert stava alle costole di Lizzie e non smetteva di parlare, passando da una banalità all'altra come se si fosse preparato un elenco. Sir George cominciò a discutere d'affari con Henry Drome, un mercante di Glasgow parente della prima moglie, Olive; e la madre di Jay si mise a parlare con Lady Hallim. Il pastore e la moglie non erano venuti: forse erano irritati per lo scontro in chiesa. C'erano altri ospiti, quasi tutti parenti: la sorella di Sir George col marito, il fratello minore di Alicia con la moglie, e un paio di vicini. Quasi tutti parlavano di Malachi McAsh e della sua stupida lettera.

Dopo un po' la voce di Lizzie si levò sulle altre, e uno a uno i presenti si voltarono per ascoltarla. «Perché no?» stava dicendo. «Voglio vedere coi miei occhi.»

Robert dichiarò in tono solenne: «Una miniera di carbone non è posto per una signora, mi creda».

«Cos'è questa storia?» chiese Sir George. «La signorina Hallim vorrebbe scendere in un pozzo?»

«Mi sembra giusto vedere com'è» spiegò Lizzie.

Robert commentò: «A parte ogni altra considerazione, gli abiti femminili lo renderebbero quasi impossibile».

«Allora mi travestirò da uomo» ribatté lei.

Sir George ridacchiò. «Conosco certe ragazze che po

trebbero riuscirci» disse. «Ma lei, mia cara, è troppo graziosa.» Convinto di aver fatto un complimento spiritoso, si guardò intorno in cerca di approvazione. Gli altri risero doverosamente.

La madre di Jay sussurrò qualcosa sottovoce al marito. «Ah, sì» rispose lui. «Tutti hanno un bicchiere pieno?» Poi continuò, senza attendere la risposta: «Brindiamo alla salute del mio figlio minore, James Jamisson, chiamato Jay da tutti noi, in occasione del suo ventunesimo compleanno. A Jay!».

Tutti bevvero, poi le signore si ritirarono per prepararsi per il pranzo. Gli uomini cominciarono allora a parlare di affari. Henry Drome disse «Non mi piacciono le notizie che arrivano dall'America Potrebbe costarci cara».

Jay sapeva cosa voleva dire. Il governo inglese aveva imposto tasse su molte merci esportate dall'Inghilterra nelle colonie: tè, carta, vetro piombo, colori, e i coloni erano indignati.

Sir George esclamò, irritato: «Vogliono che l'esercito li difenda dai francesi e dai pellirosse, però non vogliono pagare le spese!».

«E non pagheranno, se potranno evitarlo» rincarò Drome. «Il consiglio municipale di Boston ha proclamato il boicottaggio di tutte le importazioni britanniche. Hanno rinunciato al tè, e hanno perfino deciso di ridurre al minimo le stoffe nere risparmiando sugli abiti da lutto!»

Robert disse: «Se le altre colonie seguiranno l'esempio del Massachusetts, metà delle nostre navi resteranno senza carichi da trasportare».

Sir George aggiunse: «I coloni sono un maledetto branco di banditi, ecco cosa sono... e i distillatori di rum di Boston sono i peggiori». Jay era sorpreso nel vederlo così esasperato: se si agitava tanto, il problema doveva costargli parecchio. «La legge impone di acquistare la melassa dalle piantagioni britanniche, ma quelli importano di contrabbando la melassa francese e così riducono i prezzi.»

«Per me, i virginiani sono anche peggio» disse Drome. «I piantatori di tabacco non pagano mai i debiti.»

«Come se non lo sapessi!» esclamò Sir George. «A me è appena capitato: un piantatore non ha pagato e mi ha lasciato in mano una piantagione fallita. Un posto che si chiama Mockjack Hall.»

Robert intervenne: «Grazie a Dio non si paga dogana per i deportati».

Ci fu un mormorio d'assenso generale. La parte più redditizia dell'attività armatoriale dei Jamisson consisteva nel trasporto dei condannati in America. Ogni anno i tribunali condannavano alla deportazione diverse centinaia di persone: era un'alternativa all'impiccagione per reati come il furto. Il governo pagava all'armatore cinque sterline a testa, e nove deportati su dieci attraversavano l'Atlantico a bordo delle navi dei Jamisson. Ma il compenso del governo non era l'unico modo per guadagnare. Arrivati a destinazione, i deportati erano obbligati a lavorare per sette anni senza paga, il che significava che potevano essere venduti come schiavi per la durata di sette anni. Gli uomini rendevano da dieci a quindici sterline, le donne otto o nove, i bambini meno. Con centotrenta o centoquaranta deportati ammassati nella stiva come pesci in un barile, Robert si assicurava con un solo viaggio un profitto di duemila sterline: il prezzo d'acquisto della nave. Era un commercio davvero redditizio.

«Sì» disse suo padre e vuotò il calice. «Ma finirebbe anche questo se i coloni la spuntassero.»

I coloni, infatti, se ne lamentavano senza tregua. Continuavano a comprare i deportati per la scarsità di manodopera a buon prezzo, ma erano risentiti perché la madrepatria scaricava su di loro quella marmaglia e accusavano i deportati dell'aumento della criminalità.

«Almeno le miniere di carbone sono affidabili» commentò Sir George. «Sono le sole cose su cui possiamo contare di questi tempi. Ecco perché è necessario schiacciare McAsh.»

Tutti avevano una loro opinione su McAsh, e cominciarono numerose discussioni. Ma sembrava che Sir George ne avesse abbastanza dell'argomento. Si rivolse a Robert e in tono scherzoso gli chiese: «E la ragazza Hallim, eh? È un gioiellino, se vuoi il mio parere».

«Elizabeth è molto vivace» rispose Robert con aria dubbiosa.

«È vero» rise suo padre. «Ricordo quando sparammo all'ultimo lupo in questa zona della Scozia, otto o dieci anni fa, e lei volle a tutti i costi allevare i cuccioli. Andava in giro con i due lupacchiotti al guinzaglio. Uno spettacolo da non credere! I guardacaccia erano scandalizzati, dicevano che sarebbero scappati e sarebbero diventati pericolosi... ma per fortuna morirono.»

«Potrebbe essere una moglie difficile» disse Robert.

«Non c'è niente di meglio di una cavalla focosa» lo contraddisse Sir George. «E poi, il marito ha sempre ragione. Potrebbe capitarti di peggio.» E abbassò la voce. «Lady Hallim ha in affidamento la tenuta fino a quando Elizabeth si sposerà. Dato che le proprietà di una donna appartengono al marito, passeranno allo sposo il giorno delle nozze.»

«Lo so» rispose Robert.

Jay non lo sapeva, ma non era sorpreso. Pochi uomini sarebbero stati contenti di lasciare in eredità a una donna un patrimonio importante.

Sir George continuò: «Dev'esserci un milione di tonnellate di carbone sotto l'High Glen... tutti i filoni vanno in quella direzione. La ragazza è seduta su una fortuna, se perdoni la volgarità» concluse ridendo.

Robert aveva l'abituale aria severa. «Non so se le piaccio.»

«Perché non dovresti? Sei giovane, diventerai ricco e quando morirò sarai baronetto. Cos'altro potrebbe volere una ragazza?»

«Amore?» azzardò Robert. Pronunciò la parola con disgusto, come se fosse una moneta sconosciuta offerta da un mercante straniero.

«L'amore è qualcosa che la signorina Hallim non si può permettere.»

«Non ne sarei così sicuro» obiettò Robert. «Lady Hallim vive di debiti da sempre, per quel che ricordo. Perché non potrebbe continuare in eterno?»

«Ti rivelerò un segreto» disse Sir George, e si guardò alle spalle per essere certo che nessuno lo ascoltasse. «Sai che ha ipotecato l'intera tenuta?»

«Lo sanno tutti.»

«Sì, ma io so che il suo creditore non è disposto a concederle un rinnovo.»

Robert replicò: «Senza dubbio potrebbe ottenere la somma da qualcun altro e saldare il debito».

«È probabile» disse Sir George. «Però lei non lo sa. E il suo consigliere finanziario non glielo dirà... mi sono assicurato che si guarderà bene dal farlo.»

Jay si chiese a quale promessa o minaccia era ricorso suo padre per corrompere il consigliere di Lady Hallim.

Sir George ridacchiò. «Quindi, Robert, come vedi la giovane Elizabeth non può permettersi il lusso di rifiutarti.»

In quel momento Henry Drome si staccò dal suo gruppo e raggiunse i tre Jamisson. «Prima che andiamo a pranzo, George, c'è qualcosa che devo chiederti. So di poter parlare liberamente di fronte ai tuoi figli.»

«Certo.»

«I problemi americani mi hanno inflitto un duro colpo... i piantatori non possono pagare i debiti e così via... temo di non poter adempiere le mie obbligazioni nei tuoi confronti, questo trimestre.»

Evidentemente Sir George aveva fatto un prestito a Henry. Di solito dimostrava una determinazione brutale nei confronti dei debitori: o pagavano o finivano in carcere. Questa volta, invece, disse: «Capisco, Henry. Sono tempi difficili. Mi pagherai quando potrai».

Jay rimase a bocca aperta, ma dopo un attimo capì perché suo padre era così generoso. Drome era parente di Olive, la madre di Robert, e di conseguenza Sir George aveva uno speciale riguardo per lui. Disgustato, si allontanò.

Tornarono le signore. La madre di Jay si sforzava di reprimere un sorriso come se fosse a conoscenza di un segreto divertente. Prima che potesse chiederle di cosa si trattava giunse un altro invitato, uno sconosciuto vestito di grigio come un ecclesiastico. Alicia gli parlò, poi lo condusse da Sir George. «Questo è il signor Cheshire» disse. «È venuto al posto del pastore.»

Il nuovo arrivato era un giovane con la faccia butterata, gli occhiali e un'antiquata parrucca a riccioli. Sir George e gli uomini anziani portavano ancora la parrucca, ma i giovani lo facevano di rado, e Jay non lo faceva mai. «Il reverendo signor York manda le sue scuse» disse il signor Cheshire.

«Non è il caso, non è il caso» rispose Sir George, e gli voltò le spalle. I giovani ecclesiastici privi d'importanza non lo interessavano.

Andarono a pranzo. Il profumo del cibo si mescolava al sentore di umidità che emanava dalle vecchie tende pesanti. Il lungo tavolo era carico di vivande: cacciagione, carne di bue, prosciutto, un intero salmone arrosto e una quantità di pasticci. Ma Jay mangiò pochissimo. Suo padre gli avrebbe regalato la proprietà di Barbados? E se no, che altro? Era difficile per lui starsene tranquillo a tavola e mangiare selvaggina quando stava per essere deciso il suo futuro.

In un certo senso, Jay conosceva pochissimo suo padre. Sebbene vivessero insieme, nella casa di famiglia in Grosvenor Square, Sir George era sempre nel magazzino della City assieme a Robert, mentre Jay trascorreva la giornata col suo reggimento. A volte s'incontravano fuggevolmen te a colazione, talvolta a cena, ma spesso Sir George cenava nel suo studio e intanto continuava a esaminare carte.

Jay non riusciva a immaginare cos'avrebbe fatto suo padre: perciò si gingillava col cibo e attendeva.

Il signor Cheshire si rivelò piuttosto imbarazzante. Ruttò rumorosamente due o tre volte e rovesciò il chiaretto, e Jay notò che fissava senza molto ritegno la scollatura della signora seduta accanto a lui.

Si erano messi a tavola alle tre, e quando le signore si ritirarono, il pomeriggio invernale stava già cedendo il posto alla sera. Non appena le signore uscirono, Sir George si assestò sulla sedia e scorreggiò come un vulcano. «Così va meglio» commentò.

Un servitore arrivò con una bottiglia di porto, una scatola di tabacco e un assortimento di pipe di coccio. Il giovane ecclesiastico ne riempì una e disse: «Lady Jamisson è una gran bella donna, Sir George, se mi è permesso dirlo. Davvero una gran bella donna».

Sembrava sbronzo, ma anche in quel caso era impossibile lasciar passare un commento del genere. Jay intervenne in difesa della madre: «Le sarò grato se non parlerà più di Lady Jamisson, signore» disse gelido.

L'ecclesiastico accese la pipa, aspirò il fumo e cominciò a tossire. Era evidente che non aveva mai fumato in vita sua. Con le lacrime agli occhi boccheggiò, sputacchiò e tossì di nuovo. I colpi di tosse lo squassarono al punto che la parrucca e gli occhiali caddero... e Jay si accorse subito che non era affatto un ecclesiastico.

Scoppiò in una risata e gli altri lo guardarono incuriositi. Non si erano ancora accorti di nulla. «Guardate!» esclamò. «Non vedete chi è?»

Robert fu il primo a capire. «Buon Dio, la signorina Hallim travestita!» esclamò.

Ci fu un momento di silenzio sbigottito. Poi Sir George scoppiò a ridere e gli altri, nel vedere che la prendeva come uno scherzo, risero a loro volta.

Lizzie bevve un po' d'acqua e tossì ancora. Mentre si riprendeva, Jay ammirò il travestimento. Gli occhiali avevano nascosto i vivaci occhi scuri e i riccioli della parrucca avevano mascherato in parte il profilo grazioso. Il colletto di lino bianco le ingrossava il collo e copriva la pelle liscia e delicata. Si era servita di un carboncino per far apparire butterato il viso e per disegnarsi sul mento qualche pelo, come la barba di un giovane che non si rade ancora ogni giorno. Nelle stanze semibuie del castello, nel tetro pomeriggio scozzese, nessuno l'aveva riconosciuta.

«Bene, ha dimostrato che può spacciarsi per un uomo» concluse Sir George quando Lizzie ebbe smesso di tossire. «Ma non può scendere comunque nella miniera. Vada a chiamare le altre signore, poi daremo a Jay il suo regalo di compleanno.»

Per qualche minuto Jay aveva dimenticato l'ansia, ma adesso lo riassalì.

S'incontrarono con le signore nel salone. La madre di Jay e Lizzie ridevano senza riuscire a fermarsi. Evidentemente Alicia era stata informata del segreto, e questo spiegava il suo sorriso misterioso prima di cena. La madre di Lizzie, invece, non ne aveva saputo nulla, e aveva un'aria gelida.

Sir George precedette gli altri oltre la porta d'ingresso. Era l'imbrunire e non nevicava più. «Ecco» disse. «Ecco il tuo regalo di compleanno.»

Davanti alla casa, uno stalliere teneva per le briglie il cavallo più bello che Jay avesse mai visto. Era uno stallone bianco di due anni dalle linee agili del purosangue arabo. La presenza della gente lo innervosiva, e scalpitava e scartava costringendo lo stalliere a tirare la briglia per tenerlo tranquillo. Aveva una luce selvaggia negli occhi, e Jay comprese che doveva correre come il vento.

Era immerso nell'ammirazione, ma la voce della madre affondò come un coltello nei suoi pensieri. «È tutto?»

Sir George disse: «Suvvia, Alicia, spero che non sarai così scortese da...».

«È tutto?» ripeté lei, e Jay vide il suo volto contratto in una maschera di rabbia.

«Sì» ammise Sir George.

Jay non aveva pensato che quello fosse ı regalo asse gnatogli al posto della proprietà di Barbados. Fissò i geni tori, colpito dalla rivelazione. Era così amareggiato che non riusciva a parlare.

Fu sua madre a parlare per lui. Non l'aveva mai vista tanto furiosa. «È tuo figlio!» esclamò con voce resa stridula dalla furia. «Ha ventun anni, ha diritto alla sua parte... e tu gli dai un cavallo?»

Gli ospiti assistevano, affascinati e inorriditi.

Sir George arrossì. «Nessuno mi ha regalato niente quando ho compiuto ventun anni!» ribatté in tono rabbioso. «Non ho mai ereditato neppure un paio di scarpe...»

«Oh, per amor del cielo!» sbottò Alicia in tono sprez zante. «Lo sappiamo tutti che tuo padre morì quando avevi quattordici anni, e che lavorasti in un mulino per mantenere le tue sorelle... ma non è un buon motivo per infliggere la povertà a tuo figlio, ti pare?»

«Povertà?» Sir George allargò le braccia per indicare il castello, la proprietà e il tenore di vita che li accompagnava. «Quale povertà?»

«Ha bisogno di essere indipendente... in nome di Dio, dagli la proprietà di Barbados!»

«Quella è mia!» protestò Robert.

Jay disserrò le mascelle e finalmente ritrovò la voce. «La piantagione non è mai stata amministrata come si deve» disse. «Pensavo di farla funzionare come un reggimento, di far lavorare di più i negri e renderla più redditizia.»

«Pensi davvero di riuscirci?» chiese Sir George.

Jay si sentì balzare il cuore nel petto. Forse suo padre avrebbe cambiato idea. «Certo!» dichiarò.

«Be', io no» lo contraddisse suo padre con asprezza.

Jay ebbe la sensazione di aver ricevuto un pugno nello stomaco.

«Non credo che tu sappia gestire una piantagione o qualsiasi altra attività» sibilò Sir George. «Credo che il tuo posto sia nell'esercito, dove ti dicono cosa devi fare.»

Jay era allibito. Guardò il magnifico stallone bianco «Non monterò mai quel cavallo» esclamò. «Portalo via.»

Alicia si rivolse a Sir George. «Robert avrà il castello, le miniere di carbone, le navi e tutto il resto... è necessario che abbia anche la piantagione?»

«È il primogenito.»

«Jay è più giovane, ma non è precisamente nessuno. Perché Robert deve avere tutto?»

«Per amore di sua madre» rispose Sir George.

«Che tu sia maledetto!» esclamò Alicia, fra le esclamazioni scandalizzate degli ospiti. «Che tu sia maledetto e possa finire all'inferno.» Si girò e rientrò nel castello.

5

I gemelli McAsh vivevano in una casa composta di un'unica stanza di venti metri quadrati, con un camino su un lato e, sull'altro, due alcove chiuse da tende. La porta d'ingresso si apriva su un viottolo fangoso che scendeva dal pozzo al fondovalle, dove si congiungeva alla strada per la chiesa, il castello e il resto del mondo. L'acqua veni va attinta da un ruscello di montagna che scorreva dietro la fila delle case.

Tornando a casa, Mack si era tormentato pensando a ciò che era successo in chiesa, ma non aveva detto nulla, ed Esther, per delicatezza, non gli aveva fatto domande Quella mattina presto, prima di uscire, avevano messo a bollire un pezzo di bacon, e quando rincasarono il profumo fece venire l'acquolina in bocca a Mack e gli risollevò il morale. Esther aggiunse nella pentola un cavolo affettato mentre Mack attraversava la strada per andare a prendere un po' di birra leggera dalla signora Wheighel. Mangiarono entrambi con l'appetito vorace di chi svolge un lavoro fisico. Quando ebbero finito di bere e mangiare, Esther ruttò e disse: «Be', e adesso cosa farai?».

Mack sospirò. Ora che la domanda gli era stata rivolta direttamente capiva che c'era una sola risposta. «Devo andarmene. Non posso restare dopo quello che è successo. L'orgoglio non me lo permette. Ricorderei di continuo a tutti i giovani della valle che non è possibile sfidare i Jamisson. Devo andarmene.» Si sforzava di restare calmo, ma la sua voce era rotta per l'emozione.

«Immaginavo che avresti detto così.» Gli occhi di Esther si riempirono di lacrime. «Ti sei messo contro le persone più potenti di queste parti.»

«Sì, ma ho ragione.»

«Certo. Però la ragione e il torto non contano molto in questo mondo... solo nel prossimo.»

«Se non lo faccio adesso, non lo farò più... e passerò il resto della vita a pentirmene.»

Esther annuì mestamente. «Questo è sicuro. Ma cosa succede se cercano di fermarti?»

«E come?»

«Possono mettere qualcuno di guardia al ponte.»

L'unica altra via d'uscita dalla valle era quella che attraversava le montagne, e i Jamisson potevano attenderlo dall'altra parte. «Se bloccheranno il ponte, passerò il fiume a nuoto» rispose.

«In questa stagione l'acqua è abbastanza fredda da ucciderti.»

«Il fiume è largo meno di trenta metri. Credo di poterlo attraversare a nuoto in un minuto o poco più.»

«Se ti prendono, ti riportano qui con un collare di ferro, come Jimmy Lee.»

Mack rabbrividì. Portare il collare come un cane era un'umiliazione temuta da tutti i minatori. «Sono più fur bo di Jimmy» rispose. «Lui era rimasto senza soldi e aveva cercato lavoro in una miniera di Clackmannan, ma il proprietario l'ha denunciato.»

«È appunto questo il guaio. Devi mangiare, e come farai a guadagnarti il pane? L'unica cosa che sai fare è estrarre il carbone.»

Mack aveva messo da parte una piccola somma, ma non sarebbe durata a lungo. Tuttavia aveva riflettuto. «Andrò a Edimburgo» disse. Poteva ottenere un passaggio su uno dei pesanti carri a cavalli che portavano il carbone dalla miniera, ma andare a piedi era meno rischioso.

«Poi m'imbarcherò su una nave... ho sentito dire che cercano sempre uomini giovani e robusti per le carboniere. In tre giorni sarò fuori dalla Scozia. E non possono riportarti indietro, quando esci dal paese... la legge non vale dappertutto.»

«Una nave» fece Esther in tono meravigliato. Nessuno dei due ne aveva mai viste, tranne che nelle illustrazioni dei libri. «E dove pensi di andare?»

«A Londra, credo.» Molte delle carboniere che partivano da Edimburgo andavano a Londra. Qualcuna raggiungeva Amsterdam, così gli avevano detto. «Oppure in Olanda. O magari nel Massachusetts.»

«Non sono altro che nomi» commentò Esther. «Non abbiamo mai conosciuto nessuno che sia stato nel Massachusetts.»

«Immagino che anche là la gente mangi il pane e viva nelle case e di notte dorma, come in tutti gli altri posti.»

«Lo credo anch'io» rispose Esther in tono dubbioso.

«Comunque non m'importa» concluse Mack. «Andrò in qualunque posto purché non sia la Scozia... dovunque un uomo possa essere libero. Pensa: vivere dove vuoi, non dove te lo ordinano. Scegliere il lavoro, essere libero di andartene e di accettarne un altro pagato meglio, o meno pericoloso, o più pulito. Essere padrone di te stesso e non schiavo di qualcuno... non sarebbe magnifico?»

Le lacrime scorrevano sulle guance di Esther. «Quando partirai?»

«Resterò ancora un giorno o due e spero che i Jamisson allentino un po' la sorveglianza. Martedì, però, compirò ventidue anni, e se mercoledì sarò in miniera avrò lavorato un anno e un giorno, e tornerò a essere schiavo.»

«Rimani sempre uno schiavo, in realtà, qualunque cosa dicesse quella lettera.»

«Ma mi piace l'idea di avere la legge dalla mia parte. Non so bene perché sia tanto importante, ma lo è. Fa di tutti i Jamisson dei criminali, anche se non lo ammettono. Perciò partirò martedì notte.»

Con un filo di voce Esther chiese: «E io?».

«Farai bene a lavorare con Jimmy Lee. È un bravo minatore e ha un gran bisogno di un altro portatore. E Annie...»

Lei lo interruppe. «Voglio venire con te.»

Mack la guardò sorpreso. «Non mi hai mai detto niente!»

Esther alzò la voce. «Perché pensi che non mi sia mai sposata? Perché se mi sposo e ho un figlio non me ne vado più.»

Era vero che Esther era la donna nubile più vecchia di Heugh, ma Mack aveva sempre pensato che fosse perché non c'era nessuno che le andava bene. Non aveva intuito che in tutti quegli anni avesse desiderato in cuor suo di fuggire. «Non lo sapevo!»

«Avevo paura, e ce l'ho ancora. Ma se te ne vai, io vengo con te.»

Mack vide la disperazione nei suoi occhi. L'idea di rifiutarle ciò che chiedeva lo faceva soffrire, ma era necessario. «Le donne non possono fare i marinai. Non abbiamo soldi per pagarti il viaggio, e non ti permetteranno di pagarlo col lavoro. Dovrei lasciarti a Edimburgo.»

«Non voglio restare, se te ne vai!»

Mack era molto affezionato alla sorella. Si erano sempre spalleggiati in ogni circostanza, dalle zuffe dell'infanzia ai litigi coi genitori fino alle discussioni con la direzione della miniera. Anche quando Esther dubitava della saggezza delle sue posizioni, lo difendeva con la furia di una leonessa. Avrebbe voluto condurla con sé, ma in due la fuga sarebbe stata molto più difficile. «Devi restare qui ancora un po', Esther» le disse. «Quando sarò arrivato a destina zione ti scriverò. E non appena troverò un lavoro, metterò da parte il denaro per pagarti il viaggio.»

«Davvero?»

«Sì. Puoi contarci.»

«Sputa e giura.»

«Sputa e giura?» Lo facevano da bambini, per suggellare una promessa.

«Sì, ci tengo!»

Mack si accorse che faceva sul serio. Si sputò sul palmo e le strinse la mano callosa al di sopra del tavolo. «Giuro che ti pagherò il viaggio per raggiungermi.»

«Grazie» rispose lei.

6

Avevano organizzato una caccia al cervo per l'indomani mattina e Jay decise di prendervi parte. Aveva voglia di uccidere qualcosa.

Non fece colazione, ma si riempì la tasca di *whisky butties*, palline di farina d'avena intrise di whisky, e uscì a guardare che tempo faceva. Il cielo cominciava a schiarire: era grigio, ma lo strato di nubi era alto e non pioveva. Avrebbero avuto abbastanza luce per vedere bene.

Sedette sui gradini della facciata del castello, inserì una nuova pietra focaia nel meccanismo di sparo del fucile e la fissò bene con un po' di pelle morbida. Forse uccidere qualche cervo avrebbe dato sfogo alla rabbia: ma avrebbe preferito poter ammazzare Robert.

Era orgoglioso del suo fucile da caccia ad avancarica. Era stato fabbricato da Griffin di Bond Street e aveva la canna spagnola intarsiata d'argento. Era di qualità assai superiore ai rozzi "Brown Bess" in dotazione ai suoi uomini. Alzò il cane con la pietra focaia e prese la mira attraverso il prato. Mentre guardava lungo la canna, immaginò di vedere un grosso cervo dai palchi maestosi. Puntò al petto, subito dietro la spalla, dove palpitava il grosso cuore dell'animale. Poi cambiò visione e immaginò Robert: l'austero, tenace Robert, avido e instancabile, con i capelli scuri e la faccia carnosa. Premette il grilletto. La pietra focaia batté sull'acciarino e produsse una magnifica pioggia di scintille, ma non c'era polvere da sparo nello scodellino come non c'era la palla in canna.

Caricò il fucile con mani sicure. Usò il misurino che tappava la fiaschetta e versò nella canna tre grammi e mezzo di polvere nera. Prese dalla tasca una palla, l'avvolse in uno straccetto di tela e la spinse nella canna. Staccò la bacchetta dal suo supporto sotto la canna e la usò per spingere la palla il più possibile: aveva un diametro di quasi un centimetro e mezzo e poteva uccidere un cervo adulto a cento metri... avrebbe fracassato le costole di Robert, gli avrebbe trapassato il polmone e squarciato il cuore, facendolo morire in pochi secondi.

Sentì la voce di sua madre. «Salve, Jay.»

Si alzò e le diede un bacio. Non la vedeva dalla sera precedente, quando aveva maledetto il marito e se n'era andata furibonda. Adesso aveva l'aria stanca e triste. «Hai dormito male, vero?» le chiese premuroso.

Lei annuì. «Ho passato notti migliori.»

«Povera mamma.»

«Non avrei dovuto maledire tuo padre.»

In tono esitante, Jay disse: «Dovevi amarlo... una volta».

Lei sospirò. «Non lo so. Era bello, ricco, baronetto, e volevo diventare sua moglie.»

«Ma adesso lo detesti.»

«Da quando ha cominciato a preferire tuo fratello.»

Jay s'irritò. «Credi che Robert si renda conto dell'ingiustizia?»

«Sono sicura che se ne rende conto, in cuor suo. Ma temo che sia un giovane molto avido. Vuole tutto.»

«È sempre stato così.» Jay ricordava Robert bambino, felice quando riusciva a portargli via i soldatini o la porzione di budino. «Ricordi il pony di Robert, Rob Roy?»

«Sì, perché?»

«Lui aveva tredici anni e io otto quando ebbe in regalo quel pony. Ne volevo uno anch'io, e già allora sapevo cavalcare meglio di lui. Ma non me lo lasciò mai montare. Se non voleva cavalcare lui di persona, incaricava uno stal liere di farlo esercitare mentre io stavo a guardare, piuttosto che darlo a me.»

«Ma tu avevi a disposizione gli altri cavalli.»

«Prima dei dieci anni avevo cavalcato tutti quelli che c'erano nelle scuderie, inclusi i cavalli da caccia di mio padre. Ma Rob Roy no.»

«Facciamo due passi sul viale.» Alicia indossava un mantello foderato di pelliccia col cappuccio, Jay un mantello a quadretti. Attraversarono il prato e l'erba ghiacciata scricchiolava sotto i loro passi.

«Perché mio padre è così?» chiese Jay. «Perché mi odia?»

Alicia gli toccò la guancia. «Non ti odia» rispose «anche se è comprensibile che tu lo pensi.»

«Allora perché mi tratta tanto male?»

«Tuo padre era povero quando sposò Olive Drome. Aveva solo una bottega d'angolo in un modestissimo quartiere di Edimburgo. Questo posto, che adesso si chiama Jamisson Castle, era di un lontano cugino di Olive, William Drome. William era scapolo e viveva solo, e quando si ammalò Olive venne qui ad assisterlo. Per gratitudine lui cambiò il testamento e le lasciò tutto; poi, nonostante le sue cure, morì.»

Jay annuì. «Ho sentito molte volte questa storia.»

«Il fatto è che per tuo padre questa proprietà appartiene a Olive. Ed è su questa base che ha costruito il suo impero. Come se non bastasse, l'attività mineraria è ancora la più redditizia.»

«Lui dice che è solida» mormorò Jay, ripensando alla conversazione del giorno prima. «L'attività armatoriale è incerta e rischiosa, mentre il carbone continua a rendere.»

«Comunque, tuo padre è convinto di dovere tutto a Olive e pensa che offenderebbe la sua memoria se desse qualcosa a te.»

Jay scosse la testa. «Dev'esserci qualcos'altro. Ho l'impressione che non sappiamo tutto.»

«Forse hai ragione. Ma ti ho detto tutto quello che so.»

Arrivarono in fondo al viale e tornarono indietro in silenzio. Jay si chiedeva se i suoi genitori passavano mai una notte insieme. Era probabile. Suo padre doveva pensare che, indipendentemente dal fatto che lo amasse o no, Alicia era sua moglie e quindi aveva il diritto di servirsi di lei per soddisfarsi. Era un pensiero sgradevole.

Quando arrivarono all'entrata del castello, Alicia disse: «Ho passato la notte a cercare un modo per sistemare le cose, ma finora non ci sono riuscita. Tu però non disperare. Mi verrà in mente qualcosa».

Jay aveva sempre contato sulla forza di sua madre: era capace di tener testa al marito e di indurlo a fare ciò che desiderava. L'aveva addirittura convinto a pagare i debiti di gioco di Jay. Ma questa volta temeva che i suoi tentativi sarebbero falliti. «Mio padre ha deciso che non avrò niente. Doveva sapere cos'avrei provato, ma ha deciso comunque. Credo che sia inutile supplicarlo.»

«Non pensavo affatto di supplicarlo» replicò lei in tono asciutto.

«E allora?»

«Non lo so, ma non mi sono arresa. Buongiorno, signorina Hallim.»

Lizzie stava scendendo la gradinata. Era vestita per la caccia e col berretto di pelo nero e gli stivaletti sembrava un grazioso folletto. Sorrise come se fosse contenta di vederlo. «Buongiorno!»

Al vederla, Jay si sentì rincuorare. «Viene con noi?» le chiese.

«Non mancherei per niente al mondo.»

Era insolito, anche se del tutto ammissibile, che le donne andassero a caccia, e Jay, che conosceva bene Lizzie, non si stupì che avesse intenzione di uscire con gli uomini. «Magnifico!» esclamò. «Porterà un prezioso tocco di raffinatezza e di stile a quella che altrimenti sarebbe solo una rozza impresa maschile.»

«Non ne sia così sicuro» replicò lei.

Alicia intervenne. «Io rientro. Buona caccia a tutti e due.»

Quando rimasero soli, Lizzie disse: «Mi dispiace moltissimo che le abbiano rovinato il compleanno». Gli strinse il braccio per esprimergli comprensione. «Forse stamattina riuscirà a dimenticare i suoi problemi per un'ora.»

Jay non seppe trattenersi dal sorridere. «Farò del mio meglio.»

Lizzie fiutò l'aria come una volpe. «Tira un forte vento da sud-ovest» commentò. «Il vento giusto.»

Erano passati cinque anni dall'ultima volta che Jay aveva cacciato il cervo, ma ricordava tutto. I cacciatori detestavano le giornate senza vento, perché una inaspettata brezza capricciosa poteva portare sulle montagne l'odore degli uomini e mettere in fuga gli animali.

Un guardacaccia girò all'angolo del castello con due cani a guinzaglio, e Lizzie andò ad accarezzarli. Jay la seguì, rianimato. Quando si voltò vide sua madre che, ferma sulla porta del castello, fissava Lizzie con una strana espressione assorta.

I cani avevano zampe lunghe e pelo grigio, ed erano chiamati a volte levrieri scozzesi, a volte cani lupo irlandesi. Lizzie si chinò per parlare a entrambi. «Questo è Bran?» chiese all'addestratore.

«È il figlio, signorina Elizabeth» rispose l'uomo. «Bran è morto un anno fa. Questo è Busker.»

I cani sarebbero stati tenuti indietro e sguinzagliati solo dopo che i cacciatori avessero sparato. Il loro compito era inseguire e abbattere i cervi feriti ma non uccisi.

Gli altri uscirono dal castello: Robert, Sir George ed Henry. Jay fissò il fratello, ma Robert evitò il suo sguardo. Sir George accennò un breve saluto con la testa come se avesse dimenticato gli avvenimenti della sera prima.

Sul lato orientale del castello gli addestratori avevano montato un bersaglio, un rudimentale cervo-fantoccio di legno e tela, e ogni cacciatore avrebbe sparato qualche colpo per provare la mira. Jay si chiese se Lizzie sapesse sparare. Molti uomini sostenevano che le donne non possono farlo bene perché hanno le braccia troppo deboli per reggere i pesanti fucili, oppure perché non hanno l'istinto di uccidere o per qualche altra ragione. Sarebbe stato interessante vedere se era vero.

Cominciarono sparando tutti da cinquanta metri. Lizzie tirò per prima e realizzò un ottimo colpo: centrò il bersaglio nel punto letale, dietro la spalla. Jay e Sir George fecero altrettanto; Robert ed Henry colpirono più indietro, lungo il corpo. Erano ferite che potevano permettere al cervo di allontanarsi e l'avrebbero fatto morire in modo lento e doloroso.

Spararono di nuovo da settantacinque metri. Lizzie ottenne un risultato sorprendente, un altro colpo perfetto, e così pure Jay. Sir George colpì la testa e Henry il didietro. Robert sbagliò completamente, e la palla andò a strappare scintille dal muro di pietra dell'orto.

Finalmente provarono da cento metri, la gittata massima delle loro armi. Con grande stupore di tutti, Lizzie realizzò un altro colpo splendido. Robert, Sir George ed Henry mancarono completamente il bersaglio. Jay, l'ultimo a tirare, era deciso a non farsi battere da una ragazza. Si mosse con calma, controllò il respiro e prese la mira con cura, quindi trattenne il fiato e premette dolcemente il grilletto... e ruppe la zampa posteriore del bersaglio.

Con buona pace dell'inettitudine femminile per le armi da fuoco, Lizzie li aveva superati tutti. Jay era pieno di ammirazione. «Le piacerebbe entrare nel mio reggimento?» le chiese scherzando. «Pochi dei miei uomini sanno sparare come lei.»

Gli stallieri portarono i pony perché i pony delle Highlands si muovono con maggior sicurezza dei cavalli più grandi sul terreno accidentato. Montarono e uscirono dal cortile.

Mentre scendevano al trotto la valle, Henry Drome si affiancò a Lizzie e prese a parlare con lei. Jay, che così non aveva motivi di distrazione, si ritrovò a rimuginare ancora una volta sul comportamento del padre, che gli brucia va lo stomaco come un'ulcera. Si disse che doveva aspet tarsi un rifiuto, perché suo padre aveva sempre preferito Robert. Ma aveva alimentato uno sciocco ottimismo di cendosi che non era un bastardo, e che sua madre era Lady Jamisson: e si era convinto che questa volta suo padre sarebbe stato giusto. Ma non lo era mai.

Desiderò essere figlio unico. Desiderò che Robert morisse. Se quel giorno ci fosse stato un incidente e Robert fosse rimasto ucciso, tutti i suoi guai sarebbero finiti.

Avrebbe voluto avere il coraggio di ucciderlo. Toccò la canna del fucile che portava appeso alla spalla. Poteva fare in modo che sembrasse un incidente. Quando tutti sparavano contemporaneamente, era difficile capire chi aveva messo a segno la palla fatale. E anche se avessero intuito la verità, la famiglia avrebbe insabbiato tutto: nessuno voleva uno scandalo.

Provò un fremito d'orrore per aver immaginato di uccidere Robert. Ma l'idea non mi sarebbe mai venuta se mio padre mi avesse trattato equamente, pensò.

Quella dei Jamisson era molto simile alla maggior parte delle altre piccole proprietà scozzesi. C'era un po' di terra coltivabile nei fondovalle, e i fittavoli la sfruttavano in comune seguendo la vecchia usanza medievale di suddividere il terreno in strisce su ognuna delle quali coltivavano prodotti diversi; pagavano l'affitto in natura. Gran parte della proprietà era però occupata da monti boscosi che non servivano a nulla, se non per la caccia e la pesca. Qualche proprietario aveva diboscato e stava provando ad allevare pecore. Era difficile diventare ricchi con una tenuta in Scozia, a meno di trovare il carbone, naturalmente.

Dopo circa cinque chilometri, i guardacaccia avvistarono un branco di venti o trenta cerve poche centinaia di metri più avanti, al di sopra della linea degli alberi, su un pendio rivolto a sud. I cacciatori si fermarono e Jay tirò fuori il cannocchiale. Le cerve erano sottovento rispetto a loro e, dato che pascolavano sempre col muso verso il vento, stavano girate dalla parte opposta, e Jay vedeva distintamente le chiazze bianche dei posteriori.

Le cerve avevano carni ottime, ma era abitudine diffusa sparare ai grossi maschi dai palchi spettacolari. Jay scrutò il fianco del monte, sopra le cerve, vide ciò che sperava e indicò. «Guardate... due maschi... no, tre... nella parte superiore del pendio.»

«Li vedo, sono sopra la prima cresta» disse Lizzie. «E ce n'è un altro. Si vedono i palchi del quarto.»

Aveva il viso arrossato per l'eccitazione ed era ancora più graziosa del solito. Era proprio questo il genere di cose che le piaceva: stare all'aperto, fra cavalli, cani e fucili, e dedicarsi ad attività energiche e un po' pericolose. Jay non seppe trattenere un sorriso mentre la guardava. Si agitò irrequieto sulla sella. Vederla faceva salire la temperatura agli uomini.

Lanciò un'occhiata al fratello. Robert, all'aperto, al freddo e in groppa a un cavallo, sembrava a disagio. Preferirebbe essere chiuso in un ufficio, pensò Jay, a calcolare gli interessi trimestrali di ottantanove ghinee al tre e mezzo per cento annuo. Era un vero peccato che una donna come Lizzie sposasse Robert.

Distolse lo sguardo da loro e cercò di concentrarsi sui cervi. Studiò col cannocchiale il fianco del monte, in cerca di un percorso che permettesse di avvicinare i maschi. I cacciatori dovevano stare sottovento perché gli animali non sentissero l'odore dell'uomo. Di preferenza, si sarebbero avvicinati da un punto più alto. Come aveva confermato l'allenamento col bersaglio, era quasi impossibile sparare a un cervo da più di un centinaio di metri, cinquanta metri sarebbero stati l'ideale: perciò tutta l'abilità, nella caccia al cervo, consisteva nell'avvicinarsi quanto bastava per poter sparare con sicurezza.

Lizzie aveva già trovato un modo per avvicinarsi. «C'è un *corrie*, più indietro, a trecento metri circa da qui» spiegò animatamente. Un *corrie* era una depressione scavata nel terreno da un corso d'acqua che scendeva dalla montagna, e avrebbe nascosto l'avanzata dei cacciatori. «Possiamo seguirlo fino alla cresta e poi procedere.»

Sir George si dichiarò d'accordo. Non accadeva spesso che permettesse a qualcuno di dirgli cosa fare: se capitava, allora l'interlocutore era una bella ragazza.

Tornarono al *corrie*, lasciarono i pony e presero a salire a piedi. Il fianco del monte era scosceso, il suolo roccioso e acquitrinoso al tempo stesso, perciò affondavano nel fango o inciampavano sulle pietre. Henry e Robert cominciarono quasi subito a sbuffare e ansimare, mentre gli addestratori e Lizzie, abituati al terreno, non sembravano in difficoltà. Sir George era affannato e rosso in faccia, ma dava prova di una sorprendente resistenza e non rallentava. Jay era in forma, grazie alla vita quotidiana nelle Guardie, tuttavia si accorse di essere un po' a corto di fiato.

Superarono la cresta e al riparo di essa, nascosti alla vista dei cervi, cominciarono ad attraversare il fianco della montagna. Il vento freddo e tagliente portava turbini di nevischio e spire di nebbia gelida. Adesso che non aveva più sotto di sé il calore del cavallo, Jay cominciava a sentire il freddo. Gli eleganti guanti di capretto erano fradici e l'umidità gli penetrava negli stivali e nei lussuosi calzettoni di lana shetland.

Gli addestratori passarono in testa perché conoscevano il terreno. Quando ritennero di essere abbastanza vicini ai cervi, cominciarono a scendere. All'improvviso si lasciarono cadere in ginocchio e gli altri li imitarono. Jay dimenticò freddo e umidità e si sentì pervadere dall'euforia: era l'eccitazione della caccia, la prospettiva di uccidere.

Decise di arrischiarsi a dare un'occhiata. Strisciando, sbirciò oltre uno spuntone di roccia. Quando i suoi occhi si adattarono alla distanza, vide i cervi, quattro chiazze brune contro il verde del monte, schierati attraverso il pendio in una linea irregolare e sgranata. Era insolito vederne quattro insieme: dovevano aver trovato un pascolo lussureggiante. Li guardò col cannocchiale. Il più lontano aveva la testa più bella: non vedeva chiaramente i palchi, ma era abbastanza grosso per avere dodici punte. Sentì il gracidare di un corvo, alzò lo sguardo e ne vide due volteggiare sopra i cacciatori. Sembrava sapessero che presto avrebbero potuto saziarsi di interiora.

Più avanti qualcuno imprecò. Robert era scivolato in una pozzanghera fangosa. «Maledetto idiota» mormorò Jay. Uno dei cani ringhiò sommessamente. Un addestratore alzò la mano e tutti rimasero immobili, in attesa di uno scalpitare di zoccoli. Ma i cervi non fuggirono, e dopo pochi istanti il gruppo riprese l'avanzata.

Poco dopo furono costretti a strisciare sul ventre. Uno degli addestratori fece sdraiare i cani e gli coprì gli occhi con fazzoletti per tenerli tranquilli. Sir George e il capo addestratore si lasciarono scivolare fino a una cresta, poi alzarono cauti la testa e sbirciarono. Quando tornarono dagli altri, Sir George impartì gli ordini.

«Ci sono quattro cervi e cinque fucili, quindi stavolta non sparerò, a meno che uno di voi manchi il bersaglio» disse a voce bassa. Quando voleva, sapeva essere un perfetto ospite. «Henry, tu spari a quello sulla destra. Robert, il tuo è quello accanto... è il più vicino, il bersaglio più facile. Jay, l'altro è tuo. Signorina Hallim, il suo è il più lontano ma ha il palco più bello e lei è un'eccellente tiratrice. Tutti pronti? Allora mettiamoci in posizione. Lasciamo sparare per prima la signorina Hallim, d'accordo?»

I cacciatori si sparpagliarono sul pendio cercando il posto migliore per sparare. Jay seguì Lizzie. Lei indossava una giacca corta da cavallo e una gonna senza crinolina, e Jay sogghignò nel vederla dimenare il sedere tornito. Poche ragazze avrebbero strisciato per terra in quel modo davanti a un uomo: ma Lizzie non era come le altre.

Salì fino a un punto dove un cespuglio spezzava il profilo del cielo offrendogli un buon riparo. Alzò la testa e guardò giù lungo il fianco della montagna. Vide il suo cervo, piuttosto giovane e con un palco poco sviluppato, a una settantina di metri e gli altri tre sgranati sul pendio. E vide anche i compagni: Lizzie continuava a strisciare per terra sulla sinistra, Henry era lontano sulla destra, Sir George e gli addestratori stavano coi cani. Robert era più in basso, sulla destra, a venticinque metri: un bersaglio facile.

Ebbe la sensazione che il suo cuore smettesse di battere quando fu assalito ancora una volta dalla tentazione di uccidere il fratello. Gli affiorò nella mente la storia di Caino e Abele. Caino aveva detto: "La mia punizione è più grande di quanto io possa sopportare". Ma io mi sento già così, pensò Jay. Non sopporto di essere il secondogenito superfluo, sempre trascurato, lasciato andare alla deriva nella vita senza la sua parte di ricchezza, il figlio povero di un ricco, una nullità: questo è più di quanto posso sopportare.

Tentò di scacciare dalla mente il pensiero diabolico. Innescò il fucile versando un po' di polvere nello scodellino accanto al focone, poi chiuse il coperchio. Da ultimo attivò il meccanismo di sparo. Una volta premuto il grilletto, lo scodellino si sarebbe aperto automaticamente nell'istante in cui la pietra focaia avesse lanciato scintille. La polvere si sarebbe accesa, la fiamma sarebbe penetrata attraverso il focone e avrebbe acceso la quantità più ingente di polvere dietro la palla.

Rotolò su se stesso e scrutò attraverso il pendio. I cervi pascolavano, tranquilli e ignari. Tutti i cacciatori erano già appostati tranne Lizzie, che si stava ancora muovendo. Jay mirò al suo cervo poi, lentamente, deviò la canna fino a puntarla alla schiena di Robert.

Avrebbe potuto dire che gli era scivolato il gomito su un tratto ghiacciato nel momento cruciale e il fucile si era spostato di lato: per una tragica fatalità aveva sparato al fratello. Suo padre avrebbe forse sospettato la verità, ma non ne avrebbe mai avuto la certezza. Rimasto con un solo figlio, non avrebbe finito per insabbiare i dubbi e dare a Jay tutto ciò che in precedenza aveva destinato a Robert?

Lo sparo di Lizzie sarebbe stato il segnale: tutti avrebbero fatto fuoco. Jay ricordava che i cervi reagiscono con lentezza sorprendente. Dopo il primo sparo avrebbero alzato il muso dall'erba, sarebbero rimasti immobili per il tempo di quattro o cinque battiti del cuore. Poi uno di loro si sarebbe mosso e dopo un attimo si sarebbero voltati tutti insieme come uno stormo d'uccelli o un banco di pesci, e sarebbero fuggiti, con gli zoccoli eleganti che tambureggiavano sul suolo indurito dal gelo, abbandonando il morto a terra e il ferito a seguirli zoppicando.

Jay girò di nuovo il fucile, piano piano, e lo puntò sul suo cervo. Naturalmente non avrebbe ucciso il fratello. Era una malvagità impensabile. Per tutta la vita sarebbe stato tormentato dai rimorsi.

Ma se non lo faceva, non si sarebbe poi pentito? La prossima volta che suo padre lo avesse umiliato manifestando una preferenza per Robert, non avrebbe digrignato i denti, non si sarebbe pentito con tutto il cuore di non aver risolto il problema quando aveva avuto la possibilità di far sparire dalla faccia della terra l'odiato fratello?

Puntò di nuovo il fucile su Robert.

Sir George rispettava la forza, la decisione, l'implacabilità. Anche se avesse intuito che il colpo fatale era stato intenzionale, sarebbe stato costretto a rendersi conto che Jay era un uomo e che non lo poteva ignorare o trascurare senza incorrere in conseguenze terribili.

Quel pensiero rafforzò la sua decisione. In cuor suo, si disse, suo padre avrebbe approvato. Sir George non si sarebbe mai lasciato maltrattare; la sua reazione a un torto era brutale, feroce. Come magistrato, a Londra, aveva mandato all'Old Bailey dozzine di uomini, donne e bambini. Se un bambino poteva finire impiccato per aver rubato un pane, era forse ingiusto uccidere Robert che rubava il patrimonio di Jay?

Lizzie ci metteva molto. Jay cercava di respirare con regolarità, ma il cuore gli batteva forte e lo faceva ansimare. Provò l'impulso di guardare Lizzie, per vedere perché diavolo tardava, ma temeva che lei sparasse proprio in quel momento facendogli perdere l'occasione. Tenne lo sguardo e la canna del fucile puntati sulla schiena di Robert. Il suo corpo era teso come una corda d'arpa, i muscoli cominciavano a indolenzirsi per la tensione, ma non osava muoversi.

No, pensò, non può essere. Non ucciderò mio fratello. E invece sì, per Dio, lo ucciderò. Lo giuro.

Fa' presto, Lizzie, ti prego.

Con la coda dell'occhio vide qualcosa muoversi vicino a lui. Prima di avere il tempo di guardare sentì lo sparo di Lizzie. I cervi si immobilizzarono. Jay continuò a mirare alla spina dorsale di Robert, fra le scapole, e premette delicatamente il grilletto. Una figura massiccia torreggiò su di lui. Sentì il grido del padre. Ci furono altri due spari: Robert ed Henry. Nell'attimo stesso in cui anche il fucile di Jay sparava, un piede colpì la canna. L'arma balzò verso l'alto e la palla volò in aria. La paura e il rimorso invasero il cuore di Jay, che levò gli occhi verso la faccia stravolta del padre.

«Piccolo bastardo assassino» sibilò Sir George.

7

La giornata all'aria aperta aveva fatto venir sonno a Lizzie, e appena finita la cena annunciò che sarebbe andata a letto. Robert non era presente e Jay si alzò educatamente per farle luce sulla scala con una candela. Mentre salivano i gradini di pietra, le disse a voce bassa: «Se vuole, l'accompagno nella miniera».

La sonnolenza abbandonò Lizzie. «Davvero?»

«Certo. Non dico mai quello che non penso.» Sorrise. «Ma ne avrà il coraggio?»

Eccitata, Lizzie rispose: «Sì!». Quello era un uomo che la capiva! «Quando possiamo andare?» chiese con impazienza.

«Questa notte. I minatori che tagliano il carbone cominciano a mezzanotte, quelli che lo trasportano un'ora o due più tardi.»

«Davvero?» Lizzie era stupefatta. «Perché lavorano di notte?»

«Lavorano anche tutto il giorno. I portatori smettono alla fine del pomeriggio.»

«Ma così non hanno quasi il tempo di dormire!»

«Serve a evitare che combinino guai.»

Lizzie si sentì molto sciocca. «Ho passato quasi tutta la vita nella valle accanto, ma non immaginavo che facessero orari tanto pesanti.» Si chiese se McAsh non avesse ragione, se la visita al pozzo le avrebbe fatto cambiare completamente idea sui minatori.

«Si faccia trovare pronta a mezzanotte» le disse Jay. «Dovrà vestirsi di nuovo da uomo... ha ancora quegli abiti?»

«Sì.»

«Esca dalla porta della cucina. Controllerò che sia aperta. Ci troveremo nel cortile delle scuderie. Sellerò due cavalli.»

«Com'è eccitante» esclamò Lizzie.

Jay le porse la candela. «A mezzanotte» mormorò.

Lizzie andò nella sua camera. Jay sembrava di nuovo allegro, pensò. Quel giorno aveva litigato ancora con suo padre, là sulla montagna. Nessuno aveva visto esattamente cos'era accaduto perché tutti tenevano lo sguardo fisso sui cervi, ma Jay aveva mancato il suo e Sir George era livido per la rabbia. Quale che ne fosse stata la causa, la lite si era smorzata subito nell'eccitazione del momento. Lizzie aveva ucciso la sua preda con un colpo perfetto. Robert ed Henry avevano ferito le loro. Il cervo colpito da Robert aveva corso per qualche metro, poi era caduto e lui l'aveva finito con un'altra palla; ma quello di Henry era fuggito e i cani l'avevano rincorso e abbattuto dopo un lungo inseguimento. Tutti comunque avevano capito che era successo qualcosa, e Jay era rimasto taciturno per il resto della giornata... fino a poco prima, quando era ridiventato vivace e premuroso.

Lizzie si tolse l'abito, le sottovesti e le scarpe, si avvolse in una coperta e sedette davanti al fuoco. Jay era così divertente, pensò. Sembrava amare l'avventura, come lei. Era anche bello: alto, elegante e atletico, con folti capelli biondi e ondulati. Lizzie non vedeva l'ora che venisse mezzanotte.

Sentì bussare alla porta, e sua madre entrò. Provò una fitta di rimorso. Spero che non abbia intenzione di fare una lunga chiacchierata, pensò preoccupata. Ma non erano ancora le undici, c'era tutto il tempo.

Lady Hallim portava il mantello, come facevano tutti

per andare da una stanza all'altra attraverso i corridoi gelidi di Jamisson Castle. Lo tolse: sotto era in vestaglia e camicia da notte. Sciolse i capelli di Lizzie e cominciò a spazzolarli.

Lizzie chiuse gli occhi e si rilassò. Quel gesto la riportava sempre all'infanzia. «Devi promettermi che non ti vestirai più da uomo» disse sua madre. Lizzie trasalì. Sembrava quasi che l'avesse sentita parlare con Jay. Doveva essere prudente: sua madre riusciva sempre a intuire quando aveva intenzione di combinarne una delle sue. «Sei troppo cresciuta, ormai, per certi scherzi» aggiunse.

«Sir George si è divertito molto!» protestò Lizzie.

«Può darsi. Ma non è questo il modo per trovar marito.»

«A quanto pare, Robert mi vuole.»

«Sì, ma devi dargli la possibilità di farti la corte. Ieri sei andata in chiesa con Jay e hai lasciato indietro Robert. E stasera sei salita mentre non era nella sala così ha perso l'occasione di accompagnarti di sopra.»

Lizzie scrutò l'immagine della madre nello specchio. Il volto aveva un'espressione decisa. Lizzie le voleva bene e sarebbe stata lieta di farla contenta: ma non poteva essere la figlia che sua madre avrebbe desiderato. Era contrario al suo carattere. «Mi dispiace, mamma» disse. «Non ho pensato a queste cose.»

«Robert... ti piace?»

«Lo accetterei se fossi ridotta alla disperazione.»

Lady Hallim posò la spazzola e le sedette di fronte. «Mia cara, noi siamo alla disperazione.»

«Ma siamo sempre state a corto di denaro, a quanto ricordo.»

«Infatti. Mi sono arrangiata chiedendo prestiti e ipotecando la tenuta e vivendo quasi sempre quassù, dove possiamo mangiare la nostra selvaggina e portare gli abiti fino a quando sono pieni di buchi.»

Ancora una volta Lizzie provò una fitta di rimorso. Quando sua madre spendeva, lo faceva quasi sempre per lei, non per se stessa. «Allora continuiamo così. Non mi dispiace che sia la cuoca a servire a tavola e che dobbiamo dividerci una sola cameriera. Mi piace vivere qui... preferisco passare il tempo a camminare nell'High Glen piuttosto che a far spese in Bond Street.»

«C'è un limite al denaro che possiamo farci prestare. Non vogliono darcene altro.»

«Allora vivremo di quello che ci pagano i fittavoli. Rinunceremo ai viaggi a Londra. Non andremo neppure ai balli a Edimburgo. Non inviteremo a cena nessuno tranne il pastore. Vivremo come monache e non faremo vita sociale.»

«Purtroppo non possiamo fare neppure questo. Loro minacciano di portarci via Hallim House e la tenuta.»

Lizzie ne fu sconvolta. «Ma non possono!»

«Certo che possono. È a questo che servono le ipoteche.»

«E chi sono, loro?»

Lady Hallim assunse un'aria vaga. «È stato l'avvocato di tuo padre a farmi ottenere i prestiti, ma non so esattamente chi ci abbia dato il denaro. Comunque non ha importanza. Il fatto è che il prestatore vuole essere rimborsato... o ci porterà via tutto.»

«Mamma... stai dicendo che perderemo la nostra casa?»

«No, cara, no... se sposi Robert.»

«Capisco» disse Lizzie in tono serio.

L'orologio del cortile delle scuderie suonò le undici. Lady Hallim si alzò e la baciò. «Buonanotte, cara. Dormi bene.»

«Buonanotte, mamma.»

Lizzie fissò pensierosa il fuoco. Da anni sapeva che il suo destino era riscattare il loro patrimonio sposando un uomo ricco, e Robert le era sembrato adatto come chiunque altro. Non l'aveva considerato seriamente, fino ad ora; non era abituata a pianificare le cose nella mente, preferiva rimandare le decisioni all'ultimo momento facendo impazzire sua madre. Ma all'improvviso la prospettiva di sposarlo la sgomentava, le dava una specie di disgusto fisico, come se avesse inghiottito un boccone marcio.

D'altra parte, cosa poteva fare? Non poteva certo permettere che i creditori le buttassero fuori dalla loro casa! Cosa avrebbero fatto? Dove sarebbero andate? Come si sarebbero guadagnate da vivere? Fu assalita da un brivido di paura quando immaginò entrambe in una fredda stanza d'affitto in un caseggiato di Edimburgo, costrette a scrivere lettere supplichevoli a parenti lontani e a fare lavori di cucito per pochi soldi. Era meglio sposare il noioso Robert. Ma ne avrebbe trovato la forza? Ogni volta che si riprometteva di fare qualcosa di spiacevole ma necessario, come sparare a un vecchio cane ammalato o andare ad acquistare la tela per una sottoveste, finiva per cambiare idea e lasciar perdere.

Fissò con le forcine i capelli ribelli, poi indossò il travestimento del giorno prima: pantaloni, stivali da cavallo, camicia di lino e cappotto, e un tricorno da uomo tenuto fermo con uno spillone. Si scurì le guance con un po' di fuliggine del camino, ma decise che questa volta non avrebbe messo la parrucca. Per sentire meno il freddo indossò guanti foderati di pelliccia e un plaid che faceva sembrare più ampie le spalle.

Quando sentì i rintocchi di mezzanotte, prese una candela e scese.

Si chiese nervosamente se Jay avrebbe mantenuto la promessa. Poteva essere accaduto qualcosa che gliel'aveva impedito, oppure si era addormentato nell'attesa. Sarebbe stata una grossa delusione. Ma trovò la porta della cucina aperta, come le aveva promesso, e quando uscì nel cortile delle scuderie lo trovò ad aspettarla. Teneva per le briglie due pony e mormorava per farli star tranquilli. Lizzie provò un piacevole calore quando lui le sorrise nel chiaro di luna. Senza dir nulla, le porse le redini del cavallo più piccolo, quindi la precedette fuori dal cortile, lungo il viottolo dietro la casa, evitando il viale su cui si affacciavano le camere da letto principali.

Quando raggiunsero la strada, Jay scoprì una lanterna

Montarono in sella e si avviarono al trotto. «Temevo che non sarebbe venuta» disse Jay.

«E io avevo paura che si fosse addormentato» rispose lei. Risero.

Cominciarono a risalire la valle in direzione dei pozzi. «Ha litigato di nuovo con suo padre questo pomeriggio?» gli chiese apertamente lei.

«Sì.»

Non fornì i particolari, ma la curiosità di Lizzie non aveva bisogno di incoraggiamenti. «Perché?» gli chiese.

Non riusciva a vederlo in faccia ma intuiva che quelle domande non gli piacevano: tuttavia rispose educatamente. «La solita storia, purtroppo. Mio fratello Robert.»

«Io penso che la trattino molto male, se questo può consolarla.»

«Sì... grazie.» Jay sembrò rilassarsi un poco.

Man mano che si avvicinavano ai pozzi, l'impazienza e la curiosità di Lizzie ingigantivano. Cominciò a chiedersi com'era la miniera e perché McAsh aveva fatto capire che era una specie d'inferno. Era spaventosamente calda oppure freddissima? Gli uomini ringhiavano e si azzuffavano come gatti selvatici in gabbia? Il pozzo era fetido o infestato dai topi, oppure silenzioso e spettrale? Cominciò a sentirsi preoccupata. Ma qualunque cosa succeda, pensò, saprò com'è, e McAsh non potrà più rinfacciarmi la mia ignoranza.

Dopo circa mezz'ora passarono accanto a una montagnola di carbone in vendita. «Chi va là?» gridò una voce, e un addestratore con un levriere scozzese al guinzaglio apparve nel cerchio luminoso della lanterna di Jay. Per tradizione, gli addestratori sorvegliavano i cervi e cercavano di catturare i bracconieri, ma ormai molti di loro mantenevano la disciplina nei pozzi e stavano di guardia per impedire i furti di carbone.

Jay alzò la lanterna in modo che la luce gli illuminasse il viso.

«Mi scusi, signor Jamisson» disse l'addestratore.

Passarono oltre. L'ingresso del pozzo era segnalato soltanto dalla presenza di un cavallo che trottava in tondo facendo girare un tamburo. Quando si avvicinarono, Lizzie vide che al tamburo era avvolta una fune che portava in superficie secchi pieni d'acqua. «C'è sempre acqua nella miniera» spiegò Jay. «Filtra dalla terra.» I secchi di legno vecchio non erano stagni, e intorno all'ingresso del pozzo si era formata una pericolosa poltiglia di fango e ghiaccio.

Legarono i cavalli e si avvicinarono all'imboccatura. Era meno di due metri per due, e una ripida scala di legno vi scendeva a zigzag. Lizzie non riusciva a vedere il fondo.

Non c'era il corrimano.

Per un momento, fu assalita dal panico. «Quant'è profondo?» chiese con voce tremante.

«Se non ricordo male, questo pozzo è di sessantatré metri» disse Jay.

Lizzie deglutì con uno sforzo. Se avesse rinunciato, Sir George e Robert forse sarebbero venuti a saperlo e avrebbero detto: "L'avevamo avvertita che non è posto per una signora". Era un'idea insopportabile... preferiva scendere una scala di sessantatré metri priva di corrimano.

Strinse i denti e disse: «Cosa aspettiamo?».

Se Jay capì la sua paura, non fece commenti. La precedette illuminandole i gradini, e lei lo seguì col cuore in gola. Ma dopo pochi gradini lui le chiese: «Perché non mi appoggia le mani sulle spalle per reggersi meglio?». Lizzie lo fece con sollievo.

Mentre proseguivano, i secchi pieni d'acqua salivano oscillando al centro del pozzo e sbattevano contro quelli vuoti che scendevano gettandole spesso addosso spruzzi d'acqua gelata. Lizzie ebbe la terrificante visione di se stessa che precipitava dalla scala e piombava nel vuoto urtando i secchi e rovesciandone dozzine prima di sfracellarsi sul fondo.

Dopo un po', Jay si fermò per lasciarla riposare qualche istante. Sebbene fosse convinta di essere in forma, aveva le gambe doloranti e respirava affannosamente. Per dare l'impressione di non essere stanca, si mise a parlare. «Mi pare che conosca bene le miniere... sa da dove viene l'acqua e quanto è profondo il pozzo e così via.»

«Nella nostra famiglia si parla spesso di carbone... è la nostra principale fonte di reddito. Ma ho passato un'estate con Harry Ratchett, il sovrintendente, circa sei anni fa. Mia madre voleva che imparassi tutto su questa attività, nella speranza che un giorno mio padre l'affidasse a me. Ma era un'aspirazione vana.»

Lizzie provò dispiacere per lui.

Ripresero la discesa. Dopo qualche minuto i gradini finirono su una piattaforma che dava accesso a due gallerie. Al di sotto del loro livello, il pozzo era pieno d'acqua. I secchi la portavano in superficie senza interruzioni, ma altra ne affluiva attraverso i canaletti che assicuravano il drenaggio delle gallerie. Lizzie guardò nell'oscurità, il cuore diviso fra curiosità e paura.

Jay s'infilò in una galleria, si voltò e le porse la mano. La sua stretta era salda e asciutta. Quando gli giunse vicina, si portò la mano alle labbra e la baciò, una piccola galanteria che lei trovò piacevole.

Si voltò per farle strada, ma non le lasciò la mano. Liz zie non sapeva come interpretarlo, ma non aveva il tempo di pensarci. Doveva concentrarsi per non perdere l'equilibrio. Avanzava su uno spesso strato di polvere di carbone e ne sentiva il sapore nell'aria. In certi tratti la volta era bassa e la costringeva ad avanzare china. Ora si rendeva conto che l'attendeva una notte molto sgradevole.

Si sforzò di ignorare il disagio. Ai lati, la luce delle candele guizzava nei varchi fra grosse colonne, dandole l'impressione di trovarsi a una funzione religiosa notturna in una grande cattedrale. Jay spiegò: «Ogni minatore lavora su un tratto della vena di carbone di tre metri e mezzo, chiamato "camera". Fra una camera e l'altra lasciano un pilastro di carbone di circa cinque metri quadrati, per sostenere la volta».

All'improvviso Lizzie rammentò che sopra di lei c'erano sessantatré metri di terra e roccia, e che avrebbero potuto crollarle addosso se i minatori non avessero fatto bene il loro lavoro. Dovette lottare contro il panico. Involontariamente, strinse più forte la mano di Jay e lui la strinse a sua volta. Da quel momento si fece in lei più acuta la consapevolezza che si tenevano per mano. Era piacevole.

Le prime camere che oltrepassarono erano vuote, forse esaurite, ma dopo un po' Jay si fermò accanto a una in cui un uomo stava scavando. Sorpresa, Lizzie si accorse che il minatore non era in piedi: stava sdraiato sul fianco e attaccava la parete di carbone al livello del pavimento. Accanto alla sua testa, una candela in una bugia di legno gettava una luce tremolante sul suo lavoro. Nonostante la posizione scomoda, l'uomo vibrava colpi poderosi col piccone: piantava la punta nel carbone, premeva ed estraeva i pezzi. Stava aprendo un'intaccatura profonda settanta o ottanta centimetri per tutta l'ampiezza della camera. Lizzie inorridì accorgendosi che era sdraiato nell'acqua che filtrava dalla parete di carbone, scorreva sul pavimento e finiva nel canaletto scavato lungo tutta la galleria. Immerse le dita nel fossatello: l'acqua era gelata. Rabbrividì. Tuttavia il minatore si era tolto la giacca e la camicia e lavorava in pantaloni e senza scarpe. Il sudore luccicava sulle spalle annerite.

La galleria non era pianeggiante: saliva e scendeva, presumibilmente per seguire il filone. Adesso cominciava a salire più ripida. Jay si fermò e indicò più avanti, dove un minatore stava facendo qualcosa con una candela. «Controlla se c'è il grisou» le disse.

Lizzie gli lasciò la mano e sedette su una roccia per riposare la schiena indolenzita.

«Tutto bene?» le chiese Jay.

«Benissimo. Cos'è il grisou?»

«Un gas infiammabile.»

«Infiammabile?»

«Sì. Causa molte esplosioni nelle miniere.»

Sembrava una pazzia. «Se è esplosivo, perché quell'uomo usa la candela?»

«È l'unico modo per scoprire il gas... è invisibile e non ha odore.»

Il minatore stava alzando lentamente la candela verso la volta, e fissava la fiamma.

«Il gas è più leggero dell'aria, perciò si concentra al livello della volta» continuò Jay. «Una piccola quantità colora di azzurro la fiamma della candela.»

«E una grande quantità?»

«Ci spedisce tutti nel regno dei cieli.»

Per Lizzie fu la goccia che fa traboccare il vaso. Era sporca, sfinita, aveva la bocca piena di polvere di carbone, e adesso correva il pericolo di saltare in aria. Si impose di non perdere la calma. Prima di venire lì sapeva che l'estrazione del carbone era rischiosa e che doveva armarsi di coraggio. I minatori scendevano sottoterra ogni notte: e lei non aveva la forza d'animo necessaria per farlo una volta sola?

Ma sarebbe stata anche l'ultima, di questo era certa.

Rimasero a guardare l'uomo per qualche istante. Si spostava di pochi passi nella galleria e ripeteva la prova. Lizzie era decisa a non tradire la paura. In tono normale, chiese: «E se trova il grisou... cosa succede? Come si fa a eliminarlo?».

«Gli si dà fuoco.»

Deglutì. Le cose stavano peggiorando.

«Uno dei minatori è addetto al fuoco» continuò Jay. «In questo pozzo mi pare che sia McAsh, il giovane ribelle. È un compito che di solito si tramanda di padre in figlio. L'addetto al fuoco è l'esperto del gas. Sa cosa fare.»

Lizzie avrebbe voluto tornare di corsa al pozzo e risalire la scala che portava all'aria aperta. E l'avrebbe fatto, se non fosse stato troppo umiliante lasciare che Jay la vedesse cedere al panico. Per allontanarsi da quel punto pericoloso, indicò una galleria laterale e chiese: «Là cosa c'è?».

Jay le prese di nuovo la mano. «Andiamo a vedere.»

Nella miniera regnava uno strano silenzio, pensò Lizzie mentre proseguivano. Nessuno parlava molto; alcuni uomini avevano un ragazzo che li aiutava, ma in maggioranza lavoravano soli, e i portatori non erano ancora arrivati. Il clangore dei picconi che colpivano il filone e lo scroscio dei frammenti di carbone che si staccavano e cadevano erano attutiti dalle pareti e dallo spesso strato di polvere sul pavimento. Ogni tanto varcavano una porta che un bambino richiudeva dietro di loro: quelle porte regolavano la circolazione dell'aria, spiegò Jay.

Si trovarono in un settore deserto e Jay si fermò. «Sembra che questa parte sia esaurita,» disse facendo oscillare la lanterna. La luce fioca si rifletté negli occhietti dei ratti al limite del cerchio di luce. Senza dubbio si nutrivano degli avanzi dei pasti dei minatori.

Lizzie notò che Jay aveva la faccia sporca di nero: la polvere di carbone arrivava ovunque. Aveva un'aria così buffa che sorrise.

«Cosa c'è?» chiese Jay.

«Ha la faccia nera!»

Jay sorrise e le toccò la guancia con la punta di un dito. «E la sua come crede che sia?»

Lizzie si rese conto che doveva essere conciata esattamente nello stesso modo. «Oh, no!» esclamò ridendo.

«Ma è ancora bellissima» commentò lui, e la baciò.

Lizzie fu colta di sorpresa, ma non si sottrasse al bacio: anzi, le piaceva. Le labbra di Jay erano salde e asciutte, la pelle sopra la bocca era un po' ruvida dopo la rasatura. Quando lui si staccò, gli disse la prima cosa che le passò per la mente: «È per questo che mi hai condotta quaggiù?».

«Ti sei offesa?»

Senza dubbio era contrario alle regole della buona società che un gentiluomo baciasse una signorina con la quale non era fidanzato. Lizzie sapeva che avrebbe dovuto offendersi, ma le era piaciuto. Cominciò a provare imbarazzo. «Forse sarebbe meglio tornare indietro.»

«Posso continuare a tenerti per mano?»

«Sì.»

Jay parve accontentarsi di questo. La ricondusse indietro. Dopo un po', Lizzie vide la roccia dove si era seduta all'andata. Si fermarono a guardare un minatore al lavoro. Lei ripensò al bacio e sentì un lieve fremito d'eccitazione nel ventre.

Il minatore aveva picconato il carbone al livello del pavimento per tutta l'ampiezza della camera e adesso piantava cunei più in alto nella parete. Come quasi tutti i suoi compagni era seminudo e i muscoli massicci della schiena si contraevano e guizzavano a ogni colpo di martello. Il carbone, non più sostenuto alla base, finì per sgretolarsi sotto il proprio peso e cadde a pezzi sul pavimento. Il minatore indietreggiò in fretta mentre lo strato appena messo allo scoperto scricchiolava, tremava, sputava minuscoli frammenti e si adattava alle nuove tensioni.

In quel momento cominciarono ad arrivare i portatori con candele e pale di legno, e per Lizzie fu la cosa più sconvolgente.

Erano quasi tutte donne e bambine.

Non aveva mai domandato cosa facessero le mogli e le figlie dei minatori. Non immaginava che passassero la giornata e metà della notte lavorando nelle viscere della terra.

Le gallerie risuonarono delle loro chiacchiere e l'aria si scaldò in fretta, tanto che Lizzie dovette sbottonarsi il cappotto. Era così buio che le donne non notarono i visitatori e continuarono a parlare senza inibizioni. A poca distanza da loro, un uomo anziano urtò una donna visibilmente incinta. «Togliti di mezzo, Sal, maledizione» disse lui in tono brusco.

«Togliti di mezzo tu, maledetto pistolotto cieco» ribatté la donna.

Un'altra commentò: «Il pistolotto non è cieco. Un occhio ce l'ha!» Risero tutti, fragorosamente.

Lizzie era sbigottita. Nel suo mondo le donne non dicevano mai "maledetto" o "maledizione"; quanto a "pistolotto", poteva solo intuire cosa significava. Era poi sorprendente che le donne riuscissero a ridere dopo essersi alzate alle due del mattino per lavorare sottoterra per quindici ore.

Provava emozioni nuove. Lì tutto era fisico e sensoriale: il buio, il fatto di tenere la mano di Jay, i minatori seminudi che tagliavano il carbone, il bacio di Jay, l'ilarità volgare delle donne.. si sentiva intimidita ed eccitata nello stesso tempo. Il sangue le scorreva più rapido nelle vene, aveva la pelle accaldata e il cuore le batteva forte.

Le chiacchiere cessarono quando i portatori si misero a spalare il carbone in grosse ceste. «Perché le donne fanno questo lavoro?» chiese incredula a Jay.

«Un minatore è pagato secondo il peso del carbone che consegna all'uscita dal pozzo» rispose lui. «Se deve pagare un portatore, è tanto di meno che rimane in famiglia. Quindi lo fa fare a moglie e figli, così possono tenersi tutto.»

Le grandi ceste si riempirono rapidamente. Lizzie vide due donne sollevarne una e issarla sulla schiena curva di una terza, che brontolò nel sentire il peso. La cesta fu fissata con una cinghia che le passava intorno alla fronte, poi la donna si avviò lentamente, piegata in due, lungo la galleria. Lizzie si chiese come faceva a portarla su per una scala di sessanta metri. «È pesante come sembra, quella cesta?»

Uno dei minatori la sentì. «Noi la chiamiamo gerla» le disse. «Ci stanno settanta chili circa di carbone. Le piacerebbe sentire il peso, signorino?»

Jay rispose prima che Lizzie potesse aprir bocca. «Certo che no» disse in tono protettivo.

Il minatore insistette. «O almeno mezza gerla, come quella che porta la piccolina.»

Si stava avvicinando una ragazzina di dieci o undici anni che indossava un abito informe di lana e un fazzolettone intorno alla testa. Era scalza e aveva sul dorso una gerla semipiena.

Lizzie si accorse che Jay stava per rifiutare, ma lo prevenne. «Sì» disse. «Voglio sentire quanto pesa.»

Il minatore fermò la bambina e una delle donne sollevò la gerla. La ragazzina non disse niente, ma sembrava contenta di riposare e riprendere fiato.

«Pieghi la schiena, signorino» disse il minatore, e Lizzie obbedì. La donna le appese la gerla sul dorso.

Aveva teso i muscoli per sostenerla, ma il peso era molto maggiore del previsto e non riuscì a reggerlo neppure per un secondo. Le gambe le si piegarono e cadde. Il minatore, che forse se l'aspettava, l'afferrò. Lizzie sentì il peso sollevarsi quando la donna prese la gerla. Sapevano cosa sarebbe successo, pensò mentre crollava fra le braccia del minatore.

Le donne intorno a loro proruppero in risa stridule di fronte alla figuraccia di quello che credevano un giovane gentiluomo. Il minatore afferrò Lizzie mentre cadeva in avanti e la sostenne con l'avambraccio robusto. Una mano callosa, dura come lo zoccolo d'un cavallo, le premette sul seno attraverso la camicia di lino. Sentì l'uomo prorompere in un borbottio di sorpresa. La mano strinse, come per controllare: Lizzie aveva i seni grandi, anzi, di una grandezza che a volte le sembrava imbarazzante, e dopo un istante la mano si tirò indietro. L'uomo la rimise in piedi, la tenne per le spalle e la fissò con un'espressione sbalordita sulla faccia annerita dal carbone.

«La signorina Hallim!» mormorò.

Lizzie si accorse che il minatore era Malachi McAsh.

Rimasero a guardarsi per un momento, come colti da un incantesimo, mentre le risate delle donne risuonavano nei loro orecchi. L'inattesa intimità era profondamente eccitante per Lizzie, dopo tutto ciò che era successo, e si rese conto che era così anche per l'uomo. Per un secondo si sentì più vicina a lui che a Jay, anche se Jay l'aveva baciata e le aveva tenuto la mano. Poi un'altra voce dominò il chiasso. Una voce di donna esclamò: «Mack... guarda!».

La donna aveva la faccia annerita e teneva accostata una candela alla volta. McAsh la guardò, tornò a guardare

Lizzie e poi, come se gli dispiacesse lasciare le cose a metà, la lasciò e andò a raggiungere l'altra donna.

Guardò la fiamma della candela e disse: «Hai ragione, Esther». Si voltò e parlò agli altri, senza badare a Lizzie e a Jay. «C'è un po' di grisou.» Lizzie avrebbe voluto fuggire a gambe levate, tuttavia McAsh sembrava calmo. «Non ce n'è tanto da suonare l'allarme, almeno per il momento. Controlleremo in posti diversi e vedremo fin dove arriva.»

Lizzie non riusciva a credere che restassero tanto calmi. Che razza di gente erano i minatori? La loro vita era di una durezza brutale, eppure sembravano animati da uno spirito indomabile. In confronto, la sua vita appariva viziata e senza scopo.

Jay le prese il braccio. «Credo che abbiamo visto abbastanza, no?» le chiese a voce bassa.

Lizzie non obiettò. La sua curiosità era più che soddisfatta. Aveva la schiena indolenzita per essere stata costretta a chinarsi di continuo. Era stanca, sporca e spaventata e voleva tornare in superficie per sentire il vento in faccia.

Si avviarono in fretta nella galleria, verso il pozzo. Il lavoro ferveva, adesso, e c'erano portatori davanti e dietro a loro. Le donne si rimboccavano le gonne in modo che arrivassero alle ginocchia per avere libertà di movimento, e stringevano le candele fra i denti. Avanzavano a passo lento sotto gli enormi carichi. Lizzie vide un uomo urinare nel canaletto di drenaggio, davanti alle donne e alle bambine. Non potrebbe essere un po' riservato? si chiese, poi si rese conto che laggiù la riservatezza non esisteva.

Raggiunsero il pozzo e cominciarono a salire la scala. I portatori l'affrontavano a quattro zampe, come i bambini piccoli: era il metodo più adatto, curvi com'erano. Salivano con andatura costante. Adesso nessuno chiacchierava o scherzava: le donne e le bambine ansimavano e gemevano sotto i pesi tremendi. Dopo un po' Lizzie dovette riposare, ma i portatori non si fermavano mai e si sentì umiliata e piena di rimorsi nel vedere le bambine passarle davanti coi loro carichi. Qualcuna piangeva per la sofferenza e la stanchezza. Ogni tanto un bambino rallentava o si fermava per un momento, ma veniva subito sollecitato dalla madre con un'imprecazione o una percossa. Lizzie avrebbe voluto confortarli. Tutte le emozioni di quella notte si sommarono e si trasformarono in collera. «Giuro» disse con veemenza «che finché vivrò non permetterò che si estragga carbone nella mia terra.»

Prima che Jay avesse il tempo di rispondere, una campana cominciò a suonare.

«L'allarme!» disse Jay. «Devono aver trovato altro grisou.»

Lizzie gemette e si alzò in piedi. I polpacci le dolevano come se glieli avessero trafitti con un coltello. Mai più, pensò.

«Ti porto io» disse Jay, e senza perder tempo se la caricò sulla spalla e cominciò a salire la scala.

8

Il grisou si diffuse con rapidità terrificante.

All'inizio la sfumatura azzurra fu visibile solo quando la fiamma era al livello della volta, ma qualche minuto più tardi apparve mezzo metro più in basso, e Mack dovette smettere i controlli per timore di appiccare il fuoco prima che la miniera fosse stata evacuata.

Adesso respirava in fretta, sopraffatto dal panico. Si sforzò di calmarsi e di riflettere.

Di solito il gas filtrava a poco a poco, ma questa volta era diverso. Doveva essere successo qualcosa. Con ogni probabilità, il grisou si era accumulato in un'area chiusa dove il filone era esaurito: poi una vecchia parete si era incrinata e adesso stava lasciando filtrare rapidamente il gas nelle gallerie attive.

E lì tutti, uomini, donne, bambini, portavano una candela accesa.

Un po' di grisou bruciava senza pericoli; una quantità un po' più consistente avrebbe prodotto un lampo e scottato quanti stavano nelle vicinanze; una quantità ingente sarebbe esplosa, uccidendo tutti e distruggendo le gallerie.

Mack respirò a fondo. Doveva far uscire tutti al più presto possibile. Suonò con energia la campana e contò fino a dodici. Quando smise, minatori e portatori stavano correndo verso il pozzo d'uscita, e le madri incitavano i figli a muoversi più in fretta.

Fuggirono tutti tranne due portatrici: sua sorella Esther, calma ed efficiente, e sua cugina Annie, che era forte e svelta, ma anche impulsiva e goffa. Le due donne impugnarono i badili e cominciarono a scavare freneticamente sul pavimento una trincea poco profonda, larga e lunga quanto Mack. Lui, intanto, prese un involto di tela cerata appeso al tetto della sua camera e corse verso lo sbocco della galleria.

Dopo la morte dei suoi genitori, molti uomini si erano chiesti se era abbastanza grande per assumersi il ruolo di addetto al fuoco che era stato di suo padre. A parte la responsabilità, l'addetto al fuoco era considerato un po' il capo della comunità. Anche Mack aveva condiviso i loro dubbi. Ma nessun altro voleva quell'incarico, pericoloso e non retribuito. Quando aveva affrontato con efficienza la prima crisi, i mormorii erano cessati. Adesso era fiero che gli uomini più anziani avessero fiducia in lui, ma l'orgoglio gli imponeva di apparire calmo e sicuro anche quando aveva paura.

Raggiunse lo sbocco della galleria. Gli ultimi ritardatari stavano salendo la scala. Ora doveva sbarazzarsi del gas, e l'unico modo era bruciarlo. Doveva dargli fuoco.

Era una vera sfortuna che accadesse proprio quel giorno. Era il suo compleanno e doveva andarsene. Adesso si pentiva di non aver buttato al vento la prudenza e di non aver lasciato la valle la domenica notte. Aveva pensato che aspettare un paio di giorni avrebbe convinto i Jamisson che sarebbe rimasto e li avrebbe indotti a cullarsi in un falso senso di sicurezza. Lo angosciava il pensiero che, nelle ultime ore della sua esistenza di minatore, doveva rischiare la vita per salvare la miniera quando stava per abbandonarla per sempre.

Se il grisou non fosse stato consumato dal fuoco, la miniera sarebbe stata chiusa. E la chiusura, in un villaggio minerario, era come un raccolto distrutto in una comunità agricola: la gente si riduceva alla fame. Mack non avrebbe mai dimenticato l'ultima volta che la miniera era stata chiusa, quattro inverni prima. Nelle terribili settimane che erano seguite, erano morti i più giovani e i più anziani del villaggio, inclusi i suoi genitori. Il giorno dopo la morte della madre, Mack aveva scavato in un nido di conigli in letargo, gli aveva torto il collo mentre erano ancora storditi e con quella carne aveva salvato se stesso ed Esther.

Uscì sulla piattaforma e strappò dal fagotto l'involucro impermeabile. All'interno c'erano una grossa torcia di fuscelli secchi e stracci, un gomitolo di spago e una versione più grande della bugia semisferica usata dai minatori, fissata a una base di legno perché non cadesse. Mack infilò la torcia nella bugia, legò lo spago alla base e accese stracci e rametti con la sua candela. La torcia si accese subito. Lì avrebbe bruciato senza pericolo perché il gas, più leggero dell'aria, non poteva raccogliersi sul fondo. Ma la mossa successiva consisteva nel portare la torcia accesa nella galleria.

Si prese il tempo necessario per calarsi nello stagno di drenaggio alla base del pozzo e intridersi bene indumenti e capelli nell'acqua gelida per proteggersi dalle ustioni. Poi tornò indietro lungo la galleria, svolgendo il gomitolo di spago mentre scrutava il pavimento per rimuovere le pietre più grandi e gli altri oggetti che avrebbero potuto ostacolare l'avanzata della torcia.

Quando raggiunse Esther e Annie, alla luce dell'unica candela posata sul pavimento vide che tutto era pronto. La trincea era stata scavata. Esther inzuppò una coperta nel fossatello e gliel'avvolse addosso. Tremando, Mack si sdraiò nella trincea continuando a stringere il capo dello spago. Annie s'inginocchiò accanto a lui e lo sorprese con un bacio sulle labbra, poi coprì la trincea con un'asse pesante.

Mack sentì lo scroscio quando le due donne versarono altra acqua sull'asse per proteggerlo dalle fiamme che stava per scatenare. Poi una bussò tre volte per segnalargli che se ne andavano.

Contò fino a cento per dar loro il tempo di uscire dalla galleria.

Poi, col cuore invaso dalla paura, cominciò a tirare lo spago, trascinando la torcia accesa verso il punto dove lui era nascosto, in una galleria semipiena di gas esplosivo.

Jay trasportò Lizzie su per la scala e la posò sul fango ghiacciato dell'imboccatura del pozzo.

«Tutto bene?» le chiese.

«Sono così contenta di essere all'aperto» rispose lei, sollevata. «Non so come ringraziarti per avermi portata fin quassù. Devi essere esausto.»

«Pesi molto meno di una gerla piena di carbone» replicò lui con un sorriso.

Parlava come se Lizzie non avesse peso, ma sembrava un po' malfermo sulle gambe mentre si allontanavano dal pozzo. Comunque, non aveva mai barcollato o esitato mentre saliva.

Mancavano ore al levar del sole e aveva ricominciato a nevicare, non in fiocchi leggeri ma in grumi gelidi che battevano negli occhi di Lizzie. Quando minatori e portatori finirono di uscire dal pozzo, lei notò la giovane donna che aveva fatto battezzare il figlio la domenica precedente... Jen. Il bambino aveva soltanto una settimana, o poco più, ma la poverina portava una gerla piena. Non avrebbe dovuto riposare dopo il parto? Jen vuotò la gerla sul mucchio e consegnò una marca di legno all'incaricato. Lizzie immaginò che le marche servissero per calcolare le paghe al termine della settimana. Forse Jen aveva troppo bisogno di denaro per permettersi di riposare.

Lizzie continuò a guardarla: Jen aveva l'aria preoccupata. Con la candela tenuta alta sopra la testa, correva in mezzo ai settanta o ottanta minatori, scrutava attraverso la neve che cadeva, e chiamava: «Wullie! Wullie!». Sembrava che cercasse un ragazzino. Trovò il marito e gli parlò con aria spaventata. Poi urlò «No!», corse all'imboccatura del pozzo e cominciò a scendere la scala.

Il marito andò sul ciglio del pozzo, tornò indietro e girò di nuovo lo sguardo tra la folla, confuso e angosciato. Lizzie gli chiese: «Cos'è successo?».

L'uomo rispose con voce tremante: «Non riusciamo a trovare nostro figlio. Lei pensa che sia ancora nella miniera».

«Oh, no!» Lizzie si affacciò, e vide una specie di torcia ardere sul fondo. Ma mentre la guardava, la fiamma si mosse e scomparve nella galleria.

Mack l'aveva già fatto tre volte, ma adesso era molto più spaventoso. Nelle occasioni precedenti la concentrazione di grisou era molto più bassa, una diffusione lenta e non un accumularsi improvviso. Suo padre aveva affrontato fughe di gas più pericolose, naturalmente, e quando si lavava davanti al fuoco il sabato sera Mack aveva visto il corpo segnato dalle vecchie ustioni.

Rabbrividì nella coperta intrisa d'acqua gelida. Mentre avvolgeva lo spago e trascinava la torcia accesa sempre più vicina a se stesso e al gas, tentò di calmare la paura pensando ad Annie. Erano cresciuti insieme e si erano sempre voluti bene. Annie aveva un'anima selvaggia e un corpo muscoloso. Non l'aveva mai baciato in pubblico prima di quel giorno, ma l'aveva fatto spesso in segreto. Avevano esplorato l'uno il corpo dell'altra e avevano imparato a darsi il piacere. Avevano tentato tante cose insieme, e si erano trattenuti solo di fronte a quello che Annie chiamava "fare bambini". Ma c'erano quasi arrivati...

Non servì a niente: era ancora terrorizzato. Per calmarsi cercò di pensare con distacco al modo in cui il gas si muoveva e si accumulava. La trincea era in uno dei punti più bassi della galleria, perciò lì la concentrazione doveva essere minore. Tuttavia non c'era modo di saperlo finché non si fosse incendiato. Mack aveva paura del dolore e sapeva che le ustioni erano un tormento. Non aveva paura di morire. Non era molto religioso, però credeva che Dio fosse misericordioso. Comunque non voleva morire adesso: non aveva fatto niente, non aveva visto niente, non era mai andato in nessun posto. Finora era vissuto come uno schiavo. Se sopravvivrò a questa notte, giurò, oggi stesso lascerò la valle. Darò un bacio ad Annie, saluterò Esther, sfiderò i Jamisson e me ne andrò da qui con l'aiuto di Dio.

La quantità di spago che aveva adesso in mano gli rivelò che la torcia aveva percorso metà della distanza e avrebbe potuto incendiare il grisou da un momento all'altro. Ma poteva anche darsi che il gas non prendesse fuoco. Certe volte, gli aveva detto suo padre, sembrava che sparisse e nessuno sapeva dove andava a finire.

Sentì una leggera resistenza nello spago e comprese che la torcia stava strisciando contro la parete, nel tratto dove la galleria curvava. Se avesse sbirciato avrebbe potuto vederla. Adesso, senza dubbio, il gas sarebbe esploso.

Poi udì una voce.

Rimase così sbalordito che in un primo momento pensò di vivere un'esperienza sovrannaturale, l'incontro con un fantasma o un demonio.

Poi si rese conto che non era così: quella che udiva era la voce di un bambino terrorizzato che piangeva e gridava: «Dove siete andati?».

Il cuore di Mack si fermò.

Comprese subito cos'era successo. Quando era bambino e lavorava in miniera, spesso si addormentava durante la giornata di quindici ore. Quel piccolo aveva fatto altrettanto e aveva continuato a dormire anche mentre era suonato l'allarme. Poi si era svegliato, si era accorto che la miniera era deserta ed era stato assalito dal panico.

A Mack bastò una frazione di secondo per intuire cosa fare.

Spostò l'asse e balzò fuori dalla trincea. La scena era illuminata dalla torcia accesa: vide il bambino che usciva da una galleria laterale, si strofinava gli occhi e gemeva. Era Wullie, il figlio di sua cugina Jen. «Zio Mack!» gridò felice.

Mack gli corse incontro, liberandosi dalla coperta fradicia che lo avviluppava. Nella trincea non c'era posto per tutti e due: doveva tentare di raggiungere il pozzo prima che il gas esplodesse. Avvolse il bambino nella coperta e disse: «C'è il grisou, Wullie, dobbiamo uscire». Lo sollevò, se lo mise saldamente sotto un braccio e continuò a correre.

Mentre si avvicinava alla torcia si augurò che non incendiasse il gas. Udì se stesso gridare: «Non ancora! Non ancora!». Poi passarono oltre.

Il bambino non pesava molto, ma era difficile correre stando curvo, e il pavimento rendeva l'impresa ancora più disagevole: in certi tratti era fangoso, in altri coperto da uno spesso strato di polvere, e dovunque era irregolare, con sporgenze di roccia che potevano far inciampare. Mack continuò a correre, a volte barcollava, ma riusciva a non perdere l'equilibrio. E intanto tendeva l'orecchio in attesa del boato: forse sarebbe stato l'ultimo suono che avrebbe sentito.

Quando girò la curva della galleria, la luce della torcia svanì. Corse nelle tenebre, e dopo pochi secondi andò a sbattere contro la parete. Cadde in avanti e lasciò Wullie. Si rialzò imprecando.

Il bambino cominciò a piangere. Mack riuscì a ritrovarlo guidato dai singhiozzi, e lo prese di nuovo in braccio. Adesso era costretto a procedere più adagio. Tastava la parete con la mano libera e malediceva l'oscurità. Poi la fiamma di una candela apparve più avanti, all'imboccatura della galleria, e Mack sentì la voce di Jen che chiamava: «Wullie! Wullie!».

«Ce l'ho io, Jen!» gridò Mack riprendendo a correre. «Torna indietro!»

Lei ignorò l'ordine e gli andò incontro.

Ormai pochi passi separavano Mack dall'ingresso della galleria e dalla salvezza.

«Torna indietro!» urlò. Ma lei continuò ad avanzare.

Andò a sbatterle addosso e la sollevò col braccio libero.

Poi il gas esplose.

Per una frazione di secondo si udì un sibilo penetrante, quindi un boato assordante squassò la terra. Mack ebbe la sensazione che un pugno colossale lo colpisse alla schiena sollevandolo e strappando Wullie e Jen alla sua stretta. Volò in aria. Sentì un'ondata di calore bruciante ed ebbe la certezza di stare per morire: poi piombò a capofitto nell'acqua gelida e si accorse di essere finito nello stagno di drenaggio in fondo al pozzo.

Era ancora vivo.

Risalì a galla e si scrollò l'acqua dagli occhi.

La piattaforma di legno e la scala bruciavano a tratti e le fiamme illuminavano a intermittenza la scena. Mack scorse Jen che si agitava nell'acqua, semisoffocata. L'afferrò e la issò all'asciutto.

«Dov'è Wullie?» gridò lei tossendo.

Forse ha perso i sensi, pensò Mack. Si spinse da un lato all'altro del piccolo stagno e urtò contro la catena di secchi che aveva smesso di funzionare. Finalmente trovò qualcosa che galleggiava: era Wullie. Lo spinse sulla piattaforma accanto alla madre e risalì a sua volta.

Wullie si sollevò a sedere e sputò acqua. «Dio sia ringraziato» singhiozzò Jen. «È vivo.»

Mack guardò nella galleria. Qua e là ardevano spire di gas e parevano spiriti del fuoco. «Su per la scala» incitò. «Potrebbe esserci un'esplosione secondaria.» Rimise in piedi Jen e Wullie e li sospinse davanti a sé. Jen si caricò il figlio sulla schiena: era un peso irrisorio per una donna capace di portare per venti volte una gerla piena di carbone su per la scala in un turno di quindici ore.

Mack esitò e si fermò a guardare i piccoli focolai che ardevano ai piedi dei gradini. Se la scala fosse bruciata completamente, la miniera sarebbe rimasta inaccessibile per settimane, finché non fosse stata ricostruita Indugiò qualche altro istante per spruzzare l'acqua dello stagno sulle fiamme e spegnerle. Poi seguì Jen.

Quando arrivò in cima era esausto, dolorante e stordito. Fu subito circondato dai compagni che gli stringevano la mano, gli davano pacche sulle spalle e si congratulavano con lui. Poi la folla si aprì per lasciar passare Jay Jamisson e il suo compagno nel quale Mack aveva riconosciuto

Lizzie Hallim travestita da uomo. «Bravo, McAsh» disse Jay. «La mia famiglia apprezza molto il tuo coraggio.»

Bastardo presuntuoso, pensò Mack.

Lizzie chiese: «Non esiste altro modo di bloccare il grisou?».

«No» rispose Jay.

«Certo che esiste» ansimò Mack.

«Davvero?» domandò Lizzie. «Quale?»

Mack riprese fiato. «Si scavano pozzi di ventilazione in modo che il gas esca prima di avere il tempo di accumularsi.» Respirò ancora a fondo. «L'abbiamo detto e ripetuto ai Jamisson.»

I minatori mormorarono in segno di assenso.

Lizzie si rivolse a Jay. «Allora perché non lo fate?»

«Tu non t'intendi di affari... e perché dovresti?» rispose Jay. «Nessun uomo d'affari può pagare una soluzione costosa quando una meno cara dà lo stesso risultato. I concorrenti venderebbero a prezzi inferiori ai suoi. È un problema di politica economica.»

«Gli dia pure il nome che vuole» ansimò Mack. «La gente normale la chiama avidità.»

Un paio di minatori gridarono: «Sì! È vero!».

«Su, McAsh» protestò Jay, «non rovinare tutto alzando di nuovo la cresta. Ti metterai nei guai.»

«Nessun guaio» replicò Mack. «Oggi compio ventidue anni.» Non aveva avuto intenzione di dirlo, ma non fu capace di trattenersi. «Non ho ancora lavorato qui per un anno e un giorno... e non lo farò.» La folla ammutolì e Mack si sentì pervadere da un'esaltante sensazione di libertà. «Me ne vado, signor Jamisson» disse. «Me ne vado. Addio.» Voltò le spalle a Jay e si allontanò nel silenzio più assoluto.

9

Quando Jay e Lizzie tornarono al castello, otto o dieci servitori erano già alzati e accendevano i camini o spazzavano i pavimenti alla luce delle candele. Lizzie, tutta sporca di polvere di carbone e quasi paralizzata dalla stanchezza, ringraziò sottovoce Jay e salì vacillando la scala. Jay si fece portare in camera una tinozza d'acqua calda, vi si immerse e cominciò a togliersi la polvere di carbone dalla pelle con la pietra pomice.

Nelle ultime quarantott'ore nella sua vita erano accadute cose incredibili: suo padre gli aveva dato una parte irrisoria del patrimonio, sua madre l'aveva maledetto, e lui aveva tentato di assassinare il fratello: ma non era a questo che pensava. Pensava a Lizzie. Il viso da folletto gli appariva nel vapore che si levava dall'acqua, e sorrideva maliziosamente. Gli occhi socchiusi lo burlavano, lo tentavano, lo sfidavano. Ricordava la sensazione che aveva provato quando l'aveva portata su per la scala della miniera: era così leggera e morbida, e l'aveva stretta a sé mentre saliva. Si chiese se stava pensando a lui. Anche Lizzie doveva aver ordinato l'acqua calda: non poteva certo andare a letto sudicia com'era. La immaginò nuda mentre si insaponava davanti al fuoco, nella sua camera da letto. Avrebbe voluto esserle accanto, prenderle la spugna dalla mano e rimuovere con delicatezza la polvere di carbone dalle curve del seno. Il pensiero lo eccitò. Uscì in fretta dalla tinozza e si massaggiò vigorosamente con un telo ruvido.

Non aveva sonno. Voleva parlare con qualcuno dell'avventura della notte, ma probabilmente Lizzie avrebbe dormito per molte ore. Pensò a sua madre: di lei poteva fidarsi. A volte lo spingeva a fare cose contrarie alle sue inclinazioni, ma stava sempre dalla sua parte.

Si rase, indossò abiti puliti e andò a trovarla. Come aveva previsto, era già alzata e sorseggiava una tazza di cioccolata, seduta alla toilette, mentre una cameriera le acconciava i capelli. Gli sorrise. Lui le diede un bacio e si lasciò cadere su una sedia di fronte a lei. Era graziosa persino a quell'ora, ma aveva un'anima d'acciaio.

Alicia congedò la cameriera. «Perché ti sei alzato tanto presto?» gli chiese.

«Non sono andato a letto. Sono sceso nella miniera.»

«Con Lizzie Hallim?»

È astuta, pensò con affetto: sapeva sempre ciò che lui aveva in mente, ma non gli dispiaceva perché non lo rimproverava mai. «Come l'hai indovinato?»

«Non era difficile. Lizzie moriva dalla voglia di andarci e non è il tipo di ragazza che accetta un "no" come risposta.»

«Abbiamo scelto una brutta giornata. C'è stata un'esplosione.»

«Mio Dio! Non ti è successo niente?»

«No...»

«Comunque, manderò a chiamare il dottor Stevenson...»

«Mamma, non preoccuparti! Ero già fuori quando c'è stato lo scoppio. E Lizzie era con me. Ho soltanto le gambe un po' molli perché l'ho portata a spalle su per la scala del pozzo.»

Alicia si calmò. «Cosa ne ha pensato Lizzie?»

«Ha giurato che non permetterà mai che si estragga carbone nella proprietà Hallim.»

Alicia rise. «E tuo padre non vede l'ora di mettere le mani sul suo carbone. Bene, pregusto già la battaglia. Quando Robert l'avrà sposata, avrà il potere di agire contro i suoi desideri... in teoria. Vedremo. Ma secondo te, il corteggiamento procede?»

«Far la corte a una donna non è il suo forte, povero Robert» rispose Jay in tono sprezzante.

«Ma è il tuo, no?» commentò lei con tono indulgente.

Jay alzò le spalle. «Robert fa del suo meglio, ma è molto maldestro.»

«Forse Lizzie non lo sposerà.»

«Credo che sarà costretta a farlo.»

Alicia lo fissò con sguardo penetrante. «Sai qualcosa che io non so?»

«Lady Hallim trova difficoltà a rinnovare le ipoteche... si è messo di mezzo mio padre.»

«Davvero? Quant'è subdolo!»

Jay sospirò. «Lizzie è una ragazza meravigliosa. Con Robert sarà sprecata.»

Alicia gli posò una mano sul ginocchio. «Jay, ragazzo mio, non è ancora di Robert.»

«Immagino che potrebbe sposare un altro.»

«Potrebbe sposare te.»

«Buon Dio, mamma!» Aveva baciato Lizzie, ma non era arrivato al punto di pensare al matrimonio.

«Sei innamorato di lei, te lo dico io.»

«Innamorato? Questo sarebbe amore?»

«Certo: ti brillano gli occhi quando senti il suo nome, e se lei è presente non vedi nessun altro.»

Aveva descritto esattamente le sue sensazioni: non aveva segreti per sua madre. «Ma... sposarla?»

«Se sei innamorato di lei, chiedigliela! Diventeresti il padrone di High Glen.»

«Per Robert sarebbe un pugno in un occhio» commentò Jay con un sogghigno. Il cuore gli batteva forte all'idea di avere in moglie Lizzie, ma cercò di pensare ai problemi pratici. «Non avrò un soldo.»

«Non ce l'hai neppure adesso. Ma sapresti gestire la proprietà meglio di Lady Hallim, che non si intende d'affari. È molto grande... High Glen dev'essere lunga quindici chilometri, e poi la tenuta include anche Craigie e Crook Glen. Potresti diboscare parte del terreno per trasformarlo in pascolo, vendere più selvaggina, costruire un mulino ad acqua... Potresti fare in modo che desse un reddito decente anche senza bisogno di estrarre il carbone.»

«E le ipoteche?»

«A te le rinnoverebbero più volentieri... sei giovane, energico, appartieni a una famiglia ricca. Non ti dovrebbe essere difficile rinnovarle. E con l'andar del tempo...»

«Cosa?»

«Ecco, Lizzie è impulsiva. Oggi giura che non permetterà mai che si estragga carbone nella proprietà degli Hallim. Domani, Dio lo sa, potrebbe decidere che i cervi sono sensibili e vietarne la caccia. La settimana dopo magari avrà dimenticato entrambe le decisioni. Se facessi estrarre il carbone, pagheresti tutti i debiti.»

Jay fece una smorfia. «Non mi piace la prospettiva di andar contro i desideri di Lizzie.» E poi, voleva coltivare canna da zucchero a Barbados, non estrarre carbone in Scozia. Ma voleva anche Lizzie.

Sua madre cambiò di punto in bianco argomento lasciandolo sconcertato. «Cos'è successo ieri, quando siete andati a caccia?»

Colto di sorpresa, Jay non riuscì a mentire. Arrossì, balbettò e finalmente ammise: «Ho avuto un altro scontro con mio padre».

«Questo lo so» rispose Alicia. «Ho visto le vostre facce quando siete rientrati. Ma non è stata una semplice discussione. Hai fatto qualcosa che l'ha sconvolto. Cosa?»

Non era mai stato capace di ingannarla. «Ho cercato di sparare a Robert» confessò avvilito.

«Oh, Jay, è spaventoso!»

Lui chinò la testa. Il peggio era che aveva fallito il tentativo. Se avesse ucciso il fratello, il rimorso l'avrebbe tormentato, ma avrebbe provato anche un senso selvaggio di trionfo. Così, invece, provava rimorso e basta.

Alicia si fermò accanto alla sedia e si strinse al seno la

testa del figlio. «Mio povero ragazzo» commentò. «Non era necessario. Troveremo un altro modo, non temere.» Gli accarezzò i capelli cullandolo e continuò a sussurrare: «Su, su».

«Come hai potuto fare una cosa simile?» gemette Lady Hallim mentre puliva la schiena di Lizzie.

«Volevo vedere coi miei occhi» rispose Lizzie. «Fa piano!»

«Non posso far piano... la polvere di carbone non si toglie facilmente.»

«Mi ero irritata quando Mack McAsh ha detto che non sapevo quello che dicevo» continuò Lizzie.

«E perché avresti dovuto?» ribatté sua madre. «Perché mai una signorina di buona famiglia dovrebbe intendersi di miniere di carbone?»

«Detesto che qualcuno mi liquidi dicendo che le donne non capiscono niente di politica, di agricoltura, di miniere o di commercio... così possono raccontarmi assurdità di ogni genere.»

Lady Hallim gemette. «Mi auguro che a Robert non dispiaccia che tu sia così mascolina.»

«Dovrà accettarmi come sono o lasciarmi perdere.»

Sua madre proruppe in un sospiro esasperato. «Mia cara, così non va. Devi incoraggiarlo di più. Naturalmente non sta bene che una ragazza si mostri troppo impaziente, ma tu esageri nel senso opposto. Promettimi che oggi sarai carina con Robert.»

«Mamma, cosa pensi di Jay?»

Lady Hallim sorrise. «È un ragazzo affascinante, certo...» S'interruppe di colpo e fissò la figlia. «Perché vuoi saperlo?»

«Quando eravamo nella miniera mi ha baciata.»

«No!» Lady Hallim si raddrizzò di scatto e scagliò la pietra pomice attraverso la stanza. «No, Elizabeth, questo non posso permetterlo!» Lizzie si stupì nel vederla così infuriata. «Non ho vissuto in miseria per vent'anni per allevarti e poi vederti sposare un bel giovane povero!»

«Non è povero...»

«Sì, invece, e hai visto quella scena tremenda con suo padre... non possiede altro che un cavallo... Lizzie, non puoi fare una cosa simile!»

Lady Hallim era furibonda. Lizzie non l'aveva mai vista tanto fuori di sé e non riusciva a capirla. «Mamma, calmati, ti prego» supplicò. Si alzò e uscì dalla tinozza. «Passami un telo per asciugarmi, per favore.»

Con la più grande sorpresa, vide sua madre coprirsi il viso con le mani e scoppiare in lacrime. Lizzie l'abbracciò. «Mamma cara, cosa c'è?»

«Copriti, cattiva» disse fra i singhiozzi Lady Hallim.

Lizzie si avvolse una coperta attorno al corpo umido. «Siedi, mamma.» L'accompagnò a una sedia.

Dopo un po', Lady Hallim riprese a parlare. «Tuo padre era come Jay, proprio come lui» disse, torcendo amaramente la bocca. «Alto, bello, affascinante, molto portato a dare baci nei posti bui... e anche debole, tanto debole. Cedetti all'istinto e lo sposai sebbene mi rendessi conto che era un errore, che era una specie di fuoco fatuo. In tre anni sperperò il mio patrimonio, e un anno più tardi cadde da cavallo mentre era ubriaco, si ruppe la bellissima testa e morì.»

«Oh, mamma!» Lizzie era sconvolta nel sentire l'odio nella sua voce. Di solito parlava del marito in modo neutrale; diceva che era stato sfortunato negli affari, era morto in un incidente e gli avvocati non avevano saputo gestire la proprietà. Quanto a Lizzie, non lo ricordava neppure perché aveva appena tre anni quando era morto.

«E mi disprezzava perché non gli avevo dato un figlio maschio» continuò sua madre. «Un maschio che sarebbe stato come lui, inaffidabile e sventato, e avrebbe spezzato il cuore di chissà quante ragazze. Ma io sapevo come evitarlo.»

Lizzie inorridì di nuovo. Allora era vero che le donne

potevano evitare le gravidanze? Possibile che sua madre l'avesse fatto sfidando la volontà del marito?

Lady Hallim le prese la mano. «Prometti che non lo sposerai. Promettilo!»

Lizzie ritrasse le mani. Si sentiva sleale, ma doveva dire la verità. «Non posso» disse. «Lo amo.»

Quando Jay lasciò la camera della madre, il senso di vergogna e il rimorso si dissolsero. Adesso aveva fame. Scese in sala da pranzo. Suo padre e Robert stavano mangiando grosse fette di prosciutto alla griglia con mele cotte e zucchero, e parlavano con Harry Ratchett. Il sovrintendente era venuto a riferire dello scoppio del grisou. Sir George squadrò Jay con aria severa e disse: «Ho saputo che stanotte sei sceso nella miniera di Heugh».

Jay cominciò a perdere l'appetito. «Sì» rispose. «C'è stata un'esplosione.» E si versò un bicchiere di birra chiara.

«So tutto dell'esplosione» disse Sir George. «Chi c'era con te?»

Jay bevve un sorso di birra. «Lizzie Hallim» confessò.

Robert diventò paonazzo. «Maledizione» esplose. «Sapevi che nostro padre non voleva che scendesse in miniera!»

Jay reagì in tono di sfida. «Bene, padre, come conti di punirmi? Pensi di lasciarmi senza un soldo? L'hai già fatto.»

Sir George agitò l'indice con fare minaccioso. «Ti avverto: non azzardarti a disobbedire ai miei ordini.»

«Dovresti preoccuparti di McAsh, non di me» replicò Jay, cercando di dirottare su qualcun altro la collera del padre. «Ha detto a tutti che oggi se ne va.»

Robert commentò: «Maledetto mascalzone ribelle!». Non si capiva se alludeva a McAsh o a Jay.

Harry Ratchett tossì. «Forse sarebbe meglio lasciar perdere McAsh, Sir George» disse. «È un bravo lavoratore, ma è anche un piantagrane, e ci guadagneremmo sbarazzandoci di lui.»

«Non posso» rispose Sir George. «McAsh ha preso pubblicamente posizione contro di me. Se rimane impunito, tutti i minatori giovani penseranno di potersene andare.»

Robert aggiunse: «E non si tratta solo di noi. Quell'avvocato, Gordonson, potrebbe scrivere a tutte le miniere della Scozia. Se ai minatori venisse permesso di andarsene a ventun anni, l'intera industria crollerebbe».

«Appunto» confermò suo padre. «E come farebbe la Gran Bretagna senza carbone? Vi assicuro, che se mai mi troverò davanti Caspar Gordonson per un'accusa di tradimento, lo farò impiccare più in fretta di quanto possiate pronunciare la parola "incostituzionale".»

Robert disse: «È nostro dovere di patrioti fare qualcosa contro McAsh».

Avevano dimenticato la bravata di Jay, con suo grande sollievo. Per tenere la conversazione su McAsh, chiese: «Ma cosa si può fare?».

«Potrei sbatterlo in prigione» rispose Sir George.

«No» obiettò Robert. «Una volta uscito, continuerebbe a sostenere di essere un uomo libero.»

Ci fu un silenzio pensieroso.

«Potremmo farlo frustare» propose Robert.

«Sarebbe una soluzione» convenne Sir George. «Per legge, ne ho il diritto.»

Ratchett sembrava a disagio. «È un diritto che non viene esercitato da molti anni contro un minatore, Sir George. E poi, chi impugnerebbe la frusta?»

Robert osservò, spazientito: «Bene, cos'è che si fa coi piantagrane?».

Sir George sorrise. «Gli si fa fare il giro» concluse.

10

A Mack sarebbe piaciuto mettersi subito in cammino per Edimburgo, ma sarebbe stata una sciocchezza. Sebbene non avesse lavorato per un turno intero, era esausto e l'esplosione l'aveva un po' stordito. Aveva bisogno di tempo per pensare cos'avrebbero potuto fare i Jamisson e come batterli in astuzia.

Andò a casa, si tolse gli indumenti bagnati, accese il fuoco e si mise a letto. L'immersione nello stagno di drenaggio l'aveva fatto diventare ancora più sporco del solito, perché l'acqua era torbida di polvere di carbone: ma le coperte del suo letto erano così nere che se lo fossero diventate un po' di più non avrebbe fatto nessuna differenza. Come quasi tutti gli uomini, faceva il bagno una volta la settimana, il sabato sera.

Dopo l'esplosione gli altri minatori erano tornati al lavoro. Esther era rimasta in miniera con Annie, per trasportare il carbone estratto da Mack. Non avrebbe lasciato che tanta fatica andasse sprecata.

Mentre scivolava nel sonno, si chiese perché gli uomini si stancavano prima delle donne. I minatori, tutti maschi, lavoravano dieci ore, da mezzanotte alle dieci del mattino; i portatori, in maggioranza donne, lavoravano dalle due del mattino fino alle cinque del pomeriggio, quindici ore. Il compito delle donne era più gravoso perché dovevano salire di continuo la scala con le enormi gerle piene di carbone sulla schiena, eppure tiravano avanti per molto tempo dopo che i loro uomini erano tornati a casa barcollando ed erano crollati sul letto. Qualche volta le donne facevano il lavoro degli uomini, ma succedeva di rado: non colpivano abbastanza forte col piccone e il martello e impiegavano troppo tempo a staccare il carbone dalla parete.

Gli uomini facevano sempre un sonnellino quando rincasavano, e si alzavano dopo circa un'ora. Molti preparavano la cena per le mogli e i figli. Alcuni invece passavano il pomeriggio a bere dalla signora Wheighel; le loro mogli venivano commiserate perché era faticoso per una donna arrivare a casa dopo aver trasportato carbone per quindici ore e trovare il fuoco spento, niente cibo e un marito ubriaco. La vita dei minatori era dura, ma quella delle mogli ancora di più.

Mack si svegliò con la certezza che fosse un giorno importante, ma non riuscì subito a ricordare perché. Poi rammentò: stava per lasciare la valle.

Non sarebbe arrivato lontano se avesse avuto l'aspetto del minatore fuggito: per prima cosa, quindi, doveva pulirsi. Preparò il fuoco, poi andò più volte al fiumicello col secchio, scaldò l'acqua e portò in casa la tinozza di stagno appesa dietro la porta posteriore. La stanzetta si riempì di vapore. S'immerse nella tinozza con una saponetta e una spazzola rigida e cominciò a pulirsi.

Provava una sensazione piacevole. Era l'ultima volta che si toglieva dalla pelle la polvere di carbone: non sarebbe più sceso in una miniera. Si lasciava alle spalle la schiavitù e aveva davanti Edimburgo, Londra, il mondo. Avrebbe conosciuto gente che non aveva mai sentito parlare della miniera di Heugh. Il suo destino era un foglio bianco sul quale poteva scrivere ciò che voleva.

Stava ancora facendo il bagno quando entrò Annie.

Esitò sulla soglia. Sembrava turbata e incerta.

Mack sorrise, le porse la spazzola e chiese: «Ti dispiace lavarmi la schiena?».

Lei si avvicinò e prese la spazzola, ma rimase ferma a guardarlo con la stessa espressione infelice.

«Su, avanti» la incitò Mack.

Lei cominciò a spazzolargli la schiena.

«Dicono che un minatore non dovrebbe mai lavarla» disse. «Lo indebolisce.»

«Non sono più un minatore.»

Annie si fermò. «Non andare via, Mack» implorò. «Non lasciarmi qui.»

Mack aveva temuto qualcosa del genere: il bacio sulle labbra era stato un avvertimento. Si sentiva in colpa. Era affezionato alla cugina e si era divertito con lei l'estate precedente, quando si erano rotolati in mezzo all'erica nei caldi pomeriggi domenicali. Ma non voleva vivere assieme a lei, soprattutto se questo significava restare a Heugh. Come spiegarglielo senza farla soffrire? Lei aveva le lacrime agli occhi, e si capiva quanto desiderava che le promettesse di rimanere. Ma era deciso a partire: lo voleva con tutte le sue forze. «Devo andare» disse. «Mi mancherai, Annie, ma devo andare.»

«Credi di essere meglio di tutti noi, vero?» ribatté lei in tono risentito. «Tua madre aveva idee grandiose e tu le somigli. Io non ti merito, eh? Vuoi andare a Londra e sposare una nobildonna, immagino!»

Sua madre aveva avuto idee grandiose, questo sì, però Mack non sarebbe andato a Londra per sposare una nobildonna. Era migliore degli altri? Pensava che Annie non lo meritasse? C'era un pizzico di verità in ciò che gli aveva detto, e si sentì a disagio. «Nessuno di noi merita la schiavitù» disse.

Annie s'inginocchiò accanto alla tinozza e gli posò la mano sul ginocchio che sporgeva dall'acqua. «Non mi ami, Mack?»

Con un senso di vergogna, cominciò a sentirsi eccitato. Avrebbe voluto abbracciarla e rasserenarla, ma si fece forza. «Mi sei molto cara, Annie, ma non ti ho mai detto "ti amo", e tu non l'hai mai detto a me.»

Annie immerse la mano e lo toccò fra le gambe. Sorrise nel sentirlo eccitato.

Lui chiese: «Dov'è Esther?».

«Sta giocando con il piccolo di Jen. Starà via per un po'.»

Era stata Annie a chiederglielo, pensò Mack. Altrimenti si sarebbe precipitata a casa per discutere assieme i progetti di lui.

«Rimani qui e sposiamoci» disse Annie accarezzandolo. Era una sensazione magnifica. Mack le aveva insegnato come fare, l'estate precedente, poi le aveva chiesto di mostrargli come faceva lei a darsi il piacere. Il ricordo lo eccitò ancora di più. «Potremmo fare sempre quello che ci piace» insistette Annie.

«Se mi sposo resto bloccato qui per tutta la vita» obiettò Mack mentre la sua resistenza s'indeboliva.

Annie si alzò e si sfilò il vestito. Non indossava nient'altro: la biancheria veniva usata soltanto la domenica. Aveva un corpo snello e solido, con i piccoli seni piatti e un ciuffo di fitto pelo nero all'inguine. La pelle era ingrigita dalla polvere di carbone, come quella di Mack. Con grande stupore di lui, entrò nella tinozza e s'inginocchiò a cavalcioni delle sue gambe. «Adesso tocca a te lavarmi» lo incitò porgendogli il sapone.

Mack la insaponò adagio, facendo schiumare il sapone, poi le posò le mani sui seni. I capezzoli erano piccoli e rigidi. Annie emise un gemito gutturale, poi gli afferrò i polsi e gli spinse le mani verso il basso, sul ventre sodo e piatto, fino all'inguine. Le dita insaponate le scivolarono fra le cosce e Mack sentì i riccioli ispidi e la carne morbida.

«Dimmi che resterai» lo supplicò Annie. «Prendimi. Voglio sentirti dentro di me.»

Mack sapeva che se avesse ceduto la sua sorte sarebbe stata segnata. La scena aveva un che di irreale, come un sogno. «No» disse, ma la sua voce era un bisbiglio.

Annie si fece più vicina, gli attirò la faccia contro il seno, quindi si abbassò fino a restare sospesa sopra di lui, arrivando a sfiorargli con le grandi labbra la punta gonfia del pene che sporgeva dall'acqua. «Dimmi di sì» insistette.

Lui gemette e rinunciò a lottare. «Sì» disse. «Ti prego. Fa presto.»

Ci fu uno schianto terribile e la porta si spalancò.

Annie gridò.

Quattro uomini fecero irruzione: Robert Jamisson, Harry Ratchett e due guardacaccia dei Jamisson. Robert aveva una spada e due pistole, e uno dei guardacaccia era armato di moschetto.

Annie si staccò da Mack e uscì dalla tinozza. Stordito e spaventato, Mack si alzò tremando.

Il guardacaccia col moschetto guardò Annie. «Due cugini affezionati» commentò ghignando. Mack lo conosceva, si chiamava McAlistair. Riconobbe anche l'altro, un colosso di nome Tanner.

Robert proruppe in una risata sgradevole. «Ah, è la cugina? Immagino che i minatori non facciano caso all'incesto.»

La paura e lo sbalordimento di Mack lasciarono il posto al furore per quell'invasione della sua casa. Dominò la rabbia e cercò di controllarsi. Era in grave pericolo e c'era il rischio che ci andasse di mezzo anche Annie. Non doveva perdere la lucidità, né cedere all'indignazione. Guardò Robert. «Sono un uomo libero e non ho violato nessuna legge» disse. «Cosa siete venuti a fare in casa mia?»

McAlistair continuava a guardare il corpo bagnato e fumante di Annie. «Che bello spettacolo» commentò con voce impastata.

Mack si girò verso di lui e con voce bassa e calma ammonì: «Se la tocchi, ti stacco la testa con le mie mani».

McAlistair gli guardò le spalle nude e si rese conto che poteva mettere in atto la minaccia. Impallidì e arretrò di un passo, sebbene fosse armato.

Tanner però era più grosso e audace. Tese la mano e afferrò il seno bagnato di Annie.

Mack agì senza riflettere. In un attimo balzò dalla tinozza e afferrò il polso di Tanner. Prima che qualcuno potesse reagire, gli spinse la mano sul fuoco.

Tanner urlò e si contorse, ma non riuscì a sottrarsi alla stretta di Mack. «Lasciami!» urlò. «Per favore! Per favore!»

Mack gli tenne la mano sui carboni ardenti e gridò: «Scappa, Annie!».

Annie afferrò il vestito e fuggì dalla porta posteriore.

Il calcio di un moschetto si abbatté sulla nuca di Mack.

Il colpo lo fece infuriare. Adesso che Annie era fuggita, non si trattenne più. Lasciò Tanner, poi afferrò McAlistair per la giacca, lo colpì con una testata alla faccia e gli spezzò il naso. McAlistair urlò per il dolore mentre il sangue sgorgava. Mack si girò di scatto e sferrò un calcio all'inguine di Harry Ratchett con un piede scalzo, duro come una pietra. Con un gemito, Ratchett si piegò in due.

Ogni volta che Mack si era azzuffato con qualcuno l'aveva fatto in miniera, quindi era abituato a battersi in uno spazio limitato, ma quattro avversari erano troppi. McAlistair lo colpì di nuovo col calcio del moschetto e per un momento lo fece vacillare, stordito. Poi Ratchett lo afferrò da dietro, gli bloccò le braccia e, prima che riuscisse a liberarsi, Robert Jamisson gli puntò la spada alla gola.

Dopo un momento, Robert ordinò: «Legatelo».

Lo gettarono di traverso su un cavallo e coprirono la sua nudità con una coperta, quindi lo portarono a Jamisson Castle e lo chiusero nella dispensa, ancora nudo e con le mani e i piedi legati. Rimase a rabbrividire sul pavimento di pietra, circondato dalle carcasse sanguinanti di cervi, bovini e maiali. Cercò di riscaldarsi muovendosi per quanto poteva; ma così legato non riusciva a generare molto calore. Dopo molti tentativi, si sollevò a sedere con la schiena contro il pelame di un cervo. Per un po' cantò per farsi coraggio: dapprima le ballate che i minatori intonavano il sabato sera dalla signora Wheighel, poi qualche inno, infine qualche aria dei ribelli giacobiti. Ma quando ebbe finito si sentì peggio di prima.

Gli doleva la testa per i colpi di moschetto, ma lo faceva soffrire soprattutto la facilità con cui i Jamisson l'avevano catturato. Era stato stupido a rimandare la partenza: aveva lasciato loro il tempo di entrare in azione. E mentre quelli tramavano la sua rovina, lui era impegnato a palpare il seno della cugina.

Meglio non chiedersi che destino intendevano riservargli. Se non fosse morto di freddo nella dispensa, forse l'avrebbero mandato a Edimburgo e processato per l'aggressione ai guardacaccia. Come per molti altri reati, la pena era l'impiccagione.

La luce che filtrava dalle fessure intorno alla porta svanì a poco a poco e scese la notte. Vennero a prenderlo mentre l'orologio del cortile delle scuderie suonava le undici. Questa volta gli uomini erano sei, e non tentò di opporre resistenza.

Davy Taggart, il fabbro che faceva gli attrezzi dei minatori, gli mise al collo un cerchio di ferro come quello di Jimmy Lee. Era l'umiliazione suprema, un segno che tutti potevano vedere, e proclamava che era proprietà di un altro uomo. Lui era meno di un uomo, era subumano, un capo di bestiame.

Lo slegarono e gli buttarono qualche indumento: un paio di pantaloni, una camicia di flanella lisa e un panciotto lacero. Li indossò in fretta ma continuò ad avere freddo. I guardacaccia gli legarono di nuovo le mani e lo caricarono su un pony.

Lo portarono alla miniera.

Di lì a pochi minuti sarebbe cominciato il turno di mercoledì, a mezzanotte in punto. Lo stalliere stava attaccando un cavallo fresco per far funzionare la catena dei secchi. Mack comprese che intendevano fargli fare il giro.

Gemette. Era una tortura disumana e umiliante. Avrebbe dato la vita per una ciotola di porridge caldo e per qualche minuto davanti al fuoco. Invece era condannato a passare la notte all'aperto. Per un attimo desiderò gettarsi in ginocchio e invocare misericordia, ma il pensiero della soddisfazione che avrebbe dato ai Jamisson riattizzò il suo orgoglio. Gridò: «Non avete il diritto di farlo! Non avete nessun diritto!». I guardacaccia risero.

Lo misero in piedi sulla pista circolare fangosa dove i cavalli trottavano giorno e notte. Raddrizzò le spalle e alzò la testa, ma aveva voglia di piangere. Lo legarono ai finimenti, rivolto verso il cavallo, in modo che non potesse scostarsi. Poi lo stalliere, con un colpo di frusta, fece muovere al trotto l'animale.

Mack cominciò a correre all'indietro.

Incespicò quasi subito e il cavallo si fermò. Lo stalliere lo frustò di nuovo per farlo ripartire e Mack si rialzò appena in tempo. A poco a poco imparò a correre a ritroso; poi si sentì troppo sicuro e scivolò nel fango gelato. Questa volta il cavallo continuò la corsa. Mack si girò su un fianco, si contorse per sfuggire agli zoccoli, fu trascinato per un paio di secondi dall'animale, perse l'equilibrio e gli ruzzolò sotto gli zoccoli. Il cavallo gli calpestò lo stomaco e la coscia, quindi si fermò.

Fecero rialzare Mack e frustarono di nuovo il cavallo. Il colpo allo stomaco gli aveva mozzato il fiato e sentiva la gamba sinistra più debole, ma era costretto a correre all'indietro zoppicando.

Digrignò i denti e cercò di trovare un ritmo. Aveva visto altri subire quella punizione: Jimmy Lee, per esempio. Erano sopravvissuti, ma ne portavano i segni. Jimmy Lee aveva una cicatrice sopra l'occhio sinistro dove il cavallo gli aveva dato un calcio, e il rancore che lo divorava era alimentato dal ricordo dell'umiliazione. Anche Mack sarebbe sopravvissuto. Sebbene inebetito dalla sofferenza, dal freddo e dalla sconfitta, pensava soltanto a restare in piedi e a evitare gli zoccoli pericolosi.

Via via che il tempo passava cominciò a provare una certa affinità con il cavallo. Erano aggiogati entrambi e costretti a correre in cerchio. Quando lo stalliere schioccava la frusta, Mack accelerava un po'; quando Mack inciampava, il cavallo sembrava rallentare l'andatura per dargli il tempo di riprendersi.

Poi, a mezzanotte, con l'inizio del turno, cominciarono ad arrivare i minatori. Salivano la collina parlando, gridando e scambiandosi battute scherzose come al solito: ma ammutolivano quando si avvicinavano all'ingresso della miniera e vedevano Mack. I guardacaccia spianavano minacciosi i moschetti ogni volta che un minatore sembrava sul punto di fermarsi. Mack sentì Jimmy Lee protestare indignato e con la coda dell'occhio vide altri tre o quattro minatori prenderlo per le braccia e spingerlo verso il pozzo per evitare che si mettesse nei guai.

A poco a poco Mack perse il senso del tempo. Arrivarono i portatori, donne e bambini, e anche loro ammutolivano come gli uomini quando gli passavano accanto. Sentì Annie gridare: «Oh, mio Dio, gli fanno fare il giro!». Gli uomini degli Jamisson le impedirono di avvicinarsi, ma lei gridò: «Esther ti sta cercando... vado a chiamarla».

Più tardi apparve Esther e, prima che i guardacaccia potessero impedirglielo, fermò il cavallo e accostò una fiasca di latte caldo e dolce alle labbra del fratello. Aveva il sapore di un elisir di vita e Mack lo trangugiò tanto avidamente che quasi soffocò. Riuscì a vuotare la fiasca prima che allontanassero Esther.

La notte trascorse lenta e parve lunga come un anno. I guardacaccia posarono i moschetti e sedettero intorno al fuoco dello stalliere. L'estrazione del carbone continuò. I portatori salivano dal pozzo, vuotavano le gerle nel grande mucchio e ridiscendevano. Quando lo stalliere cambiò il cavallo, Mack poté riposare per qualche minuto; ma il cavallo fresco, poi, trottò più svelto.

A un certo momento si accorse che era di nuovo giorno. Ormai non doveva mancare più di un'ora o due alla fine del turno, ma un'ora era un'eternità.

Un pony salì la collina. Con la coda dell'occhio Mack vide che il cavaliere smontava e si fermava a guardarlo. Riconobbe Lizzie Hallim; portava la stessa pelliccia nera con cui era andata in chiesa. Era venuta per deriderlo? Si sentiva umiliato e pregò che se ne andasse. Ma quando la guardò di nuovo in viso, non vide traccia di ironia o di divertimento, bensì compassione, collera, e qualcos'altro che non riuscì a decifrare.

In quel momento arrivò un altro cavallo. Robert scese, parlò a Lizzie sottovoce, con tono irritato. La risposta di Lizzie fu chiarissima: «È una barbarie!». Nella sua infelicità Mack provò un senso di profonda gratitudine. L'indignazione di quella ragazza lo confortava. Era una consolazione, per quanto piccola, sapere che fra i nobili c'era almeno una persona convinta che non si potessero trattare così gli esseri umani.

Robert replicò indignato, però Mack non afferrò le sue parole. Mentre i due discutevano, gli uomini cominciarono a uscire dalla miniera. Ma non tornarono a casa. Si fermarono lì intorno e rimasero a guardare in silenzio. Le donne venivano via via a raggiungerli: quando avevano vuotato le gerle, non ridiscendevano nel pozzo ma si univano alla folla silenziosa.

Robert ordinò allo stalliere di fermare il cavallo.

Finalmente Mack smise di correre. Cercò di mantenere una dignitosa posizione eretta, ma le gambe non lo sostennero. Cadde in ginocchio. Lo stalliere si avvicinò per slegarlo, ma Robert lo fermò con un gesto.

Poi parlò a voce alta, perché tutti sentissero. «Bene, McAsh, ieri hai detto che un giorno solo ti separava dalla schiavitù. Adesso hai lavorato quel giorno in più. Anche secondo le tue stupide leggi, sei proprietà di mio padre.» E si voltò per parlare alla folla.

Ma prima che potesse riaprire bocca, Jimmy Lee cominciò a cantare.

La sua pura voce tenorile fece echeggiare nella valle le note di un inno familiare:

> Ecco, un uomo piegato dall'angoscia,
> segnato dal dolore e sofferenza,
> ascende quella collina petrosa
> portando una croce sulle spalle.

Robert diventò paonazzo e gridò: «Sta zitto!».

Jimmy non gli badò e attaccò la seconda strofa. Gli altri gli fecero coro: qualcuno cantava le armonie, cento voci intonavano la melodia.

Ora è trafitto dal dolore
agli occhi degli uomini,
quando un nuovo giorno spunterà,
lo vedremo risorto.

Robert si arrese e si girò. Si avviò nel fango verso il suo cavallo con una fretta furiosa, e lasciò sola Lizzie, una figuretta in atteggiamento di sfida. Montò in sella e scese la collina, mentre le voci squillanti dei minatori scuotevano l'aria della montagna come un temporale:

Non guardateci con aria di pietà.
Guardate invece la nostra vittoria.
Quando costruiremo la città celeste
tutti gli uomini saranno liberi!

11

Jay si svegliò con la certezza che avrebbe chiesto a Lizzie di sposarlo.

Sua madre gli aveva seminato l'idea nella mente soltanto il giorno prima, ma aveva messo subito radici. Sembrava naturale, addirittura inevitabile.

Adesso si domandava con ansia se avrebbe accettato.

Era convinto di piacerle... come a tante ragazze. Ma Lizzie aveva bisogno di denaro e lui non ne aveva. Sua madre aveva detto che quei problemi si potevano risolvere, ma forse Lizzie preferiva la sicurezza offerta da suo fratello. L'idea che sposasse Robert gli dava la nausea.

Rimase deluso quando seppe che era uscita presto. Si sentiva teso, troppo teso per rimanere in casa ad aspettare il suo ritorno. Andò alle scuderie ed esaminò lo stallone bianco che il padre gli aveva regalato per il compleanno. Si chiamava Blizzard. Aveva giurato che non l'avrebbe mai montato, ma non seppe resistere alla tentazione. Portò Blizzard su per l'High Glen e lo lanciò al galoppo sul terreno soffice lungo il fiume. Valeva la pena di venir meno alla promessa. Gli pareva di essere sul dorso di un'aquila e di veleggiare nell'aria, trasportato dal vento.

Blizzard era un galoppatore superbo. Se camminava e trottava era ombroso, insicuro, svogliato e irritabile. Ma era facile perdonare a un cavallo di essere un trottatore mediocre quando correva come un proiettile.

Tornando a casa, indugiò col pensiero su Lizzie. Era sempre stata fuori dal comune, anche da ragazzina: graziosa, ribelle e incantevole. Adesso però era unica. Sparava meglio di tutti quelli che conosceva, l'aveva battuto in una corsa a cavallo, non aveva paura di scendere in una miniera, sapeva travestirsi e ingannare chiunque a un tavolo da pranzo... no, non aveva mai incontrato una donna come lei.

Naturalmente, era difficile da trattare: ostinata, testarda, egocentrica. Era pronta, assai più della maggioranza delle donne, a contestare ciò che dicevano gli uomini. Ma Jay e tutti gli altri la perdonavano perché era così affascinante quando inclinava il visetto malizioso e sorrideva e aggrottava la fronte mentre ribatteva parola per parola.

Jay arrivò nel cortile delle scuderie contemporaneamente al fratello. Robert era di pessimo umore. Quando si arrabbiava, somigliava ancor di più al padre, con la faccia rossa e l'aria arrogante. Jay gli chiese: «Cosa diavolo ti è successo?». Ma Robert lanciò le briglie a uno stalliere ed entrò in casa a passo di carica.

Mentre Jay sistemava Blizzard, sopraggiunse Lizzie. Anche lei era agitata, ma il rossore della collera sulle guance e i lampi d'ira negli occhi la rendevano ancora più carina. Jay la fissò incantato. La voglio, pensò, la voglio per me. Era pronto a chiederle subito di sposarlo, ma prima che aprisse bocca, lei balzò a terra e disse: «So che se qualcuno si comporta male dev'essere punito, ma non approvo la tortura. E tu?».

Per lui non era affatto sbagliato torturare i criminali, ma non aveva intenzione di dirglielo, dato che era tanto irritata. «No, naturalmente» rispose. «Vieni dall'ingresso della miniera?»

«È stato spaventoso. Ho detto a Robert di lasciar andare quell'uomo, ma ha rifiutato.»

E così aveva litigato con Robert. Jay represse la propria gioia. «Non avevi mai visto un uomo fare il giro? Non capita poi così di rado.»

«No, non l'avevo mai visto. Non so come ho potuto rimanere così vergognosamente ignorante sulla vita dei minatori. Forse mi hanno nascosto la verità perché sono una donna.»

«Robert sembrava molto arrabbiato» buttò là Jay.

«Tutti i minatori hanno cantato un inno e non hanno smesso quando lui gliel'ha ordinato.»

Jay gongolava. A quanto pareva, Lizzie aveva visto Robert nella luce peggiore. Le mie speranze di farcela crescono di momento in momento, pensò esultante.

Uno stalliere portò via il cavallo di Lizzie. Attraversarono insieme il cortile ed entrarono nel castello. Robert stava parlando con Sir George nel salone. «È stata una sfida spudorata. Qualunque cosa succeda, dobbiamo fare in modo che McAsh non la passi liscia.»

Lizzie sbuffò, esasperata, e Jay intravide l'occasione per rendersi più gradito ai suoi occhi. «Secondo me, dovremmo valutare la possibilità di lasciar andare McAsh» disse al padre.

Robert protestò: «Non dire stupidaggini!».

Jay ricordava il commento di Ratchett. «Quell'uomo è un piantagrane... staremmo meglio senza di lui.»

«Ci ha sfidati apertamente» scattò Robert. «Non si può tollerare che resti impunito.»

«Non è rimasto impunito!» dichiarò Lizzie. «Ha subìto una punizione feroce.»

Sir George replicò: «Non è feroce, Elizabeth... deve rendersi conto che loro non sentono il dolore come lo sentiamo noi». Poi, senza lasciarle il tempo di reagire, si rivolse a Robert: «Però è vero, non è rimasto impunito. Adesso i minatori sanno che non possono andarsene quando compiono i ventun anni: questo l'abbiamo dimostrato. Mi domando anch'io se non dovremmo lasciare che sparisca».

Robert era irritato. «Jimmy Lee è un altro piantagrane ma l'abbiamo riportato indietro.»

«È diverso» replicò suo padre. «Lee è tutto cuore e niente cervello... non sarà mai un capo, da lui non abbiamo nulla da temere. McAsh è di un'altra stoffa.»

«A me non fa paura,» proclamò Robert.

«Potrebbe essere pericoloso» lo contraddisse Sir George. «Sa leggere e scrivere. È l'addetto al fuoco, quindi gli altri lo tengono in grande considerazione. E a giudicare dalla scena che mi hai appena descritto, è ormai sulla strada per diventare un eroe. Se lo costringeremo a restare, continuerà a procurarci guai finché sarà vivo.»

Controvoglia, Robert annuì. «Comunque, credo che non sia la soluzione giusta.»

«Possiamo fare in modo che lo diventi» disse il padre. «Lascia la guardia sul ponte. Probabilmente McAsh passerà per la montagna, e noi non gli daremo la caccia. Non m'importa se scappa... a me basta che tutti sappiano che non ne aveva il diritto.»

«D'accordo» si arrese Robert.

Lizzie lanciò a Jay un'occhiata trionfante e, alle spalle di Robert, mosse le labbra in un "Bravo!" silenzioso.

«Devo lavarmi le mani prima di pranzo» disse Robert, e uscì accigliato. Sir George andò nel suo studio. Lizzie buttò le braccia al collo di Jay. «Ci sei riuscito!» esclamò. «L'hai liberato!» E gli diede un bacio esuberante.

Era un gesto scandalosamente audace e Jay ne fu scosso, ma si riprese subito. Le cinse la vita con le braccia e l'attirò a sé. Si curvò verso di lei e si baciarono di nuovo. Fu un bacio diverso, lento, sensuale, esplorativo. Jay chiuse gli occhi per concentrarsi sulle sensazioni. Dimenticò che erano nella stanza più accessibile del castello, dove passavano di continuo familiari e ospiti, vicini e servitori. Per fortuna non entrò nessuno a disturbarli. Quando si staccarono per riprendere fiato, erano ancora soli.

Con un fremito d'ansia, Jay si rese conto che era il momento più adatto per chiederle di sposarlo.

«Lizzie...» Non sapeva come affrontare l'argomento.

«Sì?»

«Be', ecco... adesso non puoi sposare Robert.»

«Posso fare tutto quello che voglio» reagì pronta lei.

Naturalmente, era l'atteggiamento sbagliato con Lizzie. Non bisognava mai dirle cosa poteva e cosa non poteva fare. «Non volevo dire...»

«Può darsi che Robert sappia baciare anche meglio di te» lo stuzzicò rivolgendogli un sorriso malizioso.

Jay rise.

Lei gli appoggiò la testa sul petto. «Però è evidente che non posso più sposarlo.»

«Perché?»

Lei lo guardò. «Perché sposerò te... no?»

Jay quasi non riusciva a credere di aver sentito bene. «Ecco... sì!»

«Non è quello che stavi per chiedermi?»

«Per essere sincero... sì.»

«Allora ecco fatto. Adesso puoi baciarmi ancora.»

Un po' frastornato, Jay chinò la testa verso di lei. Non appena le loro labbra s'incontrarono, Lizzie aprì la bocca e Jay, sorpreso e felice, sentì la punta della sua lingua insinuarglisi esitando fra i denti. Si chiese quanti altri ragazzi aveva baciato, ma non era il momento di domandarglielo. Rispose alla sollecitazione di lei. Si sentiva eccitato, e lo imbarazzò il pensiero che Lizzie se ne accorgesse. Lei gli si fece ancora più vicina, e lui fu sicuro che l'avesse sentito. Per un momento, infatti, rimase immobile, sembrava incerta su come comportarsi, poi lo scandalizzò di nuovo stringendosi più forte a lui, come se fosse impaziente di sentirlo. Jay aveva conosciuto ragazze esperte, nelle taverne e nei caffè di Londra, disposte a baciare un uomo e a strusciarglisi addosso senza farsi tanto pregare, ma Lizzie era diversa, sembrava che lo facesse per la prima volta.

Jay non udì la porta aprirsi. E all'improvviso Robert gli urlò all'orecchio: «Cosa diavolo state facendo?».

I due innamorati si separarono. «Calmati, Robert» lo esortò Jay.

Robert era furibondo. «Maledizione, cosa ti sei messo in mente?» balbettò.

«È tutto a posto, fratello» rispose Jay. «Ci siamo fidanzati.»

«Porco!» ruggì Robert, e sferrò un pugno.

Era un colpo alla cieca e Jay lo schivò facilmente, ma poi Robert si avventò mulinando i pugni. Jay non si azzuffava con lui da quando erano ragazzini, ma ricordava che suo fratello era molto forte, sebbene lento nei movimenti. Dopo aver schivato una scarica di colpi, si avventò e gli si avvinghiò addosso. Con suo grande stupore, Lizzie piombò sulla schiena di Robert, cominciò a tempestargli di pugni la testa e a urlare: «Lascialo stare! Lascialo stare!».

Lo spettacolo fece scoppiare Jay in una risata e non riuscì a continuare la lotta. Lasciò Robert, il quale lo colpì con forza vicino all'occhio. Jay indietreggiò barcollando e cadde a terra. Con l'occhio indenne vide che Robert si sforzava di scrollarsi Lizzie dalla schiena. Nonostante il dolore, Jay scoppiò di nuovo a ridere.

In quel momento entrò la madre di Lizzie, seguita da Alicia e da Sir George. Dopo un attimo di esitazione, inorridita, Lady Hallim ordinò: «Elizabeth Hallim, lascia immediatamente quell'uomo!».

Jay si rialzò e Lizzie si staccò da Robert. I tre genitori erano troppo allibiti per parlare. Con una mano sull'occhio dolorante, Jay s'inchinò alla madre di Lizzie e disse: «Lady Hallim, ho l'onore di chiederle la mano di sua figlia».

«Maledetto idiota, non avrai di che vivere!» proruppe Sir George pochi minuti più tardi.

Le due famiglie si erano separate per discutere in privato la sconvolgente novità. Lady Hallim e Lizzie erano andate di sopra, Sir George, Jay e Alicia nello studio. Robert si era allontanato da solo.

Jay si trattenne dal rispondere per le rime. Ricordava le raccomandazioni della madre. «Sono sicuro di poter amministrare High Glen meglio di Lady Hallim. Sono cinquecento ettari o più... dovrebbe produrre un reddito sufficiente per permetterci di vivere.»

«Sei uno stupido! Non avrai High Glen... è ipotecato.»

Jay si sentì umiliato dalla risposta sprezzante del padre. Arrossì. Sua madre intervenne: «Jay può ottenere altre ipoteche».

Sir George sembrava sorpreso: «Allora sei dalla sua parte?».

«Non hai voluto dargli niente. Vuoi che lotti per avere qualcosa, come hai fatto tu. Ebbene, sta lottando, e la prima cosa che ha ottenuto è Lizzie Hallim. Non puoi certo lamentarti.»

«L'ha ottenuta lui... o ti sei messa di mezzo tu?» chiese ironicamente Sir George.

«Non sono stata io ad accompagnarla nella miniera» rispose Alicia.

«O a baciarla nel salone.» Sir George, adesso, aveva un tono rassegnato. «Oh, be', hanno tutti e due ventun anni, quindi se vogliono fare gli idioti, credo di non poterlo impedire.» Poi sul suo volto comparve un'espressione astuta. «Il carbone dell'High Glen entrerà comunque nella nostra famiglia.»

«Oh, no» ribatté Alicia.

Jay e Sir George la fissarono. Sir George le chiese: «Cosa vorresti dire?».

«Non scaverai pozzi nella terra di Jay... Perché dovresti?»

«Non essere sciocca, Alicia... sotto l'High Glen c'è una fortuna in carbone. Sarebbe un delitto lasciarlo dov'è.»

«Jay può concedere a qualcun altro i diritti per lo sfruttamento minerario. Ci sono diverse società per azioni che vogliono aprire nuove miniere... L'hai detto tu.»

«Non vorrete fare affari coi miei concorrenti!» esclamò Sir George.

Nel vedere la madre tanto forte, Jay si sentì colmo di ammirazione. Però sembrava aver dimenticato che Lizzie era contraria allo sfruttamento del carbone. «Madre mia» intervenne, «ricorda che Lizzie...»

Lei gli lanciò un'occhiata ammonitrice e lo interruppe, continuando a parlare con Sir George. «Forse Jay preferisce fare affari coi tuoi concorrenti. Dopo il modo in cui l'hai offeso il giorno del ventunesimo compleanno, cosa pensi che ti debba?»

«Sono suo padre, maledizione!»

«E allora comincia a comportarti come tale. Rallegrati con lui per il fidanzamento, accogli la sua fidanzata come una figlia. Organizza un matrimonio sontuoso.»

Sir George la fissò per un momento. «È questo che vuoi?»

«Non è tutto.»

«Avrei dovuto immaginarlo. Cos'altro c'è?»

«Il regalo di nozze.»

«A cosa miri, Alicia?»

«Barbados.»

Per poco Jay non cadde dalla sedia. Questa non se l'aspettava. Sua madre era molto astuta.

«Non se ne parla neppure!» ruggì Sir George.

Alicia si alzò. «Pensaci» disse, come se la sua decisione non la interessasse. «Lo zucchero è un problema, l'hai sempre detto. I profitti sono alti, ma ci sono tante difficoltà: non piove, gli schiavi si ammalano e muoiono, i francesi vendono a prezzi inferiori, le navi fanno naufragio. Il carbone, invece, è sicuro. Lo estrai e lo vendi. Una volta mi hai detto che è come trovare il denaro in giardino.»

Jay era elettrizzato. Forse avrebbe ottenuto ciò che voleva, dopotutto. Ma... e Lizzie?

Sir George obiettò: «Ho promesso Barbados a Robert».

«Puoi anche deluderlo, per una volta. Dio sa quante volte hai deluso Jay.»

«La piantagione di canna da zucchero fa parte del patrimonio di Robert.»

Alicia si avviò verso la porta e Jay la seguì. «Ne abbiamo già discusso, George, e conosco tutte le tue obiezioni» disse. «Ma adesso la situazione è diversa. Se vuoi il suo carbone, devi dargli qualcosa in cambio. E Jay vuole la piantagione. Se non gliela dai, non avrai il carbone. È una scelta molto semplice, e hai tutto il tempo per riflettere.» Alicia uscì.

Jay l'accompagnò. Appena furono nel salone, mormorò: «Sei stata formidabile! Ma Lizzie non permetterà che si estragga carbone nell'High Glen».

«Lo so, lo so» rispose spazientita sua madre. «Adesso dice così, ma potrebbe cambiare idea.»

«E se non la cambia?» chiese preoccupato Jay.

«Ci penseremo quando sarà il momento» tagliò corto Alicia.

12

Lizzie scese la scala con un mantello di pelliccia così ampio che l'avvolgeva due volte e spazzava il pavimento. Sentiva il bisogno di aria fresca.

In casa la tensione era quasi palpabile: Robert e Jay si odiavano, Lady Hallim era irritata con Lizzie, Sir George era infuriato con Jay, e c'era ostilità anche fra Sir George e Alicia. Il pranzo aveva messo a dura prova i nervi di tutti.

Mentre Lizzie stava attraversando il salone, Robert uscì dall'ombra e lei si fermò.

«Sgualdrina» le disse.

Era un insulto terribile per una signora, ma non era facile offendere Lizzie con semplici parole. E comunque, Robert aveva ragione di essere arrabbiato. «Ora devi essere per me come un fratello» gli rispose in tono conciliante.

Lui le afferrò con forza il braccio. «Come puoi preferire a me quel piccolo damerino bastardo?»

«Sono innamorata di lui» spiegò. «E lasciami andare.»

Robert strinse più forte. Aveva la faccia stravolta dalla rabbia. «Devo dirti una cosa» sibilò. «Anche se non potrò avere te, avrò comunque High Glen.»

«No. Quando mi sposerò, High Glen diventerà proprietà di mio marito.»

«Aspetta e vedrai.»

La stretta al braccio le faceva male. «Lasciami, o mi metto a urlare» disse in tono minaccioso.

Robert la lasciò. «Te ne pentirai per il resto della vita» disse, e se ne andò.

Lizzie uscì dalla porta del castello e si avvolse ancora più stretta nella pelliccia. Le nubi si erano in parte disperse e c'era la luna. Si vedeva abbastanza bene per poter attraversare il viale e scendere il pendio che conduceva al fiume.

Non provava rimorso per aver deluso Robert. Non l'aveva mai amata, altrimenti sarebbe stato triste, e non lo era. Invece di essere addolorato per averla perduta, era furioso perché il fratello l'aveva sconfitto.

Tuttavia quell'incontro l'aveva scossa. Robert aveva manifestato la stessa decisione implacabile del padre. Ovviamente non poteva portarle via High Glen. Ma avrebbe potuto fare qualcos'altro?

Cacciò il pensiero di lui dalla mente. Aveva ottenuto ciò che desiderava: Jay anziché Robert. Adesso era impaziente di organizzare il matrimonio e di mettere su casa. Non vedeva l'ora di vivere con Jay, di dormire nello stesso letto, di svegliarsi ogni mattina e scorgere la sua testa sul cuscino accanto.

Era emozionata e spaventata. Conosceva Jay da sempre, ma da quando era diventato uomo aveva trascorso con lui solo pochi giorni. Stava per fare un salto nel buio. Ma del resto, pensò, il matrimonio è sempre un salto nel buio perché non si può conoscere veramente un'altra persona se non si vive insieme.

Sua madre era sconvolta. Aveva sognato per la figlia un matrimonio ricco che mettesse fine agli anni di povertà. Ma doveva rassegnarsi all'idea che Lizzie avesse i propri sogni.

Lizzie non si preoccupava per le difficoltà economiche. Probabilmente Sir George avrebbe finito per assegnare qualcosa a Jay, e se non l'avesse fatto avrebbero potuto vivere nell'High Glen House. Alcuni proprietari terrieri scozzesi diboscavano le loro foreste popolate di cervi e affittavano i pascoli agli allevatori di pecore. Anche Jay e

Lizzie potevano farlo, almeno all'inizio, per guadagnare di più.

Comunque fossero andate le cose, sarebbe stato divertente. Ciò che le piaceva soprattutto di Jay era il suo spirito avventuroso. Era disposto a galoppare nei boschi, a farle visitare la miniera, ad andare a vivere nelle colonie.

Si chiese se sarebbe mai accaduto. Jay sperava ancora di ottenere la proprietà di Barbados, e l'idea di andare all'estero la elettrizzava quasi quanto la prospettiva di sposarsi. Si diceva che la vita, là, fosse più libera e disinvolta, libera dalle formalità che la irritavano tanto nella società britannica. Vedeva se stessa gettar via le sottovesti e le crinoline, tagliarsi i capelli e passare le giornate a cavallo con un moschetto appeso alla spalla.

Jay aveva qualche difetto? Sua madre diceva che era vanitoso ed egoista, ma Lizzie non aveva mai conosciuto un uomo che non lo fosse. All'inizio l'aveva giudicato debole perché non teneva testa con maggior energia al fratello e al padre. Ora però pensava di essersi sbagliata, perché chiedendole di sposarlo li aveva sfidati entrambi.

Raggiunse la riva del fiume. Non era un ruscello di montagna che scende a valle. Era un vero torrente largo trenta metri, profondo e rapido. Sulla superficie agitata il chiaro di luna brillava in chiazze argentee simili a un mosaico frantumato.

Faceva tanto freddo che respirare feriva i polmoni, ma la pelliccia la proteggeva. Lizzie si appoggiò all'ampio tronco di un vecchio pino e guardò l'acqua irrequieta. Poi levò lo sguardo verso la sponda opposta, e scorse un movimento.

Non era di fronte a lei, ma più a monte. In un primo momento pensò che si trattasse di un cervo: spesso si aggiravano nella notte. Non sembrava neppure un uomo perché la testa era troppo grande. Poi si accorse che era un uomo con un fagotto legato sul capo. Dopo un attimo ne capì la ragione. L'uomo si accostò alla riva mentre il ghiaccio scricchiolava sotto i suoi passi, e scivolò nell'acqua.

Il fagotto doveva contenere i suoi abiti. Ma chi poteva attraversare a nuoto il fiume a quell'ora di notte e nel cuore dell'inverno? Immaginò che fosse McAsh e che avesse eluso le guardie del ponte. Rabbrividì nel suo mantello di pelliccia pensando a quanto doveva essere gelida l'acqua. Difficile credere che un uomo potesse attraversare il fiume a nuoto e sopravvivere.

Sapeva che avrebbe dovuto andarsene. Ci sarebbero stati soltanto guai se fosse rimasta a guardare un uomo nudo che nuotava. Ma la curiosità ebbe la meglio. Restò immobile e seguì con gli occhi la testa che si spostava obliquamente a velocità costante. La corrente lo costringeva a muoversi in diagonale, ma il suo ritmo non cambiava. Doveva essere molto forte. Avrebbe raggiunto l'altra riva venti o trenta metri più a monte del punto dove si trovava lei.

Ma quando arrivò a metà della traversata ebbe un colpo di sfortuna. Lizzie vide una sagoma scura scivolare veloce verso di lui sulla superficie dell'acqua, e riconobbe un albero divelto. L'uomo non se ne accorse finché non gli arrivò addosso. Un grosso ramo lo colpì alla testa, le braccia si aggrovigliarono nel fogliame. Lizzie soffocò un grido quando lo vide sprofondare sott'acqua. Scrutò i rami sperando di scorgere l'uomo: non sapeva ancora se era veramente McAsh. L'albero ormai le era più vicino, ma lui non era ricomparso. «Non annegare, ti prego» mormorò. L'albero passò oltre: dell'uomo nessuna traccia. Pensò di correre in cerca d'aiuto, ma era a circa quattrocento metri dal castello: prima che fosse stata di ritorno, l'uomo sarebbe stato trascinato, vivo o morto, assai più a valle. Forse doveva tentare comunque, si disse. Mentre esitava indecisa, l'uomo riemerse, un metro più indietro dell'albero.

Miracolosamente, aveva ancora il fagotto legato alla testa. Non riusciva più a nuotare a bracciate decise e regolari: si dibatteva, agitava le braccia, scalciava, aspirava l'aria a grandi boccate affannose, sputacchiava e tossiva. Lizzie scese sul bordo del fiume. L'acqua gelida penetrò nelle scarpine di seta e le ghiacciò i piedi. «Qua!» gridò. «Ti tirerò fuori!» L'uomo parve non averla udita. Continuò a dibattersi come se, dopo essere quasi affogato, non pensasse ad altro che a respirare. Poi sembrò calmarsi con uno sforzo e si guardò intorno per orientarsi. Lizzie lo chiamò di nuovo: «Qua! Lascia che ti aiuti!». Lui tossì e ansimò ancora, di nuovo andò sotto con la testa, ma riemerse quasi immediatamente e si diresse a nuoto verso di lei. Si muoveva scomposto e sputacchiava, ma avanzava nella direzione giusta.

Lizzie s'inginocchiò nel fango gelato senza curarsi dell'abito di seta e della pelliccia. Aveva il cuore in gola. Quando l'uomo si avvicinò, gli tese le braccia, e lui agitò le mani nell'aria, a casaccio. Gli afferrò un polso e tirò, poi gli strinse il braccio con entrambe le mani e lo issò sulla riva. L'uomo si abbandonò, per metà sul terreno, per metà in acqua. Lizzie cambiò la presa, lo sostenne sotto le ascelle, si puntellò nel fango con le eleganti scarpette e tirò di nuovo. L'uomo si spinse con le mani e coi piedi, e finalmente uscì del tutto dall'acqua e si lasciò cadere sulla sponda.

Lizzie lo fissò: era nudo, bagnato fradicio, mezzo morto, una specie di mostro marino catturato da un pescatore gigantesco. Come aveva immaginato, aveva salvato la vita di Malachi McAsh.

Scosse la testa, pensierosa. Di che cosa era fatto quell'uomo? Negli ultimi due giorni era stato investito da un'esplosione di grisou e assoggettato a una tortura massacrante, ma aveva avuto ancora l'energia e il coraggio di attraversare a nuoto il fiume gelido per fuggire. Era un tipo che non si arrendeva mai.

Adesso giaceva supino, ansimava e tremava irrefrenabilmente. Non portava più il collare di ferro, e lei si chiese come avesse potuto liberarsene. La pelle bagnata brillava argentea nel chiaro di luna. Era la prima volta che Lizzie vedeva un uomo nudo e, sebbene fosse preoccupata per la sua vita, guardava affascinata il pene, un tubo grinzoso annidato in una massa di scuri peli ricci alla biforcazione delle cosce muscolose.

Se fosse rimasto lì a lungo sarebbe morto assiderato. Lizzie gli si inginocchiò accanto e slegò il fagotto fradicio. Poi gli posò la mano sulla spalla. Era freddo come un morto. «Alzati!» ordinò con forza. McAsh non si mosse. Lo scrollò e sentì i muscoli massicci sotto la pelle. «Alzati o morirai!» Lo afferrò con entrambe le mani, ma senza la sua collaborazione non era in grado di spostarlo. Sembrava fatto di roccia. «Mack, ti prego, non morire» supplicò, e ci fu un gemito nella sua voce.

Finalmente lui si mosse. Si sollevò adagio carponi, poi le prese la mano e, col suo aiuto, si alzò in piedi. «Dio sia ringraziato» mormorò Lizzie. McAsh si appoggiò a lei con tutto il peso, ma riuscì a sostenerlo senza cadere.

Doveva trovare il modo di scaldarlo. Aprì il mantello e si strinse a lui. Sentì contro il seno il freddo tremendo del corpo di lui attraverso l'abito di seta. McAsh si aggrappò a lei, e il suo grosso corpo sembrò risucchiare il calore di quello di lei. Era la seconda volta che si abbracciavano, e Lizzie provò di nuovo un profondo senso d'intimità con lui, come se fossero amanti.

Era impossibile che si scaldasse finché era così bagnato. Doveva trovare il modo di asciugarlo. Ci voleva uno straccio, qualcosa da usare come una salvietta. Indossava numerose sottovesti di lino: poteva sacrificarne una. «Riesci a reggerti da solo?» gli chiese. Lui annuì fra un colpo di tosse e l'altro. Lizzie lo lasciò e sollevò la gonna. Sentì che la stava fissando, nonostante le sue condizioni, mentre si sfilava in fretta una sottoveste. Poi cominciò a strofinarlo energicamente.

Gli asciugò la faccia e i capelli, si portò dietro di lui e asciugò la schiena ampia e le natiche sode. S'inginocchiò per asciugargli le gambe, si alzò di nuovo, lo fece girare per asciugargli anche il petto, e rimase sbalordita nel vedere il pene eretto.

Avrebbe dovuto provare spavento e disgusto, ma non

fu così. Era affascinata e incuriosita, scioccamente orgogliosa di avere un effetto simile su un uomo, e provava anche qualcos'altro, una specie di indolenzimento profondo che le seccò la gola. Non era l'eccitazione lieta che sentiva quando baciava Jay: non aveva nulla a che fare con la civetteria e le carezze. All'improvviso ebbe paura che McAsh la buttasse a terra, le strappasse gli abiti e la violentasse: ma ciò che più la spaventò fu che una piccolissima parte di lei desiderava che lo facesse.

Ma i suoi timori erano infondati. «Mi scusi» mormorò lui. Le voltò le spalle, si chinò sul fagotto e ne tolse un paio di pantaloni di tweed fradici. Li strizzò per eliminare l'acqua, quindi li indossò, e il cuore di Lizzie tornò a battere a ritmo normale.

Mentre cominciava a strizzare anche una camicia, lei si rese conto che se si fosse messo addosso quegli indumenti bagnati sarebbe morto di polmonite prima dello spuntar del giorno. Però non poteva neppure rimanere nudo. «Aspetta, vado a prenderti qualcosa al castello» gli disse.

«No» la fermò lui. «Le chiederanno perché lo fa.»

«Posso entrare e uscire di nascosto... e ho l'abito da uomo che ho messo per scendere nella miniera.»

Lui scosse la testa. «Non posso aspettare qui. Mi scalderò camminando.» E strizzò una coperta a quadri.

D'impulso, Lizzie si tolse il mantello di pelliccia. Era così largo che a Mack sarebbe andato bene. Era costato moltissimo, e forse non avrebbe più potuto averne un altro, ma gli avrebbe salvato la vita. Non voleva pensare a cosa avrebbe detto a sua madre per spiegarne la scomparsa. «Metti questo, allora, e portati dietro la coperta finché non avrai modo di asciugarla.» Senza attendere il suo assenso, gli mise il mantello sulle spalle. Mack esitò, poi se lo strinse addosso riconoscente. Era abbastanza ampio da avvolgerlo completamente.

Lizzie prese il fagotto e ne tolse gli stivali. Mack le consegnò la coperta bagnata, e lei la ripose nel sacco. Così facendo toccò il collare di ferro e lo estrasse. Il cerchio era stato spezzato e piegato per poterlo togliere. «Come hai fatto?» chiese.

Mack calzò gli stivali. «Sono entrato nella fucina all'ingresso del pozzo e ho usato gli utensili di Taggart.»

Non poteva averlo fatto da solo, pensò lei. Doveva averlo aiutato sua sorella. «Perché te lo porti dietro?»

Mack smise di rabbrividire e nei suoi occhi passò un lampo di collera. «Per non dimenticare mai» rispose con rabbia. «Mai.»

Lizzie rimise il collare nel sacco e sentì che sul fondo c'era un grosso libro. «Cos'è?»

«*Robinson Crusoe.*»

«Il mio romanzo preferito!»

Mack riprese il sacco. Era pronto per mettersi in cammino.

Lizzie rammentò che Jay aveva convinto Sir George a lasciar andare McAsh. «I guardacaccia non ti inseguiranno» gli disse.

Lui la fissò, con un'espressione che stava a metà tra la speranza e lo scetticismo. «Come fa a saperlo?»

«Sir George ha deciso che sei un piantagrane pericoloso e sarà contento di sbarazzarsi di te. Ha lasciato le guardie al ponte perché non vuole far capire ai minatori che ti lascia andare, ma prevede che troverai il modo di passare di nascosto e non tenterà di farti catturare.»

Il sollievo distese un poco la faccia stanca del giovane. «Quindi non devo preoccuparmi degli uomini dello sceriffo» disse. «Dio sia ringraziato.»

Lizzie rabbrividiva senza il mantello, ma provava una sensazione di tepore interiore. «Cammina in fretta e non fermarti a riposare» raccomandò. «Se ti fermi prima dello spuntar del giorno, morirai.» Si chiese dove sarebbe andato e cos'avrebbe fatto per il resto della sua vita.

Mack annuì e tese la mano. Lei la strinse, ma con sua grande sorpresa, lui se la portò alle labbra e la baciò. Poi si allontanò.

«Buona fortuna» mormorò lei.

Gli stivali di Mack facevano scricchiolare il ghiaccio delle pozzanghere mentre scendeva la valle sotto il chiaro di luna, ma il suo corpo si andava scaldando rapidamente sotto il mantello di pelliccia. Oltre ai suoi passi, l'unico altro suono era quello del fiume che scorreva di fianco alla strada. Ma il suo spirito cantava l'inno della libertà.

Mentre si allontanava dal castello, cominciò a rendersi conto degli aspetti curiosi o addirittura buffi del suo incontro con la signorina Hallim. Era là, sulla riva, in abito ricamato e scarpe di seta e con un'acconciatura che doveva essere costata mezz'ora di lavoro a due cameriere, proprio quando lui attraversava il fiume a nuoto, nudo come il giorno in cui era nato. Doveva essere rimasta sconvolta!

La domenica precedente, in chiesa, si era comportata come una tipica, arrogante aristocratica scozzese, ottusa e presuntuosa. Ma aveva avuto il fegato di accettare la sua sfida e scendere nella miniera. E quella notte gli aveva salvato la vita due volte: quando l'aveva aiutato a uscire dall'acqua e quando gli aveva dato il mantello. Era una donna straordinaria. Si era stretta a lui per scaldarlo, si era inginocchiata e l'aveva asciugato con la sua sottoveste. Esisteva in tutta la Scozia un'altra signora che avrebbe fatto altrettanto per un minatore? Ricordò quando gli era caduta fra le braccia, nella miniera, gli parve di risentire in mano il seno pesante e morbido. Gli dispiaceva l'idea di non rivederla più. E si augurava che anche lei trovasse il modo di fuggire da quel luogo. Il suo spirito d'avventura meritava orizzonti più vasti.

Un gruppo di cerve che pascolavano vicino alla strada protette dall'oscurità fuggì rapido come una mandria di spettri quando lui si avvicinò. Rimase del tutto solo. Era stanchissimo. "Fare il giro" l'aveva sfinito più di quanto avesse immaginato. A quanto pareva, un essere umano non poteva riprendersi in un paio di giorni. Attraversare a nuoto il fiume era un'impresa facile, ma lo scontro con l'albero divelto gli aveva tolto di nuovo le forze. Gli doleva ancora la testa dove il ramo l'aveva colpito.

Per fortuna quella notte non doveva andare lontano. Intendeva raggiungere Craigie, un villaggio minerario meno di dieci chilometri più avanti; là si sarebbe rifugiato dal fratello di sua madre, lo zio Eb, e avrebbe riposato fino al giorno dopo. Avrebbe dormito tranquillo nella certezza che i Jamisson non avevano intenzione di inseguirlo.

La mattina si sarebbe riempito lo stomaco di porridge e prosciutto e si sarebbe messo in cammino per Edimburgo. Là si sarebbe imbarcato sulla prima nave disposta a prenderlo, dovunque fosse diretta: qualunque destinazione, da Newcastle a Pechino, sarebbe andata bene.

Sorrise della propria spavalderia. Non si era mai spinto più in là del mercato di Coats, a trenta chilometri, e non era mai stato neppure a Edimburgo... ma si dichiarava disposto ad andare nei luoghi più esotici, come se sapesse cosa vi avrebbe trovato.

Mentre procedeva di buon passo sulla strada fangosa, lo colpì l'importanza di ciò che stava facendo. Aveva lasciato la sua casa, il luogo in cui era nato e dov'erano morti i suoi genitori. Aveva lasciato Esther, sorella, amica e alleata, anche se sperava di salvarla da Heugh entro breve tempo. Aveva lasciato Annie, la cugina che gli aveva insegnato a baciare e a far vibrare il suo corpo come uno strumento musicale.

Ma aveva sempre saputo che sarebbe finita così. Da sempre sognava di evadere. Aveva invidiato il mendicante, Davey Patch, e si era augurato la stessa libertà. Ora ce l'aveva.

Sì, ce l'aveva. Era euforico all'idea di ciò che aveva fatto. Era riuscito a fuggire.

Non sapeva cos'avrebbe portato il domani: forse sofferenza, miseria e pericoli. Ma non sarebbe stato un altro giorno nella miniera, un altro giorno di schiavitù, un altro giorno come proprietà di Sir George Jamisson. Domani sarebbe stato padrone di se stesso.

Arrivò a una curva e si voltò. Poteva ancora scorgere Jamisson Castle. Il tetto era rischiarato dalla luna. Non lo vedrò più, si disse. Quel pensiero lo rese tanto felice che cominciò a ballare il *reel* in mezzo alla strada fangosa fischiettando il motivo e saltellando in cerchio.

Poi si fermò, rise sommessamente fra sé, e continuò a scendere la valle.

II

LONDRA

13

Shylock indossava pantaloni ampi, una lunga sopravveste nera e un tricorno rosso. L'attore era di una bruttezza agghiacciante, col naso grosso, il doppio mento e la bocca sottile atteggiata in una smorfia. Avanzò sul palcoscenico con passo deliberatamente lento. Sembrava l'incarnazione del male. Con un borbottio voluttuoso disse: «Tremila ducati». Un brivido si diffuse tra il pubblico.

Mack era affascinato. Anche in platea, dove stava in compagnia di Dermot Riley, gli spettatori erano immobili e silenziosi. Shylock pronunciava ogni parola con una voce rauca che dava l'impressione di un borbottio duro e iroso. Gli occhi brillavano sotto le sopracciglia irsute. «Tremila ducati per tre mesi, e Antonio dovrà...»

Dermot bisbigliò all'orecchio di Mack: «È Charles Macklin, un irlandese. Ha ammazzato un uomo ed è stato processato per omicidio, ma ha invocato la provocazione e se l'è cavata».

Mack lo ascoltava appena. Sapeva che esistevano teatri e drammi, naturalmente, ma non avrebbe mai immaginato una cosa simile: caldo, lampade a olio fumanti, costumi fantastici, facce dipinte e soprattutto i sentimenti... rabbia, amore appassionato, invidia e odio, resi con tanto realismo che il suo cuore batteva come se fossero autentici.

Quando Shylock scoprì che la figlia era fuggita, si precipitò in scena senza cappello, spettinato, le mani contratte, in preda alla furia e all'angoscia, e urlò: «Tu lo sapevi!» come un uomo in preda ai tormenti dell'inferno. E quando disse: «Siccome sono un cane, guardati dalle mie zanne!», si avventò come se volesse balzare oltre le luci della ribalta e tutti gli spettatori si tirarono istintivamente indietro.

Alla fine uscirono, e Mack chiese a Dermot: «Gli ebrei sono davvero così?». Non ne aveva mai conosciuto uno, ma tanti personaggi della Bibbia erano ebrei e non venivano certo presentati in quel modo.

«Conosco diversi ebrei, ma nessuno come Shylock, grazie a Dio» rispose Dermot. «Però tutti odiano chi presta denaro. Vanno bene quando hai bisogno di loro, ma poi è un problema restituire la somma.»

A Londra non c'erano molti ebrei, ma tanti stranieri. C'erano marinai asiatici dalla pelle bruna, chiamati "lascars"; ugonotti emigrati dalla Francia; migliaia di africani con la pelle nera e i capelli crespi; innumerevoli irlandesi come Dermot. Per Mack questa varietà faceva parte del fascino della città. In Scozia, invece, si somigliavano tutti.

Amava Londra. Provava un fremito ogni mattina, non appena si svegliava e ricordava dov'era. La città era piena di cose curiose e di sorprese, di sconosciuti e di esperienze nuove. Amava l'odore stuzzicante del caffè che usciva da dozzine di caffetterie, anche se non poteva permettersi di berlo. Guardava ammirato i colori splendidi degli abiti – giallo vivo, viola, verde smeraldo, scarlatto, celeste – indossati da uomini e donne. Udiva i muggiti terrorizzati del bestiame che veniva condotto ai macelli attraverso le strette vie della città, e schivava gli sciami di bambini seminudi che mendicavano e rubavano. Vedeva prostitute e vescovi, andava ai combattimenti dei tori e alle aste, assaggiava banane e zenzero e vino rosso. Tutto era eccitante. E soprattutto era libero di andare dove voleva e di fare ciò che preferiva.

Naturalmente doveva guadagnarsi da vivere, e non era facile. Londra brulicava di famiglie affamate, fuggite dalle campagne dove non c'era niente da mangiare perché per due anni i raccolti erano stati scarsi. C'erano anche migliaia di tessitori di seta, rimasti disoccupati per colpa delle nuove fabbriche del nord, a quanto diceva Dermot. Per ogni posto di lavoro, c'erano cinque aspiranti disposti a tutto. I più sfortunati dovevano mendicare, rubare, prostituirsi o morire di fame.

Anche Dermot era tessitore. Aveva moglie e cinque figli che vivevano in due stanze a Spitalfields. Per tirare avanti erano costretti a subaffittare la stanza di lavoro di Dermot, ed era là che dormiva Mack, sul pavimento, accanto al grande telaio muto che sembrava il monumento ai rischi della vita cittadina.

Mack e Dermot cercavano lavoro insieme. A volte venivano assunti come camerieri nelle caffetterie, ma resistevano per un giorno o due soltanto. Mack era troppo grosso e goffo per portare i vassoi e versare la bevanda nelle tazzine; e Dermot, orgoglioso e suscettibile, prima o poi finiva per insultare un cliente. Un giorno Mack fu accettato come lacchè in una grande casa di Clerkenwell, ma se ne andò l'indomani mattina, dopo che i padroni, marito e moglie, gli avevano chiesto di andare a letto con loro. Quel giorno avevano lavorato come facchini e portato enormi ceste di pesce al mercato di Billingsgate. Al termine della giornata, Mack aveva esitato a sperperare il guadagno in un biglietto per il teatro, ma Dermot aveva giurato che non si sarebbe pentito, e aveva avuto ragione. Una simile meraviglia valeva il doppio del prezzo pagato. Tuttavia Mack si chiedeva, preoccupato, quanto gli ci sarebbe voluto per risparmiare abbastanza da farsi raggiungere da Esther.

Mentre si dirigevano verso Spitalfields attraversarono il Covent Garden, dove le puttane lanciavano inviti dalle porte. Mack era a Londra da circa un mese e si stava abituando a sentir offrire sesso a ogni angolo. C'erano donne di tutti i tipi, giovani e vecchie, belle e brutte, alcune vestite come signore, altre come straccione. Nessuna lo induceva in tentazione, anche se molte notti pensava con desiderio alla cugina Annie.

Nello Strand c'era The Bear, una grande taverna intonacata di bianco con una sala per il caffè e diversi banconi di mescita intorno a un cortile. Il caldo del teatro aveva messo loro sete, ed entrarono. L'atmosfera era tiepida e fumosa. Dermot e Mack ordinarono un quarto di birra ciascuno.

Dermot propose: «Diamo un'occhiata là dietro».

The Bear era un locale che offriva diversi svaghi. Mack c'era già stato e sapeva che nel cortile sul retro si svolgevano combattimenti fra cani oppure fra cani e orsi, duelli con la spada fra gladiatrici e altri spettacoli. Quando non c'era un programma organizzato, il padrone lanciava un gatto nello stagno delle anitre e gli aizzava contro quattro cani, una trovata che suscitava l'ilarità fragorosa degli spettatori.

Quella sera avevano montato un ring per la lotta, illuminato da numerose lampade a olio. Un nano vestito di seta, con scarpe ornate da fibbie, stava incitando una folla di bevitori. «Una sterlina a chi riuscirà a stendere lo Spaccaossa di Bermondsey! Avanti, ragazzi! C'è qualche coraggioso tra voi?» E fece tre capriole.

Dermot disse a Mack: «Secondo me tu potresti farcela».

Lo Spaccaossa di Bermondsey era un uomo sfregiato che indossava soltanto pantaloni e stivali pesanti. Era rapato a zero, e il viso e la testa recavano i segni di molti combattimenti. Era alto e pesante, ma sembrava stupido e lento. «Sì, credo di sì» convenne Mack.

Dermot era entusiasta. Afferrò il braccio del nano e disse: «Ehi, tappo, ecco un cliente per te».

«Uno sfidante!» muggì il nano, e la folla acclamò e batté le mani.

Una sterlina era parecchio: per molti, rappresentava la paga di una settimana. Mack ne fu tentato. «Va bene» disse.

La folla acclamò di nuovo.

«Sta' attento ai suoi piedi» avvertì Dermot. «Gli stivali devono avere le punte d'acciaio.»

Mack annuì e si tolse la giacca.

Dermot aggiunse: «Tienti pronto: ti salterà addosso appena salirai sul ring. Non aspettarti il segnale d'inizio».

Era un trucco abituale nelle lotte fra i minatori. Il sistema più rapido per vincere consisteva nell'incominciare prima che l'altro fosse pronto. Un uomo diceva: «Vieni fuori a batterti nella galleria dove c'è più spazio», poi attaccava l'avversario mentre questi attraversava il canaletto di drenaggio.

Il ring era un rudimentale cerchio di corda al di sopra dell'altezza della cintura, sostenuto da vecchi pali di legno piantati nel fango. Mack si avvicinò, pensando all'avvertimento di Dermot. Mentre alzava il piede per scavalcare la corda, lo Spaccaossa di Bermondsey attaccò.

Mack però se l'aspettava: fece un passo indietro e il pugno massiccio dello Spaccaossa lo colpì di striscio alla fronte. La folla gridò.

Mack si mosse senza pensare, come una macchina. Si avvicinò al cerchio, sferrò un calcio alla caviglia dello Spaccaossa da sotto la corda e lo fece incespicare. Gli spettatori acclamarono e Mack sentì Dermot incitarlo: «Ammazzalo, Mack!»

Prima che l'avversario recuperasse l'equilibrio, lo colpì alla testa con un destro e con un sinistro, poi al mento con un uppercut carico di tutta la forza delle sue spalle. Lo Spaccaossa vacillò, roteò gli occhi, indietreggiò di due passi e stramazzò riverso.

Gli spettatori proruppero in ruggiti di entusiasmo.

Il combattimento era terminato.

Mack guardò l'uomo steso a terra e vide un individuo rovinato, malconcio e inutile. Adesso era pentito di averlo affrontato. Gli voltò le spalle, un po' depresso.

Dermot aveva bloccato il nano per un braccio. «Questo piccolo demonio cercava di filarsela» spiegò. «Voleva fregarti il premio. Paga, Gambalunga. Una sterlina.»

Con la mano libera, il nano tirò fuori una sovrana d'oro

da una tasca interna della camicia e la porse a Mack con una smorfia.

Mack la prese. Si sentiva un ladro.

Dermot lasciò il nano.

Un uomo dalla faccia dura, vestito con un abito lussuoso, si accostò a Mack. «Bravo» disse. «Hai combattuto spesso?»

«Ogni tanto, giù in miniera.»

«Mi pareva che fossi un minatore. Ascoltami. Il prossimo sabato organizzerò un combattimento al Pelican di Shadwell. Se ti va la possibilità di guadagnare venti sterline in pochi minuti, ti farò battere con Rees Preece, la Montagna Gallese.»

«Venti sterline!» esclamò Dermot.

«Non riuscirai a stenderlo in fretta come questo pezzo di legno, ma una probabilità ce l'avrai.»

Mack guardò lo Spaccaossa a terra. «No» rispose.

«E perché no, diavolo?» chiese Dermot.

L'organizzatore alzò le spalle. «Se venti sterline non ti servono...»

Mack pensò a Esther che continuava a portare il carbone su per la scala della miniera di Heugh per quindici ore al giorno e attendeva la lettera che doveva liberarla da una vita di schiavitù. Venti sterline le avrebbero pagato il viaggio a Londra, e lui poteva averle in mano sabato sera.

«Pensandoci meglio... sì» disse Mack.

«Bravo ragazzo» approvò Dermot battendogli la mano sulla spalla.

14

Lizzie Hallim e sua madre attraversavano Londra in direzione nord a bordo di una carrozza di piazza. Lizzie era eccitata e felice: fra poco avrebbero incontrato Jay e visitato una casa.

«Devo riconoscere che Sir George ha cambiato atteggiamento» disse Lady Hallim. «Ci ha condotte a Londra, ha in programma un matrimonio sontuoso e adesso si è offerto di pagarvi l'affitto di una casa a Londra.»

«Credo che sia stata Lady Jamisson a convincerlo» commentò Lizzie. «Ma c'è riuscita solo per le cose secondarie. Lui non vuole dare a Jay la proprietà di Barbados.»

«Alicia è una donna molto abile» mormorò Lady Hallim. «Tuttavia mi sorprende che riesca ancora a influenzare il marito, dopo la terribile lite il giorno del compleanno di Jay.»

«Forse Sir George è il tipo che dimentica i litigi.»

«Non lo è mai stato... a meno che non ci guadagni qualcosa. Mi domando qual è il suo secondo fine in questo caso. Non vuole niente da te?»

Lizzie rise. «Cosa potrei dargli? Forse vuole soltanto che renda felice suo figlio.»

«E sono sicura che ci riuscirai. Ecco, siamo arrivate.»

La carrozza si fermò in Rugby Street, una fila tranquilla di case eleganti a Holborn, meno alla moda di Mayfair e Westminster, ma anche meno costosa. Lizzie smontò e guardò il numero dodici. Le piacque a prima vista. C'erano quattro piani e il seminterrato e le finestre erano alte e aggraziate: due però avevano i vetri rotti e sulla lucida porta d'ingresso era tracciato rozzamente il numero "45". Lizzie stava per dire qualcosa quando sopraggiunse un'altra carrozza e Jay balzò a terra.

Indossava un abito azzurro con bottoni dorati, e un nastro azzurro gli tratteneva i capelli biondi. Era affascinante. Baciò Lizzie sulle labbra: un bacio casto, dato che erano per strada, ma le fece piacere e si augurò di riceverne altri più tardi. Jay aiutò la madre a scendere e andò a bussare al portoncino. «Il proprietario è un importatore di cognac che è andato in Francia per un anno» spiegò mentre attendevano.

Un anziano custode venne ad aprire. «Chi ha rotto le finestre?» chiese subito Jay.

«I cappellai» rispose l'uomo mentre entravano. Lizzie aveva letto sul giornale che erano in sciopero, come i sarti e gli arrotini.

Jay commentò: «Non capisco cosa sperano di ottenere quei maledetti stupidi sfondando le finestre della gente per bene».

Lizzie chiese: «Perché scioperano?».

Il custode rispose: «Vogliono paghe più alte, signorina, e chi può dargli torto, quando il prezzo di una pagnotta è salito da quattro penny a otto pence e un farthing? Come fa un uomo a sfamare la famiglia?».

«Non certo dipingendo "45" su tutte le porte di Londra» borbottò Jay. «Ci mostri la casa.»

Lizzie continuò a chiedersi cosa significava "45", ma le interessava soprattutto la casa. La visitò, euforica, scostò le tende e aprì le finestre. I mobili erano nuovi e lussuosi, e il salotto era grande e ben illuminato da tre ampie finestre a ogni estremità. Vi regnava l'odore di chiuso delle case disabitate, ma c'era bisogno soltanto di una pulizia ben fatta, una passata di vernice e un corredo di biancheria per renderla deliziosamente abitabile.

Lei e Jay precedettero le due signore e il vecchio custode. Quando arrivarono alla soffitta erano soli. Entrarono in una delle stanzette della servitù. Lizzie abbracciò Jay e lo baciò avidamente. Avevano a disposizione un minuto o poco più. Gli prese le mani e se le mise sui seni, e Jay li accarezzò con delicatezza. «Stringi più forte» gli sussurrò lei fra i baci: voleva che la pressione delle mani di Jay restasse dopo l'abbraccio. I suoi capezzoli si indurirono e le dita di Jay li trovarono attraverso la stoffa del corpino. «Stringili» lo incitò, e quando lui obbedì una fitta di dolore e di piacere le strappò un gemito soffocato. Poi sentirono i passi sul pianerottolo e si staccarono ansimando.

Lizzie si voltò a guardare da un abbaino mentre riprendeva fiato. C'era un lungo giardino sul retro della casa. Il custode stava mostrando alle due signore tutte le camerette dei servitori. «Cosa significa il numero quarantacinque?" chiese Lizzie.

«Ha a che fare con quel traditore di John Wilkes» rispose Jay. «Pubblicava un giornale, il "North Briton", e il governo l'ha incriminato per scritti sediziosi perché nel numero quarantacinque ha praticamente dato del bugiardo al re. Era scappato a Parigi, ma adesso è tornato per aizzare di nuovo il popolo ignorante.»

«È vero che non possono comprare il pane?»

«C'è scarsità di grano in tutta Europa: è inevitabile che il prezzo del pane sia aumentato. E la disoccupazione è colpa degli americani che boicottano le merci britanniche.»

Lizzie si girò di nuovo verso Jay. «Non credo che sia una gran consolazione per i cappellai e i sarti.»

Jay si accigliò: sembrava disapprovare la sua simpatia per gli scontenti. «Non so se te ne rendi conto, ma tutti questi discorsi sulla libertà sono pericolosi» disse.

«No, non me ne rendo conto.»

«Per esempio, i distillatori di rum di Boston vorrebbero essere liberi di acquistare la melassa dove pare a loro. Ma la legge stabilisce che devono comprarla dalle piantagioni britanniche come la nostra. Se li lasci liberi, compreranno da chi gli fa pagare meno, dai francesi... e allora noi non potremo permetterci una casa come questa.»

«Capisco.» Non era giusto, pensò Lizzie, ma decise di non dirlo.

«Tutta la marmaglia vorrebbe la libertà, dai minatori scozzesi ai negri di Barbados. Ma Dio ha affidato a persone come me l'autorità sugli uomini comuni.»

Questo era vero, naturalmente. «Ma non ti chiedi mai perché?» gli chiese Lizzie.

«Cosa vorresti dire?»

«Perché Dio dovrebbe averti dato l'autorità sui minatori e sui negri?»

Jay scosse la testa irritato, e Lizzie comprese di aver passato di nuovo il segno. «Non credo che le donne possano capire queste cose» tagliò corto lui.

Lizzie gli prese il braccio. «La casa mi piace, Jay» disse, cercando di rabbonirlo. Sentiva ancora la stretta delle sue dita sui capezzoli. Abbassò la voce. «Non vedo l'ora di venire a stare qui e dormire con te ogni notte.»

Jay sorrise. «Anch'io.»

Lady Hallim e Lady Jamisson entrarono. La madre di Lizzie le guardò il seno, e Lizzie si accorse che i capezzoli si notavano attraverso la stoffa. Sua madre doveva aver intuito cos'era successo, perché aggrottò la fronte con aria di disapprovazione. A Lizzie non importava nulla: tanto, presto si sarebbe sposata.

Alicia chiese: «Dunque, Lizzie, la casa ti piace?».

«L'adoro!»

«Allora l'avrai.»

Lizzie sorrise e Jay le strinse il braccio.

Lady Hallim disse: «Sir George è così buono. Non so come ringraziarlo».

«Ringrazi mia madre» le rispose Jay. «È stata lei a fare in modo che si comportasse in modo decente.»

Alicia gli lanciò un'occhiata di rimprovero, ma Lizzie capì che in realtà non le dispiaceva. Balzava agli occhi che madre e figlio erano molto attaccati. Provò una fitta di gelosia, ma si disse che era una stupida. Tutti amavano Jay.

Uscirono dalla stanzetta. Il custode li attendeva. Jay gli disse: «Domani vedrò l'avvocato del proprietario e farò preparare il contratto».

«Molto bene, signore.»

Mentre scendevano la scala, Lizzie ricordò una cosa: «Oh, devo mostrartelo!» disse a Jay. Aveva raccolto un volantino per la strada e l'aveva conservato. Lo tolse dalla tasca e glielo diede. C'era scritto:

AL PELLICANO

PRESSO SHADWELL

GENTILUOMINI E APPASSIONATI NON PERDETE:

UN'INTERA GIORNATA DI GIOCHI E SPORT.

UN TORO INFURIATO E COPERTO DI PETARDI

ATTACCATO DAI CANI.

UN COMBATTIMENTO FRA DUE GALLI DI WESTMINSTER

E DUE ORIENTALI.

A BUON PREZZO PER CINQUE STERLINE:

UN COMBATTIMENTO COLLETTIVO CON LA MAZZA FRA SETTE DONNE

E

UN INCONTRO DI PUGILATO DA VENTI STERLINE!

REES PREECE, LA MONTAGNA GALLESE

CONTRO

MACK MCASH, IL MINATORE ASSASSINO.

SABATO PROSSIMO

INIZIO ALLE TRE

«Cosa ne pensi?» chiese impaziente Lizzie. «Deve essere Malachi McAsh di Heugh, no?»

«Ecco cos'è diventato» commentò Jay. «Un pugile. Stava meglio quando lavorava nella miniera di mio padre.»

«Non ho mai visto un incontro di pugilato» disse Lizzie e il tono esprimeva il suo desiderio.

Jay rise. «Lo credo! Non è un posto per una signora.»

«Non lo è neppure una miniera di carbone, però tu mi ci hai portata.»

«Sì, e per poco non sei stata uccisa da un'esplosione.»

«Credevo che ti saresti buttato sull'occasione di condurmi in un'altra avventura.»

Lady Hallim la sentì e chiese: «Quale avventura?».

«Voglio che Jay mi accompagni a un incontro di pugilato» rispose Lizzie.

«Non dire sciocchezze» intimò sua madre.

Lizzie era delusa. Sembrava che l'audacia avesse abbandonato Jay, almeno per il momento. Ma non avrebbe permesso che questo la ostacolasse. Se non voleva accompagnarla, sarebbe andata sola.

Lizzie si aggiustò la parrucca e si guardò allo specchio. Di fronte a lei c'era un giovanotto. Il segreto stava nel leggero velo di fuliggine che le scuriva le guance, la gola, il mento e il labbro superiore, dandole l'aspetto di un uomo che si è appena rasato.

Il resto era facile. Un panciotto pesante le appiattiva il seno, le code della giacca nascondevano le curve del sedere e gli stivali che arrivavano al ginocchio coprivano i polpacci. Il cappello e la parrucca da uomo completavano l'illusione.

Aprì la porta della sua camera da letto. Lei e la madre alloggiavano in una casetta nel giardino della residenza di Sir George in Grosvenor Square. Lady Hallim stava facendo un sonnellino. Lizzie tese l'orecchio per sentire se qualcuno dei servitori di Sir George era in giro per la casa, ma c'era silenzio. Scese in fretta la scala e uscì furtiva dalla porticina che dava sul viottolo dietro la proprietà.

Era una giornata fredda e soleggiata di fine inverno. Quando arrivò sulla strada ricordò che doveva camminare come un uomo, prendersi un bel po' di spazio, far oscillare le braccia e procedere con sicurezza come se fosse la padrona della via, pronta a scostare con la forza chiunque le contrastasse il passo.

Non poteva andare a piedi fino a Shadwell, che era lontanissimo, nella parte orientale di Londra. Fermò una portantina, e si ricordò di alzare il braccio con un gesto imperioso anziché agitare garbatamente la mano come una donna. Quando gli uomini si fermarono e posarono la portantina, si schiarì la gola, sputò per terra e disse con voce profonda e un po' rauca: «Al Pelican, e in fretta».

La portarono più a est di quanto fosse mai arrivata a Londra, attraverso vie fiancheggiate da case sempre più piccole e misere, fino a un quartiere di vicoli umidi, pontili traballanti e sgangherate rimesse per barche, depositi di legname protetti da alti steccati e magazzini cadenti con le porte chiuse da catene. Si fermarono davanti a una grande taverna del porto, con la rozza immagine di un pellicano dipinta sull'insegna di legno. Il cortile era pieno di gente rumorosa ed eccitata: operai coi fazzoletti annodati al collo, gentiluomini in panciotto, donne di bassa estrazione in scialle e zoccoli, altre donne col viso dipinto e il seno scoperto che, pensò Lizzie, dovevano essere prostitute. Non c'era neppure una signora di quelle che sua madre definiva "di qualità".

Lizzie pagò l'ingresso e si fece largo a gomitate tra la folla che gridava. C'era un odore penetrante di corpi sporchi e sudati, e si sentiva emozionata e un po' depravata. Il combattimento delle gladiatrici era al culmine. Alcune si erano già ritirate: una era seduta su una panca e si teneva la testa fra le mani, un'altra cercava di fermare il sangue che sgorgava da una ferita a una gamba, una terza giaceva supina e priva di sensi nonostante gli sforzi degli amici per rianimarla. Le altre quattro si aggiravano dentro un cerchio di corda e si aggredivano a vicenda con rozze mazze di legno lunghe un metro. Erano nude fino alla cintura e scalze; indossavano soltanto gonne lacere. Facce e corpi erano coperti da lividi e cicatrici. I cento e più spettatori acclamavano le loro beniamine, e diversi uomini raccoglievano scommesse sul risultato. Le donne mulinavano le mazze con tutta la loro forza e sferravano colpi tremendi. Ogni volta che una di loro metteva a segno un bel colpo, gli uomini prorompevano in boati d'approvazione. Lizzie assisteva, inorridita e affascinata. Poco dopo una delle quattro ricevette un micidiale colpo alla testa e stramazzò svenuta. La vista del corpo seminudo che giaceva esanime nel fango le diede la nausea, e Lizzie si allontanò.

Entrò nella taverna, batté un pugno sul banco e disse al banconiere: «Una pinta di birra forte, Jack». Era davvero meraviglioso potersi rivolgere al mondo con arroganza. Se l'avesse fatto vestita da donna, ognuno dei suoi interlocutori si sarebbe sentito in diritto di risponderle male, perfino un taverniere o un portantino. Ma un paio di pantaloni costituivano un'autorizzazione di comando.

Il bar puzzava di cenere, di tabacco e di birra. Lizzie sedette in un angolo e sorseggiò la birra domandandosi perché mai era venuta. Quello era un luogo di violenza e di crudeltà, e lei stava giocando un gioco pericoloso. Cos'avrebbero fatto quegli individui brutali se avessero intuito che era un'aristocratica travestita da uomo?

Era venuta in parte perché la sua curiosità era invincibile. Era sempre stata affascinata da tutto ciò che era proibito, fin da quando era bambina. La frase "Non è posto per una signora" era come un drappo rosso per un toro. Non poteva resistere alla tentazione di aprire ogni porta con la scritta "Vietato l'ingresso". In lei, la curiosità era ardente quanto la sessualità, e reprimerla era difficile come smettere di baciare Jay.

Ma la ragione principale era McAsh. Era sempre stato interessante. Anche da bambino era diverso: indipendente, insubordinato, pronto a discutere ciò che gli veniva detto. E da adulto manteneva le promesse. Aveva sfidato i Jamisson, era fuggito dalla Scozia, un'impresa riuscita a ben pochi minatori, ed era arrivato fino a Londra. Adesso era un pugile. E poi, cosa sarebbe diventato?

Sir George aveva fatto bene a lasciarlo andare. Come diceva Jay, Dio ha stabilito che certi uomini comandino agli altri, ma McAsh non l'avrebbe mai accettato e nel villaggio avrebbe causato guai per anni. Possedeva un magnetismo che spingeva gli altri a seguirlo: il portamento orgoglioso del corpo robusto, la sensazione di sicurezza della testa eretta, l'espressione intensa degli occhi verdi. Perfino Lizzie sentiva quell'attrazione, tanto che l'aveva condotta fin lì.

Una delle donne dipinte le sedette accanto e le rivolse un sorriso insinuante. Nonostante il belletto, aveva l'aria di una vecchia stanca. Sarebbe stato un trionfo per il suo travestimento, pensò Lizzie, se una puttana le avesse fatto una proposta. Ma la donna non si era lasciata ingannare con tanta facilità. «Io so cosa sei» le disse.

Le donne hanno la vista più acuta degli uomini, rifletté Lizzie. «Non dirlo a nessuno» raccomandò.

«Per uno scellino, con me puoi fare l'uomo» propose la puttana.

Lizzie non capì.

«L'ho fatto altre volte con tipi come te... ragazze ricche che si divertono a fare la parte dell'uomo. A casa ho una grossa candela perfetta per questo, capisci cosa voglio dire?»

Lizzie intuì finalmente cosa intendeva la donna. «No, grazie» rispose con un sorriso. «Non è per questo che sono venuta.» Si frugò in tasca e prese una moneta. «Comunque, ecco uno scellino per mantenere il segreto.»

«Dio la benedica, signoria» disse la prostituta, e se ne andò.

Quando ci si traveste si possono imparare molte cose, pensò Lizzie. Non avrebbe mai immaginato che una prostituta tenesse in casa una candela speciale per le donne che si divertivano a fare la parte dell'uomo. Era una di quelle scoperte che una signora non avrebbe mai fatto se non si fosse sottratta alla società rispettabile e non fosse andata a esplorare il mondo che si estendeva al di là delle sue finestre schermate da tende.

Dal cortile giunsero applausi e acclamazioni, e Lizzie intuì che la lotta con le mazze aveva avuto una vincitrice, presumibilmente l'ultima donna rimasta in piedi. Uscì, reggendo il boccale di birra come avrebbe fatto un uomo, con il braccio abbassato lungo il fianco e il pollice agganciato sull'orlo.

Le gladiatrici si allontanavano barcollando o venivano portate via, e stava per cominciare il numero principale. Lizzie vide subito McAsh. Era lui, senza dubbio: riconobbe gli straordinari occhi verdi. Non era più annerito dalla polvere di carbone, e scoprì sorpresa che i suoi capelli erano biondo chiaro. Stava vicino al ring e parlava con un altro uomo. Lanciò diverse occhiate a Lizzie, ma non si accorse del travestimento. Aveva un'aria concentrata e decisa.

L'avversario, Rees Preece, meritava il soprannome di "Montagna Gallese". Era l'uomo più colossale che Lizzie avesse mai visto, alto almeno trenta centimetri più di Mack, massiccio e con la faccia rossa e il naso storto per le fratture. Aveva un'espressione crudele e Lizzie si meravigliò all'idea che qualcuno avesse il coraggio o l'incoscienza di affrontare un simile bestione. Ebbe paura per McAsh: poteva finire storpiato o addirittura ucciso, pensò con un brivido. Non voleva più vedere. Provò l'impulso di andarsene, ma non riuscì a muoversi.

L'incontro stava per cominciare quando l'amico di Mack cominciò a discutere rabbiosamente coi secondi di Preece. Alzarono la voce e Lizzie comprese che la causa erano gli stivali di Preece. Il secondo di Mack, che aveva l'accento irlandese, chiedeva con insistenza che combattessero scalzi. Gli spettatori cominciarono a battere ritmicamente le mani per manifestare la loro impazienza. Lizzie si augurò che l'incontro venisse annullato, ma rimase delusa. Dopo una discussione lunga e veemente, Preece si tolse gli stivali.

L'incontro ebbe inizio all'improvviso. Lizzie non vide nessun segnale. I due uomini si avventarono uno contro l'altro come due gatti, scambiandosi con frenesia pugni, calci e testate, muovendosi così in fretta che Lizzie non riusciva quasi a vedere cosa facessero. Gli spettatori urlavano, Lizzie si accorse che anche lei stava gridando e si coprì la bocca con la mano.

La furia iniziale durò pochi secondi: era troppo violenta per continuare a lungo. I due si separarono e cominciarono a girare in tondo, i pugni alzati davanti alla faccia e le braccia che proteggevano il corpo. Mack aveva un labbro gonfio e Preece sanguinava dal naso. Spaventata, Lizzie si morse l'indice.

Preece caricò di nuovo, ma questa volta Mack balzò indietro, lo schivò, poi avanzò di scatto e lo colpì con forza su un lato della testa. Lizzie rabbrividì nel sentire il colpo: sembrava un maglio battuto contro una roccia. Gli spettatori acclamarono come pazzi. Preece sembrò esitare come stordito, e Lizzie immaginò che fosse sorpreso dalla forza di Mack. Cominciò a sperare: forse sarebbe riuscito a vincere.

Mack si scostò saltellando dalla portata di Preece, che si scrollò come un cane, quindi abbassò la testa e caricò sferrando pugni feroci. Mack schivò, e assestò calci alle gambe di Preece con un piede scalzo, ma l'altro riuscì a mettere a segno molti pugni poderosi. Poi Mack lo colpì di nuovo alla testa, e ancora una volta Preece si bloccò.

La scena si ripeté e Lizzie sentì l'irlandese urlare: «Fatti sotto e finiscilo, Mack! Non dargli tempo di riprendersi!». Dopo aver sferrato un pugno che intontiva l'avversario, Mack indietreggiava sempre lasciando che si riprendesse. Preece, invece, faceva sempre seguire un pugno dopo l'altro finché Mack non lo bloccava.

Dopo dieci minuti terribili, qualcuno suonò una campana e gli avversari riposarono. Lizzie si sentì sollevata come se ci fosse stata lei, sul ring. Portarono birre ai due pugili che si erano seduti su sgabelli rudimentali in due angoli opposti. Uno dei secondi arrivò con ago e filo e cominciò a suturare uno strappo nell'orecchio di Preece. Lizzie rabbrividì e distolse gli occhi.

Cercò di dimenticare i danni subiti dal magnifico corpo

di Mack e di considerare il combattimento come una gara. Mack era più agile e aveva il pugno più potente, ma non possedeva la cieca ferocia, l'istinto omicida che spinge un uomo ad annientarne un altro. Avrebbe dovuto essere infuriato, e non lo era.

Quando ricominciarono, si mossero più lentamente, ma il combattimento seguì lo stesso schema: Preece inseguiva Mack che si scansava con agilità, si avventava, metteva a segno due o tre colpi poderosi, poi veniva fermato dal tremendo destro dell'avversario.

Ben presto Preece ebbe un occhio chiuso e cominciò a zoppicare per i calci ricevuti, mentre Mack sanguinava dalla bocca e da un taglio sopra un occhio. Il combattimento diventò ancora più lento, ma più brutale. Ormai privi dell'energia necessaria per le agili schivate, i due sembravano subire i colpi con sorda sofferenza. Per quanto tempo potevano continuare a pestarsi? Lizzie si chiese perché si preoccupava tanto per McAsh, e si rispose che avrebbe provato le stesse sensazioni per chiunque.

Ci fu un'altra pausa. L'irlandese s'inginocchiò accanto a Mack e gli parlò con fare concitato, sottolineando le parole con gesti vigorosi del pugno. Lizzie capì che gli raccomandava di attaccare a fondo per farla finita. Perfino lei si rendeva conto che per forza bruta e capacità di resistenza Preece era superiore a Mack semplicemente perché era più grande e grosso e più abituato a incassare. Possibile che lui non se ne accorgesse?

Poi tutto ricominciò. Mentre li guardava martellarsi di colpi, Lizzie ricordò Malachi McAsh che, a sei anni, giocava sul prato dell'High Glen House. Allora era lei la sua avversaria: gli aveva tirato i capelli e l'aveva fatto piangere. Il ricordo le fece salire le lacrime agli occhi. Era molto triste che quel bambino si fosse ridotto così.

Sul ring ci fu un turbinare improvviso. Mack colpì Preece una volta, due, tre, poi gli sferrò un calcio alla coscia e lo fece barcollare. Lizzie si augurò che il gallese crollasse e il combattimento avesse fine. Ma proprio allora Mack indietreggiò e attese che l'avversario cadesse. Gli incitamenti urlati dal suo secondo e le grida degli spettatori assetati di sangue lo esortavano a finire Preece, ma lui non ascoltava.

Con grande sgomento di Lizzie, Preece si riprese di nuovo, e in modo quasi inatteso, e colpì Mack con un pugno al ventre. Mack si piegò in avanti con un gemito strozzato... e a quel punto Preece caricò di testa come un ariete mettendoci tutta la forza della sua possente schiena. Le teste si scontrarono con un tonfo tremendo e tutti gli spettatori trattennero il fiato.

Mack barcollò, sul punto di cadere, e Preece lo colpì con un calcio alla testa. Mack stramazzò a terra, e il gallese lo colpì di nuovo mentre era disteso bocconi. Mack non si mosse. Lizzie urlò «Basta!», ma Preece continuò a prenderlo a calci finché i secondi di entrambi non balzarono sul ring e lo trascinarono via.

Preece sembrava stupefatto come se non capisse perché mai quelli che l'avevano incitato al massacro adesso volevano che si fermasse. Poi ritrovò la lucidità e alzò le mani in segno di vittoria con l'aria soddisfatta del cane che ha fatto contento il padrone.

Lizzie temette che Mack fosse morto. Si fece largo fra la folla e salì sul ring. Il secondo stava inginocchiato accanto a Mack. Lizzie si chinò con il cuore in gola. Mack aveva gli occhi chiusi, ma respirava. «Dio sia ringraziato, è vivo» mormorò lei.

L'irlandese le lanciò un'occhiata ma non parlò. Lizzie pregò il cielo che non avesse subìto lesioni permanenti. Nell'ultima mezz'ora aveva subito più colpi alla testa di quanti ne ricevesse in tutta la vita la maggior parte della gente, e temeva che quando avesse ripreso i sensi sarebbe stato ridotto a un idiota.

Mack aprì gli occhi.

«Come ti senti?» chiese Lizzie.

Lui richiuse le palpebre e non rispose.

L'irlandese la fissò e chiese: «Chi è? Un controtenore?».

Lizzie si accorse che aveva dimenticato di parlare come un uomo.

«Un amico» rispose. «Portiamolo dentro... non deve stare qui nel fango.»

Dopo un attimo di esitazione, l'uomo disse: «Va bene». Afferrò Mack passandogli le mani sotto le ascelle. Due spettatori lo presero per le gambe e lo sollevarono.

Lizzie li precedette nella taverna e, con la sua voce maschile più arrogante, gridò: «Padrone... la camera più bella, subito!».

Una donna girò dietro il banco. «Chi paga?» chiese, diffidente.

Lizzie le diede una sovrana.

«Da questa parte» disse la donna.

Li condusse su per la scala, fino a una camera affacciata sul cortile. Era pulita, il letto a colonne era rifatto con cura, la coperta semplice e ruvida. Gli uomini adagiarono Mack sul letto. Lizzie disse alla donna: «Accenda il fuoco, e poi ci porti un po' di cognac francese. C'è un medico da queste parti che possa curargli le ferite?».

«Manderò a chiamare il dottor Samuels.»

Lizzie sedette sul bordo del letto. La faccia di Mack era una maschera gonfia e sanguinante. Gli aprì la camicia e vide che il petto era coperto di lividi e abrasioni.

I due spettatori se ne andarono. L'irlandese spiegò: «Sono Dermot Riley... Mack alloggia in casa mia».

«Mi chiamo Elizabeth Hallim» rispose lei. «Conosco Mack da quando eravamo bambini.» Aveva deciso di non spiegare perché era travestita da uomo: che pensasse ciò che voleva.

«Non credo che sia grave» disse l'irlandese.

«Dovremmo lavargli le ferite. Faccia portare un catino d'acqua calda, per favore.»

«Subito.» Riley uscì e la lasciò sola con Mack.

Lizzie guardò la figura immobile che respirava appena. Gli appoggiò la mano sul petto. La pelle era calda, i muscoli solidi. Il battito del cuore era forte e regolare.

Era piacevole toccarlo. Si portò l'altra mano sul proprio petto e sentì la differenza tra i suoi seni delicati e i muscoli robusti di Mack. Gli toccò un capezzolo piccolo e morbido, poi toccò uno dei propri, più grande e sporgente.

Mack aprì gli occhi.

Lizzie ritirò la mano, assalita da un senso di colpa. Cosa sto facendo, in nome del cielo? si chiese.

Lui la guardò senza capire. «Dove sono? E lei chi è?»

«Hai fatto un incontro di pugilato e hai perso.»

La fissò per qualche secondo e alla fine sorrise maliziosamente. «Lizzie Hallim, ancora travestita da uomo» disse con voce normale.

«Grazie a Dio stai bene!»

Lui la guardò in modo strano. «È... è molto gentile a preoccuparsi per me.»

Lizzie si sentì imbarazzata. «Non so perché lo faccio» disse con una voce che sembrava sul punto di spezzarsi. «Sei soltanto un minatore che non sa stare al suo posto.» Poi inorridì nel sentire le lacrime scorrerle sulle guance. «È molto triste vedere un amico pestato a sangue» disse. Non riusciva a dominare la voce che tradiva una profonda emozione.

Mack la guardò piangere. «Lizzie Hallim» mormorò meravigliato, «riuscirò mai a capirla?»

15

Il cognac gli calmò i dolori delle ferite per quella sera, ma l'indomani mattina Mack si svegliò in preda al tormento. Gli facevano male tutte le parti del corpo che riusciva a identificare: dalla punta dei piedi indolenziti per i calci sferrati a Rees Preece, fino alla sommità del cranio, dove sentiva un dolore che sembrava intenzionato a non passare più. La faccia, nel frammento di specchio che adoperava per radersi, era tutta tagli e lividi, e troppo dolorante per toccarla.

Tuttavia il suo morale era alto. Lizzie Hallim lo eccitava sempre e con la sua audacia faceva apparire possibile qualunque cosa. Quando l'aveva riconosciuta, seduta sul bordo del letto, aveva provato l'impulso quasi irresistibile di prenderla fra le braccia. Aveva dominato la tentazione ricordando a se stesso che una mossa del genere avrebbe segnato la fine della loro strana amicizia. A lei era permesso infrangere le regole: era una signora. Poteva giocare quanto voleva con un cucciolo, ma se l'avesse morsa l'avrebbe mandato in cortile.

Gli aveva detto che stava per sposare Jay Jamisson, e lui si era morso la lingua per non dirle che commetteva un errore madornale.. La cosa non lo riguardava e non voleva offenderla.

La moglie di Dermot, Bridget, preparò il porridge salato per colazione, e Mack lo mangiò assieme ai bambini.

Bridget aveva quasi trent'anni e un tempo era stata bella, ma adesso aveva l'aria stanca. Quando finirono di mangiare, Mack e Dermot uscirono per cercare lavoro. «Portate qualche soldo» raccomandò Bridget.

Ma non era una giornata fortunata. Fecero il giro dei mercati di Londra, offrendosi come facchini per portare le ceste di pesce, i barili di vino e i quarti sanguinolenti di bue con cui la città si sfamava ogni giorno, però c'erano più uomini che lavoro. A mezzogiorno desistettero e andarono nel West End per provare nelle caffetterie. Alla fine del pomeriggio erano stanchi come se avessero lavorato tutto il giorno, ma non avevano guadagnato nulla.

Mentre svoltavano nello Strand, una figuretta si precipitò fuori da un vicolo come un coniglio in fuga e finì addosso a Dermot. Era una ragazzina sui tredici anni, lacera, magra e impaurita. Dermot si lasciò sfuggire un suono come di una vescica che scoppia. La ragazzina strillò spaventata, barcollò e ritrovò l'equilibrio.

Al suo inseguimento sopraggiunse di corsa un giovane robusto che indossava abiti costosi ma in disordine. Riuscì quasi ad afferrare la ragazzina quando si scostò da Dermot, ma lei lo schivò e riprese a scappare. Poi scivolò e cadde, e il giovane le piombò addosso.

Lei urlò di terrore. L'uomo era fuori di sé per la rabbia. La sollevò di peso e la colpì con un pugno alla testa, la gettò di nuovo a terra e la prese a calci nel gracile petto coi piedi calzati di stivali.

Mack si era abituato alle scene di violenza nelle vie di Londra. Uomini, donne e bambini si picchiavano di continuo, dando e ricevendo pugni e graffi, e le loro battaglie traevano di solito alimento dal gin scadente venduto in ogni bottega. Ma non aveva mai visto un uomo robusto picchiare con tanta spietatezza una bambina. Sembrava deciso a ucciderla. Mack era ancora dolorante per il combattimento con la Montagna Gallese, e l'ultima cosa che desiderava era battersi di nuovo, ma non poteva restare fermo di fronte un simile spettacolo. L'uomo si apprestava a sferrare un altro calcio alla ragazzina, quando lo afferrò bruscamente e lo tirò indietro.

Il giovane si voltò. Era più alto di Mack di una decina di centimetri. Gli appoggiò la mano contro il petto e lo spinse con forza. Mack arretrò barcollando. L'uomo si girò di nuovo verso la bambina che si stava rialzando, e la colpì con uno schiaffo che la fece cadere di nuovo.

Mack non ci vide più. Agguantò l'uomo per il colletto e il fondo dei pantaloni e lo sollevò di peso. Quello lanciò un grido di sorpresa e di collera, e cominciò a contorcersi con violenza, però Mack lo tenne stretto e se lo alzò sopra la testa.

Dermot era sbalordito dalla facilità con cui l'amico reggeva l'avversario. «Perdiana, Mack, sei proprio forte.»

«Toglimi quelle luride mani di dosso» gridò l'uomo.

Mack lo posò a terra, ma continuò a tenerlo per un polso. «Lascia in pace la bambina.»

Dermot aiutò la ragazzina ad alzarsi ma la trattenne con gentile fermezza.

«È una maledetta ladra!» dichiarò l'uomo in tono aggressivo. Poi notò la faccia devastata di Mack e decise che non era il caso di attaccar briga.

«Tutto qui?» chiese Mack. «Da come la prendevi a calci, credevo che avesse assassinato il re.»

«Perché t'impicci di quello che ha fatto?» L'uomo si stava calmando e riprendeva fiato.

Mack lo lasciò. «Di qualunque cosa si tratti, mi pare che tu l'abbia punita abbastanza.»

L'uomo lo guardò in faccia. «Si vede che sei appena sbarcato» commentò. «Sei forte e robusto, ma anche così non durerai molto a Londra se ti fidi di quelli come lei.» E si allontanò.

La ragazzina disse: «Grazie, Jock... mi hai salvato la vita.» L'aveva chiamato col nomignolo usato per gli scozzesi.

La gente capiva che era scozzese non appena apriva bocca. Non si era reso conto di avere un accento caratteristico finché non era arrivato a Londra. A Heugh tutti parlavano come lui, e perfino i Jamisson usavano una versione ammorbidita del dialetto. Lì, invece, era come un distintivo.

Mack squadrò la bambina. Aveva i capelli scuri tagliati male, e un visetto grazioso che si stava gonfiando per le percosse. Il corpo era infantile, ma negli occhi c'era un'espressione smaliziata da adulta. Lo guardò, diffidente, come se si domandasse cosa voleva da lei. Mack le chiese: «Tutto bene?».

«Mi fa male» rispose stringendosi il fianco con una mano. «Dovevi ammazzarlo, quel maledetto.»

«Cosa gli hai fatto?»

«Ho cercato di ripulirlo mentre fotteva Cora, ma lui ha mangiato la foglia.»

Mack annuì. Aveva sentito dire che qualche volta le prostitute si servivano di complici per derubare i clienti. «Ti va di bere qualcosa?»

«Bacerei il culo del Papa per un bicchiere di gin.»

Mack non aveva mai sentito nessuno parlare così, tanto meno una bambina. Non sapeva se scandalizzarsi o ridere.

Dall'altra parte della strada c'era The Bear, la taverna dove Mack aveva messo fuori combattimento lo Spaccaossa di Bermondsey e vinto una sterlina al nano. Attraversarono ed entrarono. Mack pagò tre boccali di birra. Andarono in un angolo a bere.

La ragazzina tracannò quasi tutta la sua birra in poche sorsate e commentò: «Sei un brav'uomo, Jock».

«Mi chiamo Mack» disse lui. «E questo è Dermot.»

«Io sono Peggy. Mi chiamano Peg la Svelta.»

«Per il tuo modo di bere, immagino.»

Lei sorrise maliziosamente. «In questa città se non bevi in fretta ti fregano il bicchiere. Da dove vieni, Jock?»

«Da un villaggio che si chiama Heugh, a circa settanta chilometri da Edimburgo.»

«Dov'è Edimburgo?»

«In Scozia.»

«Allora è molto lontano?»

«Ci ho messo una settimana con la nave, lungo la costa.» Era stata una settimana interminabile. Il mare lo innervosiva. Dopo aver lavorato per quindici anni in miniera, la sconfinata distesa d'acqua gli faceva girare la testa. Ma era stato costretto ad arrampicarsi sugli alberi per legare le cime anche col mare grosso. Non sarebbe mai stato un marinaio. «Mi pare che la diligenza ci metta tredici giorni» aggiunse.

«Perché te ne sei andato?»

«Per essere libero. Sono scappato. In Scozia, i minatori sono schiavi.»

«Vuoi dire come i negri in Giamaica?»

«Mi pare che ne sai più della Giamaica che della Scozia.»

Peg sembrò offendersi per quella critica implicita. «Perché non dovrei?»

«La Scozia è più vicina, ecco.»

«Lo sapevo.» Mack intuì che mentiva. Era soltanto una bambina, nonostante la sua spavalderia, e lo commosse.

Una voce affannata di donna chiese: «Peg, tutto bene?».

Mack alzò la testa e vide una giovane con il vestito color arancio.

Peg rispose: «Ciao, Cora. Mi ha salvato un bel principe. Ti presento lo scozzese Jock McKnock».

Cora sorrise a Mack. «Grazie per aver aiutato Peg. Spero che non sia per questo che sei pieno di lividi.»

Mack scosse la testa. «No, è stato un altro bestione.»

«Posso offrire un gin?»

Mack stava per rifiutare perché preferiva la birra, ma Dermot rispose per tutti: «Molto gentile, grazie».

Mack seguì con gli occhi la donna che si avvicinava al banco. Aveva una ventina d'anni, il viso angelico e una massa di capelli rosso-fiamma. Rimase sconvolto all'idea che una ragazza tanto giovane e carina fosse una puttana. Disse a Peg: «E così si è fatta sbattere dal tipo che ti dava la caccia, eh?».

«Di solito non va fino in fondo con un uomo» rispose

Peg con aria saputa. «Lo lascia in un vicolo con l'uccello in su e le brache giù.»

«Mentre tu scappi con la borsa» completò Dermot.

«Chi, io? Come ti permetti? Sono una dama di compagnia della regina Carlotta.»

Cora sedette accanto a Mack. Aveva un profumo intenso e speziato, che sapeva di sandalo e cannella. «Cosa fai a Londra, Jock?»

Mack la scrutò. Era davvero molto graziosa. «Cerco lavoro.»

«Trovato niente?»

«Non molto.»

Lei scosse la testa. «È stato uno schifo d'inverno, freddo come una tomba, e il prezzo del pane è vergognoso. Ci sono troppi uomini come te.»

Peg intervenne: «Per questo mio padre s'era messo a fare il ladro, due anni fa. Ma non aveva il bernoccolo».

Controvoglia, Mack staccò lo sguardo da Cora e si girò verso Peg. «E cosa gli è successo?»

«Ha ballato col collare dello sceriffo.»

«Cosa?»

Dermot spiegò: «Vuol dire che l'hanno impiccato».

«Oh... mi dispiace.»

«Non compiangermi, scozzese. Mi fa vomitare.»

Peg era davvero un tipo da prendere con le pinze. «D'accordo, d'accordo, non lo farò più» promise Mack.

Cora propose: «Se volete lavorare, conosco qualcuno che cerca uomini per scaricare le navi carboniere. È un lavoro molto pesante e possono farlo solo gli uomini giovani. Preferiscono i forestieri perché si lamentano meno.»

«Sono disposto a fare di tutto» rispose Mack pensando a Esther.

«Le squadre degli scaricatori di carbone sono organizzate dai tavernieri di Wapping. Io ne conosco uno, Sidney Lennox del Sun.»

«È un brav'uomo?»

Cora e Peg risero. Cora disse: «È un porco ubriacone

puzzolente, bugiardo, schifoso e truffatore. Ma sono tutti così, quindi cosa ci vuoi fare?»

«Ci accompagni al Sun?»

«Be', se proprio ci tenete...» disse Cora.

Una nebbia calda di sudore e polvere di carbone riempiva la stiva soffocante della nave. Mack era in piedi su una montagna di carbone e maneggiava una larga pala a ritmo costante. Era un lavoro faticoso, brutale. Gli dolevano le braccia ed era fradicio di sudore, ma si sentiva soddisfatto. Era giovane e forte, guadagnava bene e non era schiavo di nessuno.

Faceva parte di una squadra di sedici scaricatori tutti impegnati a spalare, fra brontolii, imprecazioni e battute scherzose. Quasi tutti gli altri erano giovani e robusti contadini irlandesi: era un lavoro troppo duro per i delicati cittadini. Dermot, che aveva trent'anni, era il più vecchio del gruppo.

A quanto pareva, non poteva sfuggire al carbone. Ma era il carbone che mandava avanti il mondo. Mentre lo spalava, Mack pensava a come sarebbe stato utilizzato, a tutti i salotti di Londra che avrebbe riscaldato, alle migliaia di fuochi accesi nelle cucine, ai forni per il pane e alle birrerie che avrebbe alimentato. La città aveva una fame insaziabile di carbone.

Era sabato pomeriggio e la squadra aveva quasi finito di scaricare la nave, la *Black Swan* di Newcastle. Per Mack era una gioia calcolare quanto avrebbe incassato quella sera. Era la seconda nave che scaricavano in settimana, e la squadra riceveva sedici pence, un penny a testa, per venti sacchi di carbone. Un uomo robusto armato di una grossa pala poteva riempire un sacco in due minuti. Ognuno di loro, calcolava, aveva guadagnato sei sterline lorde.

Ma c'erano le deduzioni. Sidney Lennox, il mediatore o appaltatore, mandava a bordo enormi quantità di birra e gin. Gli uomini erano costretti a bere parecchio per rimpiazzare i litri di liquido perduti sudando, ma Lennox mandava più del necessario, e quasi tutti bevevano anche il gin. Di conseguenza c'era quasi sempre almeno un incidente prima che finisse la giornata. E poi, il liquore doveva essere pagato. Perciò Mack non sapeva quanto avrebbe incassato quando si fosse presentato al Sun per ritirare la paga. Comunque, anche se metà del denaro se ne fosse andata per le deduzioni, e come stima era senza dubbio troppo alta, gli sarebbe comunque rimasto il doppio di quanto guadagnava un minatore per sei giorni di lavoro.

Se quel lavoro continuava, poteva farsi raggiungere da Esther nel giro di qualche settimana. Lui e la sua gemella sarebbero stati entrambi liberi. La prospettiva gli faceva battere forte il cuore.

Aveva scritto a Esther non appena aveva preso alloggio in casa di Dermot, e lei aveva risposto. Nella valle, diceva, si faceva un gran parlare della sua fuga. Alcuni minatori giovani stavano cercando di far pervenire al parlamento inglese una petizione per protestare contro la schiavitù nelle miniere. E Annie aveva sposato Jimmy Lee. Mack aveva provato un certo rimpianto per Annie: non si sarebbe più rotolato con lei in mezzo all'erica. Ma Jimmy Lee era un brav'uomo. Forse la petizione avrebbe segnato l'inizio di un cambiamento, forse i figli di Annie e Jimmy sarebbero stati liberi.

Finirono di riempire i sacchi di carbone e di caricarli sulla chiatta che li avrebbe trasportati a riva. Mack si stirò la schiena dolorante e si mise in spalla la pala. Sulla tolda, l'aria fredda lo investì. Indossò la camicia e il mantello di pelliccia di Lizzie Hallim. Gli scaricatori raggiunsero la riva con gli ultimi sacchi, quindi andarono al Sun per incassare le paghe.

Il Sun era un locale frequentato da marinai e scaricatori. Il pavimento di terra battuta era fangoso, le panche e i tavoli erano macchiati e mal ridotti e il fuoco dava più fumo che calore. Il padrone, Sidney Lennox, era un giocatore d'azzardo, e c'era sempre in corso qualche partita: carte, dadi o un gioco complicato con un tabellone e segnalini.

L'unica nota positiva di quel luogo era Mary la Nera, la cuoca africana che con molluschi e ritagli di carne preparava spezzatini piccanti molto apprezzati dai clienti.

Mack e Dermot furono i primi ad arrivare. Trovarono Peg seduta al bar con le gambe incrociate sotto di sé. Fumava tabacco della Virginia in una pipa di coccio. Viveva al Sun e dormiva sul pavimento in un angolo del bar. Lennox faceva anche il ricettatore, e lei gli vendeva gli oggetti che rubava. Quando vide Mack, sputò sul fuoco e disse allegramente: «Come va, Jock... hai salvato qualche altra ragazza?».

«Oggi no» rispose lui con un sorriso.

Mary la Nera si affacciò alla porta della cucina. «Volete la zuppa, ragazzi?» Aveva l'accento dei Paesi Bassi; si diceva che fosse stata la schiava di un capitano di marina olandese.

«Per me solo un paio di barili, grazie» rispose Mack.

Mary sorrise. «Affamato, eh? Avete lavorato molto?»

«Abbiamo fatto un po' di moto per stimolare l'appetito» rispose Dermot.

Mack non aveva denaro per pagare il pasto, ma Lennox faceva credito a tutti gli scaricatori che lavoravano per lui. Dopo quella sera, decise Mack, avrebbe pagato sull'unghia: non voleva debiti.

Sedette accanto a Peg. «Come vanno gli affari?» le chiese.

La ragazzina prese sul serio la domanda. «Io e Cora abbiamo fregato un vecchio riccone questo pomeriggio, così ci prendiamo la serata libera.»

A Mack sembrava strano essere amico di una ladra. Sapeva perché lo faceva: era l'unica alternativa alla fame. Tuttavia qualcosa, forse il ricordo della mentalità di sua madre, lo spingeva a disapprovare.

Peg era piccola, fragile e ossuta; aveva luminosi occhi azzurri, ma anche l'aria della delinquente incallita, e la gente la trattava come tale. Mack sospettava che la sua apparenza dura fosse una protezione: probabilmente sotto

sotto era una bambina spaventata senza nessuno al mondo a prendersi cura di lei.

Mary la Nera gli portò una zuppa dove galleggiavano alcune ostriche, una fetta di pane e un boccale di birra scura. Mack cominciò a mangiare con la voracità di un lupo.

Gli altri scaricatori arrivarono alla spicciolata. Lennox non si vedeva, ed era strano perché di solito giocava a carte o ai dadi coi clienti. Mack sperò che comparisse in fretta. Era impaziente di scoprire quanto aveva guadagnato quella settimana. Immaginò che Lennox li facesse aspettare perché spendessero di più al bar.

Dopo circa un'ora entrò Cora. Era ancora più graziosa del solito, con un abito senape bordato di nero. Tutti gli uomini la salutarono, ma con sua grande sorpresa andò a sedere accanto a Mack. «Ho saputo che hai avuto un pomeriggio redditizio» le disse.

«Soldi facili» rispose lei. «Il vecchio avrebbe dovuto sapere cosa lo aspettava.»

Gli lanciò un'occhiata seducente. «Tu non dovrai mai pagare le ragazze. Te l'assicuro.»

«Racconta lo stesso... sono curioso.»

«Il sistema più semplice è raccattare un ubriaco ricco, eccitarlo, condurlo in un vicolo buio e scappare coi suoi soldi.»

«Come hai fatto oggi?»

«No, oggi è andata ancora meglio. Abbiamo trovato una casa vuota e pagato il custode. Io ho finto di essere una casalinga annoiata, Peg la mia cameriera. Abbiamo portato l'uomo in casa e gli abbiamo fatto credere che vivevo lì. L'ho spogliato e me lo sono portato a letto, poi è arrivata Peg di corsa a dire che mio marito era rientrato inaspettatamente.»

Peg rise. «Povero vecchio catorcio, avresti dovuto vederlo. Era terrorizzato. Si è nascosto nell'armadio!»

«E noi ce ne siamo andate con la sua borsa, l'orologio e i vestiti.»

«Forse è ancora nell'armadio!» disse Peg. Scoppiarono a ridere entrambe.

Cominciarono ad arrivare le mogli degli scaricatori, molte con i bambini piccoli in braccio e altri più grandicelli attaccati alle gonne. Qualcuna aveva la vivacità e la bellezza della gioventù, altre apparivano stanche e denutrite, mogli maltrattate da uomini violenti e ubriachi. Mack immaginò che fossero venute nella speranza di mettere le mani su parte della paga prima che i mariti la spendessero tutta per bere, giocare d'azzardo o andare a puttane. Bridget Riley arrivò coi cinque figli e sedette in compagnia di Dermot e Mack.

Lennox comparve a mezzanotte.

Portava un sacco pieno di monete e due pistole, presumibilmente per difendersi dai rapinatori. Gli scaricatori, ormai quasi tutti ubriachi, lo applaudirono come un vincitore, e Mack provò un fuggevole senso di disprezzo per i compagni. Perché manifestavano gratitudine quando la paga era un diritto?

Lennox era un uomo dall'aria truce, sulla trentina. Portava stivali al ginocchio e panciotto di flanella, senza camicia. Era forte e muscoloso perché era abituato a trasportare barilotti di birra e di liquori. La bocca aveva una piega crudele. Esalava un odore caratteristico, dolciastro come quello della frutta marcia. Mack si accorse che Peg trasaliva mentre Lennox le passava accanto: le faceva paura.

Lennox tirò un tavolo in un angolo e vi posò il sacco e le pistole. Gli uomini e le donne si affollarono intorno, spingendo e sgomitando come se temessero che il denaro finisse prima del loro turno. Mack rimase un po' in disparte. Non gli sembrava dignitoso precipitarsi per ricevere il salario che aveva guadagnato.

Sentì la voce aspra di Lennox levarsi al di sopra del chiasso. «Ogni uomo ha guadagnato una sterlina e undici pence questa settimana, prima del conto del bar.»

Mack pensò di non aver capito bene. Avevano scaricato due navi, millecinquecento ventine di sacchi, in totale tremila sacchi di carbone; quindi ognuno aveva guadagnato circa sei sterline lorde. Com'era possibile che quella somma si fosse ridotta a poco più di una sterlina a testa?

Gli uomini proruppero in gemiti di delusione, ma nessuno contestò la cifra. Mentre Lennox cominciava la distribuzione, Mack disse: «Un momento. Come li hai fatti i conti?».

Lennox alzò la testa con un smorfia rabbiosa. «Avete scaricato millequattrocentoquarantacinque ventine di sacchi e quindi a ciascuno spettano sei sterline e cinque pence lordi. Deducete quindici scellini al giorno per le bevande...»

«Cosa?» lo interruppe Mack. «Quindici scellini al giorno?» Tre quarti del loro guadagno!

Dermot Riley borbottò: «È una maledetta rapina». Non lo disse a voce alta, ma diversi uomini e donne mormorarono il loro assenso.

«La mia commissione è di sedici pence per ciascuno su ogni nave» continuò Lennox. «Poi altri sedici pence per la mancia al capitano, sei pence al giorno per l'affitto di una pala...»

«L'affitto di una pala?» esplose Mack.

«Tu qui sei nuovo e non conosci le regole, McAsh» ringhiò Lennox. «Perché non chiudi quella maledetta bocca e non mi lasci continuare? Altrimenti nessuno sarà pagato.»

Mack era furioso, ma il buon senso gli suggeriva che Lennox non aveva inventato quel sistema per l'occasione: evidentemente era ben radicato e gli uomini dovevano averlo accettato. Peg lo tirò per la manica e bisbigliò: «Non fare storie, Jock... o Lennox ti renderà la vita difficile».

Mack scrollò le spalle e tacque. Ma la sua protesta aveva scosso gli altri, e Dermot Riley si fece sentire: «Io non ho bevuto liquori per quindici scellini al giorno» disse.

La moglie confermò: «Questo è sicuro».

«Non li ho bevuti nemmeno io» disse un altro. «Chi può bere tanto? Un uomo scoppia se beve tutta quella birra.»

Lennox rispose rabbioso: «È quello che vi ho mandato a

bordo... credete che possa tenere il conto di quanto beve ogni giorno ciascuno degli uomini?».

Mack commentò: «Allora sei l'unico taverniere di Londra che non ci riesce!» Gli altri risero.

Lennox era infuriato per il sarcasmo di Mack e le risate degli uomini. Si guardò intorno con aria minacciosa e disse: «Il sistema è questo: voi pagate quindici scellini di bevande al giorno anche se non le bevete».

Mack si avvicinò al tavolo. «Be', anch'io ho un sistema» disse. «Non pago il liquore che non ho chiesto e non ho bevuto. Tu non avrai tenuto il conto, ma io sì, e posso dirti esattamente quanto ti devo.»

«Anch'io» intervenne un altro. Era Charlie Smith, un negro nato in Inghilterra con l'accento di Newcastle. «Ho bevuto ottantatré boccali della birra leggera che qui vendi a otto pence al litro. Fanno ventisette scellini e otto pence per tutta la settimana, non quindici scellini al giorno.»

Lennox replicò: «Sei fortunato perché ti pago, sporco negro. Dovresti essere schiavo».

La faccia di Charlie si contrasse. «Io sono inglese e cristiano, e sono migliore di te perché sono onesto» disse dominandosi a stento.

Intervenne Dermot Riley: «Anch'io posso dirti esattamente quanto ho bevuto».

Lennox era sempre più furioso. «Se non vi calmate non avrete niente, e questo vale per tutti.»

Mack decise di tentare di aggiustare le cose. Cercò qualcosa di conciliante da dire, ma lo sguardo gli cadde su Bridget Riley e i suoi figli affamati e l'indignazione lo vinse. Disse a Lennox: «Non lascerai quel tavolo finché non avrai pagato quanto ci devi».

Lennox abbassò lo sguardo sulle pistole.

Con un movimento fulmineo, Mack le buttò sul pavimento. «Non te la caverai sparandomi, maledetto ladro!» esclamò, esasperato.

Lennox sembrava un mastino assediato. Mack si chiese se si era spinto troppo in là. Forse doveva lasciare spazio a un compromesso. Ma era troppo tardi: Lennox doveva cedere. Aveva fatto ubriacare gli scaricatori, e quelli l'avrebbero ucciso se non li avesse pagati.

Tornò a sedere, socchiuse gli occhi, e guardò Mack con odio. «Questa ti costerà cara, McAsh, giuro su Dio che ti costerà cara.»

Mack disse, con calma: «Avanti, Lennox, gli uomini vogliono solo che gli paghi quello che gli spetta».

Lennox non si rabbonì, ma cedette. Con una smorfia rabbiosa cominciò a distribuire il denaro. Pagò per primo Charlie Smith, poi Dermot Riley, quindi Mack, e accettò la loro parola per la quantità di bevande che avevano consumato.

Quando lasciò il tavolo, Mack era euforico. Aveva in mano tre sterline e nove scellini: anche mettendone da parte la metà per Esther, ne aveva comunque più che abbastanza per sé.

Altri scaricatori tirarono a indovinare quanto avevano bevuto, ma Lennox discusse solo nel caso di Sam Potter, un ragazzo grande e grosso di Cork che sostenne di aver bevuto appena trenta quarti facendo ridere tutti: alla fine ammise di aver consumato tre volte tanto.

Un senso di trionfo si diffuse tra uomini e donne mentre intascavano la paga. Qualcuno andò a dare una pacca sulla spalla di Mack, e Bridget Riley gli diede un bacio. Lui si rendeva conto di aver fatto qualcosa di straordinario ma temeva che il dramma non si fosse ancora concluso. Lennox si era arreso troppo facilmente.

Quando anche l'ultimo uomo venne pagato, Mack raccolse da terra le pistole di Lennox. Soffiò sulle pietre focaie per liberarle dalla polvere da sparo in modo da renderle innocue, e le mise sul tavolo.

Lennox prese le pistole disarmate e il sacco di denaro semivuoto e si alzò. Nel locale scese il silenzio. Andò alla porta che conduceva al suo alloggio privato. Tutti lo guardavano attenti, come se temessero che trovasse un modo per riprendersi le paghe. Quando arrivò sulla soglia, si voltò. «Andate via, tutti quanti» disse in tono malevolo. «E non tornate lunedì. Non ci sarà lavoro per voi. Siete tutti licenziati.»

Mack rimase sveglio per quasi tutta la notte. Era preoccupato. Qualcuno degli scaricatori diceva che prima di lunedì mattina Lennox avrebbe dimenticato tutto, ma ne dubitava. Lennox non sembrava tipo da rassegnarsi alla sconfitta. E avrebbe trovato facilmente altri sedici giovani robusti per formare una squadra.

La colpa era sua. Gli scaricatori erano come i buoi, forti, stupidi e arrendevoli. Non si sarebbero ribellati a Lennox se non li avesse incoraggiati, e adesso pensava che toccasse a lui rimettere le cose a posto.

La domenica mattina si alzò presto e andò nell'altra stanza. Dermot e la moglie erano sdraiati su un materasso, i cinque figli dormivano tutti insieme nell'angolo opposto. Mack scosse Dermot per svegliarlo. «Dobbiamo trovare lavoro per la nostra squadra prima di domani» gli disse.

Dermot si alzò, e Bridget gli mormorò: «Vestiti in modo rispettabile se vuoi far buona impressione a un appaltatore». Dermot indossò un vecchio panciotto rosso e prestò a Mack il fazzoletto da collo di seta azzurra che aveva comprato per le proprie nozze. Lungo la strada si fermarono per chiamare Charlie Smith. Charlie faceva lo scaricatore da cinque anni e conosceva tutti. Mise la giacca più bella e andarono insieme a Wapping.

Le strade fangose del quartiere del porto erano semideserte. Le campane delle centinaia di chiese di Londra chiamavano i fedeli alla preghiera, ma quasi tutti i marinai, gli scaricatori e i magazzinieri si godevano il giorno di riposo e restavano a casa. Le acque limacciose del Tamigi lambivano pigre i moli deserti e i ratti correvano audaci lungo la riva.

Tutti gli appaltatori dello scarico del carbone erano tavernieri. I tre andarono prima al Frying Pan, a poche centinaia di metri dal Sun. Trovarono il padrone che faceva bollire un prosciutto nel cortile. L'odore fece venire l'acquolina in bocca a Mack. «Ehilà, Harry» lo salutò allegramente Charlie.

Harry lo squadrò con aria acida. «Cosa volete, ragazzi? Birra?»

«Vogliamo lavorare» rispose Charlie. «Domani hai una nave da scaricare?»

«Sì, e ho anche una squadra, grazie.»

Se ne andarono. Dermot osservò: «Cosa gli ha preso? Ci guardava come se fossimo lebbrosi».

«Forse ieri sera ha alzato troppo il gomito» commentò Charlie.

Mack temeva che la causa fosse più sinistra, ma per il momento tenne per sé i suoi pensieri. «Andiamo al King's Head» propose.

C'erano parecchi scaricatori che bevevano birra al banco. Salutarono Charlie. «Avete da fare, ragazzi?» chiese lui. «Stiamo cercando una nave.»

Il padrone lo sentì. «Voi lavoravate per Sidney Lennox del Sun?»

«Sì, ma la settimana prossima non ha bisogno di noi» rispose Charlie.

«Nemmeno io» tagliò corto il padrone.

Mentre uscivano, Charlie disse: «Proviamo con Buck Delaney allo Swan. Organizza due o tre squadre alla volta.»

Lo Swan era una taverna che lavorava molto: aveva stalle, una caffetteria, un deposito di carbone e diversi banconi di mescita. Trovarono il padrone, un irlandese, nella sua camera privata affacciata sul cortile. In gioventù Delaney era stato scaricatore di carbone, anche se adesso portava la parrucca e lo jabot di pizzo per fare colazione con caffè e carne fredda. «Ascoltate un consiglio, ragazzi miei» disse. «Tutti gli appaltatori di Londra hanno saputo cos'è successo stanotte al Sun. Nessuno è disposto a ingaggiarvi. Ci ha pensato Sidney Lennox.»

Mack provò una stretta al cuore. Era appunto ciò che aveva temuto.

«Se fossi in voi» continuò Delaney, «m'imbarcherei su una nave e starei lontano da Londra per un anno o due. Al ritorno sarà tutto dimenticato.»

Dermot ribatté con rabbia: «Allora gli scaricatori dovrebbero farsi derubare in eterno da voi appaltatori?».

Se Delaney si offese, non lo lasciò capire. «Guardati intorno, ragazzo mio» disse indicando il servizio da caffè d'argento, i tappeti e la taverna che pagava quei lussi. «Questo non l'ho guadagnato con la Bibbia in mano.»

Mack chiese: «Cosa ci impedisce di andare noi stessi dai capitani delle navi per scaricare il carbone?».

«Tutto» rispose Delaney. «Ogni tanto salta fuori uno scaricatore come te, McAsh, con un po' più di fegato degli altri, e vuole avere una squadra sua, tagliar fuori gli appaltatori e finirla coi pagamenti delle bevande e via di seguito. Ma c'è troppa gente che guadagna troppo dalla realtà attuale.» Scosse la testa. «Non sei il primo che protesta contro il sistema, McAsh, e non sarai l'ultimo.»

Mack era disgustato dal cinismo di Delaney, ma capiva che diceva la verità. Non sapeva cos'altro dire o fare. Sconfitto, si avviò verso la porta, seguito da Dermot e Charlie.

«Ascolta il mio consiglio, McAsh» disse Delaney. «Fai come me. Trovati una piccola taverna e vendi liquori agli scaricatori di carbone. Smetti di cercare di aiutarli e comincia ad aiutare te stesso. Te la caveresti bene. Hai stoffa, te lo dico io.»

«Fare come te?» ribatté Mack. «Ti sei arricchito truffando il tuo prossimo. Cristo, non vorrei essere come te neppure se mi offrissero un regno.»

Mentre usciva provò la soddisfazione di vedere finalmente la faccia di Delaney contrarsi per la rabbia.

Ma la soddisfazione durò solo fino a quando chiuse la porta. Aveva avuto l'ultima parola in una discussione, ma aveva perso su tutto il resto. Se avesse frenato l'orgoglio e accettato il sistema degli appaltatori, l'indomani mattina sarebbe tornato a lavorare. Adesso non aveva niente, e per di più aveva messo nella stessa situazione disperata altri quindici uomini e le loro famiglie. La prospettiva di far venire Esther a Londra era più remota che mai. Aveva sbagliato tutto. Era un maledetto stupido.

I tre uomini sedettero a un bancone e ordinarono pane e birra per colazione. Mack si disse che era stato arrogante quando aveva guardato dall'alto in basso gli scaricatori perché accettavano in silenzio il loro destino. Li aveva paragonati a buoi, ma il bue era lui.

Pensò a Caspar Gordonson, l'avvocato radicale che aveva dato l'avvio a tutto rivelandogli quali erano i suoi diritti. Se riuscissi a parlare con Gordonson, si disse, gli farei sapere cosa valgono quei diritti.

La legge era utile soltanto per quelli che avevano la forza per farla valere, a quanto pareva. I minatori e gli scaricatori non avevano avvocati nei tribunali. Erano pazzi a tirar fuori i loro diritti. I furbi ignoravano la giustizia e l'ingiustizia e badavano a se stessi, come Cora e Peg e Buck Delaney.

Alzò il boccale, ma si fermò di colpo mentre lo portava alla bocca. Caspar Gordonson viveva a Londra. Poteva cercarlo. Gli avrebbe fatto sapere quanto valevano i diritti ... ma forse poteva fare qualcosa di meglio. Forse Gordonson avrebbe sostenuto le ragioni degli scaricatori. Era avvocato, e scriveva molti articoli sulla libertà inglese: avrebbe dovuto aiutarlo.

Valeva la pena di tentare.

La lettera fatale che Mack aveva ricevuto da Caspar Gordonson recava un indirizzo di Fleet Street. Il Fleet era un fiumicello lurido che si gettava nel Tamigi ai piedi della collina dove sorgeva la cattedrale di San Paolo. Gordonson abitava in una casa di mattoni a tre piani, accanto a una grande taverna.

«Dev'essere scapolo» commentò Dermot.

«Come fai a dirlo?» chiese Charlie Smith.

«Le finestre sono sporche, il gradino d'ingresso non è lucido... non ci sono donne in questa casa.»

Un servitore li fece entrare. Non si mostrò sorpreso quando chiesero del signor Gordonson. Mentre entravano, uscirono due uomini ben vestiti che discutevano animatamente di William Pitt, il Lord del Sigillo Privato, e del visconte Weymouth, un segretario di stato. Non smisero di parlare, ma uno di loro rivolse a Mack un cortese cenno di saluto. Ne fu sorpreso, perché di regola i gentiluomini ignoravano le classi inferiori.

Mack aveva immaginato che la casa di un avvocato fosse un posto pieno di documenti polverosi e di segreti bisbigliati, dove il rumore più forte era lo scricchiolio delle penne sulla carta. La casa di Gordonson sembrava invece una tipografia. Opuscoli e giornali, in pacchi legati con lo spago, erano ammucchiati nell'atrio, nell'aria c'era odore di carta e di inchiostro da stampa, e un rumore di macchinari faceva pensare che nella cantina fosse in funzione una macchina tipografica.

Il servitore entrò in una stanza, e Mack si chiese se era tempo perso. Quelli che scrivevano pregevoli articoli sui giornali probabilmente non volevano sporcarsi le mani immischiandosi nei fatti degli operai. L'interesse di Gordonson per la libertà poteva essere puramente teorico. Però non poteva lasciare niente d'intentato. Aveva spinto la sua squadra alla ribellione e adesso erano rimasti tutti senza lavoro. Doveva fare qualcosa.

Dall'interno della stanza giunse una voce stridula. «McAsh? Mai sentito nominare. Chi è? Non lo sai? Allora chiediglielo... No, non importa.»

Dopo un attimo un uomo calvo e senza parrucca comparve sulla soglia e scrutò i tre scaricatori attraverso le lenti degli occhiali. «Credo di non conoscere nessuno di voi» disse. «Cosa volete da me?»

L'esordio era scoraggiante, tuttavia Mack non cedette e disse con vivacità: «Di recente lei mi ha dato un pessimo consiglio, ma nonostante questo sono venuto a chiederne altri».

Ci fu un attimo di silenzio, e Mack pensò che Gordonson si fosse offeso, invece rise di cuore. In tono amichevole chiese: «Comunque, lei chi è?».

«Malachi McAsh, conosciuto come Mack. Ero minatore a Heugh, vicino a Edimburgo, finché lei non mi scrisse per dirmi che ero un uomo libero.»

L'espressione di Gordonson si rischiarò. «È il minatore amante della libertà! Qua la mano, amico!»

Mack presentò Dermot e Charlie.

«Entrate, entrate. Volete un bicchiere di vino?»

Lo seguirono in una stanza in disordine arredata con uno scrittoio e una quantità di scaffali pieni di libri. Altre pubblicazioni erano ammucchiate sul pavimento, e sullo scrittoio erano sparse bozze di stampa. Un cane vecchio e grasso stava sdraiato su un tappeto sporco davanti al fuoco. C'era un odore penetrante che poteva provenire dal tappeto o dal cane, oppure da tutti e due. Mack tolse da una sedia un volume giuridico e sedette. «Niente vino, grazie» disse. Voleva restare lucido.

«Allora una tazza di caffè? Il vino addormenta, il caffè tiene svegli.» Senza aspettare risposta, Gordonson disse al servitore: «Caffè per tutti». Poi si rivolse di nuovo a Mack. «Ora, McAsh, perché il consiglio che le ho dato era sbagliato?»

Mack gli raccontò come aveva lasciato Heugh. Dermot e Charlie ascoltarono con attenzione: era una storia che non conoscevano. Gordonson accese la pipa e lanciò sbuffi di fumo, scuotendo ogni tanto la testa con aria disgustata. Il servitore portò il caffè mentre Mack stava terminando.

«Conosco i Jamisson... sono avidi, spietati, brutali» commentò Gordonson. «E cos'ha fatto quando è arrivato a Londra?»

«Sono diventato scaricatore di carbone.» Mack raccontò cos'era successo al Sun quella notte

Gordonson commentò: «I pagamenti in bevande sono uno scandalo che dura da molto tempo».

Mack annuì. «Mi hanno detto che non sono stato il primo a protestare.»

«È vero. Anzi, dieci anni fa il Parlamento ha approvato una legge contro questa prassi.»

Mack era sbalordito. «Allora come mai continua?»

«La legge non è stata applicata.»

«Perché?»

«Il governo ha paura che si blocchi il rifornimento di carbone. Londra funziona a carbone... senza quello non succede niente: non si fa il pane e la birra, non si soffia il vetro, non si fonde il ferro, non si ferrano i cavalli, non si fabbricano i chiodi...»

«Capisco» lo interruppe spazientito Mack. «Non dovrei meravigliarmi se la legge non fa niente per quelli come noi.»

«Quanto a questo si sbaglia» replicò Gordonson e spiegò: «La legge non prende decisioni. Non ha volontà propria. È come un'arma o un utensile: funziona se c'è chi la impugna e la adopera».

«I ricchi.»

«Di solito, sì» ammise Gordonson. «Ma potrebbe funzionare anche per voi.»

«Come?» chiese subito Mack.

«Supponiamo che lei metta in piedi un sistema alternativo per lo scarico delle navi carboniere.»

Era proprio quello che sperava Mack. «Non sarebbe difficile» disse. «Gli uomini potrebbero scegliere uno di loro come appaltatore per trattare coi capitani. E i pagamenti verrebbero spartiti appena ricevuti.»

«Presumo che gli scaricatori preferirebbero lavorare col nuovo sistema ed essere liberi di spendere come vogliono le loro paghe.»

«Sì» affermò Mack, dominando a stento l'eccitazione. «Potrebbero pagare la birra quando la bevono, come fanno tutti.» Ma Gordonson avrebbe sostenuto le ragioni degli scaricatori? Se l'avesse fatto, tutto sarebbe stato possibile.

Charlie Smith intervenne con tono pessimista. «Ci hanno già provato. È inutile.»

Charlie era scaricatore da molti anni, ricordò Mack. «Perché è inutile?»

«Perché gli appaltatori corrompono i capitani delle navi per convincerli a non ingaggiare le nuove squadre. E poi cominciano i guai e le risse fra le squadre, e a essere punite sono quelle nuove, perché i magistrati sono appaltatori loro stessi o amici degli appaltatori, e alla fine tutti gli scaricatori tornano al vecchio sistema.»

«Maledetti stupidi» commentò Mack.

Charlie gli lanciò un'occhiata offesa. «Se fossero intelligenti non farebbero gli scaricatori.»

Mack si rese conto di aver avuto una reazione sprezzante, ma si infuriava quando gli uomini erano i peggiori nemici di se stessi. «Hanno bisogno solo di un po' di determinazione e di solidarietà» disse.

Gordonson intervenne. «C'è dell'altro. È anche una questione di politica. Ricordo l'ultima protesta degli scaricatori di carbone. Furono sconfitti perché non avevano un sostenitore. Gli appaltatori erano contro di loro e nessuno stava dalla loro parte.»

«Perché questa volta dovrebbe essere diverso?» chiese Mack.

«Perché c'è John Wilkes.»

Wilkes era il difensore della libertà, ma era in esilio. «Da Parigi non può far molto per noi.»

«Non è a Parigi. È tornato.»

Era una sorpresa per tutti. «Cos'ha intenzione di fare?»

«Presentarsi candidato al Parlamento.»

Mack prevedeva che la cosa avrebbe provocato grande fermento negli ambienti politici londinesi. «Comunque, ancora non capisco come questo possa aiutarci.»

«Wilkes prenderà le parti degli scaricatori e il governo si schiererà con gli appaltatori. Una controversia del genere, con gli operai dalla parte della ragione e della legge, sarebbe utile a Wilkes.»

«Come sa cosa farà?»

Gordonson sorrise. «Sono il suo agente elettorale.»

Gordonson, quindi, era più potente di quanto Mack avesse immaginato. Era un colpo di fortuna.

Charlie Smith, ancora scettico, obiettò: «Quindi intende servirsi degli scaricatori di carbone per i suoi scopi politici».

«Giusto» rispose tranquillo Gordonson, e posò la pipa. «Ma perché sostengo Wilkes? Lasciate che ve lo spieghi. Oggi siete venuti qui per denunciare un'ingiustizia. Sono cose che accadono anche troppo spesso: uomini e donne comuni vittime di soprusi a tutto beneficio di qualche animale avido come George Jamisson o Sidney Lennox. Questo danneggia l'economia, perché le attività disoneste minano alla base quelle oneste. E anche ammesso che non danneggiassero l'economia, sarebbero comunque immorali. Amo il mio paese e odio i mascalzoni che vorrebbero distruggerne il popolo e minarne la prosperità. Perciò vivo combattendo per la giustizia.» Sorrise e si portò di nuovo la pipa alla bocca. «Spero di non sembrare troppo retorico.»

«No, per niente» affermò Mack. «Sono contento che sia dalla nostra parte.»

16

Il giorno delle nozze di Jay Jamisson il tempo era freddo e umido. Dalla sua camera da letto in Grosvenor Square poteva vedere Hyde Park, dove bivaccava il suo reggimento. Il terreno era coperto da una nebbia bassa, e le tende dei soldati sembravano vele di navi in un turbinante mare grigio. Qua e là, il fumo di fuochi spenti infittiva la nebbia. Gli uomini dovevano essere avviliti e insoddisfatti, ma i soldati lo erano sempre.

Si staccò dalla finestra. Chip Marlborough, il suo testimone, gli porse la giacca nuova e Jay l'indossò borbottando un ringraziamento. Chip era capitano del Terzo Guardie a Piedi, come Jay, e suo padre, Lord Arebury era in rapporti d'affari con Sir George. Jay era lusingato che un aristocratico del suo rango avesse accettato di fargli da testimone.

«Hai provveduto ai cavalli?» chiese ansiosamente Jay.

«Certo» rispose Chip.

Sebbene il Terzo a Piedi fosse un reggimento di fanteria, gli ufficiali andavano sempre a cavallo e Jay sovrintendeva gli uomini addetti alle scuderie. Ci sapeva fare coi cavalli: li comprendeva d'istinto. Aveva ottenuto due giorni di licenza per il matrimonio, ma si preoccupava che le bestie venissero curate nel modo più appropriato.

La licenza era breve perché il reggimento era in servizio attivo. Non c'erano guerre in corso: l'ultima combattuta dall'esercito britannico era stata la Guerra dei Sette Anni contro i francesi in America, ma era finita quando Jay e Chip erano bambini. La gente di Londra però era assai irrequieta e turbolenta, e le truppe dovevano tenersi pronte per reprimere eventuali disordini. A intervalli di pochi giorni qualche categoria di artigiani inferociti entrava in sciopero, oppure marciava sul Parlamento o correva per le vie fracassando le finestre. Proprio quella settimana i tessitori di seta, infuriati per la riduzione delle loro paghe, avevano distrutto tre dei nuovi telai meccanici di Spitalfields.

«Spero che il reggimento non debba entrare in azione mentre sono in licenza» disse Jay. «Sarebbe una sfortuna perdere questa occasione.»

«Non preoccuparti!» Chip prese una caraffa di cognac e riempì due bicchieri. Era un gran bevitore di cognac. «All'amore!» brindò.

«All'amore!» si associò Jay.

Non sapeva molto dell'amore, pensò. Aveva perduto la verginità cinque anni prima con Arabella, una delle serve della casa di suo padre. A quel tempo era convinto di averla sedotta, ma ripensandoci si rendeva conto che era avvenuto il contrario. Dopo che era andato a letto con lei per tre volte, Arabella gli aveva detto di essere incinta. Le aveva dato trenta sterline, prese a prestito, purché sparisse. Adesso sospettava che non fosse affatto incinta e che l'intera storia fosse una truffa.

In seguito aveva flirtato con dozzine di ragazze, ne aveva baciate molte e qualcuna l'aveva portata a letto. Era facile incantare una ragazza: bastava fingersi interessato a tutto ciò che diceva, anche se il bell'aspetto e le buone maniere contribuivano al successo. Le conquistava senza troppa fatica. Ma ora, per la prima volta, aveva subìto lo stesso trattamento. Quando era con Lizzie si sentiva sempre col fiato sospeso e la fissava come se fosse l'unica persona presente, proprio come di solito le ragazze guardavano lui quando le affascinava. Era amore? Doveva esserlo.

Suo padre, adesso, vedeva piuttosto di buon occhio il matrimonio perché gli dava la possibilità di mettere le mani sul carbone di Lizzie. Per questo aveva invitato Lizzie e la madre ad alloggiare nella foresteria e pagava l'affitto della casa di Rugby Street dove sarebbero andati a vivere gli sposi. Non avevano fatto promesse precise a Sir George, ma non gli avevano neppure detto che Lizzie era decisissima a non sfruttare High Glen. Jay si augurava che tutto finisse bene.

La porta si aprì e un lacchè annunciò: «Vuole ricevere un certo signor Lennox, signore?».

Jay si sentì mancare il cuore. Doveva del denaro a Sidney Lennox, debiti di gioco. L'avrebbe mandato via volentieri, dopotutto era soltanto un taverniere, ma c'era il rischio che Lennox s'incattivisse. «Fallo entrare» ordinò. «Scusami» disse a Chip.

«Conosco Lennox» rispose Chip. «Anch'io ho perso parecchio con lui.» Lennox entrò e Jay percepì l'odore caratteristico, dolciastro e acido, come di qualcosa che fermenta. Chip lo salutò: «Come va, maledetto briccone?».

Lennox lo squadrò con freddezza. «Non mi chiama maledetto briccone quando vince, se non sbaglio.»

Jay lo squadrò innervosito. Lennox portava un abito giallo, calze di seta e scarpe con la fibbia, ma sembrava uno sciacallo vestito da uomo: aveva un'aria minacciosa che gli abiti lussuosi non riuscivano a nascondere. Jay, però, non si decideva mai a rompere con Lennox. Era un conoscente molto utile, sapeva sempre dove c'era un combattimento di galli o di gladiatori o una corsa di cavalli, e se non c'era nient'altro, organizzava lui stesso partite a carte o a dadi.

E poi, Lennox era disposto a far credito ai giovani ufficiali che restavano senza denaro ma volevano continuare a giocare, e quello era il problema. Jay gli doveva centocinquanta sterline. Sarebbe stato imbarazzante se avesse insistito proprio adesso per essere pagato.

«Sa che oggi mi sposo, Lennox?» esordì Jay.

«Sì, lo so» rispose quello. «Sono venuto per bere alla sua salute.»

«Ma certo, certo. Chip... un bicchiere per il nostro amico.»

Chip versò tre dosi generose di cognac.

«A lei e alla sposa» brindò Lennox.

«Grazie» rispose Jay. Bevvero tutti e tre.

Lennox si rivolse a Chip: «Domani sera si gioca a faraone nel caffè di Lord Archer, capitano Marlborough».

«Magnifico» rispose Chip.

«Spero di vederla. Immagino che lei, invece, sarà troppo occupato, capitano Jamisson.»

«Credo di sì» rispose Jay. E comunque non posso permettermelo, si disse.

Lennox posò il bicchiere. «Le auguro una buona giornata e spero che la nebbia si diradi» disse, e uscì.

Jay nascose a stento il sollievo. Non aveva parlato di denaro. Lennox sapeva che Sir George aveva pagato l'ultimo debito del figlio e forse confidava che l'avrebbe fatto ancora. Si domandò perché era venuto: certo non per scroccare un bicchiere di cognac. Aveva la sensazione sgradevole che avesse voluto dimostrare qualcosa. C'era nell'aria una minaccia inespressa. Ma tutto sommato, cosa poteva fare un taverniere al figlio di un ricco mercante?

Jay sentì salire dalla strada il rumore delle carrozze che si fermavano davanti alla casa. Non pensò più a Lennox. «Scendiamo» disse.

Il salotto era ampio, arredato con mobili costosi fabbricati da Thomas Chippendale, e profumava di cera. La madre, il padre e il fratello di Jay erano presenti, pronti per andare in chiesa. Alicia baciò il figlio, Sir George e Robert lo salutarono con un certo imbarazzo: non erano mai stati una famiglia affettuosa e la lite causata dal regalo per il suo ventunesimo compleanno era ancora impressa nelle loro memorie.

Un servitore versò il caffè, e Jay e Chip ne presero una tazza, ma prima che potessero bere la porta si spalancò e

Lizzie entrò come un uragano. «Come hai osato?» gridò. «Come hai osato?»

Il cuore di Jay si fermò. E adesso cosa c'era? Lizzie era rossa in viso per l'indignazione, ansimava, lanciava lampi dagli occhi. Indossava un semplice abito bianco da sposa, con una cuffietta anch'essa bianca, ma era incantevole.

«Cosa ho fatto?» le chiese Jay in tono preoccupato.

«Non ti sposo più!» rispose lei.

«No!» gridò Jay. Non poteva permettere che gli sfuggisse all'ultimo momento. Era un pensiero insopportabile.

Sopraggiunse Lady Hallim. Aveva un'aria angosciata. «Lizzie, finiscila, per favore» supplicò.

La madre di Jay prese in pugno la situazione. «Lizzie cara, cos'è successo? Ti prego, spiegaci perché sei così agitata?»

«Ecco perché!» esclamò Lizzie, sventolando delle carte.

Lady Hallim si torceva le mani. «È una lettera del mio capoguardacaccia» spiegò.

Lizzie continuò: «Dice che i periti mandati dai Jamisson stanno trivellando nella tenuta degli Hallim».

«Stanno trivellando?» chiese Jay, frastornato. Guardò Robert e vide che aveva un'espressione furtiva.

Lizzie si spazientì. «Cercano il carbone, naturalmente!»

«Oh, no!» protestò Jay. Adesso capiva cos'era successo. Suo padre aveva accelerato i tempi. Aveva tanta fretta di mettere le mani sul carbone di Lizzie che non aveva neppure aspettato fino alle nozze.

Ma quell'impazienza poteva costare a Jay la sposa: e il pensiero lo fece infuriare al punto che non riuscì a controllarsi e gridò al padre: «Maledetto stupido! Guarda cos'hai combinato!».

Era una frase sconvolgente, pronunciata da un figlio, e Sir George non era abituato a essere contrastato da nessuno. Diventò rosso in faccia e gli occhi sembrarono sul punto di schizzargli dalle orbite. «E allora annulla il dannato matrimonio! Cosa me ne importa?»

Intervenne Alicia. «Calmatevi, Jay, e anche tu, Lizzie»

disse. Il suo invito era rivolto anche a Sir George, ma con molto tatto non lo disse. «Evidentemente c'è stato un errore. Senza dubbio i periti di Sir George hanno frainteso gli ordini ricevuti. Lady Hallim, per favore, riaccompagni Lizzie alla foresteria e ci lasci il tempo di chiarire le cose. Sono sicura che non è il caso di prendere una decisione drastica come annullare le nozze.»

Chip Marlborough tossì. Jay si era dimenticato della sua presenza. «Se volete scusarmi...» disse Chip e si avviò verso la porta.

«Non andar via» lo supplicò Jay. «Aspetta di sopra.»

«Come vuoi» rispose Chip, ma dalla sua espressione non era difficile capire che avrebbe preferito essere in qualunque altro luogo tranne lì.

Alicia accompagnò gentilmente Lizzie e Lady Hallim verso la porta. «Per favore, datemi qualche minuto. Poi verrò da voi e tutto si risolverà.»

Lizzie uscì con aria più dubbiosa che indignata, e Jay sperò che si rendesse conto che lui era stato lasciato all'oscuro delle trivellazioni. Sua madre chiuse la porta e si voltò. Jay pregò che fosse in grado di far qualcosa per salvare le nozze. Aveva un piano? Era così abile. Era la sua sola speranza.

Alicia non fece rimostranze al marito. Disse semplicemente: «Se il matrimonio non ci sarà, non avrai il carbone».

«High Glen è sull'orlo del fallimento!» replicò Sir George.

«Ma Lady Hallim potrebbe rinnovare le ipoteche con un altro prestatore di denaro.»

«Questo non lo sa.»

«Qualcuno glielo dirà.»

Ci fu un breve silenzio, mentre la minaccia andava a segno. Jay temette che suo padre esplodesse. Ma Alicia sapeva fin dove poteva spingersi, e alla fine lui chiese, rassegnato: «Cosa vuoi, Alicia?».

Jay tirò un sospiro di sollievo. Forse le nozze erano salve, dopotutto.

Sua madre disse: «Innanzi tutto, Jay deve parlare con Lizzie e convincerla che non sapeva niente delle prospezioni».

«È vero!» intervenne Jay.

«Sta zitto e ascolta» gli disse brusco suo padre.

Alicia proseguì: «Se ci riuscirà, si sposeranno com'è stato deciso».

«E poi?»

«E poi abbi pazienza. Col tempo, io e Jay convinceremo Lizzie. Adesso è contraria allo sfruttamento minerario, ma cambierà idea, o se la prenderà molto meno... soprattutto quando avrà una casa e un bambino e comincerà a capire l'importanza del denaro.»

Sir George scosse la testa. «Non basta, Alicia. Non posso aspettare.»

«Perché?»

Sir George tacque e guardò Robert, che alzò le spalle. «Tanto vale che te lo dica. Sono indebitato anch'io. Sai che buona parte delle nostre attività si basava su denaro prestato... soprattutto da parte di Lord Arebury. In passato abbiamo realizzato buoni profitti per noi e per lui. Ma i nostri commerci con l'America si sono molto ridotti da quando sono cominciati i problemi nelle colonie. Per di più, è quasi impossibile farci pagare per quei pochi affari che facciamo... il nostro debitore principale è fallito e mi ha lasciato nelle mani una piantagione di tabacco in Virginia che non posso vendere.»

Jay era sbalordito. Non aveva mai pensato che le attività della famiglia fossero rischiose e che le loro ricchezze potevano non durare in eterno. Cominciò a capire perché suo padre si era tanto infuriato quando aveva dovuto pagare i suoi debiti di gioco.

Sir George continuò: «Abbiamo tirato avanti grazie al carbone, ma non basta. Lord Arebury rivuole il suo denaro. Perciò devo assolutamente avere la proprietà Hallim. Altrimenti potrei perdere tutto».

Ci fu un silenzio. Jay e la madre erano troppo sconvolti per parlare.

Finalmente Alicia disse: «C'è un'unica soluzione. Bisogna sfruttare High Glen all'insaputa di Lizzie».

Jay aggrottò la fronte, ansioso. La proposta lo spaventava. Ma decise di non dire niente, per il momento.

«E come ci riusciamo?» chiese Sir George.

«Mandiamo all'estero lei e Jay.»

Jay trasalì. Che idea geniale. «Ma Lady Hallim lo saprebbe» osservò. «E di sicuro lo direbbe a Lizzie.»

Alicia scrollò la testa. «No, non glielo dirà. Farà di tutto perché le nozze si celebrino. Se glielo chiederemo, starà zitta.»

Jay chiese: «E dove dovremmo andare? In quale paese?».

«A Barbados» rispose sua madre.

«No!» s'intromise Robert. «Jay non può avere la piantagione di canna da zucchero.»

Alicia non alzò la voce. «Credo che tuo padre la cederà se lo richiede la sopravvivenza di tutte le attività della nostra famiglia.»

Robert aveva un'espressione trionfante. «Mio padre non potrebbe cederla neppure se volesse. La piantagione è già mia.»

Alicia guardò Sir George con aria interrogativa. «È vero? È sua?»

Sir George annuì. «Gliel'ho regalata.»

«Quando?»

«Tre anni fa.»

Era un altro brutto colpo. Jay non lo sospettava, e adesso si sentiva ferito. «Ecco perché non hai voluto regalarmela per il mio compleanno» commentò in tono triste. «L'avevi già data a Robert.»

Alicia insistette: «Ma senza dubbio Robert te la restituirà, se si tratta di salvare tutto».

«No!» ribatté Robert, accalorandosi. «Sarebbe solo l'inizio. Cominceresti rubandomi la piantagione e alla fine prenderesti tutto! So che hai sempre sognato di togliermi le attività di famiglia per darle a quel piccolo bastardo.»

«Per Jay non voglio altro che una giusta parte» rispose Alicia.

Sir George intervenne: «Robert, se non lo fai potrebbe essere la bancarotta per tutti».

«Per me no» rispose lui trionfante. «Io ho ancora una piantagione.»

«Ma potresti avere molto di più» insistette Sir George.

Robert lo guardò con diffidenza. «D'accordo. Accetto, ma a una condizione. Tu mi cedi tutte le altre attività, proprio tutte. E lasci gli affari.»

«No!» gridò Sir George. «Non ho intenzione di ritirarmi! Non ho ancora cinquant'anni!»

Robert e Sir George si fissarono con astio e Jay pensò a quanto si somigliavano. Nessuno dei due avrebbe ceduto, lo sapeva. Si sentì stringere il cuore.

Non si vedeva una via d'uscita. I due erano fermi sulle loro posizioni e avrebbero finito per rovinare tutto: nozze, affari, futuro della famiglia.

Ma Alicia non era disposta ad arrendersi. «Cos'è la proprietà in Virginia, George?»

«Mockjack Hall... è una piantagione di tabacco di cinquecento ettari, con cinquanta schiavi... A cosa pensi?»

«Potresti darla a Jay.»

Jay si rianimò. La Virginia! Sarebbe stata la nuova vita che aveva desiderato, lontano dal padre e dal fratello, con una proprietà sua da dirigere e far prosperare. E Lizzie ne sarebbe stata felice.

Sir George socchiuse gli occhi. «Non potrei dargli neppure un soldo» commentò. «Dovrebbe farsi prestare la somma necessaria per far funzionare la piantagione.»

Jay dichiarò: «Non m'importa».

Alicia intervenne. «Tu però dovresti pagare gli interessi dell'ipoteca di Lady Hallim... altrimenti perde High Glen.»

«Lo farò col reddito prodotto dal carbone.» Sir George

rifletteva sui particolari del progetto. «Dovranno partire per la Virginia subito, entro poche settimane.»

«Non è possibile» protestò Alicia. «Dovranno fare i preparativi. Avranno bisogno almeno di tre mesi.»

Sir George scosse la testa. «Devo avere quel carbone molto, molto prima.»

«Sta bene. Lizzie non vorrà tornare in Scozia... sarà troppo occupata a prepararsi per la nuova vita.»

La decisione di ingannare Lizzie colmava Jay di trepidazione. Sarebbe stato lui, il bersaglio della sua ira, se avesse scoperto la verità. «E se qualcuno le scrive?» chiese.

Alicia assunse un'espressione assorta. «Dobbiamo sapere quali servitori dell'High Glen House potrebbero farlo... scoprilo tu, Jay.»

«E come li fermeremo?»

«Manderemo lassù qualcuno per licenziarli.»

Sir George fu d'accordo: «Potrebbe funzionare. Va bene... faremo così».

Alicia si rivolse a Jay con un sorriso di trionfo. Era riuscita a fargli avere la sua parte, dopotutto. Lo abbracciò e lo baciò. «Dio ti benedica, mio caro figliolo» disse. «Ora va da lei e dille che a te e alla tua famiglia dispiace terribilmente per questo malinteso, e che tuo padre ti ha regalato Mockjack Hall come dono di nozze.»

Jay ricambiò l'abbraccio e bisbigliò: «Brava, mamma... grazie».

Uscì. Mentre attraversava il giardino era diviso fra la gioia e l'apprensione. Aveva ottenuto ciò che aveva sempre desiderato. Avrebbe preferito riuscirci senza ingannare la sposina... ma non c'erano altre soluzioni. Se si fosse opposto, avrebbe perso le proprietà e forse anche Lizzie.

Entrò nella piccola foresteria adiacente alle scuderie. Lady Hallim e Lizzie erano nel modesto salotto, davanti a un fuoco di carbone. Avevano pianto entrambe.

Jay provò l'impulso pericoloso di dire la verità a Lizzie. Se avesse rivelato l'inganno tramato dai suoi genitori e le avesse chiesto di sposarlo e di vivere in povertà, forse avrebbe accettato.

Ma il rischio lo spaventò. E poi sarebbe stata la fine del loro sogno di andare a vivere in un paese nuovo. A volte, si disse, era meglio mentire.

Ma Lizzie gli avrebbe creduto?

S'inginocchiò davanti a lei. L'abito da sposa profumava di lavanda. «Mio padre è molto addolorato» disse. «Aveva mandato i periti per farmi una sorpresa... credeva che saremmo stati contenti di sapere se nelle tue terre c'è il carbone. Non sapeva che tu eri tanto decisamente contraria.»

Lizzie lo guardò scettica. «Perché non gliel'avevi detto?»

Jay allargò le mani in un gesto d'impotenza. «Non me l'ha mai chiesto.» Lizzie non era ancora convinta, ma lui aveva un asso nella manica. «E c'è qualcos'altro. Il nostro regalo di nozze.»

Lei aggrottò la fronte. «Cos'è?»

«Mockjack Hall... una piantagione di tabacco in Virginia. Potremo andare a stabilirci là quando vogliamo.»

Lizzie lo fissò, sorpresa.

«È quello che abbiamo sempre voluto, no?» insistette Jay. «Cominciare una nuova vita in un nuovo paese... una magnifica avventura!»

A poco a poco un sorriso spuntò sulle labbra di Lizzie. «Davvero? In Virginia? Dici sul serio?»

Jay non riusciva a credere che avrebbe accettato. «Allora va bene?» chiese intimorito.

Lei sorrise. Gli occhi le si riempirono di lacrime. Non riuscì a parlare e si limitò ad annuire in silenzio.

Jay comprese di aver vinto. Aveva ottenuto tutto ciò che voleva. Si sentiva come se avesse vinto una mano importante a carte. Era venuto il momento di incassare.

Si alzò. Fece alzare Lizzie e le porse il braccio. «Vieni con me, allora» concluse. «Andiamo a sposarci.»

17

A mezzogiorno del terzo giorno la stiva della *Durham Primrose* era vuota.

Mack si guardò intorno. Non riusciva quasi a credere che fosse tutto vero. Ce l'avevano fatta senza appaltatori.

Avevano tenuto d'occhio la riva del fiume e adocchiato una carboniera a metà giornata, quando le altre squadre erano già al lavoro. Mack e Charlie avevano raggiunto con una barca a remi la nave all'ancora e offerto i loro servigi dicendosi disposti a cominciare subito. Il capitano sapeva che se avesse voluto una squadra regolare avrebbe dovuto aspettare fino all'indomani, e per lui il tempo era denaro. Perciò li aveva ingaggiati.

Gli uomini avevano sgobbato più in fretta perché sapevano che sarebbero stati pagati in pieno. Avevano bevuto birra tutto il giorno, ma siccome la pagavano ogni volta, si erano limitati a quella necessaria. E avevano scaricato la nave in quarantotto ore.

Mack si bilanciò la pala sulla spalla e salì sulla tolda. C'era freddo, e nebbia, ma era ancora accaldato. Quando l'ultimo sacco fu gettato sul barcone, gli scaricatori proruppero in un'acclamazione.

Andò a parlare col secondo. Il barcone trasportava cinquecento sacchi e tutti e due avevano tenuto il conto dei viaggi di andata e ritorno dalla nave a riva. Contarono i sacchi rimasti per l'ultimo viaggio e si trovarono d'accordo sul totale, quindi andarono nella cabina del capitano.

Mack si augurò che non ci fossero intoppi all'ultimo momento. Avevano fatto il loro lavoro, e adesso dovevano essere pagati, no?

Il capitano era un uomo magro di mezza età con un gran naso rosso e puzzava di rum. «Finito?» chiese. «Siete stati più svelti delle solite squadre. Com'è il conto?»

«Seicento ventine meno novantatré» rispose il secondo, e Mack annuì. Contavano per ventine perché ogni uomo era pagato un penny la ventina.

Il capitano li fece entrare, sedette e prese l'abaco. «Seicento ventine meno novantatré a sedici pence per ventina...» Era un calcolo complesso, tuttavia Mack era abituato a esser pagato in base al peso del carbone che estraeva e sapeva fare i conti mentalmente quando si trattava della sua retribuzione.

Il capitano portava una chiave appesa alla cintura. La usò per aprire una cassapanca che stava nell'angolo. Mack restò a guardare mentre tirava fuori una cassettina, la posava sul tavolo e l'apriva. «Se calcoliamo i sette sacchi come mezza ventina, vi devo esattamente trentanove sterline e quattordici scellini.» E contò il denaro.

Consegnò a Mack un sacco di tela per mettercelo dentro e incluse una quantità di penny per facilitare la divisione fra gli uomini. Mack provò uno straordinario senso di trionfo quando si ritrovò il denaro fra le mani. Ogni uomo aveva guadagnato quasi due sterline e dieci scellini in due giorni... più di quanto avrebbero incassato lavorando due settimane per Lennox. Ma la cosa più importante era che avevano dimostrato di saper far valere i loro diritti e di essere capaci di ottenere giustizia.

Sedette a gambe incrociate sulla tolda per pagare gli uomini. Il primo della fila, Amos Tipe, disse: «Grazie, Mack, e che Dio ti benedica».

«Non ringraziarmi, l'hai guadagnato» protestò Mack.

Ma anche il secondo lo ringraziò come se fosse un principe generoso.

«Non è soltanto questione di soldi» disse Mack mentre si faceva avanti il terzo, Slash Harley. «Abbiamo conquistato la nostra dignità.»

«Puoi tenerti la dignità, Mack» commentò Slash. «Basta che mi dai i soldi.» Gli altri risero.

Mack era un po' irritato con i compagni mentre continuava la distribuzione. Perché non capivano che era più importante della paga? Quando dimostravano di essere tanto stupidi, pensava che meritassero di esser trattati male dagli appaltatori.

Comunque, niente poteva oscurare la sua vittoria. Mentre tornavano a riva, gli uomini cominciarono a cantare a gran voce una canzone molto oscena, *The Mayor of Bayswater*, e Mack si unì al coro.

Andò con Dermot a Spitalfields. La nebbia del mattino si stava alzando. Mack canticchiava un motivetto e camminava con passo sicuro di sé. Quando entrò nella sua camera, trovò ad attenderlo una sorpresa gradevole. Seduta su uno sgabello, profumata di legno di sandalo, l'amica di Peg, la rossa Cora, faceva dondolare una gamba ben modellata. Portava un abito nocciola e un cappellino spiritoso. Aveva preso il mantello di pelliccia di Mack, che di solito era disteso sul pagliericcio, e lo accarezzava. «Questo dove l'hai preso?» domandò.

«È il regalo di una bella signora» rispose lui con un sorriso. «Cosa ci fai qui?»

«Sono venuta a trovarti» disse Cora. «Se ti lavi la faccia puoi uscire con me... cioè, se non devi andare a prendere il tè con qualche bella signora.»

Mack doveva aver assunto un'espressione incerta perché Cora aggiunse. «Non fare quella faccia. Probabilmente pensi che sono una puttana, ma lo faccio solo per disperazione.»

Lui prese il pezzo di sapone e scese in cortile, dove c'era il tubo dell'acqua. Cora lo seguì e rimase a guardarlo mentre si spogliava fino alla cintura e si toglieva dalla pelle e dai capelli la polvere di carbone. Si fece prestare una camicia pulita da Dermot, si mise giacca e cappello e prese il braccio di Cora.

Si avviarono verso ovest, attraverso il cuore della città. A Londra, aveva scoperto Mack, la gente passeggiava per le strade come in Scozia passeggiava sulle colline. Era contento di avere Cora sotto braccio. Gli piaceva il modo in cui ancheggiava toccandolo ogni tanto. Con quei capelli sensazionali e l'abito elegante attirava l'attenzione e molti uomini guardavano Mack con invidia.

Entrarono in una taverna e ordinarono ostriche, pane e birra forte. Cora mangiava di gusto: inghiottiva le ostriche tutte intere e faceva seguire ad ognuna alcune sorsate di birra scura.

Quando uscirono il tempo era cambiato. Faceva ancora fresco, ma c'era un po' di sole. Passeggiarono nel ricco quartiere residenziale di Mayfair.

Nei primi ventidue anni della sua vita Mack aveva visto soltanto due abitazioni lussuose, Jamisson Castle e High Glen House, ma in ogni strada di quel quartiere c'erano due case del genere, e altre cinquanta appena un poco meno splendide. La ricchezza di Londra non finiva mai di sbalordirlo.

Davanti a una delle più maestose c'erano carrozze che si fermavano per far scendere gli ospiti diretti a qualche festa. Sui due lati c'era una piccola folla di passanti e servitori delle case vicine, e molta gente era affacciata alle finestre e alle porte degli edifici circostanti. La casa sfolgorava di luci sebbene fosse metà pomeriggio, e l'entrata era ornata di fiori. «Dev'essere un matrimonio» disse Cora.

In quel momento si fermò un'altra carrozza, e ne scese una figura conosciuta. Mack trasalì nel vedere Jay Jamisson. Jay aiutò la sposa a smontare, e i curiosi gridarono e applaudirono.

«È carina» commentò Cora.

Lizzie sorrise e si guardò intorno per ringraziare degli

applausi. Poi i suoi occhi incontrarono quelli di Mack, e per un momento rimase immobile. Lui sorrise e agitò la mano in segno di saluto. Lei distolse in fretta lo sguardo ed entrò.

La scena era durata appena una frazione di secondo, ma non era sfuggita agli occhi attenti di Cora. «La conosci?»

«È stata lei a regalarmi il mantello di pelliccia» rispose Mack.

«Spero che il marito non sappia che fa regali agli scaricatori di carbone.»

«Jay Jamisson non la merita... è bello ma debole.»

«E pensi che avrebbe fatto meglio a sposare te» commentò Cora in tono sarcastico.

«Proprio così» rispose serio Mack. «Vogliamo andare a teatro?»

Quella sera, molto più tardi, Lizzie e Jay erano seduti sul letto nuziale, in camicia da notte, circondati da parenti e amici che ridacchiavano, tutti più o meno sbronzi. I più anziani se n'erano andati da un pezzo, ma la tradizione voleva che gli invitati indugiassero a tormentare gli sposi, ritenuti ansiosissimi di consumare il matrimonio.

La giornata era trascorsa in un turbine. Lizzie non aveva avuto modo di pensare al tradimento di Jay, alle sue scuse, al perdono che gli aveva concesso e al loro futuro in Virginia. Non aveva avuto nemmeno il tempo di chiedersi se aveva preso la decisione giusta.

Chip Marlborough entrò con una caraffa di *posset*, la bevanda calda di latte, vino e spezie. Portava appuntata al cappello una giarrettiera di Lizzie. Cominciò a riempire i bicchieri di tutti. «Un brindisi!» propose.

«L'ultimo!» provò a dire Jay, ma tutti risero e fecero smorfie.

Lizzie sorseggiò il miscuglio di vino, latte, rosso d'uovo, zucchero e cannella. Era sfinita. Era stata una giornata faticosa, a partire dal terribile litigio della mattina concluso con un sorprendente lieto fine, la cerimonia in chiesa, il pranzo, la musica e le danze e, adesso, il finale comico di rito.

Katie Drome, una parente dei Jamisson, sedette ai piedi del letto. Teneva in mano una delle calze di seta bianca di Jay e la lanciò all'indietro verso la testa di Jay. Secondo la superstizione, se la calza l'avesse colpito, Katie si sarebbe sposata presto. Il lancio fallì, ma Jay afferrò allegramente la calza e se la mise sulla testa e tutti batterono le mani.

Un invitato che aveva bevuto troppo, Peter McKay, sedette sul letto accanto a Katie. «Virginia» disse. «Anche Hamish Drome andò in Virginia, sapete, dopo che la madre di Robert gli rubò l'eredità.»

Lizzie era sbalordita. Secondo la leggenda della famiglia, la madre di Robert, Olive, aveva assistito un cugino scapolo che stava morendo, e per gratitudine quello aveva cambiato il testamento in suo favore.

Jay udì il commento. «Cosa stai dicendo?» chiese.

«Olive falsificò il testamento» rispose McKay. «Ma Hamish non poté mai provarlo, e dovette rassegnarsi. Andò in Virginia, e di lui non si seppe più niente.»

Jay rise: «Ah! La santa Olive... una falsaria!».

«Zitti!» ordinò McKay. «Se ci sente, Sir George ci ammazza tutti quanti!»

Lizzie era incuriosita, ma per quel giorno ne aveva avuto abbastanza dei parenti di Jay. «Manda via questa gente!» sibilò.

Tutti i rituali della tradizione erano stati soddisfatti, tranne uno. «Giusto» disse Jay. «Se non ve ne andate spontaneamente...» Gettò via le coperte e si alzò. Mentre avanzava verso la folla sollevò la camicia da notte fino alle ginocchia. Le ragazze strillarono come se fossero atterrite perché dovevano fingere che la vista di un uomo in camicia da notte fosse intollerabile, e si precipitarono in gruppo fuori dalla stanza, seguite dagli uomini.

Jay chiuse a chiave la porta. Poi spostò contro l'uscio un pesante cassettone per essere certo che nessuno li disturbasse.

All'improvviso Lizzie si sentì la bocca arida. Era il momento che aveva atteso dal giorno in cui Jay l'aveva baciata nel salone di Jamisson Castle e le aveva chiesto di sposarlo. Da allora gli abbracci, rubati nei pochi istanti in cui erano rimasti soli, erano divenuti sempre più appassionati. Dai baci erano passati a carezze più intime. Avevano fatto tutto ciò che un uomo e una donna riescono a fare in una stanza con la porta aperta in cui una madre o magari due possono entrare da un momento all'altro. Adesso, finalmente, erano autorizzati a chiudere a chiave la porta.

Jay fece il giro della stanza per spegnere le candele. Quando arrivò all'ultima, Lizzie disse: «Lasciala accesa».

«Perché?» chiese lui, meravigliato.

«Voglio guardarti.» Jay parve incerto, e Lizzie aggiunse: «Non va bene?».

«Sì, credo di sì» rispose, e s'infilò nel letto.

Quando cominciò a baciarla e accarezzarla, Lizzie desiderò che fossero nudi tutti e due, ma decise di non suggerirlo. Per questa volta l'avrebbe lasciato fare a modo suo.

Un'eccitazione che conosceva la fece fremere mentre le mani di lui l'accarezzavano tutta. Dopo un momento le allargò le gambe e si distese su di lei. Lei alzò il viso per baciarlo mentre la penetrava, ma era troppo concentrato e non se ne accorse. Sentì un dolore acuto che quasi le strappò un grido, ma subito passò.

Jay si mosse dentro di lei, e Lizzie si mosse con lui. Non sapeva se doveva farlo, ma le sembrava che andasse bene. Cominciava a provare piacere quando Jay si fermò, gemette, spinse di nuovo e le crollò addosso respirando affannosamente.

Lei aggrottò la fronte: «Ti senti bene?» gli chiese.

«Sì» borbottò lui.

Tutto qui? pensò Lizzie, ma non lo disse.

Jay si staccò da lei e le si sdraiò accanto: «Ti è piaciuto?» chiese.

«È stato un po' frettoloso. Possiamo rifarlo domattina?»

Cora aveva addosso soltanto la camicia. Si abbandonò sul mantello di pelliccia e attirò a sé Mack. Quando lui le insinuò la lingua in bocca sentì che sapeva di gin. Le sollevò la gonna. I sottili peli biondo-rossicci non nascondevano le pieghe del sesso. Mack l'accarezzò come aveva fatto con Annie, e Cora soffocò un'esclamazione e disse: «Chi te l'ha insegnato, verginello?».

Mack si tolse i pantaloni. Cora tese la mano verso la sua borsa e prese una scatoletta. Conteneva un tubo che sembrava di pergamena, con un nastrino rosa infilato nel bordo dell'estremità aperta.

«Cos'è?» chiese Mack.

«Si chiama condom.»

«A cosa diavolo serve?»

Invece di rispondere, Cora glielo calzò sul pene eretto e legò il nastrino.

«Accidenti» commentò Mack, un po' perplesso «so che il mio uccello non è molto carino, però non immaginavo che una ragazza volesse nasconderlo.»

Cora rise. «Sei proprio un montanaro ignorante. Non serve a farti più bello. Serve a impedire che io resti incinta.»

Mack si distese su di lei, la penetrò e Cora smise di ridere. Da quando aveva quattordici anni lui si chiedeva che sensazioni avrebbe provato, ma ancora non riusciva a capirlo, perché quello che stava succedendo non era chiaro. Si fermò e guardò il viso angelico di Cora. Lei aprì gli occhi. «Non ti fermare» lo incitò.

«Dopo sarò ancora vergine?» le chiese.

«Se lo sarai, io diventerò una suora» rispose lei. «Adesso non parlare più. Avrai bisogno di tutto il tuo fiato.»

E infatti fu così.

18

Jay e Lizzie si trasferirono nella casa di Rugby Street il giorno dopo le nozze. Per la prima volta cenarono soli, a parte i servitori. Per la prima volta salirono la scala tenendosi per mano, si spogliarono insieme e si sdraiarono sul loro letto. Per la prima volta si svegliarono insieme nella loro casa.

Erano nudi. La notte precedente Lizzie aveva convinto Jay a togliersi la camicia. Adesso si strinse a lui e lo accarezzò per eccitarlo, poi gli si sdraiò sopra.

Si accorse che era sorpreso. «Non ti piace?» gli chiese.

Lui non rispose, ma cominciò a muoversi dentro di lei.

Quando finirono, Lizzie chiese: «Ti ho scandalizzato, vero?».

La risposta venne dopo un breve silenzio. «Be', sì.»

«Perché?»

«Non è... normale che la donna stia sopra.»

«Io non so cosa sia normale... non ero mai stata a letto con un uomo.»

«Lo spero!»

«Ma tu come fai a sapere cosa è normale e cosa no?»

«Non ha importanza.»

Probabilmente Jay aveva sedotto qualche sartina o commessa che, per soggezione, l'aveva lasciato fare. Lizzie non aveva esperienza, ma sapeva cosa voleva e riteneva giusto farlo. Non intendeva cambiare il suo modo di fare. Le piaceva troppo. Piaceva anche a Jay, sebbene si scandalizzasse: lo capiva dai suoi movimenti vigorosi e dall'espressione soddisfatta che aveva poi.

Si alzò e andò nuda alla finestra. Era una giornata fredda ma soleggiata. Le campane della chiesa suonavano in sordina perché era giorno di impiccagioni: quella mattina sarebbero stati giustiziati uno o più delinquenti. Metà degli operai della città si sarebbero presi una giornata libera, e molti sarebbero accorsi a Tyburn, il crocevia all'angolo nord-ovest di Londra dove c'erano le forche, per assistere allo spettacolo. In quelle occasioni a volte scoppiavano disordini, e il reggimento di Jay sarebbe rimasto in allerta tutto il giorno. Jay però era ancora in licenza matrimoniale.

Lizzie si voltò verso di lui e disse: «Portami all'impiccagione».

Lui aggrottò la fronte disapprovando. «È una richiesta molto macabra.»

«Non dirmi che non è posto per una signora.»

Jay sorrise. «Non me lo permetterei mai.»

«So che ci vanno ricchi e poveri, uomini e donne.»

«Ma perché vuoi andarci?»

Era una domanda acuta. Lizzie aveva le idee un po' confuse. Era vergognoso trasformare la morte in uno spettacolo, e sapeva che più tardi avrebbe provato disgusto per se stessa. Ma la curiosità era irresistibile. «Voglio sapere com'è» rispose. «Come si comportano i condannati? Piangono, pregano, balbettano per la paura? E gli spettatori? Cosa si prova a vedere la fine di una vita umana?»

Era sempre stata così. La prima volta che aveva visto sparare a una cerva aveva appena otto o nove anni, e aveva assistito affascinata mentre il guardacaccia la sventrava e le toglieva le viscere. Gli stomaci multipli l'avevano colpita, e aveva voluto toccarli: erano caldi e viscidi. La bestia era gravida di due o tre mesi e il guardacaccia le aveva mostrato il minuscolo feto nell'utero trasparente. Non aveva provato ripugnanza: era troppo interessante.

Capiva perfettamente perché molta gente accorreva a

vedere lo spettacolo, ma capiva anche perché altri inorridivano al solo pensiero. Lei faceva parte del gruppo dei curiosi.

Jay disse: «Possiamo affittare una camera di fronte alle forche... molti lo fanno».

Ma per Lizzie quella soluzione avrebbe smorzato l'esperienza. «Oh, no... voglio stare in mezzo alla folla!» protestò.

«Le donne della nostra classe non lo fanno.»

«Allora mi travestirò da uomo.»

Jay sembrava perplesso.

«Non fare quella faccia! Ricordi quando hai accettato di portarmi in miniera?»

«Ma adesso sei una donna sposata ed è un po' diverso.»

«Se con questo vuoi dire che il capitolo avventure è chiuso perché siamo marito e moglie, scapperò per mare.»

«Non dire sciocchezze.»

Lizzie sorrise e balzò sul letto. «E tu non fare il vecchio brontolone.» Cominciò a saltellare. «Andiamo all'impiccagione.»

Jay non seppe trattenersi dal ridere. «E va bene.»

«Bravo!»

Lizzie sbrigò in fretta i suoi doveri quotidiani. Disse alla cuoca cosa doveva comprare, decise quali stanze dovevano pulire le domestiche, informò lo stalliere che quel giorno non sarebbe andata a cavallo, accettò per sé e per Jay l'invito a pranzare con il capitano Marlborough e la moglie il mercoledì seguente, rimandò l'appuntamento con la modista e prese in consegna dodici bauli rifiniti in bronzo per il viaggio in Virginia.

Infine si travestì.

La via conosciuta come Tyburn Street o Oxford Street traboccava di gente. Le forche erano in fondo, fuori da Hyde Park. Le case con vista sul patibolo erano affollate da spettatori ricchi che avevano affittato le stanze per quel giorno. C'era un cordone di gente accalcata sul muro di pietra del parco. I venditori ambulanti si aggiravano offrendo salsicce calde, gin e volantini su cui erano stampati, a sentir loro, gli ultimi discorsi dei condannati.

Mack si faceva largo fra la gente tenendo Cora per mano. Non desiderava veder uccidere qualcuno, ma Cora aveva insistito, e lui voleva passare tutto il tempo libero con lei. Gli piaceva tenerle la mano, baciarla sulla bocca ogni volta che lo desiderava, e toccarla nei momenti più impensati. Gli piaceva guardarla, lo divertivano il suo atteggiamento sfrontato, il linguaggio rozzo e l'espressione maliziosa dei suoi occhi. Per questo era venuto con lei all'impiccagione.

Sarebbe stata impiccata un'amica di Cora, Dolly Macaroni, tenutaria di un bordello, condannata per falso.

«Cos'ha falsificato?» chiese Mack mentre si avvicinavano alle forche.

«Un assegno di banca. Ha cambiato l'ammontare, da undici sterline a ottanta.»

«Da chi aveva avuto un assegno per undici sterline?»

«Da Lord Massey. Lei dice che le doveva molto di più.»

«Dovevano deportarla, non impiccarla.»

«I falsari li impiccano quasi sempre.»

Si erano avvicinati il più possibile, a una ventina di metri. La forca era una rudimentale struttura di legno costituita da tre pali che sostenevano delle travi. Da queste pendevano cinque corde coi cappi già pronti. Accanto c'era un cappellano assieme a un gruppetto di uomini dall'aspetto di burocrati, presumibilmente funzionari del tribunale. Alcuni soldati armati di moschetto tenevano a distanza la gente.

A un certo punto Mack udì un rombo farsi via via più forte. Proveniva dal fondo di Tyburn Street. «Cos'è questo chiasso?» domandò a Cora.

«Arrivano.»

In testa veniva una squadra di agenti a cavallo, preceduti da un personaggio che doveva essere il *marshal* della città. Poi c'erano i poliziotti, a piedi, armati di bastoni. Li seguiva un alto carro a quattro ruote trainato da due cavalli massicci. Una compagnia di picchieri rappresentava la retroguardia, con le lance puntate verso l'alto.

Sul carro, seduti su quelle che parevano bare, mani e braccia legate, c'erano i cinque condannati: tre uomini, un ragazzo sui quindici anni e una donna. «È Dolly» disse Cora, e cominciò a piangere.

Inorridito e affascinato, Mack guardava i cinque che stavano per morire. Uno degli uomini era ubriaco, gli altri due avevano un'espressione di sfida. Dolly pregava a voce alta e il ragazzo piangeva.

Il carro si fermò sotto il patibolo. L'ubriaco agitò la mano per salutare i suoi amici, ceffi di delinquenti che stavano in prima fila, e quelli gridarono battute scherzose e commenti volgari. «Lo sceriffo è stato gentile a invitarti! Sei andato a scuola di ballo?» e «Prova se la cravatta è della tua misura!» Dolly invocava il perdono divino con voce alta e chiara. Il ragazzo gridò: «Salvami, mamma, salvami!».

I due uomini sobri furono salutati da un gruppo di persone in testa alla folla. Dopo un momento Mack riconobbe l'accento irlandese. Uno dei condannati gridò: «Non lasciatemi ai chirurghi, ragazzi!». Gli amici risposero con un boato d'assenso.

«Di cosa parlano?» chiese Mack a Cora.

«Quello dev'essere un assassino. I cadaveri degli assassini spettano alla Compagnia dei Chirurghi, che li tagliano a pezzi per vedere cosa c'è dentro.»

Mack rabbrividì.

Il boia salì sul carro, mise i cappi intorno al collo dei condannati e li strinse. Nessuno si dibatté, protestò o cercò di fuggire. Sarebbe stato inutile perché erano circondati dalle guardie, tuttavia Mack pensò che lui ci avrebbe provato.

Il prete, calvo e con la veste macchiata, salì a sua volta sul carro e parlò a ognuno dei cinque; dedicò pochi istanti all'ubriaco, quattro o cinque minuti agli altri due uomini e un po' più di tempo a Dolly e al ragazzo.

Mack aveva sentito dire che qualche volta le esecuzioni andavano male e cominciò ad augurarsi che accadesse anche quella volta. Le corde potevano rompersi; la folla a volte andava all'assalto del patibolo e liberava i condannati, oppure il boia li staccava quando erano ancora vivi. Era spaventoso pensare che quei cinque esseri umani sarebbero morti entro pochi momenti.

Il prete terminò il suo compito. Il boia bendò i cinque con strisce di tela e scese, lasciandoli soli sul carro. L'ubriaco non riuscì a restare in equilibrio, barcollò, cadde, e il cappio cominciò a strangolarlo. Dolly continuò a pregare a voce alta.

Il boia frustò i cavalli.

Lizzie sentì la propria vocc urlare: «No!».

Il carro sobbalzò e si mosse.

Il boia frustò di nuovo i cavalli che si avviarono faticosamente al trotto. Il carro venne a mancare sotto i piedi dei condannati che caddero uno ad uno rimanendo appesi alle corde: prima l'ubriaco già mezzo morto, poi i due irlandesi, quindi il ragazzo in lacrime e infine la donna. La sua preghiera s'interruppe a metà frase.

Lizzie fissò i cinque corpi che pendevano dalle corde e fu assalita dal ribrezzo per se stessa e per la folla che la circondava.

Non tutti erano morti. Il ragazzo, per sua fortuna, a quanto pareva si era spezzato subito il collo, come i due irlandesi, ma l'ubriaco si muoveva ancora e la donna, perduta la benda, aveva gli occhi sbarrati dal terrore mentre soffocava lentamente.

Lizzie nascose la faccia contro la spalla di Jay.

Sarebbe stata felice di andarsene, ma si impose di restare. Aveva voluto vedere, e adesso doveva rimanere fino alla fine.

Riaprì gli occhi.

L'ubriaco era spirato, ma la faccia della donna era stravolta nell'agonia. Gli spettatori chiassosi erano ammutoliti per l'orrore. Trascorsero alcuni minuti.

Finalmente la donna chiuse gli occhi.

Lo sceriffo si avvicinò per tagliare le corde, e fu in quel momento che scoppiarono i disordini.

Gli irlandesi avanzarono cercando di farsi strada fra le guardie per raggiungere il patibolo. I poliziotti li respinsero, poi intervennero i picchieri e presero a colpire gli irlandesi. Cominciò a scorrere il sangue.

«È quello che temevo» disse Jay. «Vogliono portar via i corpi dei loro amici per sottrarli ai chirurghi. Andiamo via, subito.»

Molti altri, intorno a loro, ebbero la stessa idea, ma quelli che stavano dietro volevano avvicinarsi per vedere cosa succedeva. La gente si spostava di qua e di là, e cominciarono le risse. Jay cercò di farsi largo, e Lizzie gli rimase accanto. Si trovarono a lottare contro una marea compatta di gente che si muoveva nella direzione opposta alla loro. Tutti gridavano e urlavano. Furono respinti verso le forche. Il patibolo veniva preso d'assalto dagli irlandesi, che mettevano in fuga le guardie e schivavano i colpi dei picchieri mentre altri cercavano di impadronirsi dei corpi degli amici.

Senza una ragione apparente, la calca intorno a Lizzie e Jay si diradò. Lei si guardò intorno e scorse un varco fra due omaccioni. «Jay, vieni!» gridò, e sfrecciò in mezzo ai due. Si voltò per assicurarsi che Jay la seguisse. Ma il varco si chiuse. Jay cercò di passare, ma uno degli uomini alzò la mano in un gesto minaccioso e lui indietreggiò, impaurito. L'esitazione fu fatale: rimase separato da lei. Lizzie vide la sua testa bionda sopra la folla e cercò di tornare indietro, ma fu bloccata da una muraglia di gente. «Jay!» urlò. «Jay!» Lui rispose, ma la folla li separò ancora di più, spingendo lui verso Tyburn Street mentre lei veniva trascinata verso il parco. Dopo pochi attimi, lo perse di vista.

Era rimasta sola. Strinse i denti e voltò le spalle al patibolo. Si trovò di fronte a una massa compatta di gente.

Cercò di infilarsi fra un ometto e una matrona dal seno abbondante. «Giù le mani, giovanotto!» intimò la donna. Lizzie continuò a spingere e riuscì a passare. Ripeté l'operazione. Pestò i piedi a un uomo dalla faccia scontrosa che le tirò un pugno alle costole. Lizzie soffocò un gemito di dolore e passò oltre.

Scorse una faccia nota e riconobbe Mack McAsh: anche lui lottava per farsi largo tra la folla! «Mack!» gli gridò, sollevata. Era assieme alla donna dai capelli rossi che aveva visto al suo fianco in Grosvenor Square. «Qua, Mack!» gridò. «Aiutami!» Lui la vide e la riconobbe. Poi un uomo alto le diede una gomitata in un occhio e per qualche istante non vide più nulla. Quando la sua vista tornò normale, Mack e la donna erano spariti.

Continuò ad avanzare con ostinazione: passo dopo passo riuscì ad allontanarsi dallo scontro in corso attorno alle forche, e muoversi diventò via via più agevole. Dopo cinque minuti non fu più costretta a infilarsi nella calca, ma trovò varchi più ampi per passare. Alla fine arrivò contro la facciata di una casa, la seguì fino all'angolo ed entrò in un vicoletto largo meno di un metro.

Si appoggiò al muro della casa per riprendere fiato. Il vicolo era sudicio e puzzava di sterco e urina. Le dolevano le costole per il pugno ricevuto. Si tastò la faccia e si accorse che l'occhio si andava gonfiando.

Si augurò che a Jay non fosse successo niente. Si voltò per cercarlo e trasalì nel vedere due uomini che la fissavano.

Uno era di mezza età, con la barba ispida e la pancia prominente, l'altro era un ragazzo sui diciotto anni. I loro sguardi la spaventarono; ma prima che avesse il tempo di muoversi le balzarono addosso, l'afferrarono per le braccia e la buttarono a terra. Le strapparono il cappello e la parrucca da uomo, le sfilarono le scarpe dalle fibbie d'argento, le frugarono nelle tasche con rapidità stupefacente e le portarono via il borsellino, l'orologio da tasca e un fazzoletto.

Il più anziano infilò il bottino in un sacco, la guardò per un momento, poi disse: «È una bella giacca... quasi nuova».

Si chinarono di nuovo per spogliarla della giacca e del panciotto. Lizzie si dibatté, ma riuscì soltanto a strapparsi la camicia. I due ficcarono nel sacco gli indumenti. Lizzie si accorse di avere il seno scoperto e si affrettò a coprirsi coi brandelli della camicia, ma era troppo tardi. «Ehi, è una ragazza!» gridò il più giovane.

Lizzie si rialzò, ma il giovane l'afferrò e la trattenne.

Il grassone la squadrò. «Ed è anche bella, per Dio» commentò. Si leccò le labbra. «Adesso me la sbatto» annunciò in tono deciso.

Sopraffatta dall'orrore, Lizzie si dibatté con violenza ma non riuscì a liberarsi dalla stretta del giovane, che si voltò a guardare verso la strada affollata. «Cosa? Qui?»

«Nessuno guarda da questa parte, imbecille.» Il ciccione si accarezzò in mezzo alle gambe. «Toglile i calzoni e diamo un'occhiata.»

Il ragazzo buttò Lizzie a terra, le sedette addosso e cominciò a sfilarle i calzoni mentre l'altro assisteva. Terrorizzata, Lizzie urlò con tutto il fiato che aveva, ma nella strada c'era tanto chiasso che difficilmente qualcuno l'avrebbe sentita.

E tutt'a un tratto comparve Mack McAsh.

Lizzie intravide la sua faccia e un pugno alzato che si abbatté sulla testa del grassone. Il ladro barcollò e ruzzolò di lato. Mack lo colpì ancora e l'uomo roteò gli occhi. Al terzo pugno stramazzò a terra e restò immobile.

Il giovane lasciò in fretta Lizzie e tentò di fuggire, ma lei lo agguantò per la caviglia e lo fece cadere lungo disteso. Mack lo sollevò di peso, lo scagliò contro il muro della casa e lo centrò al mento con un pugno dal basso carico di tutta la forza del suo corpo. Il ragazzo crollò svenuto addosso al complice.

Lizzie si alzò. «Grazie al cielo eri qui!» esclamò con ardore, gli occhi pieni di lacrime di sollievo. Gli gettò le braccia al collo e disse: «Mi hai salvata... grazie, grazie!».

Mack la strinse a sé. «Una volta è stata lei a salvarmi... quando mi ha tirato fuori dal fiume.»

Lizzie si tenne stretta a lui sforzandosi di dominare il tremito. Sentì la sua mano accarezzarle i capelli. In calzoni e camicia, senza la barriera delle sottovesti, sentiva contro di sé tutto il corpo di Mack. Era una sensazione completamente diversa da quella che le dava suo marito. Jay era alto e agile, Mack basso, massiccio e solido.

Lui si scostò e la guardò. Gli occhi verdi erano ipnotici, il resto della faccia sembrava sfocato. «Lei mi ha salvato e io l'ho salvata» disse con un sorriso ironico. «Io sono il suo angelo custode, e lei è il mio.»

Lizzie cominciò a calmarsi. Ricordò che la camicia strappata le lasciava scoperto il seno. «Se fossi un angelo non sarei fra le tue braccia» replicò, e fece per staccarsi.

Mack la guardò per un momento negli occhi, sorrise di nuovo con ironia e annuì, come per dichiararsi d'accordo con lei. Le voltò le spalle.

Si chinò e prese il sacco dalla mano inerte del ladro più anziano, tirò fuori il panciotto e Lizzie lo indossò e lo abbottonò in fretta per coprirsi. Non appena si sentì di nuovo al sicuro cominciò a preoccuparsi per Jay. «Devo cercare mio marito» disse mentre Mack l'aiutava a indossare la giacca. «Mi accompagni?»

«Naturalmente.» Le consegnò la parrucca e il cappello, il borsellino, l'orologio e il fazzoletto.

«Dov'è la tua amica dai capelli rossi?» chiese lei.

«Cora? L'ho messa al sicuro prima di venire a cercarla.»

«Davvero?» Lizzie si sentiva irritata, e non capiva perché «Siete amanti?» chiese in tono brusco.

Mack sorrise. «Sì» rispose. «Dall'altro ieri.»

«Il giorno delle mie nozze.»

«Mi diverto moltissimo. E lei?»

Una risposta tagliente le salì alle labbra. Poi, nonostante tutto, rise. «Grazie per avermi soccorsa» disse. Si sporse in avanti e lo baciò fuggevolmente sulle labbra.

«Sono pronto a rifarlo per un altro bacio.»

Lei sorrise, poi si girò verso la strada.

Jay era là e li guardava.

Lizzie si sentì tremendamente in colpa. L'aveva vista baciare McAsh? Sì, senza dubbio, a giudicare dall'espressione tempestosa. «Oh, Jay!» esclamò. «Grazie al cielo non ti è successo niente!»

«E qui cos'è successo?»

«Quei due mi avevano derubata.»

«Sapevo che non dovevamo venire.» Jay le prese il braccio per guidarla fuori dal vicolo.

«McAsh li ha stesi tutti e due e mi ha salvata» spiegò lei.

«Non era una buona ragione per baciarlo» fu il commento di suo marito.

19

Il reggimento di Jay era di servizio a Palace Yard il giorno del processo a John Wilkes.

L'eroe dei liberali era stato condannato per diffamazione anni prima ed era fuggito a Parigi. Quando era tornato, all'inizio dell'anno, era stato accusato di essere un fuorilegge. Ma mentre il procedimento legale si trascinava, aveva vinto le elezioni suppletive del Middlesex con una larga maggioranza. Non aveva però ancora occupato il seggio in Parlamento, e il governo sperava di impedirglielo facendolo condannare da un tribunale.

Jay calmò il cavallo e girò nervosamente lo sguardo sulle centinaia di sostenitori di Wilkes che circondavano Westminster Hall, dove si svolgeva il processo. Molti si erano appuntati sui cappelli le coccarde azzurre dei wilkesiti. I tory come il padre di Jay volevano ridurre al silenzio il leader liberale, ma tutti erano preoccupati per le reazioni dei suoi seguaci.

Se ci fossero state esplosioni di violenza, il reggimento di Jay avrebbe dovuto mantenere l'ordine. C'era un piccolo distaccamento di guardie, troppo piccolo, dannazione, secondo Jay: appena quaranta uomini e pochi ufficiali al comando del colonnello Cranbrough, il suo superiore. Formavano un'esile linea rossa e bianca fra il tribunale e la folla.

Cranbrough prendeva gli ordini dai magistrati di Westminster, rappresentati da Sir John Fielding. Fielding era cieco, ma questo non gli impediva di continuare il suo lavoro. Era famoso come giudice riformatore, ma Jay lo considerava troppo tenero. Diceva spesso che il crimine è causato dalla miseria, il che era come sostenere che l'adulterio è causato dal matrimonio.

I giovani ufficiali speravano sempre di entrare in azione, e Jay dichiarava di pensarla come loro, ma era spaventato. Non aveva mai usato la spada o un'arma da fuoco in un combattimento vero.

La giornata sembrava non passare mai e i capitani interrompevano a turno il servizio di pattuglia per bere un bicchiere di vino. Verso la fine del pomeriggio, mentre dava una mela al suo cavallo, Jay fu abbordato da Sidney Lennox.

Provò una stretta al cuore. Lennox voleva i suoi soldi. Senza dubbio aveva avuto intenzione di chiederglieli quando gli aveva fatto visita in Grosvenor Square, ma aveva rinviato a causa delle nozze.

Jay non aveva il denaro, ed era terrorizzato all'idea che Lennox si rivolgesse a suo padre.

Si sforzò di apparire sicuro di sé. «Cosa ci fa qui, Lennox? Non sapevo che fosse wilkesita.»

«John Wilkes può andare al diavolo» rispose Lennox. «Sono qui per le centocinquanta sterline che ha perso quando ha giocato a faraone in casa di Lord Archer.»

Jay impallidì nel sentirsi ricordare l'entità del debito. Suo padre gli dava trenta sterline al mese, ma non bastavano mai, e non sapeva quando avrebbe potuto mettere le mani su centocinquanta. Il pensiero che Sir George scoprisse che aveva perso di nuovo al gioco gli faceva tremare le gambe. Avrebbe fatto qualunque cosa per evitarlo. «Forse dovrò chiederle di aspettare ancora un po'» disse sforzandosi di assumere un'aria di superiore indifferenza.

Lennox non rispose direttamente. «Mi pare che lei conosca un certo Mack McAsh.»

«Sì, purtroppo.»

«Ha organizzato una squadra di scaricatori di carbone con l'aiuto di Caspar Gordonson. Fra tutti e due stanno causando una quantità di guai.»

«Non mi sorprende. Era un maledetto piantagrane anche quando lavorava nella miniera di mio padre.»

«Il problema non è soltanto McAsh» continuò Lennox. «Adesso anche i suoi due amici, Dermot Riley e Charlie Smith, hanno squadre di scaricatori, e ce ne saranno altre entro la fine della settimana.»

«Questo costerà una fortuna a voi appaltatori.»

«Rovinerà i nostri affari, a meno che non vengano fermati.»

«Comunque, il problema non mi riguarda.»

«Ma potrebbe aiutarmi a risolverlo.»

«Ne dubito.» Jay non voleva farsi coinvolgere negli affari di Lennox.

«Per me avrebbe un certo valore.»

«Quanto?» chiese con cautela Jay.

«Centocinquanta sterline.»

Il cuore gli balzò nel petto. La prospettiva di cancellare il debito era un colpo di fortuna.

Ma Lennox non era tipo da regalare facilmente una cifra del genere. Voleva certo in cambio qualcosa di grosso. «Cosa dovrei fare?» chiese diffidente.

«Voglio che i proprietari delle navi rifiutino di ingaggiare le squadre di McAsh. Alcuni di coloro che trasportano il carbone sono anche appaltatori, quindi collaboreranno. Ma in maggioranza sono indipendenti. Il maggior armatore di Londra è suo padre. Se desse l'esempio, gli altri lo imiterebbero.»

«Ma perché dovrebbe? Non gli importa niente di appaltatori e di scaricatori.»

«È il consigliere anziano di Wapping, e gli appaltatori portano molti voti. Dovrebbe difendere i nostri interessi. E poi gli scaricatori sono dei piantagrane e noi li teniamo sotto controllo.»

Jay aggrottò la fronte. Era una richiesta difficile da realizzare. Non aveva alcuna influenza sul padre. Pochissimi ce l'avevano: era difficile convincere Sir George perfino a ripararsi dalla pioggia. Però doveva tentare.

L'urlo della folla annunciò che Wilkes stava uscendo. Jay si affrettò a montare a cavallo. «Vedrò che cosa posso fare» gridò a Lennox mentre si avviava al trotto.

Trovò Chip Marlborough e chiese: «Cosa succede?».

«Hanno rifiutato la libertà su cauzione a Wilkes. Adesso lo portano alla prigione di King's Bench.»

Il colonnello stava radunando gli ufficiali. Disse a Jay: «Passi parola... nessuno deve sparare a meno che Sir John non dia l'ordine. Avverta i suoi uomini».

Jay si trattenne a stento dal protestare. Com'era possibile che i soldati tenessero sotto controllo la folla se avevano le mani legate? Comunque, andò a riferire le disposizioni.

Dal portone uscì una carrozza. La folla proruppe in un boato terrificante e Jay provò una fitta di paura. I soldati aprirono un varco alla carrozza picchiando la gente coi moschetti. I sostenitori di Wilkes attraversarono correndo il ponte di Westminster, e Jay si rese conto che la vettura avrebbe dovuto varcare il fiume e addentrarsi nel Surrey per raggiungere la prigione. Spronò il cavallo in direzione del ponte, ma il colonnello Cranbrough gli fece segno di fermarsi. «Non attraversi il ponte!» gridò. «Dobbiamo mantenere l'ordine qui, davanti al tribunale.»

Jay trattenne il cavallo. Il Surrey era un distretto separato, e i suoi magistrati non avevano chiesto l'intervento dell'esercito. Era assurdo. Restò a osservare impotente mentre la carrozza attraversava il Tamigi. Prima che raggiungesse la sponda del Surrey, la folla la bloccò e staccò i cavalli.

Sir John Fielding era in mezzo alla folla e seguiva la carrozza assieme a due assistenti che lo guidavano e gli spiegavano cosa succedeva. Jay vide dieci o dodici uomini robusti mettersi fra le stanghe e tirare la vettura. La girarono e tornarono indietro verso Westminster, mentre la gente prorompeva in grida di approvazione.

Il cuore di Jay batté più forte. Cosa sarebbe successo quando la folla avesse raggiunto Palace Yard? Il colonnello Cranbrough teneva alzata una mano come a ricordare a tutti che non dovevano far niente.

Jay disse a Chip: «Credi che ce la faremo a portare via la carrozza a quei sediziosi?».

«I magistrati non vogliono spargimenti di sangue» rispose Chip.

Uno degli assistenti di Sir John corse tra la gente e andò a conferire con Cranbrough.

Quando ebbe attraversato il fiume, la folla girò la carrozza verso est. Cranbrough gridò ai suoi uomini: «Seguiteli da lontano... e non entrate in azione!».

Il distaccamento di guardie si accodò alla folla. Jay strinse i denti. Era umiliante. Pochi colpi di moschetto sarebbero bastati per disperdere quella plebaglia in un minuto. Si rendeva conto che Wilkes avrebbe sfruttato politicamente il fatto che i militari gli avevano sparato addosso... e con questo?

La carrozza fu trainata lungo lo Strand fino al cuore della City. Tutti cantavano, ballavano e gridavano «Wilkes e libertà» e «Quarantacinque». Non si fermarono finché non raggiunsero Spitalfields. La carrozza si arrestò davanti alla chiesa. Wilkes smontò ed entrò nella taverna dei Three Tuns, seguito in tutta fretta da Sir John Fielding.

Molti dei suoi sostenitori entrarono a loro volta, ma non c'era posto per tutti. Per un po' attesero in strada, poi Wilkes comparve a una finestra del primo piano fra applausi scroscianti. Cominciò a parlare. Jay era troppo lontano per sentire tutto ciò che diceva, ma afferrò il senso del discorso. Wilkes faceva appello all'ordine.

L'assistente di Fielding uscì e andò a parlare di nuovo al colonnello Cranbrough, il quale a sua volta bisbigliò la notizia ai suoi capitani. Avevano raggiunto un accordo: Wilkes sarebbe uscito da una porta posteriore e si sarebbe costituito quella sera alla prigione di King's Bench.

Wilkes finì di parlare, salutò con grandi gesti delle braccia e inchini e sparì. Quando fu evidente che non sarebbe ricomparso, la folla cominciò ad annoiarsi e a disperdersi. Sir John uscì dal Three Tuns e strinse la mano a Cranbrough. «Splendido lavoro, colonnello. Lo spargimento di sangue è stato evitato e la legge è stata rispettata.» Si sforzava di vedere la situazione nella luce migliore, pensò Jay, ma in realtà la folla si era fatta beffe della legge.

Mentre le guardie si mettevano in marcia per tornare in Hyde Park, Jay si sentiva depresso. Per tutta la giornata si era preparato allo scontro e la delusione era difficile da sopportare. Ma il governo non poteva continuare a mostrarsi arrendevole. Prima o poi avrebbe dovuto far sentire la sua autorità. Allora sarebbe entrato in azione.

Quando ebbe ordinato ai suoi uomini di rompere le righe e controllato che si provvedesse ai cavalli, Jay ricordò la proposta di Lennox. Esitava a sottoporla al padre. Ma sarebbe stato più facile che chiedergli centocinquanta sterline per pagare un altro debito di gioco. Perciò decise di fermarsi in Grosvenor Square prima di tornare a casa.

Era tardi. La famiglia aveva già cenato, disse il lacchè, e Sir George era nello studiolo sul retro. Jay esitò nel freddo atrio dal pavimento di marmo. Detestava chiedere qualcosa al padre, che l'avrebbe deriso perché voleva qualcosa di sbagliato, o rimproverato perché chiedeva più di quanto gli spettasse. Ma doveva andare fino in fondo. Bussò ed entrò.

Sir George beveva vino e sbadigliava davanti a un listino prezzi della melassa. Jay sedette e raccontò: «Hanno negato a Wilkes la libertà su cauzione».

«L'ho saputo.»

Forse gli avrebbe fatto piacere sentire che il reggimento di Jay aveva mantenuto l'ordine. «La folla ha trainato la sua carrozza fino a Spitalfields. Noi l'abbiamo seguito, ma ha promesso di costituirsi questa sera.»

«Bene. Come mai sei venuto a quest'ora?»

Jay rinunciò al tentativo di interessare suo padre a ciò

che aveva fatto. «Sapevi che Malachi McAsh è comparso qui a Londra?»

Sir George scosse la testa. «Non mi pare che abbia importanza» disse con indifferenza.

«Sta aizzando gli scaricatori di carbone.»

«Non ci vuole molto... sono un branco di attaccabrighe.»

«Mi hanno chiesto di parlarti a nome degli appaltatori.»

Sir George inarcò le sopracciglia. «Perché proprio tu?» chiese. Il tono sottintendeva che nessuno, se avesse avuto un minimo di buon senso, avrebbe scelto Jay come ambasciatore.

Jay alzò le spalle. «Conosco un appaltatore, e mi ha pregato di parlartene.»

«I tavernieri sono elettori potenti» ammise Sir George, riflettendo. «Qual è la proposta?»

«McAsh e i suoi amici hanno costituito squadre indipendenti che non lavorano tramite gli appaltatori, e gli appaltatori chiedono che i proprietari delle navi restino fedeli a loro e rifiutino le nuove squadre. Pensano che se tu darai l'esempio, gli altri armatori ti seguiranno.»

«Non so se è il caso di intromettermi. È una guerra che non ci riguarda.»

Jay era deluso. Pensava di aver formulato la proposta nel modo giusto. Si finse indifferente. «A me non interessa, però mi sorprende... dici sempre che dobbiamo adottare una linea di fermezza con gli operai ribelli che alzano troppo la cresta.»

In quel momento si udì bussare con violenza alla porta d'ingresso. Sir George aggrottò la fronte e Jay andò nell'atrio a vedere. Un lacchè gli passò accanto in fretta e aprì. Apparve un robusto operaio in zoccoli con una coccarda azzurra sul berretto bisunto. «Accendete!» ordinò. «Accendete per Wilkes!»

Sir George uscì dallo studio e si fermò a fianco di Jay. Jay gli spiegò: «Costringono la gente a mettere candele a tutte le finestre per sostenere Wilkes».

Sir George chiese: «Cosa c'è scritto sulla porta?».

Si avvicinarono. Era il numero "45" tracciato col gesso. Sulla piazza, una piccola folla andava di casa in casa.

Sir George fronteggiò l'uomo che stava sulla soglia. «Sai cos'hai fatto?» chiese. «Quel numero è come un codice. Significa: "Il re è un bugiardo". Il vostro caro Wilkes è finito in prigione per questo, e potresti finirci anche tu.»

«Accendete le candele per Wilkes o no?» insistette l'uomo senza rispondere.

Sir George diventò paonazzo. Si infuriava quando le classi inferiori non lo trattavano con la dovuta deferenza. «Va' al diavolo!» rispose, e sbatté la porta.

Tornò nello studio e Jay lo seguì. Mentre sedevano sentirono il rumore di vetri infranti. Si alzarono di scatto e si precipitarono nella sala da pranzo, nella parte anteriore della casa. Una delle due finestre aveva un vetro rotto e sul parquet c'era un sasso. «È vetro Best Crown!» esclamò furioso Sir George. «Costa sette scellini al decimetro quadrato!» In quel momento, un altro sasso sfondò la seconda finestra.

Sir George andò nell'atrio e chiamò il lacchè: «Di' a tutti di spostarsi sul retro della casa, per stare al sicuro» ordinò.

Il lacchè aveva l'aria spaventata. «Non sarebbe meglio accendere le candele alle finestre come hanno detto loro, signore?»

«Chiudi il becco e fa' quello che ti ho detto» ribatté Sir George.

Si sentì un terzo frastuono di vetri infranti al piano di sopra e Jay udì il grido impaurito della madre. Salì di corsa le scale col cuore in gola, e la vide uscire dal salotto. «Tutto bene, mamma?»

Alicia era pallida ma calma. «Sì, sì... cosa succede?»

Sir George salì a sua volta e disse con furore represso: «Non c'è da temere, è solo un maledetto branco di wilkesiti. Stiamo al riparo finché se ne andranno».

Mentre le sassate infrangevano altre finestre, tutti si rifugiarono nel salottino sul retro della casa. Jay vedeva suo padre ribollire di rabbia. La ritirata a cui era stato costretto l'aveva punto sul vivo. Poteva essere il momento più adatto per riparlare della richiesta di Lennox. Dimenticò la prudenza e disse: «Sai, padre mio, dovremmo cominciare a essere più decisi con questi facinorosi».

«Di cosa diavolo stai parlando?»

«Pensavo a McAsh e agli scaricatori di carbone. Se permettiamo che sfidino l'autorità una volta, lo rifaranno.» Non era da Jay parlare in quel modo, e notò che sua madre gli lanciava un'occhiata strana. Proseguì: «Certe cose è meglio troncarle sul nascere. Bisogna rimetterli al loro posto».

Sir George sembrò sul punto di ribattere irosamente, ma poi esitò, fece una smorfia e convenne: «Hai tutte le ragioni. Domani provvederemo».

Jay sorrise.

20

Mentre scendeva il viottolo fangoso chiamato Wapping High Street, Mack aveva l'impressione di sapere cosa si prova a essere re. Dalle porte delle taverne, dalle finestre e dai cortili e dai tetti, gli uomini agitavano le braccia per salutarlo, lo chiamavano per nome e lo additavano agli amici. Tutti volevano stringergli la mano. Ma la gratitudine degli uomini era poca cosa in confronto a quella delle loro mogli. Non solo gli uomini portavano a casa il triplo o il quadruplo di un tempo, ma arrivavano alla fine della giornata assai più sobri. Perciò le donne lo abbracciavano per la strada, gli baciavano le mani e gridavano alle vicine: «È Mack McAsh, l'uomo che ha sfidato gli appaltatori! Venite a vederlo!».

Mack raggiunse la banchina e guardò il largo fiume grigio. C'era alta marea e diverse navi appena arrivate erano all'ancora. Cercò un barcaiolo che lo trasportasse. Gli appaltatori tradizionali aspettavano nelle taverne che i capitani scendessero a terra in cerca di una squadra di scaricatori. Mack e le sue squadre, invece, andavano direttamente dai capitani, così questi risparmiavano tempo e loro si assicuravano il lavoro.

Raggiunse la *Prince of Denmark* e salì a bordo. L'equipaggio era sbarcato, ed era rimasto solo un vecchio marinaio che fumava la pipa sulla tolda; indicò a Mack la cabina del comandante. Lo trovò seduto al tavolo, occupato a scrivere laboriosamente sul giornale di bordo con una penna d'oca. «Buongiorno a lei, capitano» salutò Mack con un sorriso cordiale. «Sono Mack McAsh.»

«Cosa c'è?» borbottò l'altro. Non lo invitò a sedere.

Mack non fece caso alla scortesia: i capitani non erano molto gentili. «Vuole che domani la sua nave sia scaricata presto e bene?» chiese.

«No.»

Mack era sorpreso. Qualcuno era arrivato prima di lui? «Chi lo farà, allora?»

«Non sono affari tuoi.»

«Sono affari miei, invece, ma se non vuole dirmelo, poco importa... me lo dirà qualcun altro.»

«Allora buongiorno.»

Mack aggrottò la fronte. Non voleva andarsene senza saperne di più. «Cosa diavolo è successo, capitano? L'ho offesa in qualche modo?»

«Non ho altro da aggiungere, giovanotto, e fammi il piacere di scendere dalla mia nave.»

Mack avvertì un inquietante presentimento, ma non trovò nient'altro da dire. Se ne andò. I capitani avevano tutti un brutto carattere... forse perché dovevano stare per tanto tempo lontani dalle mogli.

Guardò lungo il fiume. Accanto alla *Prince* aveva gettato l'ancora un'altra nave appena arrivata, la *Whitehaven Jack*. L'equipaggio stava ancora ammainando le vele e arrotolando le cime sul ponte. Mack disse al barcaiolo di portarlo là.

Trovò il capitano sul ponte di poppa in compagnia di un giovane gentiluomo con spada e parrucca. Li salutò con la cortesia disinvolta che, come aveva scoperto, lo aiutava a conquistare la fiducia degli altri. «Capitano, signore, buongiorno a tutti e due.»

Il capitano rispose educatamente: «Buongiorno a lei. Questi è il signor Tallow, figlio del proprietario. Cosa desidera?».

Mack rispose: «Vuole che domani la sua nave venga scaricata da una squadra di uomini svelti e non ubriachi?».

Il capitano e il gentiluomo risposero contemporaneamente.

«Sì» disse il capitano.

«No» disse Tallow.

Sorpreso, il capitano guardò con aria interrogativa Tallow, il quale si rivolse a Mack. «Sei McAsh, vero?»

«Sì. E credo che gli armatori comincino a considerare il mio nome una garanzia di lavoro ben fatto...»

«Non ti vogliamo» lo interruppe Tallow.

Il secondo rifiuto irritò Mack. «Perché no?» chiese in tono di sfida.

«Abbiamo trattato con Harry Nipper del Frying Pan per anni e non abbiamo mai avuto guai.»

Il capitano intervenne. «Io non direi proprio che non ne abbiamo avuti.»

Tallow gli lanciò un'occhiata fulminante.

Mack commentò: «E non è giusto che gli uomini siano costretti a bersi la paga, vero?».

Tallow era stizzito. «Non ho intenzione di discutere con quelli come te. Qui non c'è lavoro per te, quindi vattene.»

Mack insistette. «Ma perché vuole che la sua nave sia scaricata in tre giorni da una squadra di ubriachi litigiosi quando i miei uomini possono farlo più in fretta?»

Il capitano, che evidentemente non aveva molta soggezione del figlio dell'armatore, si associò: «Sì, anche a me piacerebbe saperlo».

«Non permettetevi di discutere, nessuno dei due» reagì Tallow. Cercava di ostentare dignità, ma era troppo giovane per riuscirci.

Un sospetto affiorò nella mente di Mack. «Qualcuno le ha detto di non ingaggiare la mia squadra?» L'espressione di Tallow gli confermò che aveva indovinato.

«Vedrai che nessuno, qui sul fiume, ingaggerà la tua squadra, o quella di Riley o di Charlie Smith» rispose Tallow con tono petulante. «Si è sparsa la voce che sei un piantagrane.»

Mack si rese conto che la situazione era seria e si sentì

gelare il cuore. Aveva previsto che Lennox e gli appaltatori avrebbero agito contro di lui, prima o poi, ma non aveva previsto che avessero l'appoggio degli armatori.

Era sconcertante: il vecchio sistema non era molto vantaggioso per i proprietari delle navi. Tuttavia da anni lavoravano con gli appaltatori, e forse il desiderio di lasciar le cose come stavano li spingeva a schierarsi dalla loro parte, senza tener conto della giustizia.

Una sfuriata sarebbe stata inutile, perciò si rivolse a Tallow con calma. «Mi dispiace che abbia preso questa decisione. È dannosa per gli uomini e per gli armatori. Spero che ci ripensi. Buongiorno.»

Tallow non rispose e Mack si fece riportare a riva. Era distrutto. Si strinse la testa fra le mani e guardò l'acqua sudicia del Tamigi. Come aveva potuto credere di riuscire a sconfiggere un gruppo di uomini ricchi e spietati come gli appaltatori? Avevano amicizie e appoggi importanti. E lui chi era? Mack McAsh di Heugh.

Doveva prevederlo.

Saltò a riva e andò alla caffetteria St. Luke, che era diventata il suo quartier generale ufficioso. Ormai c'erano almeno cinque squadre che lavoravano col nuovo sistema. E il prossimo sabato sera, quando le squadre superstiti del vecchio sistema avessero ricevuto la paga decimata dalla rapacità dei tavernieri, molti degli uomini avrebbero deciso di cambiare. Ma il boicottaggio degli armatori rovinava quella prospettiva.

La bottega del caffè era vicina alla chiesa di St. Luke. Serviva anche birra, liquori e pasti caldi, e qui tutti mangiavano e bevevano seduti, mentre nelle taverne si stava quasi sempre in piedi.

Cora era lì e stava mangiando pane e burro. Sebbene fosse metà pomeriggio, era la sua prima colazione, perché spesso stava alzata metà della notte. Mack ordinò un piatto di carne di montone tritata e un boccale di birra e sedette accanto a lei. Cora chiese subito: «Cos'è successo?».

Mack glielo disse. E mentre parlava, guardava il suo viso innocente. Era pronta per cominciare il lavoro: portava l'abito arancio che aveva quando si erano conosciuti, e profumava di spezie. Sembrava il ritratto della Madonna, ma aveva l'odore dell'harem di un sultano. Non c'era da stupirsi se gli ubriachi con i borsellini pieni di monete d'oro erano disposti a seguirla nei vicoli bui.

Aveva passato con lei tre delle ultime sei notti. Cora voleva comprargli una giacca nuova, e lui avrebbe voluto che rinunciasse a fare la vita. Era il suo primo vero amore.

Mentre finiva di raccontarle cos'era successo, entrarono Dermot e Charlie. Mack aveva nutrito una debole speranza che avessero avuto miglior fortuna di lui, ma le loro espressioni gli dissero che non era così. La faccia nera di Charlie era il ritratto dell'avvilimento. Dermot annunciò, coll'accento irlandese: «Gli armatori si sono messi d'accordo contro di noi. Non c'è un capitano sul fiume disposto a farci lavorare».

«Maledetti» disse Mack. Il boicottaggio funzionava, e per lui erano guai.

Per un momento fu assalito da una giusta indignazione. Chiedeva soltanto di lavorare e di guadagnare abbastanza per riscattare la libertà di sua sorella, ma veniva frustrato di continuo da gente che aveva montagne di denaro.

Dermot commentò: «Siamo finiti, Mack».

La sua rassegnazione incollerì Mack più del boicottaggio. «Finiti?» ribatté in tono sprezzante. «Sei un uomo o cosa?»

«Ma che possiamo fare?» chiese Dermot. «Se gli armatori non vogliono ingaggiare le nostre squadre, gli uomini torneranno al vecchio sistema. Devono pur vivere.»

Senza riflettere, Mack disse: «Possiamo organizzare uno sciopero».

Gli altri due tacquero.

Cora ripeté: «Uno sciopero?».

Mack aveva buttato là la proposta non appena gli era venuta in mente. Ma ora, riflettendo, gli sembrava l'unica cosa da fare. «Tutti gli scaricatori vogliono passare al nostro sistema» disse. «Potremmo convincerli a non lavorare più per gli appaltatori. Così i padroni delle navi sarebbero costretti a ingaggiare le nuove squadre.»

Dermot era scettico. «E se continuano a rifiutare di ingaggiarci?»

Quel pessimismo irritò Mack. Perché gli uomini si aspettano sempre il peggio? «Se lo faranno, il carbone non arriverà a terra.»

«E gli uomini di cosa vivranno?»

«Possono permettersi di stare qualche giorno senza far niente. Succede di continuo... quando non ci sono carboniere nel porto, nessuno di noi lavora.»

«È vero. Ma non potremo resistere in eterno.»

Mack avrebbe voluto urlare per la frustrazione. «Non possono resistere neppure gli armatori... Londra ha bisogno del carbone!»

Dermot sembrava ancora dubbioso. Cora intervenne: «Cos'altro potete fare, Dermot?».

Dermot aggrottò la fronte e rifletté per un momento, poi la sua espressione si schiarì. «Preferirei proprio non tornare ai vecchi sistemi. Ci proverò, perdiana.»

«Bene!» disse Mack, sollevato.

«Una volta ho partecipato a uno sciopero» intervenne Charlie in tono pessimista. «A soffrire di più sono le mogli.»

«Quando hai partecipato a uno sciopero?» chiese Mack. Non aveva nessuna esperienza: li conosceva solo da quello che ne scrivevano i giornali.

«Tre anni fa, a Tyneside. Estraevo il carbone.»

«Non sapevo che avessi fatto il minatore.» Non era mai venuto in mente a Mack o agli altri, lassù a Heugh, che i minatori potessero scioperare. «E com'è finita?»

«I padroni delle miniere hanno ceduto» rispose Charlie.

«Visto?» esclamò trionfante Mack.

Cora disse preoccupata: «Qui però non avete di fronte i proprietari terrieri del Nord, Mack. Stai parlando dei tavernieri di Londra, la feccia della terra. Sono capaci di mandare qualcuno a tagliarti la gola mentre dormi».

Mack la guardò negli occhi e vide che la sua paura per lui era autentica. «Prenderò le mie precauzioni» la rassicurò.

Lei gli lanciò un'occhiata scettica ma non disse niente.

Dermot osservò: «Il problema sarà convincere gli uomini».

«È vero» riconobbe Mack. «È inutile che noi quattro stiamo qui a discuterne come se avessimo il potere di decidere. Convocheremo una riunione. Che ore sono?»

Tutti guardarono fuori. Si stava avvicinando la sera. Cora disse: «Devono essere le sei».

Mack proseguì: «Le squadre che sono al lavoro finiranno appena farà buio. Voi due fate il giro delle taverne di High Street e passate parola».

Annuirono entrambi, ma Charlie disse: «Non possiamo riunirci qui... è un posto troppo piccolo. In tutto ci sono circa cinquanta squadre».

«Il Jolly Sailor ha un cortile molto grande» propose Dermot. «E il padrone non è un appaltatore.»

«Ottimo» rispose Mack. «Dite a tutti di trovarsi là un'ora dopo il tramonto.»

«Non verranno tutti» obiettò Charlie.

«La maggior parte sì, però.»

Dermot disse: «Ne porteremo il più possibile». E uscì con Charlie.

Mack guardò Cora: «Ti prendi una serata di riposo?» chiese in tono di speranza.

Lei scosse la testa. «Sto aspettando la mia compagna.»

A Mack dispiaceva che Peg fosse una ladra e che Cora ne fosse responsabile. «Vorrei che trovassimo il modo di aiutare quella ragazzina a guadagnarsi da vivere senza rubare» disse.

«Perché?»

La domanda lo lasciò senza parole. «Ecco, è ovvio che...»

«Ovvio cosa?»

«Sarebbe meglio se crescesse onesta.»

«Sarebbe meglio in che senso?»

Mack percepì la rabbia nelle domande di Cora, ma non poteva tirarsi indietro. «Quello che fa adesso è troppo pericoloso. Potrebbe finire impiccata a Tyburn.»

«Se la passerebbe meglio se fosse costretta a lavare il pavimento della cucina in una casa di ricchi, e fosse picchiata dalla cuoca e violentata dal padrone?»

«Non credo che tutte le sguattere vengano violentate...»

«Quelle carine, sì. E io come mi guadagnerei da vivere senza di lei?»

«Potresti fare quello che vuoi. Sei bella e intelligente...»

«Quello che voglio fare è appunto quello che faccio, Mack.»

«Perché?»

«Mi piace. Mi piace vestirmi bene, bere gin e civettare. Derubo gli stupidi che hanno più soldi di quanti meritano. È eccitante e facile, e guadagno dieci volte di più che se facessi la sarta o avessi un negozietto o servissi i clienti in una caffetteria.»

Mack era sconvolto. Si aspettava che Cora rispondesse che rubava perché era costretta a farlo. L'idea che le piacesse capovolgeva le sue speranze. «Allora non ti conosco» le disse.

«Sei intelligente, Mack, ma non sai proprio niente.»

In quel momento arrivò Peg. Era pallida, magra e stanca come al solito. Mack le chiese: «Hai fatto colazione?».

«No» rispose Peg, e sedette. «Vorrei un bicchiere di gin.»

Mack fece un cenno a un cameriere. «Una ciotola di porridge con la panna, per favore.»

Peg fece una smorfia, ma quando il porridge arrivò, mangiò di buon appetito.

Dopo qualche istante entrò Caspar Gordonson. Mack fu lieto di vederlo: aveva pensato di andare da lui in Fleet Street per discutere il boicottaggio degli armatori e la sua idea di scioperare. Gli riferì in fretta l'accaduto mentre l'avvocato sorseggiava un brandy.

Gordonson l'ascoltò con aria sempre più preoccupata,

poi cominciò a parlare con quella sua voce acuta. «Deve capire che i nostri governanti hanno paura. Non soltanto la corte e il governo, ma l'intera classe dirigente: duchi e conti, assessori, giudici, mercanti, proprietari terrieri. Questi discorsi di libertà li allarmano, e i disordini per il pane dell'anno scorso e di quello precedente hanno dimostrato cosa è capace di fare il popolo quando s'infuria.»

«Bene!» commentò Mack. «Allora dovrebbero darci quello che vogliamo.»

«Non è detto. Temono che se cederanno, voi pretenderete ancora di più. In realtà, cercano soltanto un pretesto per mandare i soldati a sparare sulla gente.»

Mack si rese conto che dietro la fredda analisi di Gordonson c'era una paura autentica. «Hanno bisogno di un pretesto?»

«Oh, sì. E tutto a causa di John Wilkes. È una vera spina nel fianco, per loro. Accusa il governo di dispotismo. E non appena le truppe verranno mandate contro i cittadini, decine di migliaia di persone del ceto medio diranno: "Ecco, Wilkes aveva ragione. Questo è un governo tirannico". E tutti quei bottegai, argentieri e fornai hanno il diritto di voto.»

«Quindi qual è il pretesto che occorre al governo?»

«Vogliono che voi spaventiate il ceto medio con la violenza e i tumulti. Allora la gente penserà che è necessario mantenere l'ordine, e smetterà di pensare alla libertà di parola. E quando interverrà l'esercito, ci sarà un sospiro di sollievo anziché un urlo d'indignazione.»

Mack era affascinato e scoraggiato. Non aveva mai visto la politica da questa angolazione. Aveva discusso le complesse teorie contenute nei libri ed era stato vittima impotente di leggi ingiuste, ma questo era un caso a metà strada. Era il terreno di scontro fra le forze in campo, e la tattica poteva modificare il risultato. Questo era il nocciolo... un nocciolo pericoloso.

L'entusiasmo della lotta non faceva presa su Gordonson: sembrava solo preoccupato. «Sono stato io a trascinarla in tutto questo, Mack, e se venisse ucciso l'avrei sulla coscienza.»

La sua paura cominciò a contagiare Mack. Quattro mesi fa ero soltanto un minatore, pensò. Adesso sono un nemico del governo, qualcuno che vogliono uccidere. Me la sono forse cercata? Ma aveva un obbligo preciso. Come Gordonson si sentiva responsabile per lui, così lui era responsabile nei confronti degli scaricatori. Non poteva fuggire e nascondersi: sarebbe stato un vergognoso comportamento da vigliacco. Aveva messo nei guai i suoi uomini e adesso aveva il dovere di tirarli fuori.

«Cosa pensa che dovremmo fare?» chiese a Gordonson.

«Se gli uomini accettano di scioperare, il suo compito sarà tenerli a freno. Dovrà impedire che incendino le navi, uccidano i crumiri e assedino le taverne degli appaltatori. Quegli uomini non sono chierichetti, lo sa bene... sono giovani, robusti e arrabbiati, e se si scatenano sono capaci di bruciare Londra.»

«Credo di riuscirci» disse Mack. «Mi ascoltano. Sembra che mi rispettino.»

«L'adorano» lo corresse Gordonson. «E questo la mette ancor più in pericolo perché è un capo, e il governo potrebbe decidere di piegare gli scioperanti impiccando lei. Dal momento in cui gli uomini diranno di sì, lei sarà in gravissimo pericolo.»

Mack cominciava a pentirsi di aver pronunciato la parola "sciopero". «Cosa dovrei fare?» chiese.

«Lasci l'alloggio attuale e si trasferisca in qualche altro posto. Tenga segreto l'indirizzo e lo comunichi solo a poche persone fidate.»

Cora offrì: «Vieni a stare da me».

Mack riuscì a sorridere. Questo non sarebbe stato duro da sopportare.

Gordonson continuò: «Non si mostri di giorno per le strade. Si presenti alle riunioni, e poi sparisca. Diventi una specie di fantasma».

Mack pensava che fosse piuttosto ridicolo, ma la paura lo spinse ad acconsentire. «D'accordo.»

Cora si alzò per uscire. Con grande sorpresa di Mack, Peg lo abbracciò. «Sii prudente, Jock» disse. «Non farti accoltellare.»

Mack si commosse nel vedere quanto tutti fossero preoccupati per lui: tre mesi prima non conosceva neppure Peg, Cora o Gordonson.

Cora gli diede un bacio sulle labbra e uscì, ancheggiando nel suo modo più seducente. Peg la seguì.

Dopo qualche istante Mack e Gordonson si incamminarono verso il Jolly Sailor. Era buio, ma in Wapping High Street c'era molta animazione, e le luci delle candele brillavano dalle porte delle taverne, dalle finestre delle case, dalle lanterne portate a mano. C'era bassa marea, e un acre fetore di putredine saliva dalle rive del Tamigi.

Mack si stupì nel vedere il cortile della taverna pieno di uomini. A Londra c'erano circa ottocento scaricatori e ne era presente almeno la metà. Qualcuno aveva costruito in gran fretta un rozzo palco e vi aveva disposto quattro torce per rischiararlo. Mack si fece largo tra la folla. Molti lo riconobbero, lo salutarono o gli allungarono pacche sulle spalle. La notizia del suo arrivo si sparse e tutti cominciarono ad applaudire: quando raggiunse il palco, la folla gridava e acclamava. Salì e si guardò intorno. Centinaia di facce sporche di carbone erano levate verso di lui nella luce delle torce. Ricacciò le lacrime di riconoscenza per la fiducia che gli dimostravano. Non riusciva a parlare: le grida erano troppo forti. Alzò le mani per imporre silenzio, ma fu inutile. Qualcuno urlava il suo nome, altri invocavano «Wilkes e libertà» o lanciavano altri slogan. A poco a poco si levò una cantilena che finì per dominare ogni altro suono fino a che tutti scandirono insieme:

«Sciopero! Sciopero! Sciopero!».

Mack li guardava chiedendosi: Ma cosa ho fatto?

21

Quella mattina, all'ora di colazione Jay Jamisson ricevette un biglietto del padre, laconico come al solito.

Grosvenor Square
ore 8

Vieni a mezzogiorno dove lavoro.

G.J.

In un primo momento temette che avesse scoperto il suo patto con Lennox.

Era andato tutto a meraviglia. Gli armatori avevano boicottato le nuove squadre di scaricatori, come voleva Lennox, il quale aveva restituito le cambiali a Jay, secondo l'accordo. Ma adesso gli scaricatori erano in sciopero e in una settimana non era stato sbarcato a Londra neppure un pezzo di carbone. Sir George aveva forse scoperto che questo non sarebbe successo se non ci fossero stati di mezzo i debiti di gioco di Jay? Il pensiero gli gelava il sangue.

Andò come al solito all'accampamento in Hyde Park, e ottenne dal colonnello Cranbrough il permesso di assentarsi a metà giornata. Fu preoccupato per tutta la mattina, e il suo malumore rese gli uomini irritabili e nervosi i cavalli.

Le campane delle chiese suonavano le dodici quando entrò nel magazzino dei Jamisson in riva al fiume. L'aria polverosa era carica di aromi di spezie: caffè e cannella, rum e porto, pepe e arance. A Jay ricordavano sempre l'infanzia quando i barili e le casse di tè gli sembravano molto più grandi. Ora si sentiva come da bambino, quando aveva commesso qualche birichinata e stava per essere punito. Attraversò il magazzino rispondendo ai saluti deferenti degli uomini, e salì una scala di legno malferma che portava agli uffici. Passò per un atrio occupato dagli impiegati ed entrò nell'ufficio del padre, pieno di carte geografiche, fatture e dipinti di navi.

«Buongiorno, padre» disse. «Dov'è Robert?» Suo fratello era quasi sempre a fianco di Sir George.

«È andato a Rochester. Ma questo riguarda più te che lui. Sir Sidney Armstrong vuole vedermi.»

Armstrong era il braccio destro del segretario di Stato, il visconte Weymouth. Jay s'innervosì ancora di più. Era nei guai col governo, oltre che con suo padre?

«Cosa vuole Armstrong?»

«Vuole che lo sciopero del carbone finisca, e sa che siamo stati noi a causarlo.»

Sembrava che il problema non avesse niente a che vedere coi debiti di gioco, pensò Jay. Ma era ancora in ansia.

«Arriverà da un momento all'altro» aggiunse Sir George.

«Perché viene qui?» Di solito un personaggio tanto importante convocava la gente nel suo ufficio di Whitehall.

«Per motivi di segretezza, immagino.»

Prima che Jay potesse fare altre domande, la porta si aprì e Armstrong entrò. Jay e Sir George si alzarono. Armstrong era un uomo di mezza età, vestito formalmente, con parrucca e spada. Camminava tenendo il naso un po' all'insù, come per far capire che di solito non si immergeva nell'acquitrino delle attività commerciali. A Sir George non era simpatico: Jay lo capì dalla sua espressione mentre gli stringeva la mano e lo invitava ad accomodarsi.

Armstrong rifiutò un bicchiere di vino. «Lo sciopero deve finire» disse. «Per colpa degli scaricatori di carbone metà delle industrie di Londra sono chiuse.»

Sir George rispose: «Abbiamo cercato di convincere i marinai stessi a scaricare le navi, e per un giorno o due ha funzionato».

«E poi cos'è successo?»

«Si sono lasciati convincere, o intimidire, o tutt'e due le cose, e adesso scioperano anche loro.»

«Anche i barcaioli» aggiunse Armstrong in tono esasperato. «Prima che scoppiasse questa storia del carbone c'erano problemi coi sarti, i tessitori di seta, i cappellai, gli operai delle segherie... Non si può andare avanti così.»

«Ma perché è venuto da me, Sir Sidney?»

«Perché ho saputo che ha ispirato il boicottaggio degli armatori, e questo ha provocato gli scaricatori.»

«È vero.»

«Posso chiedere perché?»

Sir George guardò Jay, che deglutì nervosamente e rispose: «Gli appaltatori che organizzano le squadre degli scaricatori si sono rivolti a me. Mio padre e io non volevamo che l'ordine costituito nel porto venisse turbato».

«Certo, è giustissimo» approvò Armstrong, e Jay pensò: Vieni al dunque. «Sapete chi sono i caporioni?»

«Io lo so» rispose Jay. «Il più importante è un certo Malachi McAsh, chiamato Mack. Era tagliatore di carbone nella miniera di mio padre.»

«Mi piacerebbe vedere McAsh arrestato e incriminato per un reato capitale in base alla legge contro le sommosse. Ma dovrebbe essere qualcosa di plausibile: niente accuse prefabbricate o testimoni prezzolati. Dovrebbe esserci una sommossa autentica, guidata senz'ombra di dubbio dagli operai in sciopero, e l'uso di armi da fuoco contro funzionari della Corona, e numerosi morti e feriti.»

Jay era confuso. Armstrong stava forse chiedendo a loro di organizzare una rivolta del genere?

Suo padre però non sembrava per nulla sorpreso. «Si è spiegato in modo molto chiaro, Sir Sidney.» Poi guardò Jay. «Sai dov'è possibile trovare McAsh?»

«No» rispose. Vide l'espressione di disprezzo del padre e si affrettò ad aggiungere: «Ma sono sicuro di poterlo scoprire».

Allo spuntar del giorno Mack svegliò Cora e fece l'amore con lei. Era rincasata alle ore piccole, avvolta dall'odore di tabacco, e Mack l'aveva baciata e si era riaddormentato. Adesso era sveglissimo, mentre lei era insonnolita. Il suo corpo era caldo e rilassato, la pelle morbida, i capelli rossi scarmigliati. Lo abbracciò stretto e gemette sommessamente e alla fine proruppe in un gridolino d'estasi. Poi riprese a dormire.

Mack rimase a guardarla per un po'. Il viso era perfetto, minuto, roseo e regolare, ma il suo modo di vivere lo sconvolgeva. Gli sembrava una crudeltà usare come complice una bambina. Se gliene avesse parlato si sarebbe arrabbiata, e gli avrebbe risposto che nemmeno lui aveva la coscienza pulita perché viveva lì senza pagare l'affitto e mangiava quello che lei comprava col suo denaro malguadagnato.

Si alzò sospirando.

Cora abitava all'ultimo piano di una costruzione malconcia, una rivendita di carbone. Un tempo c'era vissuto il proprietario, ma quando si era arricchito aveva traslocato. Adesso usava il piano terreno come ufficio e aveva affittato a Cora il piano di sopra.

C'erano due camere: in una stava un grande letto, nell'altra un tavolo e qualche sedia. La stanza da letto era piena di vestiti per i quali Cora spendeva quasi tutto ciò che guadagnava. Esther e Annie avevano posseduto due vestiti ciascuna, uno per lavorare e uno per la domenica, ma Cora ne aveva otto o dieci, e tutti di colori vivaci: giallo, rosso, verde vivo e marrone brillante. Aveva scarpe abbinate a ognuno, e calze, guanti e fazzoletti quanti poteva averne una signora.

Mack si lavò la faccia, si vestì in fretta e uscì. Dopo pochi minuti arrivò a casa di Dermot. La famiglia stava facendo colazione. Mack sorrise ai bambini. Ogni volta che usava il condom di Cora si chiedeva se un giorno anche lui avrebbe avuto figli. A volte pensava che gli sarebbe piaciuto che Cora gli desse un bambino; poi ricordava il modo in cui viveva e cambiava idea.

Rifiutò una ciotola di porridge, perché sapeva che non potevano permetterselo. Anche Dermot, come lui, viveva alle spalle di una donna: la moglie faceva la sguattera in una caffetteria, la sera, mentre lui badava ai figli.

«È arrivata una lettera per te» disse Dermot, e gli consegnò un foglio sigillato.

Mack riconobbe la scrittura: era quasi identica alla sua. La lettera era di Esther. Provò una fitta di rimorso. Avrebbe dovuto risparmiare per lei, e invece scioperava e non aveva un soldo.

«Dove, per oggi?» chiese Dermot. Ogni giorno Mack incontrava i suoi luogotenenti in un posto diverso.

«Il bar sul retro della taverna di Queen's Head» rispose.

«Passerò parola.» Dermot si mise il cappello e uscì.

Mack aprì la lettera e cominciò a leggerla.

C'erano molte novità. Annie era incinta e se avesse avuto un maschietto l'avrebbero chiamato Mack. Si sentì salire le lacrime agli occhi. I Jamisson stavano aprendo una nuova miniera nell'High Glen, nella proprietà degli Hallim; l'avevano aperta in fretta e fra pochi giorni Esther sarebbe andata a lavorarvi come portatrice. La notizia lo sorprese. Aveva sentito Lizzie dichiarare che non avrebbe mai permesso l'apertura di miniere nell'High Glen. La moglie del reverendo York si era ammalata di febbri ed era morta: questo non lo colpì più di tanto perché era sempre stata malaticcia. Ed Esther era ancora decisa a lasciare Heugh non appena Mack le avesse mandato la somma necessaria.

Ripiegò il foglio e se lo infilò in tasca. Non doveva permettere che qualcosa minasse la sua determinazione. Prima doveva vincere lo sciopero poi si sarebbe messo a risparmiare.

Baciò i figli di Dermot e andò al Queen's Head.

I suoi uomini stavano già arrivando, e cominciarono subito l'esame della situazione.

Wilson l'Orbo, uno scaricatore che era stato mandato a

controllare le navi da poco ancorate nel fiume, riferì che due carboniere erano arrivate con la marea del mattino. «Vengono tutte e due dal Sunderland» disse. «Ho parlato con un marinaio sbarcato per comprare il pane.»

Mack si rivolse a Charlie Smith. «Va' a bordo di quelle navi e parla coi capitani, Charlie. Spiega perché scioperiamo e chiedigli di avere pazienza. Di' che speriamo che gli armatori cedano presto e permettano alle nuove squadre di scaricare il carbone.»

L'Orbo intervenne: «Perché vuoi mandare un negro? Forse daranno più retta a un inglese».

«Io sono inglese» replicò indignato Charlie.

Mack spiegò: «Molti capitani sono nati nella zona carbonifera del Nord-Est, e Charlie ha il loro accento. Comunque, l'ha fatto altre volte e si è dimostrato un buon ambasciatore».

«Senza offesa, Charlie» disse l'Orbo.

Charlie alzò le spalle e uscì per andare a sbrigare la commissione. Una donna entrò scostandolo e si precipitò, agitatissima, al tavolo di Mack. Era Sairey, la moglie di uno scaricatore bellicoso che si chiamava Buster McBride. «Mack, hanno preso un marinaio che portava a terra un sacco di carbone e ho paura che Buster l'ammazzi.»

«Dove sono?»

«L'hanno chiuso nella latrina dello Swan, ma Buster continua a bere e vuole impiccarlo alla torre dell'orologio, e alcuni lo incitano.»

Erano episodi che si ripetevano di continuo. Gli scaricatori erano sempre sull'orlo della violenza. Finora Mack era riuscito a tenerli a freno. Si rivolse a un ragazzo grande, grosso e affabile che si chiamava Pigskin Pollard. «Va' da loro e calmali, Pigskin. L'ultima cosa che vogliamo è un omicidio.»

«Subito» rispose il ragazzo.

Sopraggiunse Caspar Gordonson. Aveva la camicia sporca di rosso d'uovo e un foglio in mano. «Un convoglio di chiatte sta portando carbone a Londra sul fiume

Lea. Dovrebbe arrivare alla chiusa di Enfield questo pomeriggio.»

«Enfield?» chiese Mack. «È molto lontano?»

«Diciotto chilometri» rispose Gordonson. «Possiamo raggiungerla prima di mezzogiorno, anche andando a piedi.»

«Bene. Dobbiamo occupare la chiusa e impedire che le chiatte passino. Vorrei andare io. Porterò con me dodici uomini.»

Entrò un altro scaricatore. «Sam Barrows il Ciccione, il padrone del Green Man, sta cercando di reclutare una squadra per scaricare la *Spirit of Jarrow*» annunciò.

«Dovrà avere molta fortuna per riuscirci» commentò Mack. «Nessuno ha simpatia per Sam il Ciccione che non ha mai pagato salari onesti in tutta la vita. Comunque, sarà meglio tenere d'occhio la taverna, non si sa mai. Will Trimble, va' a vedere, e informami se c'è pericolo che riesca a mettere insieme sedici uomini.»

«Si è dato alla clandestinità» disse Sidney Lennox. «Ha lasciato il suo alloggio e nessuno sa dov'è.»

Jay era avvilito. Aveva assicurato al padre, in presenza di Sir Philip Armstrong, che avrebbe rintracciato McAsh. Adesso era pentito della promessa. Se non l'avesse mantenuta, il disprezzo di suo padre sarebbe stato bruciante.

Aveva sperato che Lennox sapesse dove trovare McAsh. «Ma se si nasconde, come può guidare lo sciopero?» chiese.

«Compare ogni mattina in una diversa caffetteria. Chissà come, i suoi fedelissimi sanno dove andare. Dà gli ordini e sparisce fino al giorno dopo.»

«Qualcuno deve pur sapere dove dorme» insistette Jay in tono lamentoso. «Se lo troviamo, possiamo stroncare lo sciopero.»

Lennox annuì. Desiderava più di chiunque altro la sconfitta degli scaricatori. «Caspar Gordonson deve saperlo.»

Jay scosse la testa. «È inutile. McAsh ha una donna?»

«Sì, Cora. Ma è un tipo duro. Non parlerà.»

«Deve pur esserci qualcun altro.»
«C'è la ragazzina» disse pensieroso Lennox.
«Quale ragazzina?»
«Peg la Svelta. Va a rubare assieme a Cora. Mi sto chiedendo se...»

A mezzanotte la caffetteria Lord Archer era piena di ufficiali, gentiluomini e puttane. L'aria era satura di fumo e dell'odore del vino. Un violinista suonava in un angolo, ma era quasi impossibile sentirlo, sopra il vociare di cento conversazioni a voce altissima.

Si stavano svolgendo parecchie partite a carte, ma Jay non giocava. Beveva. Aveva deciso di fingersi ubriaco, e per prima cosa si era rovesciato quasi tutto il brandy sul panciotto; ma col passare delle ore aveva bevuto di più e ormai non doveva sforzarsi molto per apparire malfermo sulle gambe. Chip Marlborough aveva bevuto molto fin dall'inizio della serata, ma a quanto pareva non si ubriacava mai.

Jay era troppo preoccupato per divertirsi. Suo padre non avrebbe tollerato scuse: doveva trovargli l'indirizzo di McAsh. Si era gingillato con l'idea di inventarne uno per raccontare poi che McAsh aveva traslocato di nuovo: ma suo padre avrebbe capito che mentiva.

Perciò beveva e sperava di incontrare Cora. Durante la serata diverse ragazze l'avevano abbordato, ma nessuna corrispondeva alla descrizione di Cora: viso grazioso, capelli fiammeggianti, età diciannove o vent'anni. Ogni volta lui e Chip avevano flirtato un po', finché la ragazza capiva che non facevano sul serio e andava in cerca di qualcun altro. Sidney Lennox era una sentinella attenta nella parte opposta della sala: fumava la pipa e giocava a faraone per poste molto basse.

Jay cominciava a pensare che quella sera non avrebbero avuto fortuna. Nel Covent Garden c'erano cento ragazze come Cora. Forse avrebbe dovuto rifare la commedia il giorno dopo, e poi di nuovo, prima di incontrarla. E a casa lo aspettava una moglie che non capiva come mai sentisse il bisogno di passare la serata in un posto dove le signore perbene non mettevano piede.

E mentre pensava con nostalgia all'idea di infilarsi in un letto caldo assieme a Lizzie che lo aspettava ardente di passione, entrò Cora.

Jay fu certo che fosse lei. Era la più bella delle ragazze presenti e i suoi capelli avevano veramente il colore delle fiamme del camino. Era vestita da puttana, con un abito di seta rossa scollatissimo e scarpe rosse con fiocchi, e si guardava attorno con aria professionale.

Jay guardò Lennox e lo vide annuire due volte.

Dio sia ringraziato, pensò.

Girò lo sguardo, incontrò gli occhi di Cora e le sorrise.

Vide un lampo passarle negli occhi come se l'avesse riconosciuto. Poi ricambiò il sorriso e si avvicinò.

Jay era nervoso. Si disse che non doveva far altro che essere affascinante. Aveva affascinato cento donne. Le baciò la mano. Cora usava un profumo al legno di sandalo. «Credevo di conoscere tutte le donne belle di Londra, ma sbagliavo» le disse con galanteria. «Sono il capitano Jonathan e questo è il capitano Chip.» Aveva deciso di non usare il suo vero nome, nell'eventualità che McAsh avesse parlato di lui a Cora. Se avesse scoperto chi era, senza dubbio avrebbe sentito puzza di imbroglio.

«Io sono Cora» rispose lei, squadrandoli tutti e due dalla testa ai piedi. «Che bel duo. Non riesco a decidere qual è il capitano che mi piace di più.»

Chip disse: «La mia famiglia è più nobile di quella di Jay».

«Però la mia è più ricca» ribatté Jay, e chissà perché la risposta li fece ridere entrambi.

«Se sei così ricco, offrimi un brandy» disse Cora.

Jay chiamò con un cenno un cameriere e la invitò a sedersi.

Cora s'infilò sulla panca fra lui e Chip. Il suo alito sapeva di gin. Jay le guardò le spalle e le curve del seno, e non poté trattenersi dal paragonarla a sua moglie. Lizzie era piccolina ma voluttuosa, con fianchi ampi e seno colmo. Cora era più alta e snella, e i suoi seni sembravano due mele accostate in una fruttiera.

La ragazza gli rivolse un'occhiata interrogativa. «Ci conosciamo?»

Jay provò una fitta d'ansia. Possibile che si fossero già incontrati? «Non credo» rispose. Se l'avesse riconosciuto, il gioco sarebbe finito.

«Eppure la tua faccia non mi è nuova. Sono sicura che non ci siamo mai parlati, ma ti ho già visto.»

«Adesso abbiamo l'occasione di conoscerci» disse Jay con un sorriso disperato. Allungò un braccio sullo schienale del sedile e le accarezzò il collo. Lei chiuse gli occhi come se le piacesse, e Jay cominciò a rilassarsi.

Cora era così convincente da fargli quasi dimenticare che stava fingendo. Gli posò una mano sulla coscia, vicino all'inguine. Jay si disse che non doveva provare piacere: doveva fare la commedia. Si rimproverò per aver bevuto un po' troppo. Probabilmente avrebbe avuto bisogno di tutta la sua lucidità.

Il cameriere portò il brandy e Cora lo tracannò d'un fiato. «Vieni, ragazzone» invitò poi. «È meglio che andiamo a prendere un po' d'aria prima che ti scoppino i calzoni.»

Jay si accorse di avere un'erezione ben visibile e arrossì. Cora si alzò, gli fece strada verso la porta e lui la seguì.

Quando furono usciti, lei gli passò un braccio intorno alla vita e lo guidò lungo il porticato della piazza del Covent Garden. Jay le cinse le spalle con un braccio, le insinuò la mano nella scollatura e giocherellò col capezzolo. Ridacchiando, lei svoltò in un vicolo.

Si abbracciarono e si baciarono. Jay le strinse i seni. Aveva completamente dimenticato Lennox e il loro complotto: Cora era calda e ben disposta, e la desiderava. Lei gli passò le mani su tutto il corpo, gli slacciò il panciotto, gli accarezzò il petto e gli infilò le mani nei calzoni. Jay le insinuò la lingua nella bocca e nello stesso tempo cercò di sollevarle la gonna. Sentì aria fredda sul ventre.

Dietro di lui si levò l'urlo di una bambina. Cora sussultò e lo scostò con una spinta, guardò da sopra la sua spalla e si voltò per fuggire, ma Chip Marlborough apparve in quel momento e l'afferrò prima che potesse muovere un passo.

Jay si girò e vide che Lennox lottava per trattenere una bambina che urlava, graffiava, si dibatteva. Nella lotta, alla ragazzina sfuggirono diversi oggetti, e alla luce delle stelle Jay riconobbe il suo borsellino, l'orologio da tasca, il fazzoletto di seta e il sigillo d'argento. Gli aveva vuotato le tasche mentre baciava Cora. Sebbene se l'aspettasse, non aveva sentito nulla. Però si era immedesimato un po' troppo nella parte che stava recitando.

La ragazzina smise di dibattersi e Lennox disse: «Vi porto tutt'e due davanti a un magistrato. Il borseggio è un reato capitale».

Jay si guardò intorno. Quasi si aspettava che gli amici di Cora si precipitassero a difenderla, ma nessuno aveva notato il tafferuglio nel vicolo.

Chip lanciò un'occhiata all'inguine di Jay e commentò: «Puoi metter via la tua arma, capitano Jamisson... la battaglia è finita».

Molti uomini ricchi e potenti erano magistrati, e Sir George Jamisson non faceva eccezione. Anche se non andava mai in tribunale, aveva il diritto di fare i processi in casa sua. Poteva condannare i colpevoli a essere frustati, marchiati o incarcerati, e rinviare a un processo all'Old Bailey gli accusati di reati più gravi.

Stava aspettando Jay, perciò non era andato a letto, ma era irritato per essere stato costretto a rimanere alzato fino a tardi. «Vi aspettavo verso le dieci» li accolse burbero quando entrarono nel salotto della casa di Grosvenor Square.

Cora, che aveva le mani legate e veniva trascinata da

Chip Marlborough, esclamò: «E così ci aspettavi! Era tutto organizzato... luridi maiali!».

Sir George la rimbeccò: «Chiudi quella bocca o ti farò frustare sulla piazza prima ancora di cominciare».

Cora dovette credergli perché non disse altro.

Sir George prese un foglio e intinse la penna nel calamaio. «Jay Jamisson è l'accusatore. Denuncia di essere stato borseggiato da...»

Lennox disse: «La chiamano Peg la Svelta, signore».

«Non posso scrivere questo» scattò Sir George. «Qual è il tuo vero nome, bambina?»

«Peggy Knapp, signore.»

«E la donna?»

«Cora Higgins» rispose Cora.

«Borseggiato da Peggy Knapp con la complicità di Cora Higgins. Al reato hanno assistito...»

«Sidney Lennox, proprietario della taverna Sun a Wapping.»

«E il capitano Marlborough?»

Chip alzò le mani in un gesto di scusa. «Preferisco non essere coinvolto, se è sufficiente la testimonianza del signor Lennox.»

«Sarà senz'altro sufficiente, capitano» disse Sir George. Era sempre gentile con Chip, perché doveva a suo padre una somma cospicua. «È stato molto gentile ad aiutarci a catturare queste ladre. Ora, cos'hanno da dire le accusate?»

Cora parlò per prima: «Non sono sua complice... Non l'ho mai vista prima in vita mia». Peg soffocò un'esclamazione e la fissò, incredula, ma lei continuò: «Sono andata a passeggio con un bel giovane, ecco tutto. Non potevo immaginare che quella l'avrebbe borseggiato».

Lennox intervenne: «Lo sanno tutti che lavorano in coppia, Sir George... le ho viste insieme molte volte».

«Ho sentito abbastanza» tagliò corto Sir George. «Vi mando tutt'e due alla prigione di Newgate con l'accusa di borseggio.»

Peg scoppiò in lacrime. Cora era impallidita per la paura.

«Ma perché ci fate questo?» chiese, e puntò l'indice verso Jay. «Tu mi stavi aspettando.» Poi si girò verso Lennox. «Tu ci hai seguiti. E lei, Sir George, è rimasto alzato fino a quest'ora per incriminarci, quando dovrebbe essere a letto. Cosa significa tutto questo? Cosa vi abbiamo fatto io e Peg?»

Sir George non le badò. «Capitano Marlborough, la prego, accompagni fuori la donna e la sorvegli per qualche istante.» Tutti attesero mentre Chip conduceva fuori Cora e chiudeva la porta. Poi Sir George si rivolse a Peg. «Ora, bambina, qual è la pena per i borseggiatori? Lo sai?»

Peg era pallida e tremava. «Il collare dello sceriffo» mormorò.

«Se ti riferisci all'impiccagione, è esatto. Ma sapevi che qualcuno, anziché essere impiccato, viene deportato in America?»

La ragazzina annuì.

«Sono quelli che hanno amici influenti disposti a intercedere e a ottenere la clemenza del giudice. Tu hai qualche amico influente?»

Peg scosse la testa.

«Bene, e se ti dicessi che sarò io, il tuo amico influente, e intercederò per te?»

Lei lo fissò con una luce di speranza negli occhi.

«Però dovrai fare qualcosa per me.»

«Cosa?»

«Ti salverò dall'impiccagione se ci dirai dove abita Mack McAsh.»

Nella stanza ci fu silenzio per un momento che parve interminabile.

«Nella soffitta sopra il deposito di carbone in Wapping High Street» disse alla fine Peg, e scoppiò in lacrime.

22

Per Mack fu una sorpresa, al risveglio, scoprire che era solo.

Cora non era mai rimasta fuori fino allo spuntar del giorno. Viveva con lei da due settimane appena e non conosceva tutte le sue abitudini, ma era preoccupato.

Si alzò e si comportò come al solito. Passò la mattina alla caffetteria St. Luke, inviò messaggi e ricevette rapporti. Chiese a tutti se avevano visto Cora, se sapevano qualcosa di lei, ma inutilmente. Mandò qualcuno alla taverna Sun per parlare con Peg la Svelta, ma anche lei se n'era andata la sera prima e non era tornata.

Nel pomeriggio raggiunse il Covent Garden e fece il giro delle taverne e delle caffetterie interrogando le puttane e i camerieri. Molti avevano visto Cora la sera prima. Una cameriera del Lord Archer l'aveva notata mentre usciva in compagnia di un ubriaco giovane e ben vestito. Da quel momento ogni traccia si perdeva.

Andò a casa di Dermot a Spitalfields nella speranza di avere notizie. Dermot stava dando la cena ai figli: un brodo fatto con le ossa. Aveva chiesto di Cora per tutto il giorno, ma non aveva saputo nulla.

Tornò a casa che era buio, augurandosi di trovarla lì ad aspettarlo a letto. Ma le stanze erano fredde, buie e deserte.

Accese una candela, sedette e rifletté. Fuori, in Wapping High Street, le taverne si andavano riempiendo. Anche se erano in sciopero, gli scaricatori trovavano i soldi per la birra. Mack avrebbe voluto unirsi a loro, ma per prudenza non si mostrava mai di notte nelle taverne.

Mangiò un po' di pane e formaggio e lesse un romanzo che gli aveva prestato Gordonson, *Tristram Shandy*. Ma non riusciva a concentrarsi. Più tardi, quando ormai cominciava a pensare che Cora fosse morta, sentì trambusto in strada.

Udì uomini gridare e correre, e un movimento di carri e cavalli. Andò alla finestra, preso dal timore che gli scaricatori provocassero uno scontro.

Il cielo era sereno e c'era una mezza luna, e Mack poteva vedere l'intera strada. Dieci o dodici carri trainati da cavalli avanzavano sulla via sterrata, evidentemente diretti al deposito di carbone. Li seguiva una folla di uomini che gridavano e lanciavano battute di scherno; altri uscivano dalle taverne a ogni angolo per unirsi a loro.

La scena aveva tutta l'aria del prologo di una sommossa.

Mack imprecò. Era l'ultima cosa che voleva.

Si staccò dalla finestra e scese correndo la scala. Se fosse riuscito a parlare agli uomini sui carri e a convincerli a non scaricare, avrebbe scongiurato l'esplosione della violenza.

Quando arrivò in strada il primo carro stava svoltando nel deposito. Mentre lui correva verso di loro, gli uomini che conducevano i carri balzarono a terra e cominciarono a scagliare pezzi di carbone contro la folla. Alcuni scaricatori furono colpiti, altri raccolsero i frammenti e li rilanciarono. Mack sentì una donna urlare e ne vide altre spingere i bambini al riparo.

«Fermatevi!» gridò. Corse fra gli scaricatori e i carri, con le braccia alzate. «Fermatevi!» Gli uomini lo riconobbero e per un momento scese il silenzio. Con sollievo, Mack notò Charlie Smith tra la folla. «Cerca di mantenere l'ordine, Charlie, per amor di Dio!» gli gridò. «Parlerò con quella gente.»

«State calmi tutti quanti» ordinò Charlie. «Lasciate fare a Mack.»

Mack voltò le spalle agli scaricatori. Sui lati della strada la gente si era affacciata alle porte, curiosa di vedere cosa succedeva ma pronta a rientrare in fretta. C'erano almeno cinque uomini su ogni carro. Nel silenzio innaturale, Mack si avvicinò al primo veicolo. «Chi comanda, qui?» chiese.

Un uomo si fece avanti nel chiaro di luna. «Io.»

Mack riconobbe Sidney Lennox.

L'incontro inatteso lo sconcertò e lo confuse. Cosa stava succedendo? Perché Lennox cercava di consegnare il carbone a un deposito? Si sentì assalire dalla gelida premonizione di un disastro.

Vide il padrone del deposito, Jack Cooper, che tutti chiamavano Jack il Nero perché era sempre coperto di polvere di carbone come un minatore. «Jack, chiudi i cancelli, per amor di Dio» implorò. «Se continua così, ci scapperà il morto.»

Cooper aveva un'aria ostile. «Devo guadagnarmi da vivere.»

«E sarà così, quando finirà lo sciopero. Non vorrai veder scorrere il sangue in Wapping High Street, vero?»

«Ormai ho dato la mia parola e non mi tirerò indietro.»

Mack lo fissò con durezza. «Chi ti ha chiesto di farlo, Jack? C'è di mezzo qualcun altro?»

«Sono padrone di me stesso... nessuno può dirmi cosa devo fare.»

Mack cominciò a capire cos'era successo e si infuriò. Si girò verso Lennox: «È stato lei a pagarlo. Perché?».

Furono interrotti dal suono di una campanella che veniva suonata con forza. Mack si voltò e vide tre uomini alla finestra del primo piano della taverna Frying Pan. Uno suonava la campanella, l'altro reggeva una lanterna. Il terzo, fra gli altri due, portava la parrucca e la spada e quindi doveva essere un personaggio importante.

Quando la campanella smise di suonare, il terzo si presentò: «Sono Roland MacPherson, giudice di pace di Wapping, e dichiaro che è in corso una sommossa». Poi si mise a leggere il passo pertinente della legge Antisommosse.

Quando veniva dichiarato che era in corso una sommossa, tutti dovevano disperdersi entro un'ora. Chi non obbediva era punibile con la morte.

Il magistrato era arrivato in fretta, pensò Mack. Evidentemente era lì che aspettava nella taverna il momento di fare la sua comparsa. Tutto l'episodio era stato pianificato con cura.

Ma a che scopo? Sembrava che fossero intenzionati a provocare una sommossa che avrebbe screditato gli scaricatori e offerto il pretesto per impiccare i capi dello sciopero. Cioè lui.

La sua prima reazione fu un impulso aggressivo. Avrebbe voluto urlare: "Se cercano una sommossa, gliene daremo una che non dimenticheranno mai... bruceremo Londra!". Avrebbe voluto strozzare Lennox. Ma si impose di calmarsi e di riflettere con lucidità. Come poteva sventare il piano di Lennox?

L'unica possibilità era cedere e lasciare che il carbone venisse consegnato.

Si rivolse agli scaricatori che si erano radunati in una massa minacciosa presso i cancelli spalancati del deposito. «Ascoltatemi» disse. «È un complotto per spingerci alla sommossa. Se andremo pacificamente a casa vinceremo in astuzia i nostri nemici. Se resteremo qui a batterci saremo perduti.»

Vi fu un brusio di malcontento.

Mio Dio, pensò Mack, come sono stupidi. «Non capite?» insisté. «Cercano un pretesto per impiccare qualcuno di noi. Perché dargli ciò che vogliono? Andiamo a casa, stasera. Continueremo a batterci domani!»

«Ha ragione» intervenne Charlie. «Guardate chi c'è... Sidney Lennox. Ha in mente qualche brutto tiro, potete star sicuri.»

Diversi scaricatori cominciarono ad annuire e Mack

pensò che forse ce l'avrebbe fatta. Poi udì Lennox gridare: «Prendetelo!».

Diversi uomini si gettarono tutti insieme contro di lui. Si voltò per fuggire, ma uno l'agguantò e lo fece cadere nel fango. Mentre si dibatteva, udì le grida degli scaricatori e comprese che stava per avere inizio ciò che aveva temuto: una battaglia campale.

Lo prendevano a pugni e calci, ma non sentiva i colpi mentre lottava per rimettersi in piedi. Poi gli uomini che l'aggredivano furono scostati con violenza dagli scaricatori, e poté rialzarsi.

Si guardò rapido intorno. Lennox era sparito. I gruppi rivali riempivano la via stretta. Da ogni parte erano in corso combattimenti corpo a corpo. I cavalli s'impennavano e si agitavano nitrendo per il terrore. L'istinto lo spingeva a gettarsi nella mischia e cominciare a picchiare, ma si trattenne. Qual era il sistema più rapido per mettere fine allo scontro? Si chiese riflettendo intensamente. Gli scaricatori non si sarebbero ritirati: era contro la loro natura. La soluzione migliore poteva essere portarli in una posizione difensiva e augurarsi che tutto si concludesse.

Afferrò il braccio di Charlie. «Cerchiamo di entrare nel deposito e di chiudere i cancelli» disse. «Avverti gli uomini!»

Charlie corse da un uomo all'altro per riferire l'ordine e gridò per farsi sentire nel fragore della battaglia. «Nel deposito! Chiudete i cancelli! Teneteli fuori!» Poi, con orrore, Mack udì un colpo di moschetto.

«Cosa diavolo succede?» chiese, ma nessuno lo ascoltava. Da quando i carrettieri portavano armi da fuoco? Chi erano quegli uomini?

Vide un moschetto a canna corta puntato contro di lui. Prima che potesse muoversi, Charlie afferrò l'arma, la torse contro l'uomo che la impugnava e sparò. L'uomo cadde morto.

Mack bestemmiò. Charlie, adesso, rischiava la forca.

Qualcuno gli si avventò addosso. Mack lo schivò e gli sferrò un pugno al mento stendendolo.

Indietreggiò e cercò di riflettere rapidamente. La lotta si svolgeva davanti alla sua finestra. Doveva essere stato tutto preordinato. Avevano scoperto il suo indirizzo. Chi l'aveva tradito?

I primi spari furono seguiti da un crepitio irregolare. I lampi rischiaravano la notte e l'odore della polvere da sparo si mescolava nell'aria alla polvere di carbone. Mack gridò, indignato, mentre diversi scaricatori cadevano a terra, morti o feriti. Le mogli avrebbero dato la colpa a lui, e avrebbero avuto ragione: aveva messo in moto un meccanismo e non era riuscito a tenerlo sotto controllo.

Quasi tutti gli scaricatori si accalcarono nel deposito, dove c'era abbondanza di carbone da lanciare. Si batterono freneticamente per tener fuori i carrettieri. I muri del cortile li proteggevano dal fuoco dei moschetti che crepitava a intermittenza.

Gli scontri erano più accaniti all'ingresso del deposito, e Mack si accorse che se fosse riuscito a chiudere l'alto cancello di legno forse la battaglia si sarebbe esaurita. Si fece largo a spintoni nella mischia, si piazzò dietro a uno dei battenti e cominciò a spingere. Diversi scaricatori lo videro e accorsero per aiutarlo. Il battente, muovendosi, spingeva parecchi uomini che si azzuffavano, e Mack pensò che in pochi istanti sarebbero riusciti a chiuderlo. Poi fu bloccato da un carro.

Ansimò per riprendere fiato e gridò: «Spostate il carro, spostatelo!».

Il suo piano cominciava a ottenere qualche risultato, notò con un guizzo di speranza. Il battente formava una barriera parziale fra le due fazioni. Del resto, il primo furore dello scontro era passato, e la smania di battersi veniva smorzata dalle ferite, dai lividi e dalla vista dei compagni feriti o uccisi. L'istinto di conservazione si riaffermava e adesso cercavano il modo di disimpegnarsi con dignità.

Mack cominciò a sperare che ben presto il combattimento sarebbe finito. Se lo scontro fosse terminato prima che qualcuno chiamasse i soldati, l'episodio sarebbe stato considerato una scaramuccia di importanza relativa e lo sciopero avrebbe continuato ad apparire come una protesta sostanzialmente pacifica.

Una dozzina di scaricatori cominciò a trascinare il carro fuori dal deposito mentre altri spingevano i battenti. Qualcuno tagliò i finimenti del cavallo che, spaventato, si mise a correre in tondo, a nitrire e scalciare. «Continuate a spingere! Non vi fermate!» urlò Mack mentre grossi pezzi di carbone piovevano su di loro. Il carro usciva molto adagio, e il cancello si chiudeva con lentezza esasperante.

Poi Mack udì un rumore che spazzò via tutte le speranze: il passo di marcia dei soldati.

Le guardie avanzavano lungo Wapping High Street, e le loro uniformi bianche e rosse splendevano nel chiaro di luna. Jay cavalcava in testa alla colonna e faceva procedere il cavallo al passo. Stava per ottenere quello che aveva detto di desiderare: entrare in azione.

Manteneva un'espressione impassibile, ma il cuore gli martellava in petto. Udiva il rombo della battaglia scatenata da Lennox: uomini che gridavano, cavalli che nitrivano, moschetti che sparavano. Jay non aveva mai usato una spada o un'arma da fuoco in combattimento: sarebbe stata la prima volta. Si diceva che un branco di scaricatori di carbone avrebbe avuto paura dei soldati disciplinati e ben addestrati, ma non si sentiva troppo sicuro.

Il colonnello Cranbrough gli aveva assegnato la missione e l'aveva mandato in azione senza un ufficiale superiore. In condizioni normali Cranbrough avrebbe comandato di persona il distaccamento, ma sapeva che era questo un caso speciale, con pesanti interferenze politiche, e voleva restarne fuori. All'inizio Jay ne era stato compiaciuto, ma adesso si rammaricava di non avere un superiore esperto ad aiutarlo.

Sulla carta il piano di Lennox era parso infallibile, ma

mentre si avviava verso la battaglia, Jay si accorgeva che era pieno di difetti. E se quella sera McAsh si fosse trovato altrove? E se fosse fuggito prima che lui potesse arrestarlo?

Man mano che si avvicinavano al deposito la marcia rallentava, e alla fine Jay si accorse che riuscivano a procedere molto adagio. Nel vedere i soldati, molti rivoltosi fuggirono e altri si misero al riparo, ma alcuni scagliarono pezzi di carbone che piovvero su Jay e i suoi uomini. Senza esitare, continuarono tuttavia ad avanzare fino al cancello del deposito e, com'era stato prestabilito, si disposero in posizione per sparare.

Avrebbero sparato un'unica scarica. Erano così vicini ai nemici che non avrebbero avuto il tempo di ricaricare.

Jay alzò la spada. Gli scaricatori erano intrappolati nel cortile. Avevano tentato di chiudere il cancello, ma adesso lo lasciarono andare e i battenti si spalancarono. Qualcuno scavalcò il muro, altri cercarono pateticamente di ripararsi dietro i mucchi di carbone o le ruote di un carro. Era come sparare alle galline in un pollaio.

All'improvviso sul muro comparve McAsh. Il viso e le spalle ampie erano rischiarati dalla luna. «Fermatevi!» urlò. «Non sparate!»

Va' all'inferno, pensò Jay.

Abbassò la spada e gridò: «Fuoco!».

I moschetti spararono con un rumore di tuono. Una coltre di fumo nascose per un momento i soldati. Dieci o dodici scaricatori caddero: alcuni urlavano per il dolore, altri erano ammutoliti dalla morte. McAsh balzò dal muro e s'inginocchiò accanto alla figura immobile e insanguinata di un negro. Alzò gli occhi e incontrò lo sguardo di Jay, che si sentì gelare il sangue vedendo la sua espressione di furore.

Jay gridò: «Carica!».

Gli scaricatori aggredirono i soldati con uno slancio che sorprese Jay. Si aspettava che fuggissero, e invece schivavano spade e moschetti per attaccare corpo a corpo, si battevano con bastoni, pezzi di carbone, pugni e calci. Jay rimase sbigottito nel veder cadere diversi uomini in uniforme.

Si guardò intorno per cercare McAsh ma non lo vide.

Imprecò. L'unico scopo della messinscena era l'arresto di McAsh. Questo aveva chiesto Sir Sidney, e Jay aveva promesso di accontentarlo. Non era possibile che McAsh se la fosse svignata.

All'improvviso se lo trovò davanti.

Invece di fuggire, avanzava verso di lui.

McAsh afferrò le briglie del cavallo. Jay alzò la spada, e l'altro schivò aggirandolo sulla sinistra. Jay sferrò un colpo impacciato e lo mancò. McAsh si raddrizzò di scatto, lo afferrò per la manica e tirò. Jay cercò di liberare il braccio con uno strattone, ma non ci riuscì. Senza poterlo evitare, Jay scivolò di lato sulla sella e quando il suo avversario tirò di nuovo fu disarcionato.

Adesso temeva per la propria vita.

Riuscì ad atterrare in piedi, ma un attimo dopo le mani di McAsh gli strinsero la gola. Tirò indietro la spada ma, prima di poter colpire, McAsh si chinò e gli sferrò una testata alla faccia. Per un momento rimase accecato e il sangue caldo gli scorse sul viso. Mulinò la spada all'impazzata, urtò qualcosa e pensò di aver ferito McAsh, ma la stretta intorno alla gola non si allentò. Ritrovò la vista, lo guardò negli occhi e vi scorse un furore omicida. Era terrorizzato. Se avesse potuto parlare, avrebbe implorato pietà.

Uno dei suoi uomini lo vide in difficoltà e mulinò il moschetto. Il calcio colpì McAsh all'orecchio. Per un momento la stretta si allentò, poi ridivenne forte come prima. Il soldato sferrò un altro colpo. McAsh cercò di schivarlo ma non fu abbastanza pronto, e il pesante calcio di legno colpì con un rumore così forte che lo si udì nonostante il fragore della battaglia. Per una frazione di secondo la presa soffocante di McAsh aumentò e Jay si sforzò disperatamente di respirare come se stesse annegando. Poi McAsh roteò gli occhi, staccò le mani dal collo di Jay e si accasciò a terra privo di sensi.

Respirando a fatica, Jay si appoggiò alla spada. A poco a poco il terrore lo abbandonò. La faccia gli bruciava come il fuoco, e doveva avere il naso rotto. Ma mentre guardava l'uomo steso a terra ai suoi piedi, non provava altro che soddisfazione.

23

Quella notte Lizzie non dormì.

Jay le aveva detto che poteva scoppiare qualche disordine, perciò era rimasta ad attenderlo seduta in camera da letto, con un romanzo aperto sulle ginocchia ma senza riuscire a leggere. Jay rincasò alle ore piccole tutto sporco di sangue e terriccio e con una benda sul naso. Lizzie fu così felice di vederlo vivo che gli gettò le braccia al collo e lo strinse a sé, rovinando la camicia da notte di seta bianca che indossava.

Svegliò la servitù e ordinò acqua calda, poi mentre lui le raccontava cos'era successo, senza tralasciare nulla, lo aiutò a togliersi l'uniforme lurida, lo lavò e gli portò una camicia da notte pulita.

Più tardi, mentre erano sdraiati sul grande letto a baldacchino, gli chiese titubante: «Credi che impiccheranno McAsh?».

«Lo spero proprio» le rispose, toccandosi con delicatezza la benda. «Abbiamo testimoni che dichiareranno di averlo visto aizzare la folla e aggredire i tutori dell'ordine. Non penso che il giudice gli infliggerà una condanna leggera, nel clima attuale. Se avesse amici influenti disposti a intercedere per lui, sarebbe diverso.»

Lizzie aggrottò la fronte. «Non mi è mai sembrato un violento. Insubordinato, disobbediente, insolente, arrogante, questo sì... ma non brutale.»

Jay assunse un'espressione soddisfatta. «Forse hai ragione. Ma tutto era stato organizzato in modo che non avesse scelta.»

«Cosa vorresti dire?»

«Sir Sidney Armstrong è venuto in segreto al magazzino per parlare con me e papà. Ci ha detto che voleva che McAsh venisse arrestato per violazione della legge Antisommosse. In pratica ci ha ordinato di fare in modo che ciò accadesse, e quindi io e Lennox abbiamo organizzato la sommossa.»

Lizzie ne fu sconvolta. Si sentiva anche peggio al pensiero che Mack fosse stato attirato in un tranello. «E Sir Sidney è compiaciuto di ciò che hai fatto?»

«Sì. E il colonnello Cranbrough è rimasto impressionato favorevolmente dal modo in cui ho domato la sommossa. Posso dare le dimissioni e lasciare l'esercito con una reputazione irreprensibile.»

Poi Jay volle far l'amore, ma Lizzie era troppo turbata per gradire le sue carezze. Di solito le piaceva divertirsi a letto, farlo girare sulla schiena e stargli sopra scambiando le posizioni, baciarlo, parlare e ridere, e naturalmente lui si accorse che reagiva in modo diverso. Quando ebbe finito, commentò: «Sei molto tranquilla».

Inventò una scusa: «Ho avuto paura di farti male».

Le credette, e dopo qualche istante si addormentò. Lizzie rimase sveglia. Era la seconda volta che rimaneva sconvolta per l'atteggiamento del marito verso la giustizia... e in entrambe le occasioni c'era stato di mezzo Lennox. Jay non era malvagio, di questo era sicura, ma poteva essere indotto al male da altri, soprattutto da uomini decisi come Lennox. Era contenta di partire dall'Inghilterra entro un mese. Dal momento in cui fossero salpati, non avrebbero più rivisto quell'individuo.

Comunque, non riusciva ad addormentarsi. Provava un'opprimente sensazione di gelo alla bocca dello stomaco. Mack McAsh stava per essere impiccato. Era inorridita assistendo all'esecuzione di cinque sconosciuti, la mattina che era andata a Tyburn Cross travestita da uomo. Il pensiero che il suo amico d'infanzia facesse la stessa fine le era intollerabile.

La sorte di Mack non la riguardava, si disse. Era fuggito, aveva violato la legge, aveva scioperato e partecipato a una sommossa. Aveva fatto di tutto per mettersi nei guai: adesso non toccava a lei salvarlo. Doveva essere leale verso il marito.

Tutto vero, ma non riusciva a dormire.

Si alzò quando la prima luce dell'alba illuminò gli orli delle tende. Decise di cominciare a fare i bagagli per il viaggio. Quando si presentarono i servitori, ordinò di cominciare a riempire i bauli impermeabili coi regali di nozze: biancheria da tavola, posate, servizi di piatti e di bicchieri, pentole e tegami e coltelli da cucina.

Jay si svegliò dolorante e di malumore. Per colazione bevve un bicchiere di brandy, poi andò a raggiungere il reggimento. La madre di Lizzie, che era ancora ospite nella foresteria della casa dei Jamisson, venne a trovarla poco dopo che Jay era uscito. Andarono in camera da letto e cominciarono a piegare le calze, le sottovesti e i fazzoletti.

«Con quale nave viaggerete?» chiese Lady Hallim.

«La *Rosebud*. Appartiene ai Jamisson.»

«E quando arriverete in Virginia... come raggiungerete la piantagione?»

«Le navi oceaniche possono risalire il fiume Rapahannock fino a Fredericksburg, che è appena a quindici chilometri da Mockjack Hall.» Lizzie capì che sua madre era in ansia all'idea di vederla partire per un lungo viaggio in mare. «Non preoccuparti, mamma, i pirati non ci sono più.»

«Devi portare a bordo un barile di acqua pura e tenerlo nella vostra cabina... non spartirlo con l'equipaggio. Ti preparerò una cassetta di medicinali, caso mai vi sentiste male.»

«Grazie, mamma.» Se si teneva conto del poco spazio, dei viveri guasti e dell'acqua putrida, era più probabile morire di malattia che per mano dei pirati.

«Quanto impiegherete?»

«Sei o sette settimane.» Lizzie sapeva che quello era il minimo: se per caso la nave finiva fuori rotta, il viaggio poteva durare anche tre mesi, e in quel caso il rischio di ammalarsi sarebbe stato molto maggiore. Comunque, lei e Jay erano giovani, forti e sani, e sarebbero sopravvissuti. E sarebbe stata una vera avventura!

Non vedeva l'ora di conoscere l'America. Era un continente nuovo dove tutto sarebbe stato diverso: gli uccelli, gli alberi, il cibo, l'aria, la gente. Si sentiva fremere ogni volta che ci pensava.

Viveva a Londra da quattro mesi e la detestava ogni giorno di più. La buona società l'annoiava a morte. Spesso lei e Jay cenavano in compagnia di altri ufficiali e delle mogli, ma gli ufficiali parlavano di partite a carte e di generali incapaci, le donne s'interessavano soltanto ai cappellini e alla servitù. Per Lizzie era impossibile prender parte alle loro conversazioni; ma se diceva francamente ciò che pensava le scandalizzava.

Una o due volte la settimana andavano a cena in Grosvenor Square. Là, almeno, la conversazione verteva su argomenti seri: gli affari, la politica, l'ondata di scioperi e disordini dilagata a Londra quella primavera. Ma i Jamisson vedevano le cose in modo del tutto unilaterale. Sir George inveiva contro gli operai, Robert prediceva disastri e Jay proponeva un energico intervento dei militari. Nessuno, neppure Alicia, aveva abbastanza immaginazione per vedere il conflitto dal punto di vista dell'altra parte in causa. Lizzie non pensava che gli operai facessero bene a scioperare, naturalmente, ma era convinta che avessero ragioni che a loro sembravano valide. Quella possibilità non veniva mai presa in considerazione allo scintillante tavolo della sala da pranzo di Grosvenor Square.

«Immagino che sarai contenta di tornare a Hallim House» disse Lizzie alla madre.

Lady Hallim annuì. «I Jamisson sono molto gentili, ma ho nostalgia della mia casa, per quanto sia umile.»

Lizzie stava mettendo in un baule i suoi libri preferiti, *Robinson Crusoe, Tom Jones, Roderick Random*, tutti romanzi d'avventura, quando un lacchè bussò e annunciò Caspar Gordonson.

Chiese al lacchè di ripetere il nome del visitatore, perché stentava a credere che Gordonson osasse venire a parlare con qualcuno della famiglia Jamisson. Avrebbe dovuto rifiutare di riceverlo: aveva incoraggiato e sostenuto lo sciopero che stava danneggiando gli interessi di suo suocero. Ma la curiosità ebbe la meglio, come sempre: disse al lacchè di far accomodare il visitatore in salotto.

Comunque, non aveva intenzione di mostrarsi amichevole. «Ha causato una quantità di problemi» disse subito, appena entrata.

Si accorse con sorpresa che non era il tipo saccente e aggressivo che si aspettava bensì un uomo disordinato, miope, con la voce acuta e i modi di un insegnante distratto. «Non ne avevo l'intenzione» le rispose. «Cioè... sì, ne avevo l'intenzione, naturalmente... ma non per quanto la riguarda.»

«Perché è venuto? Se mio marito fosse in casa la butterebbe fuori.»

«Mack McAsh è stato incriminato ai sensi della legge Antisommosse e rinchiuso nel carcere di Newgate. Fra tre settimane sarà processato all'Old Bailey. È un reato punibile con l'impiccagione.»

Quelle parole furono per lei come un pugno allo stomaco, ma nascose i suoi sentimenti. «Lo so» rispose con freddezza. «È una tragedia... un uomo giovane e forte, con tutta la vita davanti.»

«Deve sentirsi in colpa» disse Gordonson.

«Sciocco insolente!» scattò lei. «Chi ha indotto McAsh a credersi un uomo libero? Chi gli ha detto che aveva dei diritti? Lei! È lei che dovrebbe sentirsi in colpa!»

«Infatti è così» rispose Gordonson senza alzare la voce.

Lizzie si stupì: si era aspettata una decisa smentita.

Quell'umiltà la placò. Le salirono le lacrime agli occhi, ma si sforzò di ricacciarle indietro.

«Lei sa che molte persone riconosciute colpevoli di reati capitali non vengono impiccate.»

«Lo so.» C'era ancora qualche speranza, naturalmente. Lizzie si rasserenò un poco. «Crede che Mack possa ottenere la grazia dal re?»

«Dipende da chi è disposto a intervenire in suo favore. Nel nostro sistema legale, gli amici influenti sono fondamentali. Io intercederò per lui, ma le mie parole non conteranno molto. Troppi giudici mi odiano. Se a intercedere fosse lei, invece...»

«Non posso!» protestò Lizzie. «Mio marito è l'accusatore di McAsh, e sarebbe un gesto terribilmente sleale da parte mia.»

«Potrebbe salvargli la vita.»

«Ma Jay farebbe la figura dell'idiota!»

«Non pensa che capirebbe...»

«No! Ne sono sicura. Nessun marito potrebbe capire.»

«Ci pensi...»

«No! Farò qualcos'altro. Io...» Lizzie rifletté in cerca di un'ispirazione. «Scriverò al signor York, il pastore della chiesa di Heugh. Lo pregherò di venire a Londra a intercedere per Mack al processo.»

Gordonson obiettò: «Un parroco di campagna scozzese? Non credo che avrà molta influenza. L'unica certezza di ottenere clemenza è che sia lei a intercedere».

«Non se ne parla neppure.»

«Non starò a discutere... riuscirei solo a renderla ancora più decisa» replicò Gordonson. Andò alla porta. «Può cambiare idea in qualunque momento. Basta che vada all'Old Bailey fra tre settimane. E non dimentichi che la vita di Mack può dipendere da lei.»

Uscì, e Lizzie lasciò libero sfogo alle lacrime.

Mack era in uno degli stanzoni comuni del carcere di Newgate.

Non riusciva a ricordare tutto ciò che gli era successo la notte precedente. Rammentava in modo nebuloso di essere stato legato, gettato sul dorso di un cavallo e portato attraverso la città. Rammentava una costruzione imponente, con le sbarre alle finestre, il cortile selciato, una scala e una porta a borchie. Poi l'avevano condotto lì. Era buio e non aveva potuto vedere molto. Esausto e dolorante, si era addormentato.

Al risveglio si era trovato in una stanza grande più o meno quanto l'appartamento di Cora. Faceva freddo: non c'erano vetri alle finestre né fuoco nel camino. Il lezzo era tremendo. Assieme a lui erano stipate almeno trenta persone fra uomini, donne e bambini, più un cane e un maiale. Tutti dormivano sul pavimento e dividevano un grande vaso da notte.

C'era un andirivieni continuo. Molte donne uscirono al mattino presto e Mack scoprì che non erano detenute bensì mogli di detenuti che corrompevano i carcerieri per passare lì la notte. I carcerieri portarono viveri, birra, gin e giornali a chiunque poteva pagare i loro prezzi esosi. Molti carcerati andarono a trovare gli amici tenuti in altre stanze. Un prigioniero ricevette la visita di un ecclesiastico, un altro quella di un barbiere. Sembrava che tutto fosse permesso: ma tutto doveva essere pagato.

Molti ridevano della loro situazione e scherzavano sui loro reati. C'era un'atmosfera di allegria che irritava Mack. Si era appena svegliato quando qualcuno gli offrì una sorsata di gin e qualcun altro una tirata di pipa, come se fossero a un matrimonio.

Mack era tormentato da dolori in tutto il corpo, soprattutto alla testa. Sulla nuca aveva un bernoccolo incrostato di sangue. Si sentiva disperatamente pessimista. Aveva fallito in tutto. Era fuggito da Heugh per essere libero, ed era in carcere. Si era battuto per i diritti degli scaricatori di carbone e per causa sua alcuni di loro erano stati uccisi. Aveva perduto Cora. L'avrebbero processato per tradimento, sommossa oppure omicidio. E probabilmente sarebbe morto sulla forca. Molti di coloro che gli stavano intorno avevano altrettanti motivi per rattristarsi, ma forse erano troppo stupidi per rendersi conto della loro sorte.

La povera Esther non avrebbe mai lasciato il villaggio. Adesso si rammaricava di non averla condotta con sé. Avrebbe potuto travestirsi da uomo, come faceva Lizzie Hallim. Sarebbe stata un marinaio più efficiente di lui, perché era più agile. E col suo buon senso sarebbe forse riuscita a tenerlo lontano dai guai.

Si augurò che il figlio di Annie fosse un maschio. Così, almeno, ci sarebbe stato un altro Mack. E forse Mack Lee avrebbe avuto una vita più felice e più lunga di Mack McAsh.

Il suo morale era a terra quando una guardia aprì la porta ed entrò Cora.

Aveva la faccia sporca e l'abito rosso tutto strappato, ma era sempre incantevole e tutti si voltarono a guardarla.

Mack si alzò in piedi di scatto e l'abbracciò fra gli evviva degli altri carcerati.

«Cosa ti è successo?» le chiese.

«Mi hanno arrestata per borseggio... ma è stato per causa tua» rispose lei.

«Come sarebbe a dire?»

«Era una trappola. Sembrava un qualsiasi giovane ricco e ubriaco, ma era Jay Jamisson. Ci hanno catturate e portate davanti a suo padre. Il borseggio è un reato capitale. Ma hanno offerto la grazia a Peg... purché gli dicesse dove vivevi.»

Mack provò un impulso di collera verso Peg che l'aveva tradito, ma era soltanto una bambina, non poteva prendersela con lei. «Dunque è così che l'hanno saputo.»

«E a te cos'è successo?»

Mack le descrisse la sommossa.

Quando ebbe finito, Cora commentò: «Cristo, McAsh, tu porti davvero sfortuna!».

Era vero, pensò. Tutti quelli che conosceva finivano nei guai. «Charlie Smith è morto» annunciò.

«Devi parlare con Peg» disse Cora. «È convinta che la odi.»

«Odio me stesso per averla messa in questa situazione.»

Cora alzò le spalle. «Non sei stato tu a dirle di rubare. Vieni.»

Bussò alla porta e un carceriere aprì. Cora gli passò una moneta, indicò Mack col pollice e disse: «È con me». La guardia annuì e li lasciò uscire.

Lo precedette in un corridoio fino a un'altra porta. Entrarono in una stanza molto simile a quella che avevano appena lasciato. Peg era seduta sul pavimento, in un angolo. Quando vide Mack, si alzò con aria spaventata. «Mi dispiace tanto» disse. «Mi hanno costretta. Mi dispiace tanto!»

«Non è stata colpa tua» disse Mack.

Gli occhi di Peg si riempirono di lacrime. «Ti ho tradito» mormorò.

«Non dire sciocchezze.» La prese fra le braccia e lei cominciò a singhiozzare.

Caspar Gordonson portò quanto occorreva per un banchetto: zuppa di pesce in una capace terrina, un enorme pezzo di bue, pane fresco, diversi orci di birra e una crema dolce. Pagò il carceriere per avere a disposizione una stanza privata con tavolo e sedie. Mack, Cora e Peg, condotti dalle guardie, lo raggiunsero. Sedettero e cominciarono a mangiare.

Mack era affamato, ma si accorse di avere poco appetito. Era troppo preoccupato. Voleva sapere cosa pensava Gordonson delle possibilità che avrebbe avuto al processo. Si impose di pazientare e bevve un po' di birra.

Quando ebbero terminato, il servitore di Gordonson sparecchiò e portò pipe e tabacco. Gordonson prese una pipa, e anche Peg, che aveva quel vizio da adulta.

Poi l'avvocato cominciò dal caso di Peg e Cora. «Ho parlato col legale della famiglia Jamisson dell'accusa di borseggio» disse. «Sir George manterrà la promessa e chiederà clemenza per Peg.»

«Mi sorprende» commentò Mack. «I Jamisson non hanno l'abitudine di mantenere la parola.»

«Ah, be', vogliono qualcosa» spiegò Gordonson. «Vede, per loro sarebbe imbarazzante se Jay dicesse in tribunale di aver abbordato Cora pensando che fosse una prostituta. Perciò vogliono far credere che lei lo incontrò casualmente per strada e si fermò a parlare con lui mentre Peg lo derubava.»

Peg disse, in tono sprezzante: «E noi dovremmo stare al gioco per proteggere la reputazione di Jay».

«Se volete che Sir George interceda per voi, sì.»

Cora concluse: «Non abbiamo scelta. Naturalmente faremo quello che ci viene chiesto».

«Bene.» Gordonson si rivolse a Mack. «Vorrei che il suo caso fosse altrettanto facile.»

Mack protestò: «Ma non ho partecipato a nessuna sommossa!».

«Non è andato via dopo la lettura della legge Antisommosse.»

«In nome di Dio... Ho cercato di convincere tutti ad andarsene, ma i ruffiani di Lennox ci hanno attaccati.»

«Consideriamo la situazione passo per passo.»

Mack trasse un profondo respiro e dominò l'esasperazione. «D'accordo.»

«L'accusatore dirà semplicemente che è stata letta la legge Antisommosse e lei non se n'è andato, quindi è colpevole e dev'essere impiccato.»

«Sì, ma tutti sanno che dietro c'è ben altro!»

«E appunto questa sarà la sua difesa. Sosterrà che l'accusa ha raccontato solo metà della storia. Può portare testimoni che affermino che ha chiesto a tutti di disperdersi?»

«Sicuro. Dermot Riley può portare sul banco dei testimoni tutti gli scaricatori che vogliamo. Però dovremmo chiedere ai Jamisson perché il carbone è stato portato proprio in quel deposito e a quell'ora di notte!»

«Ecco...»

Mack batté il pugno sul tavolo. «La sommossa era stata preparata nei dettagli. E dobbiamo dirlo.»

«Sarebbe difficile provarlo.»

Mack era infuriato dall'atteggiamento di Gordonson. «La sommossa è stata causata da un complotto... non vorrà tacerlo, vero? Se i fatti non vengono fuori in aula, quando mai verranno fuori?»

Peg chiese: «Lei ci sarà al processo, signor Gordonson?».

«Sì. Ma può darsi che il giudice non mi lasci parlare.»

«E perché, in nome di Dio?» chiese indignato Mack.

«Perché, in teoria, se lei è innocente non ha bisogno dell'assistenza di un avvocato per dimostrarlo. Ma qualche volta i giudici fanno delle eccezioni.»

«Spero che ci tocchi un giudice ben disposto» disse ansiosamente Mack.

«Il giudice dovrebbe aiutare l'imputato. Ha il dovere di fare in modo che le argomentazioni della difesa risultino chiare alla giuria. Ma non ci conti. Si affidi alla verità. È l'unica cosa che può salvarla dal boia.»

24

Il giorno del processo i detenuti furono svegliati alle cinque.

Dermot Riley arrivò dopo qualche minuto con l'abito da prestare a Mack: era quello del suo matrimonio, e Mack si commosse. Portò anche un rasoio e un pezzo di sapone. Mezz'ora più tardi Mack aveva un'aria rispettabile e si sentiva pronto ad affrontare il giudice.

Con Cora, Peg e altri quindici o venti, fu legato e condotto fuori dalla prigione, lungo Newgate Street, poi in una via laterale, l'Old Bailey, e quindi lungo un vicolo fino al tribunale.

Caspar Gordonson lo aspettava, e gli indicò varie persone e il loro ruolo. Il cortile davanti all'edificio era già pieno di gente: accusatori, testimoni, giurati, avvocati, amici e parenti, curiosi e probabilmente anche puttane e ladri venuti per fare qualche affare. I detenuti furono scortati attraverso il cortile, oltre un cancello e nel recinto degli imputati, che era già pieno di gente proveniente presumibilmente da altre prigioni: Fleet, Bridewell e Ludgate. Da lì, Mack poteva vedere l'imponente tribunale. Una gradinata di pietra conduceva al piano terreno che da un lato era aperto e ornato da una fila di colonne. All'interno, su un'alta piattaforma, c'era il banco del giudice. Ai due lati c'erano gli spazi recintati per i giurati e balconate per i funzionari del tribunale e gli spettatori privilegiati.

A Mack ricordava un teatro: ma lì il cattivo era lui.

Rimase affascinato a osservare mentre la corte iniziava la lunga serie dei processi. La prima imputata era una donna accusata di aver rubato in una bottega quindici metri di un tessuto a buon mercato, misto di lino e lana. L'accusatore era il bottegaio, e stimava che la stoffa valesse quindici scellini. Il testimone, un commesso, giurò che la donna aveva preso la pezza di tessuto ed era andata alla porta poi, quando si era accorta di essere osservata, l'aveva lasciata cadere ed era fuggita. La donna affermò che aveva soltanto guardato la stoffa, ma non aveva mai avuto intenzione di rubarla.

I giurati si consultarono. Appartenevano al cosiddetto ceto medio: erano piccoli commercianti, artigiani e simili. Detestavano l'illegalità e il furto, ma diffidavano del governo e difendevano gelosamente la libertà... la loro, quanto meno.

Giudicarono colpevole la donna, ma valutarono la stoffa quattro scellini, molto meno del suo vero valore. Gordonson spiegò che il furto di merce per più di cinque scellini comportava l'impiccagione. Il verdetto aveva voluto impedire che il giudice la condannasse a morte.

La sentenza, però, non fu pronunciata subito. Sarebbero state lette tutte insieme al termine della giornata.

Il processo era durato non più di un quarto d'ora. Gli altri furono sbrigati con la stessa rapidità: pochi richiesero più di mezz'ora. Cora e Peg furono processate insieme a metà pomeriggio. Mack sapeva che era tutto concordato, ma incrociò ugualmente le dita e si augurò che le cose andassero secondo i piani.

Jay Jamisson testimoniò che Cora aveva attaccato discorso con lui per strada mentre Peg lo borseggiava. Chiamò Sidney Lennox come il testimone che aveva visto tutto e l'aveva avvertito. Cora e Peg non contestarono la sua versione.

La loro ricompensa fu l'apparizione di Sir George, il quale dichiarò che si erano rese utili collaborando alla cattura di un altro criminale e chiese al giudice di condannarle alla deportazione anziché a morte.

Il giudice annuì con aria comprensiva, ma anche quella sentenza sarebbe stata pronunciata al termine della giornata.

Il caso di Mack fu chiamato pochi minuti dopo.

Lizzie non pensava ad altro che al processo.

Aveva pranzato alle tre e, dato che Jay sarebbe rimasto in tribunale tutto il giorno, sua madre venne per pranzare con lei e tenerle compagnia.

«Mi sembri grassottella, mia cara» osservò Lady Hallim. «Mangi molto?»

«Al contrario» rispose Lizzie. «A volte il cibo mi fa star male. È per l'agitazione del trasferimento in Virginia, immagino. E adesso c'è questo orribile processo.»

«Non ti riguarda» disse vivacemente Lady Hallim. «Ogni anno dozzine di persone finiscono impiccate per reati molto meno gravi. Non è possibile che sia graziato solo perché lo conoscevi da bambino.»

«Come puoi sapere se ha commesso un reato o no?»

«Se non l'ha commesso, non sarà condannato. Sono sicura che lo tratteranno come chiunque altro sia così stupido da farsi coinvolgere in una sommossa.»

«Ma non l'ha fatto!» protestò Lizzie. «Jay e Sir George hanno provocato apposta i disordini per poterlo arrestare e stroncare lo sciopero degli scaricatori di carbone... me l'ha detto Jay.»

«Avranno avuto le loro buone ragioni.»

Gli occhi di Lizzie si riempirono di lacrime. «Mamma, non ti sembra ingiusto?»

«Questo non riguarda né me né te, Lizzie» le rispose sua madre con fermezza.

Per nascondere la sua angoscia, Lizzie mangiò una cucchiaiata di dessert, purea di mele con lo zucchero. Ma la nausea l'assalì e posò il cucchiaio. «Caspar Gordonson ha detto che potrei salvargli la vita se intercedessi per lui in tribunale.»

«Il cielo non voglia!» Lady Hallim era esterrefatta. «Vorresti metterti contro tuo marito in un'aula di tribunale? Non parlarne neppure!»

«Ma è in gioco la vita di un uomo! Pensa alla sua povera sorella... pensa quanto soffrirà quando saprà che è morto impiccato.»

«Mia cara, quelli sono minatori, non sono come noi. La vita, per loro, vale poco, e non soffrono come noi. Sua sorella si ubriacherà di gin e tornerà in miniera.»

«Non puoi credere una cosa simile, mamma, lo so!»

«Forse sto esagerando. Ma sono sicura che è inutile preoccuparsi per queste cose.»

«Non posso farne a meno. È un giovane coraggioso che voleva soltanto essere libero, e non sopporto l'idea che finisca appeso alla forca.»

«Puoi pregare per lui.»

«È quello che faccio» rispose Lizzie.

L'accusatore era un avvocato, Augustus Pym.

«Lavora spesso per il governo» bisbigliò Gordonson a Mack. «Devono averlo pagato bene per rappresentare l'accusa in questo processo.»

Dunque, pensò Mack, il governo voleva vederlo impiccato. Era desolante.

Gordonson si avvicinò al banco e si rivolse al giudice: «Milord, dato che l'accusa sarà sostenuta da un avvocato di professione, mi consente di rappresentare il signor McAsh?».

«Certo che no» rispose il giudice. «Se McAsh non può convincere la giuria senza un aiuto esterno, non può avere argomenti seri.»

Mack aveva la gola secca. Il cuore gli batteva forte. Doveva battersi da solo per la propria vita. Ebbene, avrebbe combattuto fino in fondo.

Pym esordì: «Il giorno in questione, un carico di carbone è stato trasportato nel deposito del signor John Cooper, conosciuto come Jack il Nero, in Wapping High Street».

Mack corresse: «Non era giorno... era notte».

Il giudice intervenne: «Non faccia osservazioni sciocche».

«Non è affatto sciocca» ribatté Mack. «Chi mai ha sentito parlare di consegne di carbone alle undici di sera?»

«Silenzio. Continui, signor Pym.»

«Gli uomini che erano andati a fare la consegna sono stati aggrediti da un gruppo di scaricatori in sciopero, perciò sono stati avvertiti i magistrati di Wapping.»

«Da chi?» chiese Mack.

«Dal padrone della taverna Frying Pan, il signor Harold Nipper» rispose Pym.

«Un appaltatore» commentò Mack.

Il giudice si intromise: «Mi pare che sia un rispettabile commerciante».

Pym proseguì: «Il signor Roland MacPherson, giudice di pace, è arrivato e ha proclamato che era in corso una sommossa. Gli scaricatori hanno rifiutato di disperdersi».

«Siamo stati attaccati!» esclamò Mack.

Non gli badarono. «Allora il signor MacPherson ha chiamato i militari, com'era suo diritto e dovere. È arrivato un distaccamento del Terzo Guardie a Piedi comandato dal capitano Jamisson. L'imputato è stato arrestato assieme ad altri. Il primo testimone della Corona è John Cooper.»

Jack il Nero dichiarò che aveva disceso il fiume fino a Rochester e aveva acquistato del carbone che vi era stato scaricato. L'aveva portato a Londra coi carri.

Mack chiese: «Chi era il proprietario della nave?».

«Non lo so... ho trattato col capitano.»

«La nave da dove veniva?»

«Da Edimburgo.»

«È possibile che fosse di Sir George Jamisson?»

«Non lo so.»

«Chi le ha detto che avrebbe potuto acquistare carbone a Rochester?»

«Sidney Lennox.»

«Un amico dei Jamisson.»

«Non lo so.»

Il secondo testimone di Pym fu Roland MacPherson, il quale giurò di aver letto la legge Antisommosse alle undici e un quarto della sera. La folla aveva rifiutato di disperdersi.

Mack osservò: «È arrivato sul posto molto in fretta».

«Già.»

«Chi l'ha chiamato?»

«Harold Nipper.»

«Il padrone del Frying Pan.»

«Sì.»

«Ha dovuto fare molta strada?»

«Non capisco.»

«Dov'era lei quando Nipper l'ha chiamato?»

«Nel locale sul retro della sua taverna.»

«Molto comodo! Eravate d'accordo?»

«Sapevo che ci sarebbe stata una consegna di carbone e temevo che scoppiassero disordini.»

«Chi l'aveva preavvertito?»

«Sidney Lennox.»

Uno dei giurati esclamò: «Oh!».

Mack lo guardò. Era un uomo abbastanza giovane, con un'espressione scettica, e poteva essere un potenziale alleato nella giuria.

Alla fine Pym chiamò Jay Jamisson. Questi parlò con disinvoltura, ma il giudice aveva l'aria un po' annoiata, come se fossero due amici che discutevano una cosa priva d'importanza. Mack avrebbe voluto urlare: "Siate seri! C'è di mezzo la mia vita!".

Jay disse che era stato mandato con un distaccamento delle guardie alla Torre di Londra.

Il giurato scettico lo interruppe: «Cosa ci faceva?»

Jay sembrò colto di sorpresa dalla domanda. Non disse nulla.

«Mi risponda» insistette il giurato.

Jay si girò verso il giudice che lanciò uno sguardo seccato al giurato e disse, con evidente riluttanza: «Deve rispondere alla domanda, capitano».

«Ci tenevamo pronti» rispose Jay.

«Pronti per cosa?» chiese il giurato.

«Nell'eventualità che fosse necessario il nostro intervento per mantenere l'ordine nella parte orientale della città.»

«È là che siete acquartierati di solito?» chiese il giurato.

«No.»

«E allora, dove?»

«In Hyde Park, al momento.»

«Dall'altra parte di Londra.»

«Sì.»

«Quante notti avete fatto queste eccezionali spedizioni alla Torre?»

«Una sola.»

«Come mai vi trovavate là proprio quella sera?»

«Immagino che i miei superiori temessero qualche guaio.»

«Suppongo che li avesse avvertiti Sidney Lennox» commentò il giurato, e molti risero.

Pym riprese a interrogare Jay, e questi disse che quando era arrivato coi suoi uomini al deposito di carbone era in corso una sommossa, e questo era vero. Disse che Mack l'aveva attaccato, vero anche questo, ma poi era stato messo fuori combattimento da un soldato.

Mack gli chiese: «Cosa pensa degli scaricatori di carbone che si ribellano?».

«Penso che infrangano la legge e che debbano essere puniti.»

«Crede che la maggior parte della gente sia d'accordo con lei, così, in generale?»

«Sì.»

«Pensa che la sommossa metterà la gente contro gli scaricatori?»

«Ne sono sicuro.»

«Quindi la sommossa rende più probabile un intervento drastico da parte dell'autorità per mettere fine allo sciopero?»

«È quello che mi auguro.»

Accanto a Mack, Caspar Gordonson mormorava: «Eccellente, eccellente! È caduto nella trappola!».

«E quando lo sciopero finirà, le navi carboniere della famiglia Jamisson saranno scaricate e voi potrete ricominciare a vendere il vostro carbone.»

Jay cominciò a capire dove lo stava conducendo, ma era troppo tardi. «Sì.»

«La fine dello sciopero per lei vale un mucchio di soldi.»

«Sì.»

«Quindi la sommossa degli scaricatori le farà guadagnare parecchio.»

«Può evitare che la mia famiglia continui a perdere.»

«Per questo ha collaborato con Sidney Lennox nel provocare la sommossa?» Mack si voltò.

«Non ho fatto niente del genere!» protestò Jay, ma stava parlando alla nuca di Mack.

Gordonson commentò: «Dovrebbe fare l'avvocato, Mack. Dove ha imparato ad argomentare così?».

«Dalla signora Wheighel» rispose lui.

Gordonson lo guardò senza capire.

Pym non aveva altri testimoni. Il giurato scettico chiese: «Non vogliamo ascoltare questo Lennox?».

«La Corona non ha altri testimoni» ripeté Pym.

«Bene, io credo che dovremmo ascoltarlo. Sembra che ci sia lui, dietro a tutto.»

«I giurati non possono chiamare testimoni» tagliò corto il giudice.

Mack chiamò il primo dei suoi, uno scaricatore irlandese conosciuto come Michael il Rosso per il colore dei capelli. Il Rosso raccontò che Mack era quasi riuscito a convincere gli scaricatori di carbone a tornare a casa quando erano stati attaccati.

Al termine della testimonianza il giudice chiese: «Lei che lavoro fa, giovanotto?».

«Lo scaricatore di carbone, signore» rispose Michael.

Il giudice commentò: «La giuria ne terrà conto quando dovrà decidere se crederle o no».

Mack si sentì stringere il cuore. Il giudice faceva il possibile per mettergli contro la giuria. Chiamò il secondo testimone, ma anche quello era uno scaricatore ed ebbe lo stesso trattamento. Anche il terzo e ultimo era uno scaricatore. Era così perché si erano trovati sulla scena e avevano visto esattamente cos'era successo.

I suoi testimoni erano stati liquidati. Ormai era rimasto solo, col suo carattere e la sua eloquenza.

«Scaricare il carbone è un lavoro tremendamente faticoso» cominciò. «Possono farlo soltanto gli uomini giovani e forti. Ma è ben pagato: durante la mia prima settimana ho guadagnato sei sterline. Le ho guadagnate ma non le ho avute: la maggior parte della paga mi è stata rubata da un appaltatore.»

Il giudice lo interruppe. «Questo non c'entra affatto» disse. «L'accusa è di sommossa.»

«Io non ho partecipato a nessuna sommossa» replicò Mack. Respirò a fondo, si concentrò, quindi continuò. «Mi sono semplicemente rifiutato di permettere che gli appaltatori rubassero i miei guadagni. Ecco la mia colpa. Gli appaltatori si arricchiscono derubando gli scaricatori di carbone. Ma quando gli scaricatori hanno deciso di mettersi in proprio, cos'è successo? Sono stati boicottati dagli armatori. E chi sono gli armatori? La famiglia Jamisson, legata in modo inestricabile a questo processo.»

Irritato, il giudice intervenne. «Può provare che non ha preso parte alla sommossa?»

Il giurato scettico esclamò: «La cosa importante è che gli scontri sono stati istigati da altri».

Mack non si lasciò intimidire dall'interruzione. Continuò a parlare. «Signori della giuria, ponetevi qualche domanda.» Distolse gli occhi dai giurati e fissò Jay. «Chi ha ordinato che i carri di carbone venissero portati lungo Wapping High Street a un'ora in cui le taverne sono piene di scaricatori? Chi li ha mandati al deposito dove abito io? Chi ha pagato gli uomini che scortavano i carri?» Il giudice tentò di intromettersi ancora una volta, però Mack alzò la voce e proseguì: «Chi gli ha dato i moschetti e le munizioni? Chi ha fatto in modo che i soldati fossero nelle immediate vicinanze? Chi ha orchestrato la sommossa?». Si voltò di scatto e guardò i giurati. «Conoscete già la risposta, no?» Continuò a fissarli ancora per un momento, poi si girò.

Tremava. Aveva fatto tutto il possibile, e adesso la sua vita era nelle mani di altri.

Gordonson si alzò. «Stavamo aspettando un testimone che doveva parlare in favore di McAsh... il reverendo York, pastore della chiesa del suo villaggio... ma non è ancora arrivato.»

Mack non era molto deluso, perché non si aspettava che la testimonianza di York servisse a molto, come non lo credeva Gordonson.

Il giudice disse: «Se arriva potrà parlare prima della condanna». Gordonson inarcò le sopracciglia e il giudice si corresse: «Voglio dire... a meno che la giuria ritenga non colpevole l'imputato, perché in questo caso ogni ulteriore testimonianza sarebbe superflua, naturalmente. Signori, a voi il verdetto».

Mack studiò impaurito i giurati mentre conferivano fra loro. Pensò sgomento che apparivano poco ben disposti verso di lui. Forse si era espresso in termini troppo forti. «Cosa ne pensa?» chiese a Gordonson.

L'avvocato scosse la testa. «È difficile per loro credere che i Jamisson abbiano partecipato a un complotto con Sidney Lennox. Avrebbe fatto meglio a sostenere che gli scaricatori erano animati da buone intenzioni ma hanno agito con poca saggezza.»

«Io ho detto la verità» disse Mack. «Non posso evitarlo.»

Gordonson sorrise mestamente. «Se non fosse fatto così, non sarebbe in questo guaio.»

I giurati stavano discutendo. «Di cosa diavolo parlano?» disse Mack. «Se almeno potessimo sentirli!» Vedeva il giurato scettico agitare l'indice con aria decisa. Gli altri lo ascoltavano o erano schierati contro di lui?

«Ringrazi il cielo» disse Gordonson. «Più discutono e meglio è per lei.»

«Perché?»

«Se discutono, vuol dire che hanno qualche dubbio. E se hanno dubbi, devono giudicarla non colpevole.»

Mack continuò a guardarli, preoccupato. Il giurato scettico scrollò le spalle e si voltò, e Mack temette che fosse stato battuto nella discussione. Il portavoce gli disse qualcosa, e lui annuì.

Il portavoce si avvicinò al banco del giudice.

Il giudice chiese: «Avete raggiunto un verdetto?».

«Sì.»

Mack trattenne il respiro.

«Come ritenete l'imputato?»

«Colpevole secondo l'accusa.»

Lady Hallim disse: «Il tuo interesse per questo minatore è piuttosto strano, mia cara. Un marito potrebbe considerarlo criticabile».

«Oh, mamma, non dire sciocchezze.»

Bussarono alla porta della sala da pranzo. Entrò un lacchè. «Il reverendo York, signora.»

«Che piacevole sorpresa!» esclamò Lady Hallim. Era sempre stata affezionata a York. A bassa voce aggiunse: «Sua moglie è morta, Lizzie, te l'ho detto? E l'ha lasciato solo con tre figli».

«Ma cos'è venuto a fare qui?» chiese ansiosa Lizzie. «Dovrebbe essere all'Old Bailey. Fallo entrare subito.»

Il pastore entrò. Sembrava che si fosse vestito in gran fretta. Prima che Lizzie potesse chiedergli come mai non era al processo, disse qualcosa che distolse i suoi pensieri da Mack.

«Lady Hallim, signora Jamisson. Sono arrivato a Londra poche ore fa e sono venuto da voi appena possibile per esprimervi le più sentite condoglianze. È stato certo un colpo...»

La madre di Lizzie disse: «No...» poi strinse le labbra.

«... un colpo terribile per voi.»

Lizzie lanciò alla madre uno sguardo sconcertato e chiese: «Di cosa sta parlando, signor York?».

«Il disastro nella miniera, naturalmente.»

«Non so nulla... anche se vedo che mia madre ne è informata...»

«Bontà divina, mi dispiace moltissimo di averla sconvolta. Una galleria è crollata nella sua miniera, e sono morte venti persone.»

Lizzie si sentì mancare l'aria: «È tremendo» mormorò. Vedeva con gli occhi della mente venti tombe nuove nel piccolo camposanto vicino al ponte. Doveva essere uno strazio: tutti, nei dintorni, dovevano avere qualcuno da piangere. Ma c'era un'altra cosa che la preoccupava: «Perché ha parlato della "mia" miniera?».

«High Glen.»

Lei si sentì agghiacciare. «Nell'High Glen non ci sono miniere.»

«C'è solo quella nuova, naturalmente... quella che è stata aperta quando lei ha sposato il signor Jamisson.»

Lizzie fu invasa da un gelido furore. Si girò di scatto verso la madre. «Tu lo sapevi, vero?»

Lady Hallim ebbe il buon gusto di vergognarsi. «Mia cara, era l'unica soluzione possibile. Per questo Sir George vi ha assegnato la piantagione in Virginia...»

«Mi hai tradita!» esclamò Lizzie. «Mi avete ingannata, tutti quanti! Perfino mio marito. Come avete potuto? Come avete potuto fare una cosa simile?»

Sua madre si mise a piangere. «Pensavamo che non l'avresti mai saputo. Stavi partendo per l'America...»

Le sue lacrime non attenuarono l'indignazione di Lizzie. «Pensavate che non l'avrei mai scoperto? Non posso credere alle mie orecchie!»

«Non fare gesti avventati, ti prego.»

Un pensiero spaventoso colpì Lizzie. Si rivolse al pastore. «La sorella gemella di Mack...»

«Purtroppo Esther McAsh è tra le vittime» rispose lui.

«Oh, no!» Mack ed Esther erano stati la prima coppia di gemelli che Lizzie avesse mai visto, e l'avevano affascinata. Da bambini era difficile distinguerli finché non si imparava a conoscerli meglio. Più tardi, Esther era sembrata una versione femminile di Mack, con gli stessi straordinari occhi verdi e i muscoli robusti. Lizzie li ricordava, pochi mesi prima, fianco a fianco davanti alla chiesa. Esther aveva detto a Mack di chiudere il becco, e Lizzie aveva riso. Adesso Esther era morta e Mack stava per finire sulla forca...

La sua mente tornò a Mack. «Il processo è oggi!» esclamò.

York disse: «Oh, bontà divina, non lo sapevo... sono in ritardo?».

«Forse no, se va subito.»

«Vado, vado. È molto lontano?»

«Un quarto d'ora a piedi, cinque minuti in portantina. Vengo con lei.»

Lady Hallim obiettò: «No, ti prego...».

Il tono di Lizzie era duro. «Non cercare di fermarmi, mamma. Intercederò di persona per la vita di Mack. Abbiamo ucciso la sorella... forse riusciremo a salvare il fratello.»

«Vengo con voi» si arrese Lady Hallim.

Il cortile del tribunale era affollato, e Lizzie si sentiva confusa e sperduta. York e sua madre non le erano d'aiuto. Si fece largo fra la gente, in cerca di Gordonson o di Mack. Arrivò a un muretto che chiudeva un cortile interno e finalmente vide Mack e Caspar Gordonson attraverso la ringhiera. Quando chiamò, Gordonson varcò un cancelletto e la raggiunse.

Nello stesso istante apparvero Sir George e Jay.

Jay disse in tono di rimprovero: «Lizzie, perché sei venuta?».

Lei non gli badò. Parlò a Gordonson. «Questo è il reverendo York, del nostro villaggio in Scozia. È venuto a chiedere clemenza per Mack.»

Sir George puntò l'indice contro il pastore. «Se ha un po' di buon senso, lei se ne torna subito in Scozia.»

Lizzie continuò: «E anch'io intercederò».

«Grazie» rispose fervidamente Gordonson. «È la cosa migliore che potesse fare.»

Lady Hallim intervenne: «Ho cercato di fermarla, Sir George».

Jay arrossì per la rabbia e afferrò il braccio di Lizzie. «Come ti permetti di umiliarmi così?» sibilò. «Ti proibisco nel modo più assoluto di parlare.»

«Sta cercando di intimidire la testimone?» chiese Gordonson.

Jay si impressionò e lasciò il braccio di Lizzie. Un avvocato con un fascio di carte passò in mezzo al piccolo gruppo. Jay disse: «È proprio necessario che discutiamo qui, dove tutti possono vederci?».

«Sì» rispose Gordonson. «Non possiamo lasciare il tribunale.»

Sir George chiese a Lizzie: «Cosa diavolo intendi dire, ragazza?».

Il tono arrogante la esasperò. «Sa maledettamente bene cosa intendo dire» ribatté. Gli uomini rimasero allibiti nel sentirla parlare così e due o tre che si trovavano vicino a loro si voltarono a guardarla. Lei ignorò quelle reazioni. «Avete organizzato la sommossa per prendere in trappola McAsh. Non ho intenzione di restare inerte a guardare mentre voi lo mandate sulla forca.»

Sir George diventò paonazzo. «Ricorda che sei mia nuora e...»

«Silenzio, George» lo interruppe lei. «Non mi farò intimidire.»

Sir George era allibito. Lizzie era sicura che nessuno gli aveva mai ordinato di tacere.

Jay non intendeva cedere. «Non puoi metterti contro tuo marito!» attaccò. «È una slealtà!»

«Una slealtà?» ripeté Lizzie in tono sprezzante. «Chi diavolo sei, tu, per parlarmi di lealtà? Mi avevi giurato che non avresti estratto il carbone dalla mia terra... e invece l'hai fatto. Mi hai tradita il giorno delle nozze!»

Tutti tacquero e per un momento Lizzie poté udire un testimone parlare a voce alta al di là del muro. «Allora hai saputo dell'incidente» commentò Jay.

Lizzie respirò a fondo. «Diciamo che a partire da oggi io e Jay vivremo vite separate. Saremo sposati soltanto di nome. Io tornerò a casa mia, in Scozia, dove nessun membro della famiglia Jamisson sarà benvenuto. Quanto alla mia intercessione in favore di McAsh, non intendo aiutarvi a far impiccare il mio amico, quindi voi due potete andare a farvi fottere!»

Sir George era troppo stupefatto per aprire bocca. Da anni nessuno gli parlava così. Era letteralmente paonazzo, gli occhi gli schizzavano dalle orbite e balbettava senza riuscire a pronunciare una sola parola comprensibile.

Caspar Gordonson si rivolse a Jay: «Posso darle un suggerimento?».

Jay gli rivolse un'occhiata ostile ma borbottò bruscamente: «Dica, dica pure».

«La signora Jamisson potrebbe lasciarsi convincere a non testimoniare... a una condizione.»

«Quale?»

«Lei, Jay, chiederà clemenza per Mack.»

«No, assolutamente» rispose Jay.

Gordonson continuò: «Si otterrebbe lo stesso risultato, ma si risparmierebbe alla famiglia l'imbarazzo di una moglie che si contrappone al marito in tribunale». Gordonson assunse un'espressione accattivante. «Così, invece, lei farà una figura magnanima. Potrebbe dire che Mack lavorava in una miniera dei Jamisson e perciò la famiglia intende mostrarsi misericordiosa.»

Il cuore di Lizzie diede un guizzo di speranza. L'intercessione di Jay, l'ufficiale che aveva domato la rivolta, sarebbe stata molto più convincente della sua.

Lizzie vide l'esitazione negli occhi di Jay mentre soppesava le conseguenze. Poi disse, controvoglia: «Immagino che dovrò accettare».

Prima che Lizzie avesse il tempo di esultare, intervenne Sir George: «C'è una condizione, e so che per Jay sarà inderogabile».

Lizzie intuì ciò che stava per accadere.

Sir George la guardò: «Devi scordare tutte quelle sciocchezze sulle vite separate. Sarai una brava moglie per Jay sotto ogni punto di vista».

«No!» gridò lei. «Mi ha tradita... come posso fidarmi? Non voglio saperne.»

Sir George concluse: «Allora Jay non chiederà clemenza per McAsh».

Gordonson intervenne. «Devo farle presente, Lizzie, che l'intercessione di Jay sarà molto più efficace della sua, perché lui è l'accusatore.»

Lizzie era sconvolta. Non era giusto... la costringevano a scegliere fra la vita di Mack e la sua. Come poteva prendere una decisione del genere? Si sentiva dolorosamente dilaniata.

Tutti la guardavano: Jay, Sir George, Gordonson, sua madre e York. Sapeva di dover cedere, ma qualcosa dentro di lei non glielo permetteva. «No» disse in tono di sfida. «Non scambierò la mia vita con quella di Mack.»

Gordonson disse: «Ci pensi bene».

Poi intervenne Lady Hallim : «Devi farlo» disse.

Lizzie la fissò. Era logico che sua madre la esortasse a scegliere la soluzione più convenzionale. Ma vide anche che stava per scoppiare in lacrime. «Cosa c'è?»

Lady Hallim si mise a piangere. «Devi essere una buona moglie per Jay.»

«Perché?»
«Perché avrai un bambino.»
Lizzie la fissò. «Cosa? Di cosa stai parlando?»
«Sei incinta» disse sua madre.
«Come lo sai?»
Lady Hallim parlò fra i singhiozzi. «Ti si è ingrossato il seno e il cibo ti dà la nausea. Sei sposata da due mesi: era prevedibile.»
«Oh, mio dio!» Lizzie era allibita. La novità cambiava tutto. Un bambino? Com'era possibile? Poi ricordò che non aveva più avuto i suoi corsi dal giorno delle nozze. Quindi era vero. Il suo corpo l'aveva intrappolata. Jay era il padre di suo figlio. E sua madre aveva intuito che questa era l'unica cosa che poteva farle cambiare idea.
Guardò il marito e gli lesse sul viso un'espressione di collera mista a supplica. «Perché mi hai mentito?» gli chiese.
«Non volevo. Ma ho dovuto farlo» rispose lui.
Lizzie era amareggiata. Il suo amore per lui non sarebbe più stato lo stesso, lo sapeva. Ma era pur sempre suo marito.
«Sta bene» disse. «Accetto.»
Caspar Gordonson concluse: «Allora siamo tutti d'accordo».
A Lizzie quelle parole sembrarono una condanna a morte.

«Oh, sì! Oh, sì! Oh, sì!» gridò l'araldo del tribunale. «I miei signori, i giudici del re, comandano che tutti i presenti facciano silenzio mentre vengono pronunciate le condanne a morte contro gli imputati, sotto pena di arresto.»
Il giudice indossò la berretta nera e si alzò.
Mack rabbrividì per il ribrezzo. Quel giorno c'erano stati diciannove processi, e dodici imputati erano stati ritenuti colpevoli. Un'ondata di terrore lo assalì. Lizzie aveva costretto Jay a chiedere clemenza, quindi la condanna a morte avrebbe dovuto essere commutata. Ma se il giudice

avesse deciso di ignorare l'intercessione di Jay o avesse commesso un errore?

Lizzie era in fondo al tribunale. Mack incontrò il suo sguardo: era pallida e sconvolta. Non aveva avuto la possibilità di parlarle. Lei si sforzò di rivolgergli un sorriso incoraggiante, che tuttavia si trasformò in una smorfia di paura.

Il giudice guardò i dodici detenuti che stavano allineati e dopo un attimo prese a parlare: «La legge ordina che siate ricondotti da qui al luogo da cui siete venuti, e di là al luogo dell'esecuzione dove sarete appesi per il collo finché morte ne segua, e il Signore abbia pietà dell'anima vostra».

Ci fu una pausa terribile. Cora stringeva il braccio di Mack e gli affondava le dita nella carne, sopraffatta dalla stessa ansia spaventosa. Gli altri detenuti avevano poche speranze di ottenere la grazia. Quando sentirono le condanne, qualcuno urlò insulti, qualcuno pianse, uno pregò a voce alta.

«Peg Knapp è graziata e destinata alla deportazione» proseguì il giudice. «Cora Higgins è graziata e destinata alla deportazione. Malachi McAsh è graziato e destinato alla deportazione. Gli altri saranno impiccati.»

Mack abbracciò Cora e Peg. Si strinsero l'uno all'altra. Erano salvi.

Caspar Gordonson venne ad abbracciarli tutti, poi si rivolse a Mack con aria solenne: «Devo darle una notizia molto dolorosa».

Mack si spaventò di nuovo. Era possibile che la grazia venisse annullata?

«C'è stato un crollo in una delle miniere dei Jamisson» continuò Gordonson. Mack ebbe la sensazione che il suo cuore si fermasse: ebbe paura di ciò che stava per dirgli l'avvocato. «Sono morte venti persone...»

«Esther...?»

«Mi dispiace, Mack. Sua sorella era fra i morti.»

«Morta?» Era molto duro da accettare. Quel giorno la vita e la morte erano state distribuite come carte da gioco.

Esther morta? Com'era possibile che non avesse più una gemella? L'aveva sempre avuta, fin dalla nascita.

«Avrei dovuto lasciare che venisse con me» disse mentre i suoi occhi si riempivano di lacrime. «Perché l'ho lasciata a Heugh?»

Peg lo fissava ad occhi sgranati. Cora gli prese la mano e disse: «Una vita salvata e una vita perduta».

Mack si nascose la faccia tra le mani e pianse.

25

Il giorno della partenza venne in fretta.

Una mattina, senza preavviso, tutti i detenuti condannati alla deportazione ricevettero l'ordine di prendere la loro roba e furono radunati nel cortile.

Mack aveva ben poco di suo. A parte gli indumenti, possedeva soltanto *Robinson Crusoe*, il collare di ferro spezzato che aveva portato da Heugh e il mantello di pelliccia di Lizzie.

Nel cortile, un fabbro li incatenò a coppie con pesanti ferri ai piedi. Mack ne fu umiliato. Il contatto del ferro freddo sulla caviglia lo depresse profondamente. Aveva lottato per la libertà e aveva perso, e ancora una volta era incatenato come un animale. Si augurò che la nave affondasse e lo facesse annegare.

Maschi e femmine non venivano incatenati insieme. Mack era appaiato a un vecchio ubriacone sudicio chiamato Barney il Matto. Cora fece gli occhi dolci al fabbro e ottenne di essere appaiata a Peg.

«Non credo che Caspar sappia che partiamo oggi» disse preoccupato Mack. «Forse non sono obbligati a informare nessuno.»

Girò lo sguardo sulla fila dei condannati. Erano più di cento, calcolò: circa un quarto erano donne, e c'era qualche bambino dai nove anni in su. Fra gli uomini c'era Sidney Lennox.

La caduta di Lennox aveva causato una generale soddisfazione. Da quando aveva testimoniato contro Peg, nessuno si era più fidato di lui. I ladri che un tempo vendevano la merce rubata alla taverna Sun erano andati altrove. E anche se lo sciopero degli scaricatori di carbone era stato stroncato e gran parte degli uomini era tornata al lavoro, nessuno aveva più voluto farsi ingaggiare da Lennox, a nessun prezzo. Lui aveva cercato di costringere una donna a rubare per lui, ma quella e due suoi amici l'avevano denunciato per ricettazione, ed era stato riconosciuto colpevole. Erano intervenuti i Jamisson, che l'avevano salvato dalla forca ma non avevano potuto impedire che venisse deportato.

Il grande portone di legno della prigione si spalancò. Una squadra di otto guardie attendeva di scortare i prigionieri. Un carceriere diede un violento spintone alla coppia in testa alla fila, e tutti si avviarono lentamente lungo la via affollata.

«Non siamo lontani da Fleet Street» disse Mack. «Può darsi che Caspar venga a saperlo.»

«Che differenza fa?» chiese Cora.

«Può corrompere il capitano della nave perché ci tratti con un po' di riguardo.»

Mack aveva saputo qualcosa della traversata dell'Atlantico parlando coi detenuti, le guardie e i visitatori di Newgate. L'unico fatto indiscutibile era che molti morivano durante il viaggio. Per gli schiavi, i deportati e i servi vincolati, le condizioni di vita sottocoperta erano letali. Gli armatori pensavano soltanto al guadagno, e ammassavano nelle stive il maggior numero possibile di persone. Ma anche i capitani erano venali, e un prigioniero che avesse denaro a sufficienza per corromperli poteva viaggiare comodamente in una cabina.

I londinesi si fermavano a guardare i deportati che attraversavano per l'ultima volta, in condizioni ignominiose, il cuore della città. Qualcuno gridava frasi di condoglianza, qualcun altro sghignazzava, e c'era addirittura chi lanciava sassi o rifiuti. Mack chiese a una donna dall'espressione gentile di portare un messaggio a Caspar Gordonson, ma quella rifiutò. Ritentò altre due volte, ma sempre invano.

I ferri li costringevano a camminare lentamente, e impiegarono più di un'ora per raggiungere il porto. Il fiume era pieno di navi, chiatte, traghetti e zattere perché gli scioperi erano stati stroncati dai militari. Era una calda mattina di primavera. La luce del sole faceva luccicare le acque fangose del Tamigi. Un barcone li attendeva per portarli alla nave ancorata in mezzo al fiume. Mack lesse il nome: *Rosebud.*

«È una nave dei Jamisson?» chiese Cora.

«Credo che quasi tutte le navi dei deportati lo siano.»

Mentre dalla riva fangosa saliva sulla barca, Mack si rese conto che era l'ultima volta che si trovava sul suolo britannico, forse per molti anni, forse per sempre. Provava sentimenti confusi: paura e apprensione miste a una certa temeraria eccitazione di fronte alla prospettiva di un paese nuovo e di una nuova vita.

Era difficile salire a bordo della nave: dovevano arrampicarsi sulla scaletta a due a due coi ferri alle caviglie. Peg e Cora ci riuscirono abbastanza facilmente, perché erano giovani e agili, ma Mack dovette portare Barney. Due uomini caddero nel fiume. Le guardie e i marinai non si scomodarono: sarebbero annegati se gli altri prigionieri non li avessero issati di nuovo sul barcone.

La nave era lunga circa tredici metri e larga circa cinque. Peg commentò: «Ho rubato in salotti che erano più grandi, Cristo!». Sulla tolda c'era una stia con dei polli, un piccolo recinto per i maiali e una capra legata. Nella parte opposta della nave un magnifico cavallo bianco veniva issato da un'imbarcazione con l'aiuto di un'estremità di pennone usata come gru. Un gatto molto magro mostrò i denti a Mack. Ebbe un'impressione di rotoli di funi e di vele imbrogliate, odore di vernice e un movimento ondulatorio sotto i piedi. Poi furono spinti attraverso una botola e giù per una scaletta.

C'erano tre ponti coperti. Nel primo, quattro marinai consumavano il pasto di mezzogiorno, seduti a gambe incrociate sul pavimento, circondati da sacchi e casse che contenevano presumibilmente le provviste per il viaggio. Nel terzo, ai piedi della scaletta, due uomini ammonticchiavano dei barili e li bloccavano con cunei perché non si muovessero durante la traversata. All'altezza del ponte di mezzo, riservato evidentemente ai deportati, un marinaio fece staccare bruscamente Mack e Barney dalla scaletta e li spinse oltre una porta.

C'era odore di catrame e aceto. Mack scrutò attorno a sé nella semioscurità. Il soffitto era cinque centimetri sopra la sua testa: un uomo alto sarebbe stato costretto a chinarsi. Due grate lasciavano passare un po' di luce e aria, ma non dall'esterno bensì dal ponte chiuso superiore, illuminato a sua volta dai boccaporti aperti. Lungo i lati della stiva c'erano ripiani di legno ampi circa un metro e ottanta, uno all'altezza della cintura e uno a pochi centimetri dal pavimento.

Inorridito, Mack si rese conto che i deportati avrebbero dovuto rimanere sdraiati su quei ripiani per tutto il viaggio.

Passarono nello stretto passaggio fra i ripiani. I primi erano già occupati da deportati distesi a coppie, ancora incatenati. Tacevano, istupiditi da ciò che stava succedendo. Un marinaio ordinò a Peg e Cora di stendersi accanto a Mack e Barney, come coltelli in un cassetto. Obbedirono e il marinaio li spinse con forza più vicini, in modo che si toccassero. Peg poteva mettersi a sedere, ma gli adulti no, perché lo spazio non era sufficiente. Il massimo che Mack poteva fare era puntellarsi su un gomito.

In fondo alla fila Mack vide una giara di coccio alta circa sessanta centimetri, a forma di cono con la base ampia e piatta e una bocca di circa trenta centimetri di diametro.

Nella stiva ce n'erano altre tre. Costituivano tutto l'arredamento, ed erano i gabinetti.

«Quanto ci vorrà per arrivare in Virginia?» chiese Peg.

«Sette settimane» rispose Mack. «Se avremo fortuna.»

Lizzie restò a guardare mentre il suo baule veniva trasportato nella grande cabina di poppa della *Rosebud*. Lei e Jay occupavano l'alloggio dell'armatore, una camera da letto e un salotto, e c'era più spazio di quanto avesse previsto. Tutti parlavano degli orrori dei viaggi transatlantici, ma era decisa a vederne il lato migliore e a cercare di godersi la nuova esperienza.

Ormai, cercare di vedere il lato migliore delle cose era diventata la sua filosofia di vita. Non poteva dimenticare il tradimento di Jay, e stringeva ancora i pugni e si mordeva le labbra quando pensava alla promessa menzognera che le aveva fatto il giorno delle nozze, ma cercava sempre di ricacciare il ricordo in un angolo della mente.

Appena poche settimane prima la prospettiva del viaggio l'avrebbe eccitata. Andare in America era la sua grande ambizione, anzi era una delle ragioni per cui aveva sposato Jay. Aveva sognato un'esistenza nuova nelle colonie, una vita più libera e spontanea, senza sottovesti e biglietti da visita, una vita in cui una donna poteva avere le unghie sporche di terra e dire apertamente ciò che pensava, come un uomo. Ma il sogno aveva perduto buona parte del suo splendore quando aveva scoperto ciò che aveva fatto Jay. Avrebbero dovuto chiamare la piantagione "Venti tombe" pensava depressa.

Si sforzava di fingere che Jay continuasse a esserle caro come sempre, ma il suo corpo parlava per lei. Quando lui la toccava, di notte, non reagiva più come un tempo. Lo baciava e lo accarezzava, ma le dita di Jay non le facevano scottare la pelle, la sua lingua non riusciva più a toccarle l'anima. Una volta le bastava guardarlo per eccitarsi, adesso si ungeva di nascosto con la crema prima di andare a letto, altrimenti il rapporto diventava doloroso. Jay finiva sempre per gemere di piacere quando spargeva il seme dentro di lei, ma Lizzie non provava nulla. Restava con una sensazione d'insoddisfazione. Più tardi, quando sentiva Jay russare, si consolava con le dita, e la sua mente si popolava di visioni bizzarre, uomini che lottavano e puttane coi seni scoperti.

Ma la sua vita era dominata dal pensiero del bambino. La gravidanza faceva sembrare meno importanti le sue delusioni. L'avrebbe amato senza riserve. Il bambino sarebbe diventato lo scopo della sua vita. E sarebbe cresciuto, o cresciuta, come un virginiano.

Mentre si toglieva il cappello sentì bussare alla porta della cabina. Un uomo magro e solido con la giacca blu e il tricorno entrò e s'inchinò. «Silas Bone, primo ufficiale, al loro servizio, signora Jamisson, signor Jamisson» si presentò.

«Buongiorno a lei, Bone» rispose rigido Jay, col fare autoritario del figlio dell'armatore.

«Il capitano manda a entrambi il suo benvenuto» disse Bone. Avevano già conosciuto il capitano Parridge, un tipo severo e riservato di Rochester, nel Kent. «Salperemo quando cambierà la marea» continuò il primo ufficiale. Rivolse a Lizzie un sorriso di superiorità. «Comunque resteremo nell'estuario del Tamigi per un giorno o due, quindi la signora non dovrà preoccuparsi del mare agitato, almeno per ora.»

Jay chiese: «I miei cavalli sono a bordo?».

«Sì, signore.»

«Voglio vedere come sono sistemati.»

«Certamente. Forse la signora J. vorrà restare qui a disfare i bagagli.»

«No, vengo con voi» rispose Lizzie. «Preferisco dare un'occhiata in giro.»

«Si accorgerà che è consigliabile restare in cabina il più possibile, signora J.» disse Bone. «I marinai sono tipi rozzi e il tempo è spesso inclemente.»

Lizzie s'irritò. «Non ho nessuna intenzione di passare le

prossime sette settimane chiusa qui dentro. Ci preceda, signor Bone.»

«Certo, certo, signora J.»

Uscirono dalla cabina e si avviarono sul ponte verso un boccaporto aperto. Il primo ufficiale scese una scaletta con l'agilità di una scimmia e Jay e Lizzie lo seguirono. Arrivarono al secondo ponte inferiore. La luce del giorno filtrava dalla botola spalancata, e appeso a un gancio c'era anche una lampada accesa, che aumentava la visibilità.

I cavalli preferiti di Jay, i due grigi e Blizzard, il regalo di compleanno, erano sistemati in piccoli box. Ognuno aveva un'ampia fascia che gli passava sotto il ventre ed era fissata a una trave, in modo che se avesse perduto l'equilibrio durante una tempesta non sarebbe caduto. C'era una mangiatoia piena di fieno all'altezza delle teste degli animali, e il pavimento era coperto di sabbia per proteggere gli zoccoli. Erano animali preziosi, e in America sarebbe stato difficile rimpiazzarli. Erano nervosi, e Jay li accarezzò e gli parlò per calmarli.

Lizzie si spazientì e passò oltre, verso una pesante porta aperta. Bone la seguì. «Se fossi in lei, signora J., non andrei in giro. Potrebbe vedere cose poco piacevoli.»

Lei non gli badò e proseguì. Non era schizzinosa.

«Lì avanti c'è la stiva dei deportati» disse Bone. «Non è posto per una signora.»

Aveva pronunciato le parole magiche che la facevano intestardire. Si voltò e lo guardò fisso. «Signor Bone, questa nave appartiene a mio suocero, e io vado dove voglio. Chiaro?»

«Certo, certo, signora J.»

«E mi chiami signora Jamisson.»

«Certo, certo, signora Jamisson.»

Era ansiosa di vedere la stiva dei deportati perché poteva esserci McAsh: era la prima nave di deportati che salpava da Londra dopo il processo. Avanzò di un paio di passi, abbassò la testa per schivare una trave, spalancò una porta e si trovò nella stiva principale.

C'era caldo, e il lezzo opprimente di una folla ammassata. Scrutò nella semioscurità. In un primo momento non vide nessuno, anche se udiva il brusio di molte voci. Era in uno spazio piuttosto grande, pieno di ripiani simili a quelli usati per immagazzinare le botti. Qualcosa si mosse sul ripiano vicino a lei con un rumore di catene, e Lizzie sussultò. Poi, inorridita, vide che a muoversi era stato un piede umano con un ferro alla caviglia. C'era qualcuno sdraiato sul ripiano... no, erano due persone incatenate insieme per le caviglie. Quando i suoi occhi si abituarono all'oscurità, vide un'altra coppia distesa spalla a spalla con la prima, e poi ancora un'altra. Erano dozzine, ammassate come le aringhe nel barile di una pescheria.

Senza dubbio, pensò, è una sistemazione temporanea. Come minimo i deportati avrebbero avuto cuccette per il viaggio. Poi comprese che era un'idea stupida. Dove potevano stare le cuccette? Quella era la stiva principale, e occupava gran parte dello spazio sottocoperta. Quegli sventurati non avevano altro posto dove stare. Avrebbero trascorso almeno sette settimane sdraiati nel buio, senz'aria.

«Lizzie Jamisson!» disse una voce.

Trasalì. Riconobbe l'accento scozzese: era Mack. Si era aspettata di trovarlo lì, perché molti deportati attraversavano l'oceano con le navi dei Jamisson. Ma non aveva previsto le condizioni spaventose in cui lo vide. Scrutò nell'oscurità e chiese: «Mack, dove sei?».

«Qui.»

Lizzie avanzò di qualche passo nello stretto corridoio fra i ripiani. Un braccio si tese verso di lei, grigio e spettrale nella semioscurità. Strinse la mano callosa di Mack. «È spaventoso» commentò. «Cosa posso fare?»

«Niente, adesso» rispose lui.

Lizzie vide Cora distesa accanto a lui, e poi Peg, la ragazzina. Almeno erano insieme. Qualcosa, nell'espressione di Cora, la costrinse a lasciare la mano di Mack. «Forse posso assicurarmi che abbiate cibo e acqua a sufficienza» disse.

«Sarebbe una grande gentilezza.»

Non sapeva che altro dire. Rimase in silenzio per qualche istante. «Tornerò tutti i giorni, se potrò» disse alla fine.

«Grazie.»

Si voltò e uscì in fretta.

Tornò indietro per protestare indignata, ma quando notò l'espressione di disprezzo di Silas Bone le parole le morirono sulle labbra. I deportati erano a bordo, la nave stava per salpare, e qualunque cosa dicesse non avrebbe cambiato nulla. Una protesta avrebbe soltanto giustificato l'avvertimento del primo ufficiale: le donne non dovevano scendere sottocoperta.

«I cavalli sono ben sistemati» annunciò Jay con aria soddisfatta.

Lizzie non seppe resistere alla tentazione di ribattere con una frecciata. «Sì, stanno meglio degli esseri umani!»

«Ah, questo mi ricorda qualcosa» esclamò Jay. «Nella stiva c'è un deportato, un certo Sidney Lennox. Gli faccia togliere i ferri e gli assegni una cabina, per piacere.»

«Come vuole, signore.»

«Perché Lennox è con noi?» chiese sgomenta Lizzie.

«È stato condannato per ricettazione. Ma la nostra famiglia si è servita di lui in passato e non possiamo abbandonarlo. Nella stiva rischia di morire.»

«Oh, Jay!» esclamò Lizzie. «Si tratta di un individuo malvagio!»

«Al contrario, è molto utile.»

Gli voltò le spalle. L'idea di lasciare Lennox in Inghilterra l'aveva rallegrata. Era una vera sfortuna che lo stessero deportando. Jay si sarebbe mai sottratto alla sua influenza malefica?

Bone annunciò: «La marea sta cambiando, signor Jamisson. Il capitano sarà impaziente di salpare».

«Porti i miei saluti al capitano e gli dica che può procedere.»

Risalirono la scala a pioli.

Pochi minuti più tardi Lizzie e Jay erano a prua, mentre

la nave cominciava a scendere il fiume, portata dal defluire della marea. La brezza fresca della sera investiva le guance di Lizzie. Quando la cupola della cattedrale di San Paolo sparì dietro i profili dei magazzini, disse: «Chissà se rivedremo mai Londra».

III

VIRGINIA

26

Nella stiva della *Rosebud* Mack tremava per la febbre. Si sentiva come un animale: sudicio, seminudo, incatenato e impotente. Stentava a reggersi in piedi, ma la sua mente era abbastanza lucida. Giurò a se stesso che non avrebbe mai più permesso a nessuno di metterlo in ceppi. Si sarebbe battuto, avrebbe tentato di fuggire e sperato che lo uccidessero, piuttosto di patire ancora quella degradazione.

Nella stiva penetrò dalla tolda un grido eccitato: «Profondità trentacinque *fathom*, capitano... sabbia e canne!».

L'equipaggio proruppe in grida di gioia. Peg chiese: «Cos'è un *fathom*?».

«Un metro e ottanta d'acqua» rispose Mack, esausto ma rincuorato. «Significa che ci stiamo avvicinando alla terraferma.»

Spesso aveva avuto la sensazione di non farcela. Venticinque deportati erano morti in mare. Non erano stati uccisi dalla denutrizione. A quanto pareva Lizzie, che non era più ricomparsa sottocoperta, aveva mantenuto la promessa e fatto in modo che avessero da bere e da mangiare a sufficienza. Ma l'acqua era putrida, la dieta di carne salata e pane malsana e monotona, e tutti i deportati erano stati colpiti dalla malattia chiamata a volte "febbre da ospedale" e a volte "febbre da prigione". Barney il Matto era stato il primo a morirne: i vecchi se ne andavano più in fretta.

La malattia non era l'unica causa della morte. Cinque persone erano rimaste uccise durante una tempesta spaventosa, quando i prigionieri erano stati sbatacchiati qua e là per la stiva e avevano ferito con le catene se stessi e gli altri.

Peg era sempre stata esile, ma adesso sembrava uno stecco. Cora era invecchiata. Perfino nella semioscurità della stiva Mack vedeva che perdeva i capelli, aveva la faccia tirata e il suo corpo voluttuoso era scarno e sfregiato dalle piaghe. Mack ringraziava il cielo perché erano ancora vivi.

Un po' più tardi sentì il risultato di un altro sondaggio: «Diciotto *fathom* e sabbia bianca». La volta successiva c'erano tredici *fathom* e conchiglie. E finalmente il grido: «Terra!».

Nonostante la debolezza, Mack avrebbe voluto essere sul ponte. Questa è l'America, pensò. Ho attraversato il mondo e sono ancora vivo: vorrei vedere l'America.

Quella notte la *Rosebud* gettò l'ancora in acque calme. Il marinaio che portava ai prigionieri le razioni di carne di maiale salata e di acqua marcia era uno dei più bonari di tutto l'equipaggio. Si chiamava Ezekiel Bell. Era sfigurato: aveva perso un orecchio, era completamente calvo e aveva un gozzo grosso come un uovo di gallina. I compagni lo chiamavano ironicamente Bell il Bello. Spiegò che erano al largo di Cape Henry, nei pressi della città di Hampton, in Virginia.

L'indomani la nave rimase all'ancora. Mack si chiedeva rabbiosamente cosa stava prolungando il viaggio. Qualcuno doveva essere sbarcato per far provviste, perché la sera giunse dalla cambusa un delizioso odore di carne fresca arrosto. Per i prigionieri era una tortura, Mack aveva i crampi allo stomaco.

«Mack, cosa succederà quando arriveremo in Virginia?» chiese Peg.

«Ci venderanno e dovremo lavorare per chi ci comprerà» rispose lui.

«Ci venderanno assieme?»

Mack sapeva che era poco probabile, ma non lo disse. «È possibile» rispose. «Speriamo in bene.»

Peg rimase a lungo in silenzio ad assimilare le informazioni. Quando riprese a parlare, aveva un tono spaventato. «Chi ci comprerà?»

«Agricoltori, piantatori, massaie... chiunque ha bisogno di qualcuno che lavori e pochi soldi da spendere.»

«Potrebbero volerci tutti e tre.»

Chi poteva volere un minatore e due ladre? Mack rispose: «Forse ci compreranno persone che vivono vicine».

«Che lavoro faremo?»

«Quello che ci diranno di fare, suppongo: coltivare la terra, pulire, costruire.»

«Come schiavi.»

«Ma solo per sette anni.»

«Sette anni» disse Peg avvilita. «Ma io sarò diventata grande!»

«E io avrò quasi trent'anni» disse Mack. Gli sembrava che sarebbe stato quasi vecchio.

«Ci picchieranno?»

Mack sapeva che la risposta era sì, ma preferì mentire. «No, se lavoreremo e terremo la bocca chiusa.»

«Quando ci venderanno, chi incasserà i soldi?»

«Sir George Jamisson.» La febbre l'aveva sfinito. Disse con impazienza. «Sono sicuro che mi hai già fatto altre volte le stesse maledette domande.»

Peg gli voltò le spalle, offesa. Cora intervenne: «È preoccupata, Mack... ecco perché continua a chiedere sempre le stesse cose».

Sono preoccupato anch'io, pensò Mack, depresso.

«Io non voglio arrivare in Virginia» disse Peg. «Voglio che il viaggio continui in eterno.»

Cora rise amaramente. «Ti piace vivere così?»

«È come avere una madre e un padre» rispose Peg.

Cora l'abbracciò e la strinse a sé.

L'indomani mattina salparono e Mack sentì che la nave filava, spinta da un vento favorevole. La sera venne a sapere che erano quasi alla foce del Rapahannock. Poi i venti contrari li bloccarono per due giorni prima che potessero risalire il fiume.

La febbre passò e Mack si sentì abbastanza forte da salire sul ponte per uno dei rari periodi d'aria, e mentre la nave avanzava sul fiume vide per la prima volta l'America.

Sulle rive si alternavano fitti boschi e terreni coltivati. Ogni tanto si incontrava un molo, un tratto di argine diboscato e un prato che saliva verso una casa sontuosa. Qua e là, sui moli, si vedevano gli enormi barili chiamati "teste di porco", usati per trasportare il tabacco. Li aveva visti scaricare nel porto di Londra, e adesso gli sembrava incredibile che fossero sopravvissuti alla traversata rischiosa per arrivare fin lì. Quasi tutti coloro che lavoravano nei campi, notò, erano negri. I cavalli e i cani erano come quelli che conosceva, ma gli uccelli che venivano a posarsi sul parapetto della nave gli erano sconosciuti. C'erano altri vascelli sul fiume, qualche mercantile come la *Rosebud* e molte imbarcazioni più piccole.

Non vide altro per i quattro giorni seguenti, ma conservò nella mente quelle scene come ricordi preziosi, mentre stava disteso nella stiva: il sole, la gente che camminava nell'aria pura, i boschi, i prati e le case. La smania di scendere dalla *Rosebud* e camminare all'aperto era tanto intensa che provava quasi una sofferenza fisica.

Quando finalmente gettarono l'ancora, Mack venne a sapere che erano a Fredericksburg, la loro destinazione. Il viaggio era durato otto settimane.

Quella notte i deportati ricevettero un pasto cotto: un brodo di carne di maiale fresca con mais e patate, una fetta di pane fresco e un quarto di birra. Il cibo insolitamente ricco e la birra forte diedero a Mack capogiri e nausea tutta la notte.

L'indomani mattina li portarono sul ponte in gruppi di dieci, e videro Fredericksburg.

Erano ancorati in un fiume torbido e con molte isolette. C'era una stretta spiaggia sabbiosa, una fascia boscosa, quindi un breve pendio scosceso che portava alla città, costruita ai piedi di un'altura. A occhio e croce gli abitanti dovevano essere non più di duecento: non era molto più grande di Heugh, il villaggio dove Mack era nato, però sembrava un posto gaio e prospero, con le case di legno dipinte di bianco e verde. Sulla riva opposta, un po' più a monte, c'era un'altra cittadina, e Mack venne a sapere che si chiamava Falmouth.

Il fiume era affollato: c'erano altre due navi grandi come la *Rosebud*, alcune navi costiere più piccole, qualche barone a fondo piatto e un traghetto che faceva la spola fra le due cittadine. C'erano uomini al lavoro lungo il fiume per scaricare le navi: facevano rotolare i barili e trasportavano le casse dentro e fuori dai magazzini.

I prigionieri ricevettero dei pezzi di sapone e l'ordine di lavarsi; un barbiere salì a bordo per radere gli uomini e tagliar loro i capelli. A coloro che avevano indumenti troppo laceri ne furono dati di più decorosi, ma la gratitudine si dileguò quando si accorsero che erano stati tolti ai loro compagni morti a bordo. A Mack toccò la giacca di Barney il Matto: la mise sul parapetto e la batté con un bastone finché i pidocchi non finirono di cadere.

Il capitano fece un elenco dei prigionieri superstiti e chiese a ognuno che mestiere aveva fatto in patria. Alcuni erano stati manovali generici oppure, come Cora e Peg, non si erano mai guadagnati onestamente da vivere: furono incoraggiati a esagerare o a inventare. Così Peg figurò come apprendista sarta e Cora come barista. Mack si rese conto che era un tentativo di renderle appetibili agli occhi dei compratori.

Furono rimandati nella stiva, e nel pomeriggio due uomini scesero a ispezionarli. Erano uno strano duo: uno portava la giubba rossa dei soldati britannici e calzoni tessuti in casa, l'altro un panciotto giallo che un tempo doveva essere stato elegante e pantaloni di pelle cuciti rozzamente. Nonostante l'abbigliamento bizzarro, sembravano ben nutriti e avevano il naso rosso di chi può permettersi tutto il liquore che vuole. Bell il Bello bisbigliò a Mack che quelli erano *soul drivers* e spiegò cosa voleva dire: acquistavano gruppi di schiavi, deportati e servi vincolati e li conducevano come pecore nell'entroterra per venderli agli agricoltori e ai montanari. A Mack i due non piacevano. Se ne andarono senza fare acquisti. Il giorno dopo c'erano le corse di cavalli, disse Bell; i proprietari terrieri sarebbero venuti in città dai dintorni per assistere alle gare, e molti deportati sarebbero stati venduti prima di sera. Poi i *soul drivers* avrebbero offerto un prezzo ridottissimo per quelli rimasti. Mack si augurò che Cora e Peg non finissero nelle loro mani.

Quella sera ebbero un altro buon pasto. Mack mangiò adagio, poi dormì profondamente. Al mattino tutti avevano un aspetto migliore: gli occhi erano vivaci e si vedeva perfino qualche sorriso. Durante la traversata l'unico pasto era stato la cena, ma quel giorno fecero colazione con porridge e melassa e una razione di rum con acqua.

Di conseguenza, nonostante l'incertezza del futuro, erano piuttosto allegri quando salirono la scala a pioli e, ancora incatenati, raggiunsero il ponte. Quel giorno c'era più movimento sul lungofiume: numerose piccole imbarcazioni attraccavano, parecchi carri percorrevano la via principale e gruppetti di persone ben vestite si fermavano a chiacchierare per far passare il tempo.

Un uomo grasso col cappello di paglia salì a bordo accompagnato da un negro alto dai capelli grigi. I due squadrarono i deportati, indicarono qualcuno e scartarono altri. Mack si accorse che selezionavano gli uomini più giovani e robusti, e inevitabilmente fu tra i quattordici o quindici prescelti.

Quando la selezione terminò il capitano disse: «Bene, voi andate con questi uomini».

«Dove andiamo?» chiese Mack. Nessuno gli rispose.

Peg scoppiò in lacrime.

Mack l'abbracciò. Aveva sempre saputo che sarebbe andata così e si sentiva spezzare il cuore. A Peg erano stati tolti tutti gli adulti in cui aveva avuto fiducia: la madre uccisa da una malattia, il padre finito sulla forca, e adesso Mack, venduto e separato da lei. Gli si aggrappò con disperazione: «Portami con te!» gemette.

Mack si staccò da lei. «Cerca di restare con Cora, se ci riesci» le disse.

Cora lo baciò sulle labbra con ardore disperato. Era doloroso pensare che forse non l'avrebbe più rivista, non sarebbe più andato a letto con lei, non l'avrebbe più accarezzata e fatta gemere di piacere. Lacrime roventi le scorsero sulle guance e finirono sulle labbra di Mack mentre si baciavano. «Cerca di ritrovarci, Mack, per amor del cielo» supplicò.

«Farò il possibile...»

«Prometti!» insistette Cora.

«Prometto che ti troverò.»

L'uomo grasso disse: «Vieni, dongiovanni» e lo strattonò via da lei.

Mack si voltò a guardare da sopra la spalla mentre veniva spinto sulla passerella. Cora e Peg erano rimaste immobili a piangere abbracciate. Mack ripensò al suo commiato da Esther. Non avrebbe deluso Cora e Peg come aveva deluso la sua gemella, promise a se stesso. Poi le perse di vista.

Provò una strana sensazione nel risentire la terraferma sotto i piedi dopo otto settimane passate con l'incessante movimento del mare sotto di sé. Mentre percorreva incespicando per le catene la strada principale di terra battuta, si guardava intorno per vedere l'America. Il centro della città era costituito da una chiesa, un mercato coperto, una gogna e una forca. Sui due lati della strada sorgevano case di mattoni e legno separate da ampi spazi. Pecore e polli si aggiravano in cerca di cibo per la strada fangosa. C'era qualche edificio che sembrava abbastanza vecchio, ma in maggioranza erano recenti e un po' rozzi.

La cittadina era affollata di gente, cavalli, carri e carrozze che in buona parte dovevano venire dalla campagna circostante. Le donne avevano cappellini e nastri nuovi, gli uomini stivali lucidi e guanti puliti. Molti indumenti sembravano confezionati in casa, anche se le stoffe erano costose. Mack sentì varie persone parlare di corse e di scommesse. A quanto pareva, i virginiani amavano il gioco d'azzardo.

Gli abitanti guardavano i deportati con vaga curiosità, come avrebbero guardato un cavallo passare al piccolo galoppo, uno spettacolo visto molte volte ma che continuava a interessarli.

La cittadina finiva dopo circa settecento metri. Attraversarono a guado il fiume e proseguirono su una pista accidentata in mezzo ai boschi. Mack si accostò al negro di mezza età. «Sono Malachi McAsh» disse. «Ma tutti mi chiamano Mack.»

Il negro non girò gli occhi ma parlò con tono piuttosto amichevole. «Io mi chiamo Kobe. Kobe Tambala.»

«L'uomo grasso col cappello di paglia... è il nostro padrone?»

«No. Bill Sowerby è soltanto il sovrintendente. Io e lui siamo stati incaricati di salire sulla *Rosebud* per scegliere i migliori da mandare nei campi.»

«Chi ci ha comprati?»

«Non siete stati comprati, a essere precisi.»

«E allora?»

«Il signor Jay Jamisson ha deciso di tenervi per sé, per farvi lavorare nella sua tenuta, Mockjack Hall.»

«Jamisson!»

«Sì.»

Ancora una volta, Mack era proprietà della famiglia Jamisson. Il pensiero lo fece infuriare. Maledetti, scapperò ancora, giurò. Voglio essere libero.

Kobe disse: «Che lavoro facevi, prima?».

«Il minatore. Estraevo il carbone.»

«Carbone? Ne ho sentito parlare. Una pietra che brucia come il legno ma dà più calore?»

«Già. Il guaio è che bisogna andare sotto terra per trovarlo. E tu?»

«I miei erano agricoltori, in Africa. Mio padre aveva un pezzo di terra molto grande, più di quello del signor Jamisson.»

Mack rimase sorpreso. Non aveva mai pensato che gli schiavi potessero provenire da famiglie ricche. «Che tipo di fattoria?»

«Coltivavano grano e allevavano un po' di bestiame... niente tabacco. Là cresce una pianta che si chiama ignami, ma qui non l'ho mai vista.»

«Parli l'inglese molto bene.»

«Sono in America da quasi quarant'anni.» Un'espressione amara apparve sulla sua faccia. «Ero un ragazzino quando mi presero.»

Mack pensava a Peg e Cora. «Sulla nave con me c'erano due persone, una donna e una bambina» disse. «Riuscirò a scoprire chi le ha comprate?»

Kobe rise senza allegria. «Tutti cercano di trovare qualcuno che è stato venduto separatamente. Non fanno altro che chiedere in giro. Quando gli schiavi s'incontrano per la strada o nei boschi, parlano solo di quello.»

«La bambina si chiama Peg» insistette Mack. «Ha soltanto tredici anni. Non ha né madre né padre.»

«Quando ti comprano, non hai più padre o madre.»

Kobe si era arreso, pensò Mack. Si era abituato alla schiavitù e aveva imparato a sopportarla. Era amareggiato, ma aveva perduto ogni speranza di libertà. Io non lo farò mai, lo giuro, si disse.

Percorsero a piedi circa quindici chilometri. La marcia era lenta perché i deportati avevano i ferri, e alcuni erano ancora incatenati a coppie. Quelli che avevano perduto il compagno durante il viaggio avevano le caviglie legate, in modo che potessero camminare ma non correre. Nessuno era in grado di muoversi in fretta e probabilmente sarebbero caduti per terra se avessero tentato di farlo perché erano indeboliti dalle otto settimane passate distesi nella stiva. Il sovrintendente, Sowerby, era a cavallo, ma sembrava non aver fretta, e ogni tanto beveva qualche sorsata di liquore da una borraccia.

La campagna ricordava più l'Inghilterra che la Scozia, e non era poi così diversa da come aveva immaginato Mack. La strada costeggiava il fiume sassoso che si snodava attraverso una foresta lussureggiante. Mack avrebbe desiderato sdraiarsi per un po' all'ombra dei grandi alberi.

Si chiese tra quanto tempo avrebbe rivisto la straordinaria Lizzie. Lo amareggiava essere di nuovo proprietà di un Jamisson, ma la presenza di Lizzie sarebbe stata una consolazione. Diversamente dal suocero, non era crudele, anche se a volte non aveva riguardi. Il suo comportamento poco ortodosso e la personalità vivace lo entusiasmavano. E poi, possedeva un senso della giustizia che gli aveva salvato la vita in passato e forse gliel'avrebbe salvata ancora.

Era mezzogiorno quando arrivarono alla piantagione dei Jamisson. Un sentiero attraversava un frutteto dove il bestiame pascolava e conduceva a un complesso fangoso con una dozzina di baracche. Due negre anziane cucinavano all'aperto e quattro o cinque bambini nudi giocavano per terra. Le baracche erano rudimentali, fatte di assi tagliate in modo approssimativo, e le finestre avevano le imposte ma non i vetri.

Sowerby scambiò poche parole con Kobe, poi sparì.

Kobe disse ai deportati: «Questi sono i vostri alloggi».

Qualcuno chiese: «Dobbiamo vivere coi negri?».

Mack scoppiò a ridere. Dopo otto settimane nell'inferno della *Rosebud*, era incredibile che trovassero da lamentarsi per la sistemazione.

Kobe rispose: «Bianchi e negri vivono in baracche separate. Non c'è una legge che lo impone, ma le cose vanno sempre così. In ogni baracca stanno sei persone. Prima di riposare abbiamo un lavoro da sbrigare. Seguitemi».

Si avviarono lungo un viottolo che passava fra campi di grano verde, di mais che cresceva su piccoli monticelli e di tabacco profumato. Uomini e donne erano al lavoro in tutti i campi, strappavano le erbacce tra i filari e toglievano i vermi dalle foglie del tabacco.

Arrivarono fino a un prato spazioso e salirono verso una grande casa di legno piuttosto malridotta, con la vernice scolorita e scrostata e le imposte chiuse: doveva essere Mockjack Hall. Le girarono intorno e raggiunsero un gruppo di costruzioni sul retro. Una di esse era una fucina, e vi lavorava un negro che Kobe chiamò Cass. Cass cominciò a togliere i ferri dalle caviglie dei deportati.

Mack rimase a osservare mentre, uno a uno, gli altri venivano sbarazzati dalle catene. Provava un senso di liberazione, sebbene sapesse che era illusorio. Gli avevano messo le catene nella prigione di Newgate, dall'altra parte del mondo, e le aveva odiate ogni minuto delle otto settimane umilianti in cui le aveva portate.

Dal punto elevato dove sorgeva la casa poteva vedere il luccichio del fiume Rapahannock, lontano circa settecento metri, che si snodava fra i boschi. Senza catene potrei fuggire verso il fiume, pensò, potrei tuffarmi e attraversarlo a nuoto e tentare di riprendermi la libertà.

Ma doveva controllarsi. Era ancora così debole che con ogni probabilità non sarebbe stato in grado di correre per settecento metri. E poi aveva promesso di cercare Peg e Cora, e doveva trovarle prima di fuggire perché in seguito non avrebbe potuto farlo. E doveva preparare un piano accurato. Non conosceva la geografia di quella terra. Doveva sapere dove andare e come.

Comunque, quando sentì i ferri staccarsi dalle caviglie dovette fare uno sforzo per non scappare.

Stava ancora lottando contro quell'impulso quando Kobe cominciò a parlare. «Adesso che non avete più le catene, qualcuno di voi si starà chiedendo fin dove potrebbe arrivare prima del tramonto. Ma prima che scappiate, c'è una cosa importante che dovete sapere, quindi ascoltate con attenzione.»

Fece una pausa, poi continuò: «Quelli che scappano vengono quasi sempre ripresi e puniti. Prima li frustano, ma questa è la parte meno dura. Poi devono portare il collare di ferro, cosa che per molti è una vergogna. Ma il peggio è che il periodo di schiavitù si allunga. Se siete scappati per una settimana, farete due settimane di più. Alcuni, qui, sono fuggiti tante volte che saranno liberi a cent'anni». Kobe si voltò a guardare Mack negli occhi. «Se però siete disposti a rischiare» concluse «posso solo augurarvi buona fortuna.»

Al mattino le vecchie cucinarono per colazione un piatto di mais bollito chiamato *hominy*. I deportati e gli schiavi lo mangiarono con le dita dalle ciotole di legno.

I braccianti che lavoravano nei campi erano in tutto quaranta. A parte il nuovo gruppo di deportati, quasi tutti erano schiavi negri. C'erano quattro servi vincolati, cioè persone che avevano venduto in anticipo quattro anni di lavoro per pagarsi la traversata. Si tenevano in disparte ed era evidente che si consideravano superiori. C'erano solo tre dipendenti pagati, due negri liberi e una donna bianca, e tutti e tre avevano passato la cinquantina. Alcuni negri parlavano bene l'inglese, ma molti usavano le loro lingue africane e per comunicare coi bianchi si servivano di una specie di linguaggio infantile. All'inizio Mack li trattava come bambini, ma poi pensò che gli erano superiori perché loro parlavano una lingua e mezza e lui una soltanto.

Camminarono per due o tre chilometri fra i campi fin dove c'era il tabacco pronto per il raccolto. Le piante crescevano in filari regolari distanti quasi un metro l'uno dall'altro e lunghi circa trecento metri. Erano alte più o meno quanto Mack, e ognuna aveva almeno una dozzina di grandi foglie verdi.

I braccianti ricevettero gli ordini da Bill Sowerby e Kobe, e furono divisi in tre gruppi. Al primo furono distribuiti coltelli affilati per tagliare le piante mature. Il secondo andò in un campo che era stato tagliato il giorno prima. Le piante erano a terra e le grandi foglie erano avvizzite dopo essere rimaste al sole per un giorno. Ai nuovi arrivati fu mostrato come incidere gli steli delle piante tagliate per infilzarle su lunghe aste di legno. Mack era nel terzo gruppo, che aveva il compito di portare le aste cariche attraverso i campi fino all'essiccatoio, dove venivano appese al soffitto perché il tabacco si conciasse all'aria.

Era una lunga, calda giornata estiva. Gli uomini della *Rosebud* non erano in grado di lavorare come gli altri. Mack era superato di continuo da donne e bambini perché troppo indebolito per la malattia, la denutrizione e l'inattività. Bill Sowerby aveva la frusta, ma non la usava.

A mezzogiorno il pasto consistette in una specie di pane di mais che gli schiavi chiamavano *pone*. Mentre mangiavano, Mack rimase sgomento, ma non del tutto sorpreso, nel vedere Sidney Lennox, vestito di un abito nuovo, che faceva il giro della piantagione accompagnato da Sowerby. Senza dubbio Jay pensava che Lennox gli era stato utile in passato e poteva esserlo ancora.

Al tramonto lasciarono esausti i campi, ma anziché tornare alle baracche andarono all'essiccatoio, che adesso era illuminato da dozzine di candele. Dopo una cena frettolosa ripresero a lavorare: strapparono le foglie dalle piante conciate, rimossero la grossa nervatura centrale e le legarono in pacchi. Col passare delle ore alcuni dei bambini e dei più anziani si addormentarono per la stanchezza, ed entrò in funzione un complesso sistema d'allarme: i più forti coprivano i più deboli e li svegliavano quando si avvicinava Sowerby.

Doveva essere mezzanotte passata, calcolò Mack, quando finalmente le candele furono spente e i braccianti poterono tornare alle baracche e sdraiarsi sulle cuccette di legno. Mack si addormentò subito.

Gli sembrò che fossero trascorsi solo pochi secondi quando lo svegliarono per tornare al lavoro. Si alzò e uscì vacillando. Mangiò la ciotola di *hominy* appoggiato alla baracca. Si era appena cacciato in bocca l'ultima manciata quando si misero in marcia.

Mentre entravano nel campo alla luce dell'alba, vide Lizzie.

Non la vedeva dal giorno in cui si erano imbarcati sulla *Rosebud*. Era in sella a un cavallo bianco che attraversava il campo al passo. Indossava un abito sciolto di lino e aveva in testa un grande cappello. Stava per sorgere il sole e c'era una luce chiara e un po' offuscata. Lizzie aveva un bell'aspetto: riposata, serena, la signora del castello che fa il giro della tenuta. Era un po' ingrassata, notò Mack, mentre lui era dimagrito per la denutrizione. Ma non poteva provare risentimento per lei: Lizzie era dalla parte della giustizia e per questo gli aveva salvato la vita più di una volta.

Ricordò il giorno in cui l'aveva abbracciata in casa di Dermot Riley a Spitalfield. Aveva stretto a sé quel corpo morbido e aveva aspirato la fragranza di sapone e di sudore femminile; e per un momento pazzesco aveva pensato che Lizzie, e non Cora, poteva essere la donna per lui. Ma poi aveva ritrovato la ragione.

Mentre la guardava si rese conto che non era ingrassata; era incinta. Avrebbe avuto un figlio che sarebbe diventato un vero Jamisson, crudele, avido e spietato, pensò Mack. Avrebbe ereditato la piantagione e comprato esseri umani da trattare come bestie, e sarebbe stato ricco.

Lizzie incontrò il suo sguardo. Mack si sentì in colpa per aver pensato tanto male del bambino. Lei lo fissò, incerta; poi sembrò riconoscerlo e trasalì. Forse era sconvolta dal cambiamento provocato dal viaggio sul suo aspetto.

Mack continuò a fissarla a lungo, sperando che gli si avvicinasse; invece lei si voltò senza parlare, lanciò il cavallo al trotto e dopo un momento sparì nel bosco.

27

Una settimana dopo l'arrivo a Mockjack Hall, Jay Jamisson guardava due schiave che svuotavano una cassa di bicchieri. Belle era una donna di mezza età, pesante, coi seni a pallone e un sedere enorme, Mildred invece era sui diciott'anni, aveva una bella carnagione color tabacco e occhi indolenti. Quando alzava le braccia verso i ripiani del mobile, Jay vedeva i seni muoversi sotto la tunica tessuta in casa. Il suo sguardo le metteva entrambe a disagio, e toglievano dalla carta i cristalli delicati con mani tremanti. Se avessero rotto qualcosa sarebbero state punite. Jay si chiese se avrebbe dovuto picchiarle.

Quel pensiero lo rese inquieto, si alzò e uscì. Mockjack Hall era una grande casa con una lunga facciata dal portico a colonne, e sorgeva su un prato digradante verso il Rapahannock. In Inghilterra una casa di quelle dimensioni sarebbe stata di pietra o mattoni, ma quella era di legno. Molti anni prima era stata dipinta di bianco con le imposte verdi, ma ormai la vernice era scrostata e i colori erano sbiaditi in una uniforme tinta grigiastra. Sul retro e ai lati numerose costruzioni ospitavano la cucina, la lavanderia e la scuderia. L'edificio principale aveva grandiosi locali di rappresentanza, salotto, sala da pranzo, perfino una sala da ballo, al pianterreno, e camere da letto spaziose al piano superiore, ma sarebbe stato necessario ridipingerle e arredarle a nuovo. C'erano molti mobili importati, un tempo di gran moda, tendaggi di seta sbiadita e tappeti lisi. La grandiosità perduta aleggiava su tutto, simile a un invadente odore di muffa.

Jay, tuttavia, era soddisfatto mentre guardava dal portico la sua tenuta. C'erano cinquecento ettari di campi coltivati, colline boscose, ruscelli e ampi laghetti, con quaranta braccianti e tre domestiche, e terra e gente appartenevano a lui. Non alla sua famiglia o a suo padre, ma a lui in persona. Finalmente era diventato un gentiluomo, un proprietario terriero.

Ed era solo l'inizio. Era deciso a lasciare il segno nella società virginiana. Non sapeva come funzionasse il governo coloniale, ma gli risultava che c'erano capi politici locali chiamati *vestrymen*, e un'assemblea a Williamsburgh composta da *burgesses*, equivalenti ai membri del parlamento. Data la sua posizione sociale, pensava che avrebbe potuto saltare la fase locale e presentarsi candidato alla camera dei burgess alla prima occasione. Tutti dovevano sapere che Jay Jamisson era qualcuno.

Lizzie giunse attraverso il prato in groppa a Blizzard, che aveva superato indenne la traversata. Lo cavalcava bene, pensò Jay, quasi come un uomo... e fu allora che si accorse, con grande irritazione, che montava cavalcioni. Era tremendamente volgare che una donna andasse in giro in quel modo, a gambe spalancate. Quando si fermò, le disse: «Non dovresti cavalcare così».

Lei si posò la mano sul ventre. «Vado molto piano, al passo o al trotto.»

«Non pensavo al bambino. Spero che nessuno ti abbia vista montare cavalcioni.»

Lei si rabbuiò in volto, ma come sempre la sua risposta fu una sfida: «Non ho nessuna intenzione di cavalcare all'amazzone, qui».

«Qui?» ripeté Jay. «Che importanza ha dove siamo?»

«Qui non mi vede nessuno.»

«Ti vedo io. E i servi. E potrebbe venire qualche visitatore. "Qui" non andresti in giro nuda, vero?»

«Monterò all'amazzone per andare in chiesa e quando abbiamo compagnia, ma non quando sono sola.»

Inutile discutere con lei. «Comunque, fra poco dovrai smettere completamente di andare a cavallo, per il bambino» concluse Jay, irritato.

«Per ora no» ribatté lei con vivacità. Era al quinto mese di gravidanza, e aveva deciso di smettere al sesto. Cambiò argomento. «Ho dato un'occhiata in giro. La terra è in condizioni migliori della casa. Sowerby è un ubriacone, ma ha mandato avanti la proprietà. Dovresti essergli grato, considerando che non prende lo stipendio da quasi un anno.»

«Forse dovrà aspettare ancora un po'... Siamo a corto di liquidi.»

«Tuo padre aveva detto che c'erano cinquanta braccianti, in realtà sono solo venticinque. È una vera fortuna che abbiamo i quindici deportati della *Rosebud*.» Aggrottò la fronte. «C'è anche McAsh?»

«Sì.»

«Mi pareva appunto di averlo visto nei campi.»

«Avevo detto a Sowerby di scegliere i più giovani e robusti.» Jay non aveva neppure saputo che McAsh era a bordo della nave. In caso contrario, avrebbe detto a Sowerby di lasciar perdere quel piantagrane. Ma adesso che c'era, Jay era riluttante a mandarlo via. Non voleva dare l'impressione di lasciarsi intimidire da un deportato.

Lizzie disse: «Immagino che non abbiamo pagato i nuovi braccianti».

«No, naturalmente. Perché dovrei pagare qualcosa che appartiene alla mia famiglia?»

«Tuo padre potrebbe scoprirlo.»

«Lo scoprirà. Il capitano Parridge ha voluto una ricevuta per quindici deportati, e naturalmente gliel'ho data. La consegnerà a mio padre.»

«E a quel punto?»

Jay alzò le spalle. «Forse mio padre mi manderà il conto, e io lo pagherò... quando potrò.» Sembrava piuttosto orgoglioso dell'affare che aveva concluso. Si era procurato quindici uomini robusti che avrebbero lavorato per sette anni, e non gli erano costati nulla.

«Come la prenderà tuo padre?»

Jay sorrise. «Andrà su tutte le furie. Ma cosa può fare da là?»

«Immagino che vada bene così» commentò Lizzie in tono dubbioso.

A Jay non piaceva che discutesse le sue opinioni o decisioni. «Certe cose è meglio lasciarle agli uomini.»

Come sempre, la risposta la irritò e partì all'attacco. «Non mi piace vedere qui Lennox. Non riesco a spiegarmi il tuo attaccamento per quell'uomo.»

Jay provava sentimenti nebulosi nei confronti di Lennox. Poteva essergli utile lì come lo era stato a Londra... ma era una presenza scomoda. Comunque, da quando era stato salvato dalla stiva della *Rosebud*, aveva dato per scontato che sarebbe vissuto nella piantagione dei Jamisson, e Jay non aveva mai trovato il coraggio di obiettare. «Ho pensato che sarebbe stato utile avere un bianco ai miei ordini» disse con noncuranza.

«Ma cosa farà?»

«Sowerby ha bisogno di un assistente.»

«Lennox non sa niente di tabacco. Sa soltanto fumarlo.»

«Può imparare. E poi, si tratta soprattutto di far lavorare i negri.»

«Quanto a questo, ci riuscirà benissimo» commentò Lizzie in tono caustico.

Jay non aveva voglia di parlare di Lennox. «Forse entrerò in politica» disse. «Vorrei essere eletto alla camera dei burgess. Mi domando in quanto tempo si può combinare.»

«Dovresti incontrare i nostri vicini e discuterne con loro.»

Lui fu d'accordo. «Fra circa un mese, quando la casa sarà pronta, daremo un grande ricevimento e inviteremo tutte le persone importanti di Fredericksburg e dintorni. Così avrò la possibilità di farmi un'idea dei proprietari terrieri della zona.»

«Un ricevimento?» chiese dubbiosa Lizzie. «Possiamo permettercelo?»

Ancora una volta lei discuteva le sue opinioni. «Lascia che sia io a occuparmi della parte finanziaria» scattò Jay. «Sono sicuro che potremo avere le provviste a credito... la famiglia commercia da queste parti da almeno dieci anni, e il mio nome deve valere parecchio.»

Lizzie insistette: «Non sarebbe meglio che ti preoccupassi di mandare avanti la piantagione, almeno per un anno o due? Allora avresti la certezza di una base solida per una carriera pubblica».

«Non dire stupidaggini» ribatté Jay. «Non sono venuto qui per fare il contadino.»

La sala da ballo era piccola, ma aveva un bel pavimento e un palco per i musicisti. Venti o trenta coppie ballavano nei vivaci abiti di raso: gli uomini portavano la parrucca, le donne cappellini di pizzo. Due violinisti, un tamburino e un suonatore di corno francese eseguivano un minuetto. Dozzine di candele illuminavano le pareti ridipinte da poco e le decorazioni floreali. Nelle altre stanze di rappresentanza della casa, gli invitati giocavano a carte, fumavano, bevevano e flirtavano.

Jay e Lizzie passarono dalla sala da ballo a quella da pranzo rivolgendo sorrisi e cenni di saluto agli ospiti. Jay indossava un abito nuovo di seta verde mela acquistato a Londra poco prima della partenza. Lizzie aveva un vestito viola, il suo colore preferito. Jay aveva pensato che il loro abbigliamento avrebbe messo in ombra quello degli invitati, ma aveva scoperto con sorpresa che i virginiani erano eleganti quanto i londinesi.

Aveva bevuto vino in abbondanza e si sentiva magnificamente. La cena era stata servita molto prima, ma sul tavolo c'erano i rinfreschi: vini, gelatine, torte di ricotta, latte con vino e zucchero, frutta. Il ricevimento era costato un patrimonio, ma era un trionfo: tutti quelli che contavano erano presenti.

L'unica nota stonata era stato Sowerby, che aveva scelto proprio quel giorno per chiedere lo stipendio arretrato. Quando Jay gli aveva risposto che non avrebbe potuto pagarlo fino alla vendita del primo raccolto di tabacco, Sowerby gli aveva chiesto con fare insolente come mai poteva permettersi di offrire un ricevimento per cinquanta persone. Per la verità, Jay non avrebbe potuto permetterselo e aveva comprato tutto a credito, ma era troppo orgoglioso per dirlo al sovrintendente. Perciò gli aveva ordinato di tenere a freno la lingua. Sowerby era apparso piuttosto contrariato e preoccupato, e Jay si era chiesto se aveva problemi pressanti di denaro. Ma non aveva cercato di scoprirlo.

Nella sala da pranzo i vicini dei Jamisson erano accanto al fuoco e mangiavano fette di torta. C'erano tre coppie: il colonnello Thumson e signora, Bill e Suzy Delahaye e due fratelli scapoli, gli Armstead. I Thumson erano personaggi di riguardo: il colonnello era membro dell'Assemblea Generale e aveva un portamento solenne. Si era distinto nell'esercito britannico e nella milizia virginiana, poi si era ritirato a coltivare tabacco e a contribuire al governo della colonia. Jay pensava che poteva prenderlo come modello.

Stavano parlando di politica. Thumson spiegò: «Il governatore della Virginia è morto lo scorso marzo, e stiamo aspettando il successore».

Jay assunse l'aria del frequentatore della Corte di Londra. «Il re ha nominato Norborne Berkeley, barone di Botetourt.»

John Armstead, che era sbronzo, rise rumorosamente. «Che razza di nome!»

Jay lo guardò gelido. «Mi sembra che il barone stesse per partire da Londra poco dopo di me.»

Thumson disse: «Il presidente del Consiglio lo sostituisce ad interim».

Jay volle dimostrare di essere ben informato degli affari locali. «Presumo sia stato per questo che i burgess hanno commesso l'imprudenza di appoggiare la lettera del Massachusetts.» La lettera era una protesta contro i dazi, ed era stata inviata al re Giorgio dall'assemblea legislativa del Massachusetts. Poi l'assemblea della Virginia aveva votato una risoluzione che approvava la lettera. Jay e quasi tutti i tory di Londra giudicavano sleali sia la lettera sia la risoluzione della Virginia.

Thumson non sembrava d'accordo. Disse seccamente: «Io credo che i burgess non abbiano commesso nessuna imprudenza».

«Ma sua maestà l'ha pensato» replicò Jay. Non spiegò come conoscesse i pensieri del re, lasciando adito alla supposizione che il re gliel'avesse detto di persona.

«Bene, mi dispiace moltissimo» dichiarò Thumson, che in realtà non sembrava affatto dispiaciuto.

Jay ebbe la sensazione di essersi avventurato su un terreno pericoloso, tuttavia voleva farsi apprezzare per il suo acume, perciò proseguì: «Sono certo che il nuovo governatore esigerà il ritiro della risoluzione». Questo l'aveva saputo prima di partire da Londra.

Bill Delahaye, più giovane di Thumson, si accalorò: «I burgess rifiuteranno». La bella moglie, Suzy, gli posò la mano sul braccio per calmarlo, ma lui aggiunse: «Hanno il dovere di dire al re la verità, non di blaterare frasi vuote per far piacere ai sicofanti tory».

Thumson precisò, con molto tatto: «Non tutti i tory sono sicofanti, naturalmente».

Jay replicò: «Se i burgess rifiutassero di ritirare la risoluzione, il governatore sarebbe costretto a sciogliere l'assemblea».

Roderick Armstead, che era più sobrio del fratello, commentò: «È strano, ma al giorno d'oggi questo fa ben poca differenza».

Jay non capiva. «Come mai?»

«I parlamenti coloniali vengono sciolti di continuo per una ragione o per l'altra, ma si riuniscono in modo informale in una taverna o in una casa privata e tirano avanti come se niente fosse.»

«Ma in circostanze simili non sono legittimati!» protestò Jay.

Fu il colonnello Thumson a rispondergli: «Tuttavia hanno il consenso dal popolo che governano, e sembra che questo sia sufficiente».

Jay aveva già sentito discorsi del genere da parte di uomini che leggevano troppi libri di filosofia. L'idea che i governi derivassero la loro autorità dal consenso popolare era assurda e pericolosa. Il sottinteso era che i re non avevano il diritto di governare. Era appunto il genere di discorso che John Wilkes andava facendo in Inghilterra. Jay cominciò a irritarsi con Thumson. «A Londra un uomo potrebbe finire in carcere per queste parole, colonnello.»

«Infatti» rispose Thumson, enigmatico.

Lizzie intervenne: «Ha assaggiato il latte con vino e zucchero, signora Thumson?».

La moglie del colonnello rispose con entusiasmo esagerato: «Oh, sì, sì! È squisito. Davvero delizioso».

«Mi fa piacere. È così facile che venga male.»

Jay sapeva che a Lizzie non importava nulla del latte con vino e zucchero: stava solo cercando di allontanare il discorso dalla politica. Ma lui non aveva ancora finito. «Devo dire che certi suoi atteggiamenti mi sorprendono, colonnello» continuò.

«Ah, vedo il dottor Martin... devo parlargli» disse Thumson, e assieme alla moglie raggiunse con disinvoltura un altro gruppo di ospiti.

Bill Delahaye commentò: «Lei è appena arrivato, Jamisson. Quando avrà vissuto qui per un po', forse anche lei vedrà le cose in una prospettiva diversa».

Il tono era abbastanza gentile, ma stava dicendo in pratica che Jay non ne sapeva ancora abbastanza per farsi un'idea della situazione. Jay si offese: «Io sono certo, signore, che la mia lealtà verso il mio sovrano resterà immutata, dovunque io decida di vivere».

Delahaye si oscurò in volto. «Senza dubbio» rispose, e si allontanò anche lui assieme alla moglie.

Roderick Armstead intervenne: «Devo proprio assaggiare il latte con vino e zucchero» e si girò verso il tavolo, lasciando Jay e Lizzie col fratello ubriaco.

«Politica e religione» borbottò John Armstead. «Non bisogna mai parlare di religione e di politica a una festa.» Ciò detto, si piegò all'indietro, chiuse gli occhi e cadde lungo disteso.

Jay scese a colazione a mezzogiorno. Aveva un forte mal di testa.

Non aveva visto Lizzie. Avevano due camere da letto adiacenti, un lusso che a Londra non avevano potuto permettersi. La trovò che stava mangiando prosciutto alla griglia, mentre gli schiavi domestici rimettevano in ordine dopo il ballo.

C'era una lettera per lui. Sedette e l'aprì, ma prima che potesse leggerla Lizzie lo guardò male e disse: «Perché diavolo ti sei messo a litigare ieri sera?».

«Con chi avrei litigato?»

«Con Thumson e Delahaye, naturalmente.»

«Non è stato un litigio, ma una discussione.»

«Hai offeso i nostri vicini.»

«Allora sono tipi che si offendono con troppa facilità.»

«In pratica hai dato del traditore al colonnello Thumson!»

«A me sembra che lo sia.»

«È un proprietario terriero, membro della camera dei burgesses, ex ufficiale... in nome del cielo, come può essere un traditore?»

«Hai sentito anche tu cos'ha detto.»

«Evidentemente qui è normale.»

«Bene, non sarà mai normale in casa mia.»

Sarah, la cuoca, entrò in quel momento interrompendoli e Jay ordinò tè e pane tostato.

Lizzie ebbe l'ultima parola, come al solito: «Hai speso un patrimonio per conoscere i nostri vicini, e sei riuscito a indisporli». E riprese a mangiare.

Jay guardò la lettera. Era scritta da un avvocato di Williamsburg.

Duke of Gloucester Street
Williamsburg
29 agosto 1768

Caro signor Jamisson, suo padre Sir George mi ha comandato di scriverle. Le porgo il benvenuto in Virginia e spero che avremo presto il piacere di vederla qui nella capitale coloniale.

Jay rimase sorpreso. Suo padre gli dimostrava una premura inattesa. Cominciava a diventare più gentile, adesso che lui stava in capo al mondo?

Nel frattempo, la prego di farmi sapere se posso rendermi utile. So che si trova alle prese con una piantagione in difficoltà, e che potrebbe decidere di cercare un aiuto finanziario. Mi permetta di offrirle i miei buoni uffici nel caso che le faccia comodo un'ipoteca. Sono sicuro che si potrà trovare senza problemi un prestatore di denaro.

Rimango, signore,
il suo umile e obbediente servitore *Matthew Murchman*

Jay sorrise. Era appunto ciò che gli occorreva. Le riparazioni e la risistemazione della casa e il lussuoso ricevimento l'avevano indebitato fino al collo coi commercianti locali. E Sowerby continuava a chiedere provviste, sementi, attrezzi nuovi, indumenti per gli schiavi, cordame, vernice... un elenco interminabile. «Bene, non dobbiamo più preoccuparci per i quattrini» annunciò a Lizzie posando la lettera.

Lei lo guardò con aria scettica.

«Andrò a Williamsburg» disse Jay.

28

Mentre Jay era a Williamsburg, Lizzie ricevette una lettera della madre. La prima cosa che la colpì fu l'indirizzo da cui era stata spedita.

Vicariato
Chiesa di St. John
Aberdeen
15 agosto 1768

Cosa ci faceva sua madre in un vicariato di Aberdeen? Lesse.

Ho tante cose da raccontarti, mia cara figlia! Ma devo scrivere i fatti passo passo così come sono avvenuti.

Poco dopo il mio ritorno nell'High Glen tuo cognato Robert Jamisson ha assunto la gestione della tenuta. Sir George sta pagando gli interessi delle mie ipoteche perciò non sono in condizioni di discutere. Robert mi ha chiesto di lasciare la casa grande e di stabilirmi nel vecchio casino di caccia per fare economia. Confesso che la soluzione non mi è piaciuta, ma Robert ha insistito, e devo dirti che non è stato gentile e affettuoso come dovrebbe essere un membro della famiglia.

Un'ondata di rabbia impotente assalì Lizzie. Com'era possibile che Robert avesse osato cacciare sua madre dalla propria casa? Ricordò le sue parole quando lei l'aveva respinto per sposare Jay: "Anche se non posso averla, avrò High Glen". Allora le era sembrato assurdo, ma adesso la minaccia s'era avverata.

Strinse i denti e continuò a leggere.

Poi il reverendo signor York ha annunciato che stava per lasciarci. Era stato pastore a Heugh per quindici anni ed era il mio più vecchio amico. Sapevo che dopo la morte tragica e prematura della moglie sentiva il bisogno di andare a vivere altrove. Ma puoi immaginare quanto mi rattristava l'idea che se ne andasse proprio quando avevo più bisogno di amici.

E a questo punto è accaduta la cosa più sorprendente. Mia cara, arrossisco nel dirti che mi ha chiesto di sposarlo!!! E ho accettato!!!

«Mio Dio!» esclamò Lizzie.

Quindi, come vedi, ci siamo sposati e ci siamo trasferiti ad Aberdeen, da dove ti scrivo.

Molti diranno che ho fatto un matrimonio al di sotto della mia condizione sociale perché sono la vedova di Lord Hallim, tuttavia io so bene quanto conta un titolo, e a John non importa nulla di ciò che pensa la buona società. Viviamo tranquilli, tutti mi conoscono come la signora York, e sono molto più felice di quanto sia mai stata.

La lettera continuava parlando dei tre figliastri, dei servitori del vicariato, del primo sermone del signor York e delle signore della congregazione... ma Lizzie era troppo sconvolta per prestare attenzione.

Mai avrebbe immaginato che sua madre si risposasse. Naturalmente non c'era motivo perché non lo facesse. Dopotutto, aveva appena quarant'anni. Poteva anche avere altri figli: non era certo impossibile.

Ciò che la sconvolgeva, tuttavia, era la sensazione di andare alla deriva. High Glen era sempre stata la sua casa. Anche se ora doveva vivere in Virginia col marito e il bambino, per lei High Glen era il posto dove tornare se avesse avuto bisogno di un rifugio. Ma ormai era nelle mani di Robert.

Lizzie era sempre stata il centro della vita di sua madre, e non aveva mai pensato che la situazione potesse cambiare. Adesso invece sua madre aveva sposato un ministro del culto e viveva ad Aberdeen, aveva tre figliastri da amare e curare, e magari avrebbe avuto un figlio.

Perciò Lizzie non aveva altra casa che la piantagione, non aveva altra famiglia che Jay.

Bene, era decisa a organizzarsi una vita piacevole.

Aveva privilegi che molte donne le avrebbero invidiato: una casa grande, una tenuta di cinquecento ettari, un bel marito, e schiavi ai suoi comandi. Quelli domestici si erano affezionati a lei. Sarah era la cuoca, la grassa Belle si occupava delle pulizie, Mildred era la sua cameriera personale e a volte serviva in tavola. Belle aveva un figlio di dodici anni, Jimmy, garzone della scuderia: il padre era stato venduto anni prima. Lizzie non conosceva bene molti dei braccianti, a parte Mack, ma aveva simpatia per Kobe, il supervisore, e per il fabbro, Cass, che aveva la fucina dietro la casa.

Mockjack Hall era grande e maestosa, ma comunicava una sensazione di vuoto e di abbandono. Sarebbe stata adatta a una famiglia con sei figli, i nonni e qualche zia, con un esercito di schiavi per accendere i camini in ogni stanza e servire i pasti a tanta gente. Per Lizzie e Jay era un mausoleo. Ma la piantagione era bella, con boschi fitti, vasti campi digradanti e cento ruscelli.

Jay non era l'uomo che aveva creduto. Non era l'audace spirito libero che le era sembrato quando l'aveva accompagnata nella miniera. E il fatto che le avesse mentito sulla sorte di High Glen l'aveva scossa: da quel giorno non aveva più provato per lui gli stessi sentimenti. Non si davano più da fare nel letto, la mattina. Passavano separati quasi tutta la giornata. Pranzavano e cenavano assieme, ma non sedevano mai davanti al fuoco tenendosi per mano e parlando di tante piccole cose come avevano fatto un tempo. Ma forse anche Jay era deluso. Forse provava sensazioni simili alle sue: che non era perfetta come gli era parsa un tempo. Inutile abbandonarsi ai rimpianti. Dovevano amarsi per forza di cose.

Spesso, però, provava un prepotente impulso di fuggire. E ogni volta ricordava il bambino che portava in grembo. Non poteva più pensare solo a se stessa. Il suo bambino aveva bisogno del padre.

Jay non parlava molto del bambino. Sembrava che non gliene importasse. Ma tutto sarebbe cambiato quando il piccolo fosse nato, soprattutto se fosse stato un maschio.

Lizzie ripose la lettera in un cassetto.

Quando finì di dare gli ordini per la giornata agli schiavi di casa, indossò la giacca e uscì.

L'aria era fresca. Ormai era metà ottobre: erano in Virginia da due mesi. Attraversò il prato e scese verso il fiume. Andò a piedi perché ormai era al sesto mese di gravidanza e sentiva il bambino scalciare, a volte dolorosamente, e andando a cavallo aveva paura di nuocergli.

Continuava tuttavia a camminare per la tenuta quasi ogni giorno, e per diverse ore. Di solito l'accompagnavano Roy e Rex, i due levrieri scozzesi comprati da Jay. Controllava attentamente i lavori della piantagione perché suo marito non se ne occupava per nulla. Seguiva la concia del tabacco e teneva il conto delle balle; vedeva gli uomini abbattere gli alberi per fabbricare i barili; controllava le vacche e i cavalli nei pascoli, i polli e le oche nell'aia. Quel giorno era domenica e i braccianti riposavano; questo le dava la possibilità di curiosare mentre Sowerby e Lennox erano altrove. Roy la seguì, ma Rex restò a poltrire sotto il portico.

La raccolta del tabacco era terminata, ma la lavorazione del raccolto era ancora impegnativa: bisognava togliere gli steli e le nervature e pressare le foglie prima di poterle chiudere nei barili detti "musi di porco" per il viaggio fino a Londra o a Glasgow. I braccianti seminavano il grano invernale nel campo che chiamavano "del Fiume", e orzo, segala e trifoglio in quello detto "della Quercia Bassa". Ma era ormai agli sgoccioli il periodo dell'attività più intensa, in cui faticavano nei campi dall'alba al tramonto e poi proseguivano con la concia del tabacco a lume di candela, fino a mezzanotte, nei capannoni.

I braccianti meritavano un premio per il loro impegno,

pensò. Anche gli schiavi e i deportati avevano bisogno di incoraggiamento. Le venne l'idea di offrir loro una festa.

Più ci pensava e più l'idea le piaceva. Jay, forse, sarebbe stato contrario, ma doveva assentarsi per un paio di settimane, dato che Williamsburg era lontana tre giorni di viaggio, quindi poteva farla prima del suo ritorno.

S'incamminò lungo la riva del Rapahannock continuando a riflettere sul progetto. Il fiume era sassoso e poco profondo, in quel tratto a monte di Fredericksburg che costituiva il limite estremo per la navigazione. Aggirò un gruppo di cespugli semisommersi e si fermò all'improvviso. C'era un uomo che si lavava immerso nell'acqua fino alla cintola, voltandole l'ampia schiena. Era McAsh.

Roy rizzò il pelo, poi lo riconobbe.

Lizzie l'aveva visto nudo nel fiume già una volta, quasi un anno prima. Ricordò quando l'aveva asciugato con la sottoveste. A quel tempo le era sembrato naturale, ma adesso, ripensandoci, la scena aveva una consistenza strana, come di un sogno: il chiaro di luna, l'acqua tumultuosa, l'uomo robusto che appariva così vulnerabile, e il modo in cui l'aveva abbracciato e riscaldato col proprio corpo.

Adesso, invece, si tirò indietro ma continuò a guardarlo mentre usciva dal fiume. Era nudo, come quella notte lontana.

Ricordò un altro momento del passato. Un pomeriggio, nell'High Glen, aveva sorpreso un giovane cervo che beveva in un fiumicello. L'immagine le tornò alla mente nitida come un quadro. Era uscita dagli alberi e si era trovata a pochi passi da un cervo maschio di due o tre anni, che aveva sollevato la testa e l'aveva fissata. L'altra riva del ruscello era scoscesa, e il cervo era costretto a muoversi verso di lei. Quando era uscito dal ruscello, l'acqua luccicava sui fianchi muscolosi. Lizzie aveva fra le mani il fucile carico, ma non era riuscita a sparare: la vicinanza sembrava creare un'intimità fra lei e l'animale.

Mentre guardava l'acqua scorrere sulla pelle di Mack pensò che, nonostante tutto quello che aveva passato, aveva conservato l'eleganza poderosa di un giovane animale. Mentre si infilava i calzoni, Roy gli corse incontro. Mack alzò la testa, vide Lizzie e restò immobile, sbalordito. Poi disse: «Potresti girarti!».

«Potresti girarti tu!» replicò lei.

«Io ero già qui.»

«E questo posto è mio!» scattò lei. Mack riusciva sempre a farla irritare. Evidentemente pensava di valere quanto lei. Lei era una signora e lui un bracciante deportato, ma per lui non era una ragione sufficiente per dimostrarle il minimo rispetto: quello stato di cose era voluto da una provvidenza arbitraria, ma Lizzie non ne aveva alcun merito e a lui non ispirava modestia. La sua audacia era esasperante, ma almeno era sincera. McAsh non era mai ipocrita. Jay, invece, spesso la sconcertava. Non si capiva mai cosa pensava, e quando gli faceva qualche domanda si metteva sulla difensiva, come se fosse sotto accusa.

Mack aveva l'aria divertita mentre annodava il cordone che gli sosteneva i calzoni. «E anch'io sono tua proprietà» disse.

Lizzie gli guardava il petto: stava riacquistando la muscolatura. «E ti ho già visto nudo.»

La tensione svanì di colpo. Scoppiarono a ridere come avevano riso davanti alla chiesa quando Esther aveva detto a Mack di chiudere il becco.

«Ho intenzione di dare una festa per i braccianti» gli disse lei.

Mack s'infilò la camicia. «Che genere di festa?»

Lizzie si scoprì a desiderare che aspettasse un po' a mettersi la camicia: le piaceva guardarlo. «Come la preferiresti?»

Lui rifletté. «Potresti far accendere un falò dietro la casa. E tutti vorrebbero un buon pasto, con carne in abbondanza. Non mangiano mai abbastanza.»

«Cosa vorrebbero mangiare?»

«Uhmmm.» Mack si leccò le labbra. «L'odore del prosciutto fritto che esce dalla cucina è così buono da far star male. E a tutti piacciono le patate dolci. E il pane di grano... Non ci danno mai altro che quella specie di pane di mais che chiamano *pone*.»

Lizzie si disse che aveva fatto bene a parlarne con Mack: le era utile. «E da bere?»

«Rum. Però certi uomini diventano litigiosi quando bevono. Se fossi in te, gli darei sidro di mele o birra.»

«Ottima idea.»

«E un po' di musica? Ai negri piace ballare e cantare.»

Lizzie si stava divertendo. Era gradevole progettare una festa con Mack. «D'accordo... ma chi suona?»

«C'è un negro libero che si chiama Pepper Jones e si esibisce nelle ordinarie di Fredericksburg. Potresti ingaggiare lui. Suona il banjo.»

Lizzie sapeva che "ordinaria" era il termine locale per indicare una locanda o una taverna dove si poteva anche mangiare, ma non aveva mai sentito parlare del banjo. «Cos'è?» chiese.

«Mi pare che sia uno strumento africano. Non ha il suono dolce del violino ma è più ritmico.»

«Come fai a sapere di quell'uomo? Quando sei stato a Fredericksburg?»

Sul volto di Mack passò un'ombra. «Ci sono andato una volta, di domenica.»

«Perché?»

«Per cercare Cora.»

«L'hai trovata?»

«No.»

«Mi rincresce.»

Mack scrollò le spalle. «Tutti hanno perduto qualcuno.» Girò la testa, rattristato.

Lizzie avrebbe voluto abbracciarlo e confortarlo, ma si trattenne. Anche se era incinta, non poteva abbracciare nessuno, tranne suo marito. Si sforzò di parlare in tono allegro. «Credi che Pepper Jones si lascerebbe convincere a venir qui a suonare?»

«Certo. L'ho visto suonare nel quartiere degli schiavi della piantagione Thumson.»

Lizzie era incuriosita. «E tu cosa ci facevi?»

«Ero andato in visita.»

«Non avevo mai pensato che gli schiavi lo facessero.»

«Abbiamo bisogno di qualcosa, nella vita, oltre al lavoro.»

«E cosa fate?»

«Ai giovani piacciono i combattimenti dei galli... sono capaci di fare quindici chilometri a piedi per vederne uno. E alle donne giovani piacciono gli uomini giovani. Quelle più anziane vogliono vedere i bambini delle altre e parlare dei fratelli e delle sorelle che hanno perduto. E cantano. Gli africani hanno canti molto tristi e li cantano bene. Non si capiscono le parole, ma mettono i brividi.»

«Anche i minatori cantavano.»

Mack rimase in silenzio per un momento. «Già. Cantavamo.»

Lizzie si accorse che le sue parole gli avevano messo malinconia. «Credi che tornerai nell'High Glen?»

«No. E tu?»

Lei si sentì salire le lacrime agli occhi. «No» rispose. «Non credo che tu e io ci torneremo mai.»

Il bambino scalciò e Lizzie si lasciò sfuggire un gemito.

«Cosa c'è?» chiese Mack.

Lizzie si posò la mano sul ventre. «Il piccolo tira calci. Non vuole che abbia nostalgia dell'High Glen. Sarà un vero virginiano. Ah! L'ha fatto di nuovo.»

«Fa male?»

«Sì... senti.» Gli prese la mano e se la posò sul ventre. Le dita erano dure e ruvide, ma il tocco era delicato.

Il bambino però non si mosse. Mack le chiese: «Quando deve nascere?».

«Fra dieci settimane.»

«Come lo chiamerai?»

«Mio marito ha deciso che si chiamerà Jonathan se è un maschio, Alicia se è una femmina.»

Il piccolo scalciò di nuovo. «Ehi, che forza!» commentò Mack ridendo. «Non mi sorprende che ti faccia sussultare.» E tolse la mano.

Lizzie avrebbe voluto che la lasciasse un po' più a lungo. Cambiò argomento per nascondere i suoi sentimenti. «Dovrò parlare a Bill Sowerby della festa.»

«Non lo sai?»

«Cosa?»

«Be'... Bill Sowerby se n'è andato.»

«Se n'è andato? Cosa vuoi dire?»

«È sparito.»

«Quando?»

«Due notti fa.»

Lizzie ricordò di non aver visto Sowerby da un paio di giorni, ma non si era allarmata perché non sempre lo vedeva. «Ha detto quando tornerà?»

«Non so se ha parlato con qualcuno, ma ho l'impressione che non tornerà più.»

«Perché?»

«Ha un debito con Sidney Lennox, un grosso debito, e non può pagare.»

Lizzie s'indignò. «E immagino che adesso Lennox faccia il sovrintendente.»

«È passato un solo giorno lavorativo... ma... sì, è così.»

«Non voglio che quell'animale diriga la piantagione!» esclamò Lizzie con impeto.

«Amen» le fece eco Mack. «Non lo vuole nessuno dei braccianti.»

Lizzie aggrottò la fronte, colpita da un sospetto. Sowerby era in credito di molti stipendi arretrati. Jay gli aveva detto che l'avrebbe pagato dopo la vendita del primo raccolto di tabacco. Perché non aveva aspettato? Avrebbe potuto pagare i debiti. Qualcuno doveva averlo spaventato: Lennox l'aveva minacciato, senza dubbio. Più Lizzie ci pensava, più sentiva crescere l'indignazione. «Credo che Lennox abbia costretto Sowerby ad andarsene» disse.

Mack annuì. «Non ne so molto, ma anch'io la penso così. Io mi sono scontrato con Lennox, e guarda cosa mi è capitato.»

Non si autocommiserava: faceva solo un'amara constatazione. Tuttavia Lizzie si commosse. Gli toccò il braccio e disse: «Dovresti esserne fiero. Ti sei comportato con coraggio e onore».

«Mentre Lennox è corrotto e malvagio... ma come finirà? Diventerà sovrintendente, troverà il modo di derubarvi, poi aprirà una taverna a Fredericksburg e molto presto vivrà qui come viveva a Londra.»

«Non succederà, se potrò evitarlo» disse Lizzie in tono deciso. «Gli parlerò subito.» Lennox aveva una casetta di due stanze vicino ai capannoni del tabacco e alla casa di Sowerby. «Spero di trovarlo.»

«Non c'è. La domenica a quest'ora è alla Ferry House... un'ordinaria cinque o sei chilometri più a monte, lungo il fiume. Ci resterà fino a stasera tardi.»

Lizzie non poteva aspettare fino all'indomani: non aveva pazienza, quando aveva in mente una cosa simile. «Andrò alla Ferry House. Non posso cavalcare... prenderò il calesse.»

Mack aggrottò la fronte. «Non sarebbe meglio discuterne qui, dove sei la padrona? È un tipo brutale.»

Lizzie provò una fitta di paura. Mack aveva ragione. Lennox era pericoloso. Ma non sopportava l'idea di rimandare la discussione. Mack poteva proteggerla. «Vieni con me?» chiese. «Mi sentirei sicura se ci fossi tu.»

«Ma certo.»

«Potresti guidare il calesse.»

«Dovrai insegnarmelo.»

«È molto facile.»

Risalirono dal fiume verso casa. Lo stalliere, Jimmy, stava abbeverando i cavalli. Lui e Mack tirarono fuori il calesse e attaccarono un cavallo mentre Lizzie rientrava per mettersi il cappello.

Lasciarono la piantagione e si avviarono lungo la strada

che fiancheggiava il fiume fino al traghetto. La Ferry House era una costruzione di legno non molto più grande delle case di due stanze dove abitavano Sowerby e Lennox. Mack aiutò Lizzie a smontare dal calesse e le tenne aperta la porta della taverna.

Il locale era buio e fumoso. Dieci o dodici persone, sedute su panche o sedie di legno, bevevano dai boccali e dalle tazze di coccio. Qualcuno giocava a carte e a dadi, qualcuno fumava la pipa. Dal retro giungeva il rumore delle palle da biliardo.

Non c'erano né donne né negri.

Mack seguì Lizzie ma rimase accanto alla porta, con la faccia in ombra.

Un uomo entrò dalla stanza posteriore, si asciugò le mani con una salvietta e disse: «Cosa posso servirle, signor...? Oh! Una signora!».

«Niente, grazie» rispose Lizzie a voce alta e nel locale scese il silenzio.

Girò lo sguardo sulle facce rivolte verso di lei. Lennox era nell'angolo e stava chino su un bussolotto e un paio di dadi. Sul tavolino davanti a lui c'erano diverse pile di monete. Sembrava irritato per essere stato interrotto.

Rastrellò con calma le monete prima di alzarsi senza fretta e togliersi il cappello. «Cos'è venuta a fare qui, signora Jamisson?»

«Non certo per giocare a dadi» ribatté lei. «Dov'è il signor Sowerby?»

Sentì qualche mormorio d'approvazione, come se altri, lì dentro, ci tenessero a sapere cos'era successo al sovrintendente. Un uomo dai capelli grigi si girò sulla sedia e la guardò.

«A quanto pare è scappato» rispose Lennox.

«Perché non me l'ha riferito?»

Lennox scrollò le spalle. «Perché tanto lei non può farci niente.»

«Comunque, voglio essere informata su quello che succede. Non lo faccia mai più. È chiaro?»

Lennox non rispose.
«Perché Sowerby se n'è andato?»
«Come posso saperlo?»
L'uomo dai capelli grigi intervenne: «Perché aveva un debito».
Lizzie si voltò verso di lui. «Con chi?»
L'uomo indicò col pollice. «Con Lennox.»
Lei si girò di nuovo verso Lennox. «È vero?»
«Sì.»
«Per cosa?»
«Non capisco.»
«Perché s'era fatto prestare denaro da lei?»
«Non è esatto. L'ha perso.»
«Al gioco?»
«Sì.»
«E lei l'ha minacciato?»
L'uomo dai capelli grigi scoppiò in una risata sarcastica. «Se l'ha minacciato? Ci può giurare.»
«Gli ho solo chiesto quello che mi doveva» disse freddamente Lennox.
«E per questo è fuggito.»
«Le ripeto che non so perché è scappato.»
«Credo che avesse paura di lei.»
Un sorriso maligno spuntò sulle labbra di Lennox. «Molti ce l'hanno» rispose in tono di minaccia appena velato.
Lizzie era spaventata e indignata. «Mettiamo in chiaro una cosa» disse. Le tremò la voce. Deglutì per schiarirla. «Io sono la padrona della piantagione, quindi farà quello che dico io. La direzione della tenuta la assumo io fino al ritorno di mio marito. Sarà lui a decidere come sostituire il signor Sowerby.»
Lennox scosse la testa. «Oh, no» rispose. «Sono il vice di Sowerby. Il signor Jamisson mi ha detto chiaramente che se Sowerby si fosse ammalato o gli fosse capitato qualcosa avrei dovuto assumere io la direzione. E poi, cosa ne sa lei della coltivazione del tabacco?»
«Ne so quanto un taverniere londinese.»

«Bene, il signor Jamisson la pensa diversamente, e io prendo ordini da lui.»

Lizzie avrebbe voluto urlare per la frustrazione. Non poteva permettere che quell'uomo desse ordini nella sua piantagione. «L'avverto, Lennox. È meglio che mi obbedisca!»

«E se non lo faccio?» Lennox avanzò di un passo verso di lei, sogghignando, e Lizzie avvertì il suo odore caratteristico e dovette indietreggiare. Gli altri clienti della taverna erano immobili, come paralizzati. «Cosa farà, signora Jamisson?» proseguì Lennox senza fermarsi. «Mi picchierà?» E alzò la mano in un gesto che poteva illustrare quanto stava dicendo, ma poteva anche essere una minaccia.

Lizzie balzò indietro con un grido di paura, urtò contro una sedia e vi si lasciò cadere con un tonfo.

E d'un tratto Mack fu tra lei e Lennox. «Hai alzato le mani contro una donna» disse. «Adesso vediamo se hai il coraggio di alzarle contro un uomo.»

«Tu!» esclamò Lennox. «Non sapevo che fossi tu, nascosto nell'angolo come un negro.»

«E adesso che lo sai, cosa intendi fare?»

«Sei un maledetto stupido, McAsh. Ti metti sempre dalla parte perdente.»

«Tu hai appena insultato la moglie del tuo padrone... non mi sembra un gesto molto intelligente.»

«Non sono venuto qui per discutere, ma per giocare a dadi.» Lennox si voltò e tornò al suo tavolo.

Lizzie era furiosa e frustrata come quando era entrata nella taverna. Si alzò. «Andiamo» disse a Mack.

Lui aprì la porta per farla passare.

Doveva informarsi sulla coltivazione del tabacco, decise Lizzie quando si fu calmata. Lennox avrebbe cercato di prendere il controllo, e l'unico modo per sconfiggerlo stava nel convincere Jay che lei avrebbe saputo gestire meglio la piantagione. Sapeva già molte cose sull'organizzazione del lavoro, ma non capiva bene le caratteristiche del tabacco.

L'indomani prese di nuovo il calesse e si fece condurre da Jimmy a casa del colonnello Thumson.

Nelle settimane trascorse dopo il ricevimento, i vicini si erano mostrati freddi con Lizzie e Jay, soprattutto con Jay. Li avevano invitati nelle occasioni importanti, un ballo e un matrimonio in grande, ma nessuno li aveva pregati di partecipare a un festeggiamento fra amici o a una cena intima. Dovevano però aver saputo della partenza di Jay per Williamsburg perché la signora Thumson era venuta a farle visita e Suzy Delahaye l'aveva invitata a prendere il tè. Le dispiaceva un po' che preferissero avere a che fare con lei sola, ma Jay aveva offeso tutti con le sue affermazioni.

Mentre attraversava la piantagione Thumson rimase colpita dal suo aspetto prospero. Sul pontile c'erano file e file di barili da tabacco; gli schiavi avevano un buon aspetto e lavoravano con impegno; le baracche erano dipinte di fresco, i campi ben curati. Vide il colonnello in mezzo a un prato, parlava con un gruppetto di braccianti e indicava loro qualcosa. Jay non andava mai nei campi per dare istruzioni.

La signora Thumson era una donna grassa e bonaria oltre la cinquantina. I due figli maschi, ormai adulti, vivevano altrove. Versò il tè e chiese a Lizzie come andava la gravidanza. Lizzie confessò che ogni tanto aveva mal di schiena e soffriva di continui bruciori di stomaco, e si sentì sollevata quando la signora Thumson le disse che anche lei aveva sofferto gli stessi disturbi. Quando però confidò di aver avuto anche leggere perdite di sangue, la signora Thumson aggrottò la fronte e spiegò che a lei non era mai capitato: tuttavia non era infrequente, disse, doveva solo riposare di più.

Ma non era venuta per parlare della gravidanza, e fu contenta quando il colonnello venne a prendere il tè. Anche lui era oltre la cinquantina, aveva i capelli bianchi, era alto e ancora vigoroso per la sua età. Le strinse la mano un po' rigido, ma Lizzie lo rabbonì con un sorriso e un complimento. «Perché la sua piantagione ha un aspetto più bello di quelle degli altri?»

«Oh, è molto gentile» rispose il colonnello. «Direi che il fattore principale è la mia presenza. Vede, Bill Delahaye è sempre in viaggio per seguire le corse dei cavalli e i combattimenti dei galli. John Armstead preferisce bere piuttosto che lavorare e il fratello passa tutti i pomeriggi a giocare a biliardo e a dadi alla Ferry House.» Non fece commenti su Mockjack Hall.

«Perché i suoi schiavi sembrano così pieni d'energia?»

«Ecco, questo dipende dal vitto.» Il colonnello sembrava felice di poter dare suggerimenti alla bella e giovane visitatrice. «Possono vivere di *hominy* e pane di mais, però lavorano meglio se gli si dà pesce salato ogni giorno e carne una volta la settimana. Costa un po' caro, ma sempre meno di quanto costerebbe comprare schiavi nuovi a intervalli di pochi anni.»

«Perché di recente sono fallite tante piantagioni?»

«Il tabacco bisogna conoscerlo. Impoverisce il suolo. Dopo quattro o cinque anni la qualità si deteriora. Bisogna passare alla coltivazione del frumento o del mais e trovare altri campi per il tabacco.»

«Allora è necessario diboscare di continuo?»

«Infatti. Ogni inverno io dibosco e preparo campi nuovi per il tabacco.»

«Ma lei è fortunato... ha tanta terra!»

«Anche nella sua tenuta ci sono molti boschi. E quando li ha sfruttati deve acquistarne o affittarne altri. L'unico modo per coltivare il tabacco consiste nel muoversi di continuo.»

«Lo fanno tutti?»

«No. Alcuni ottengono credito dai commercianti e sperano che il prezzo del tabacco salga e risolva i loro problemi. Dick Richards, il precedente padrone della vostra tenuta, ha seguito questa strada, e alla fine la proprietà è passata a suo suocero.»

Lizzie non disse che Jay era andato a Williamsburg per ottenere un prestito. «Potremmo diboscare Stafford Park in tempo per la prossima primavera.» Stafford Park era un appezzamento di terreno incolto separato dalla proprietà principale e situato quindici chilometri più a monte. Era stato trascurato a causa della distanza e Jay aveva cercato di venderlo o affittarlo ma nessuno si era fatto avanti.

«Perché non comincia da Pond Copse?» suggerì il colonnello. «È vicino ai capannoni della concia e il terreno è adatto. A proposito» osservò lanciando un'occhiata all'orologio sulla mensola del camino. «Devo andare a visitare i miei capannoni prima che faccia buio.»

Lizzie si alzò. «E io devo tornare a casa a parlare col sovrintendente.»

La signora Thumson disse: «Non si affatichi troppo, signora Jamisson... pensi al bambino».

Lizzie sorrise. «Le prometto che riposerò moltissimo.»

Il colonnello Thumson diede un bacio alla moglie e uscì con Lizzie, l'aiutò a salire sul calesse, poi l'accompagnò a cavallo fino ai capannoni. «Se mi consente un'osservazione personale, signora Jamisson, lei è una donna straordinaria.»

«Oh, grazie.»

«Mi auguro che la vedremo più spesso.» Il colonnello sorrise. I suoi occhi azzurri ammiccavano. Le prese la mano e mentre se la portava alle labbra per baciarla, le sfiorò il seno col braccio, come per caso. «La prego di farmi chiamare in qualunque momento, se posso esserle utile.»

Lizzie partì. Credo di aver appena ricevuto la mia prima proposta di adulterio, pensò. E sono incinta di sei mesi. Vecchio libertino! Avrebbe dovuto essere indignata, e invece si sentiva lusingata. Naturalmente non avrebbe mai approfittato della proposta, anzi, per l'avvenire avrebbe evitato il colonnello. Ma era piacevole sapersi desiderata.

«Più svelto, Jimmy» disse. «Voglio andare a cena.»

L'indomani mattina mandò Jimmy a chiamare Lennox e lo ricevette nel salotto. Non gli aveva più parlato dopo l'incidente nella Ferry House. Aveva una certa paura di lui e aveva pensato di chiamare Mack perché la proteggesse. Ma si rifiutava di ammettere di aver bisogno di una guardia del corpo in casa propria.

Sedette su una grande sedia scolpita che doveva essere stata importata dall'Inghilterra un secolo prima. Lennox si presentò con due ore di ritardo e con gli stivali infangati. Aveva tardato apposta per dimostrare che non era obbligato ad accorrere alla sua chiamata, lei lo sapeva. Se l'avesse preso di petto, sicuramente avrebbe inventato qualche scusa, quindi decise di agire come se fosse comparso subito.

«Dobbiamo diboscare Pond Copse per poter piantare il tabacco la prossima primavera» gli disse. «Voglio che cominci oggi.»

Per una volta, Lennox fu colto di sorpresa. «Perché?» chiese.

«I coltivatori di tabacco devono diboscare nuovi terreni ogni inverno. È l'unico modo per avere una resa elevata. Mi sono guardata intorno e Pond Copse mi sembra il più promettente. Il colonnello Thumson è d'accordo con me.»

«Bill Sowerby non l'ha mai fatto.»

«Bill Sowerby non ha mai fatto rendere la piantagione.»

«I campi vecchi non hanno niente che non va.»

«Le piante di tabacco impoveriscono il suolo.»

«Ah, sì» disse Lennox. «Però lo concimiamo molto.»

Lizzie aggrottò la fronte. Thumson non aveva parlato di concime. «Non saprei...»

L'esitazione fu fatale. «Queste cose è meglio lasciarle fare agli uomini» disse Lennox.

«La smetta con le prediche» scattò lei. «Mi parli della concimazione.»

«La notte recintiamo il bestiame nei campi di tabacco, così il letame nutre la terra per la stagione successiva.»

«Non può essere paragonabile ai terreni nuovi» replicò Lizzie, ma non ne era sicura.

«È la stessa cosa» insistette Lennox. «Però, se vuole cambiare, dovrà parlarne col signor Jamisson.»

Era indispensabile lasciare che Lennox la spuntasse, sia pure per il momento: ma doveva attendere il ritorno di Jay. Disse in tono irritato: «Può andare».

Lennox sorrise con aria vittoriosa e uscì senza aggiungere una parola.

Lizzie s'impose di riposare per il resto della giornata, ma l'indomani mattina fece il giro della piantagione come al solito.

Nelle baracche, i fasci di piante di tabacco secche venivano staccati dai ganci per poter separare le foglie dagli steli e dalle nervature. Poi sarebbero state legate di nuovo insieme, coperte con teli e lasciate a "sudare".

Alcuni braccianti erano nel bosco a tagliare alberi per fabbricare barili. Altri seminavano il grano invernale nel campo del Fiume. Lizzie vide Mack a fianco di una giovane negra. Attraversavano in un'unica riga il campo arato e distribuivano le sementi che portavano in pesanti cesti. Lennox li seguiva e sollecitava i più lenti con un calcio o una frustata. Aveva una frusta corta col manico duro e la sferza di legno flessibile, lunga ottanta o novanta centimetri. Quando si accorse di essere osservato da Lizzie, la usò più spesso, come per sfidarla a cercare di fermarlo.

Lizzie si voltò e s'incamminò per rientrare a casa. Ma si era allontanata di poco quando sentì un urlo e tornò indietro.

La bracciante che lavorava a fianco di Mack si era accasciata. Si chiamava Bess ed era un'adolescente di circa quindici anni, alta ed esile. La madre di Lizzie avrebbe detto che quel che aveva guadagnato in statura l'aveva perso in robustezza.

Lizzie corse verso di lei, ma Mack era più vicino. Posò

la cesta e s'inginocchiò accanto a Bess. Le toccò la fronte e le mani. «Credo che sia svenuta» disse.

In quel momento sopraggiunse Lennox che tirò un calcio alla ragazza nelle costole.

Il corpo sobbalzò per il colpo, ma gli occhi non si aprirono.

Lizzie gridò: «Basta! Non la tocchi!».

«È una cagna negra che non ha voglia di lavorare. Le darò una lezione» rispose lui, e alzò la mano che brandiva la frusta.

«Non si permetta!» ordinò furiosa Lizzie.

Lennox sferzò la schiena della ragazza priva di sensi.

Mack balzò in piedi.

«Fermo!» gridò Lizzie.

Lennox alzò di nuovo la frusta.

Mack si piazzò fra Lennox e Bess.

«La tua padrona ti ha detto di smettere» disse.

Lennox cambiò mano alla frusta e lo colpì in faccia.

Mack vacillò, si portò la mano al viso. Una striscia violacea apparve sulla guancia e il sangue gli colò fra le labbra.

Lennox alzò di nuovo la frusta, ma questa volta il colpo non arrivò a segno.

Tutto si svolse così rapidamente che Lizzie non si rese conto di cos'era successo, ma dopo un attimo Lennox era a terra e gemeva, e Mack stringeva la frusta. La tenne con entrambe le mani e la spezzò su un ginocchio, poi la buttò con disprezzo a Lennox.

Lizzie provò un fremito di trionfo. Quel prepotente era stato sconfitto.

Tutti si erano fermati per assistere alla scena.

Allora Lizzie ordinò: «Tornate al lavoro, tutti quanti!».

I braccianti si allontanarono e ripresero a seminare. Lennox si alzò e guardò Mack con aria feroce.

«Ce la fai a portare Bess in casa?» chiese Lizzie a Mack.

«Certo.» Lui sollevò la ragazza fra le braccia.

Attraversarono i campi e la portarono in cucina, una costruzione separata sul retro della casa. Quando Mack la sistemò su una sedia, aveva ripreso i sensi.

Sarah, la cuoca, era una negra di mezza età, sempre sudata. Lizzie la mandò a prendere un po' del brandy di Jay. Dopo un sorso, Bess disse che si sentiva bene, a parte il dolore alle costole, e non capiva perché fosse svenuta. Lizzie le disse di mangiare qualcosa e di riposare fino all'indomani.

Mentre lasciava la cucina, notò che Mack aveva un'aria molto seria. «Cosa c'è?» gli chiese.

«Ho fatto una pazzia» rispose lui.

«Come puoi dirlo?» protestò Lizzie. «Lennox ha disobbedito a un mio ordine preciso.»

«È un individuo vendicativo. Non dovevo umiliarlo.»

«Come può fartela pagare?»

«Facile. È il sovrintendente.»

«Non lo permetterò» disse Lizzie in tono deciso.

«Non puoi tenermi d'occhio tutto il giorno.»

«Maledizione!» Non poteva permettere che Mack pagasse per lei.

«Scapperei, se sapessi dove andare. Hai mai visto una carta della Virginia?»

«Non scappare.» Lizzie aggrottò la fronte e rifletté. Le venne un'idea. «So cosa fare. Puoi lavorare in casa.»

Mack sorrise. «Mi piacerebbe. Ma come maggiordomo non valgo molto.»

«No, non come servitore. Potresti occuparti delle riparazioni. Ho bisogno che qualcuno ridipinga e sistemi la nursery.»

Mack la fissò, diffidente. «Dici sul serio?»

«Ma certo!»

«Sarebbe... meraviglioso sfuggire a Lennox.»

«Allora siamo d'accordo.»

«Non immagini neppure quanto mi faccia piacere.»

«Anche a me. Mi sentirò più sicura se mi starai vicino. Anch'io ho paura di Lennox.»

«E hai ragione.»

«Avrai bisogno di una camicia nuova, di un panciotto e di scarpe da casa.» Sarebbe stato un piacere vestirlo bene.

«Che lusso» commentò Mack con un sorriso.

«Allora è tutto a posto» disse Lizzie. «Puoi cominciare subito.»

Gli schiavi domestici, all'inizio, non videro di buon occhio il nuovo arrivato. Guardavano i braccianti dall'alto in basso. Sarah, in particolare, era risentita all'idea di dover cucinare per «gli straccioni che mangiano *hominy* e pane di mais». Ma Lizzie li prese in giro per il loro snobismo e alla fine tutti si adattarono.

Il sabato al tramonto in cucina si stava preparando un banchetto. Pepper Jones, il suonatore di banjo, era arrivato a mezzogiorno, piuttosto sbronzo. McAsh gli aveva fatto bere litri di tè, poi l'aveva mandato a dormire in una baracca per fargli smaltire la sbornia e adesso era sobrio. Lo strumento aveva quattro corde di minugia tese su una zucca vuota, e il suono era una via di mezzo fra quello di un pianoforte e di un tamburo.

Mentre faceva il giro dell'aia per controllare i preparativi, Lizzie si sentiva un po' emozionata. Attendeva con piacere la festa. Non vi avrebbe preso parte, naturalmente: doveva recitare la parte della signora generosa, serena e riservata. Ma si sarebbe divertita a vedere gli altri comportarsi in allegria.

Al cader della notte tutto era pronto. Era stato aperto un barile di sidro; diversi prosciutti grassi sfrigolavano sui fuochi; centinaia di patate dolci cuocevano nei paioli; i grandi pani bianchi da due chili ciascuno attendevano di essere affettati.

Lizzie camminava impaziente avanti e indietro, aspettando che gli schiavi tornassero dai campi. Sperava che avrebbero cantato. Qualche volta li aveva sentiti da lontano intonare nenie lamentose o canzoni ritmate sul lavoro, ma s'interrompevano sempre all'avvicinarsi di uno dei padroni.

Al levar della luna, le vecchie salirono dai loro alloggi coi bimbi più piccoli in braccio, seguite dai ragazzini più grandicelli. Non sapevano dove fossero i braccianti: davano loro da mangiare al mattino e non li rivedevano fino al termine della giornata.

I braccianti sapevano che quella sera dovevano presentarsi alla casa. Lizzie aveva raccomandato a Kobe di spiegarlo a tutti, e di Kobe ci si poteva fidare. Lei aveva avuto troppo da fare per uscire nei campi, ma immaginò che avessero lavorato nella parte più lontana della piantagione e che per questo impiegassero molto tempo per tornare. Sperava che le patate dolci non cuocessero troppo trasformandosi in poltiglia.

Il tempo passava e non compariva nessuno. Quando ormai era buio da un'ora, dovette arrendersi all'evidenza: era accaduto qualcosa. Mentre la rabbia le saliva dentro, chiamò McAsh e gli disse: «Fa' venire qui Lennox».

Ci volle quasi un'ora, ma alla fine McAsh tornò accompagnato da Lennox che evidentemente aveva già cominciato le sue bevute serali. Lizzie era furiosa. «Dove sono i braccianti?» chiese. «Dovrebbero essere qui!»

«Ah, sì» rispose Lennox, parlando con calcolata lentezza. «Oggi non è stato possibile.»

Tanta insolenza rivelò a Lizzie che aveva trovato un modo sicuro per mandare a monte i suoi progetti. «Cosa diavolo vuol dire? Perché non è possibile?» chiese.

«Hanno tagliato gli alberi per fabbricare i barili, su a Stafford Park.» Stafford Park si trovava quindici chilometri più a monte, lungo il fiume. «Ci sarà da lavorare per qualche giorno, perciò ci siamo accampati. I braccianti resteranno là con Kobe finché avremo finito.»

«Oggi non dovevate abbattere nessun albero.»

«Era il momento migliore.»

Lennox l'aveva fatto apposta per sfidarla. Lizzie avrebbe voluto urlare. Ma non poteva far nulla finché non fosse tornato Jay.

Lennox guardò i piatti sui tavoli a cavalletti. «Che peccato» disse, senza curarsi di nascondere la soddisfazione. Tese una mano lurida e prese un pezzo di prosciutto.

Senza riflettere, Lizzie afferrò un forchettone da scalco e glielo piantò nel dorso della mano. «Lo metta giù!» ordinò.

Lennox urlò di dolore e lasciò cadere la carne.

Lizzie gli sfilò dalla mano i rebbi del forchettone.

Lui lanciò un altro urlo. «Cagna idrofoba!» gridò.

«Via di qui, e non si faccia rivedere fino al ritorno di mio marito» ordinò Lizzie.

Lennox la fissò, inferocito per un lungo momento, come se stesse per aggredirla. Poi si strinse sotto l'ascella la mano sanguinante e se ne andò.

Lizzie sentì le lacrime salirle agli occhi. Non voleva che i servitori la vedessero piangere, perciò si girò e corse in casa. Non appena fu sola nel salotto cominciò a singhiozzare per la frustrazione. Si sentiva desolatamente sola.

Dopo un minuto udì la porta aprirsi. La voce di Mack disse: «Mi dispiace».

La sua comprensione raddoppiò le lacrime. Dopo un momento le braccia di Mack la strinsero. Provò un profondo senso di conforto. Gli appoggiò la testa sulla spalla e pianse, pianse a lungo. Mack le accarezzò i capelli e baciò le sue lacrime. A poco a poco i singhiozzi si acquietarono e la pena si smorzò. Desiderò poter restare così, fra le sue braccia, per tutta la notte.

Poi si rese conto di ciò che stava facendo.

Si svincolò, inorridita. Era sposata, incinta di sei mesi, e aveva permesso a un servitore di baciarla! «Cosa mi è venuto in mente?» chiese, incredula.

«Non stavi pensando» disse Mack.

«Ma sto pensando adesso» ribatté lei. «Vattene!»

Con aria triste, Mack si voltò e uscì.

29

Il giorno dopo la festa mancata, Mack ebbe notizie di Cora.

Era domenica, e andò a Fredericksburg tutto vestito a nuovo. Sentiva il bisogno di liberarsi la mente dal pensiero di Lizzie Jamisson, dei suoi morbidi capelli neri, delle sue guance delicate, delle sue lacrime. Pepper Jones, che aveva passato la notte negli alloggi degli schiavi, lo accompagnò.

Pepper era un uomo magro ed energico sulla cinquantina. Parlava correntemente l'inglese, e questo indicava che era in America da molti anni. Mack gli chiese: «Come mai sei libero?».

«Sono nato libero» rispose. «Mia madre era bianca, anche se non si vede. Mio padre era uno schiavo fuggiasco. Lo ripresero prima che io nascessi... non l'ho mai visto.»

Ogni volta che gliene capitava l'occasione, Mack faceva domande sulle possibilità di fuga. «È vero quello che dice Kobe, che tutti i fuggiaschi vengono ripresi?»

Pepper rise. «No, diavolo. Molti si fanno prendere, ma sono stupidi... è per questo che sono stati catturati in Africa.»

«Quindi, se non si è stupidi...?»

Il negro alzò le spalle. «Non è facile. Appena scappi, il padrone mette un annuncio sul giornale con la tua descrizione e quella dei vestiti che avevi addosso.»

Gli indumenti costavano così cari che sarebbe stato difficile per uno schiavo fuggiasco riuscire a sostituirli. «Però puoi tenerti nascosto.»

«Sì, ma devi mangiare. Quindi hai bisogno di trovare un lavoro, se resti nelle colonie, ed è facile che tutti quelli che possono dartelo abbiano letto l'annuncio.»

«I piantatori hanno previsto tutto.»

«Non c'è da meravigliarsi. Le piantagioni funzionano perché ci sono gli schiavi, i deportati e i servi vincolati. Se non avessero un sistema per riprendere i fuggiaschi, i piantatori sarebbero morti di fame da un pezzo.»

Mack rifletteva. «Hai detto: "se resti nelle colonie". Cosa vuoi dire?»

«A ovest ci sono le montagne, e al di là ci sono territori selvaggi. Niente giornali e niente piantagioni. Niente sceriffi, giudici, boia.»

«Quanto sono grandi quei territori?»

«Non lo so. Qualcuno dice che si estendono per centinaia di chilometri prima di arrivare di nuovo a un mare. Ma non ho mai conosciuto qualcuno che c'è stato.»

Mack aveva parlato con molte persone dei territori selvaggi, ma Pepper era il primo che riteneva attendibile. Gli altri riferivano storie chiaramente fantastiche anziché fatti concreti. Pepper, almeno, ammetteva di non sapere tutto. Come sempre, Mack era affascinato da quei discorsi. «Allora uno può sparire oltre le montagne e non farsi più trovare!»

«Proprio così. Però può finire scotennato dagli indiani o ucciso dai puma. Ma le probabilità maggiori sono che muoia di fame.»

«Come fai a saperlo?»

«Ho conosciuto qualche pioniere che è tornato. Si spaccano la schiena per qualche anno, trasformano un pezzo di terreno fertile in fango inutile, e si arrendono.»

«Ma qualcuno ce la fa?»

«Credo proprio di sì, altrimenti non ci sarebbe l'America.»

«A ovest, hai detto» mormorò Mack. «Quanto sono distanti le montagne?»

«Meno di duecento chilometri, dicono.»

«Così vicine?»

«Sono più lontane di quel che credi.»

Uno degli schiavi del colonnello Thumson che andava in città con un carro offrì loro un passaggio. Schiavi e deportati erano sempre pronti ad aiutarsi sulle strade della Virginia.

La città era molto animata. La domenica i braccianti delle piantagioni della zona arrivavano per andare in chiesa o per ubriacarsi o per fare l'uno e l'altro. Certi deportati guardavano gli schiavi dall'alto in basso, ma per Mack non c'era ragione di sentirsi superiore: per questo aveva molti amici e conoscenti, e la gente lo salutava a ogni angolo.

Andarono nella taverna di Whitey Jones. Whitey era chiamato così per il suo colorito, un miscuglio di nero e bianco, e vendeva liquori ai negri anche se la legge lo proibiva. Sapeva parlare ugualmente bene il linguaggio della maggioranza degli schiavi e il dialetto virginiano dei nati in America. La taverna era uno stanzone basso che odorava di fumo di legna, pieno di negri e di bianchi poveri che giocavano a carte e bevevano. Mack non aveva denaro, ma Pepper Jones era stato pagato da Lizzie e gli offrì un quarto di birra.

Mack l'apprezzò molto: ormai gli succedeva di rado di bere birra. Pepper chiese: «Ehi, Whitey, hai mai conosciuto qualcuno che ha attraversato le montagne?».

«Certo» rispose Whitey. «Una volta è passato di qui un trapper, e ha detto che non ha mai visto tanta selvaggina come là. Pare che un gruppo di loro ci vada ogni anno e torni con un grosso carico di pelli.»

Mack chiese: «Ti ha detto che percorso faceva?».

«Mi pare che abbia parlato di un passo chiamato Cumberland Gap.»

«Cumberland Gap» ripeté Mack.

Whitey cambiò argomento. «Ehi, Mack, non stavi cercando una ragazza bianca che si chiama Cora?»

Il cuore gli balzò nel petto. «Sì... ne hai sentito parlare?»

«L'ho vista... e capisco perché sei pazzo di lei.» Whitey roteò gli occhi.

«È carina, Mack?» lo prese in giro Pepper.

«Più di te. Su, Whitey, dove l'hai vista?»

«Giù al fiume. Aveva una giacca verde e portava un cestello, e prendeva il traghetto per Falmouth.»

Mack sorrise. Se aveva la giacca e prendeva il traghetto invece di attraversare il fiume a guado, voleva dire che ancora una volta era caduta in piedi. Doveva essere stata venduta a un padrone generoso. «Come hai saputo che era lei?»

«Il traghettatore l'ha chiamata per nome.»

«Deve vivere sulla riva di Falmouth... ecco perché non ne ho sentito parlare quando ho cominciato a cercarla a Fredericksburg.»

«Be', adesso ne hai sentito parlare.»

Mack finì di bere in fretta. «E vado a cercarla. Whitey, sei un amico. Pepper, grazie per la birra.»

«Buona fortuna!»

Mack uscì dalla cittadina. Fredericksburg sorgeva all'estremo limite navigabile del fiume Rapahannock. Le navi oceaniche potevano arrivare fin lì, ma poco più di un chilometro a monte il fiume diventava roccioso, e solo un'imbarcazione a fondo piatto poteva affrontarlo. Mack raggiunse il punto dove l'acqua era abbastanza bassa per passare a guado.

Era emozionato. Chi aveva comprato Cora? E come viveva? Sapeva dov'era finita Peg? Se le avesse rintracciate tutt'e due mantenendo la promessa, avrebbe potuto fare piani seri per fuggire. Negli ultimi tre mesi aveva represso la smania di libertà mentre chiedeva notizie di Cora e Peg, ma i discorsi di Pepper sui territori selvaggi oltre le montagne avevano riacceso il suo desiderio di fuga. Fantasticava di allontanarsi dalla piantagione al cader della notte diretto a ovest, e di non lavorare mai più agli ordini di un sovrintendente armato di frusta.

Non vedeva l'ora di incontrare Cora. Probabilmente lei non lavorava, e forse avrebbe potuto passeggiare con lui. Sarebbero andati in un luogo appartato. E mentre pensava di baciarla provò una fitta di rimorso. Quella mattina si era svegliato pensando di baciare Lizzie Jamisson, e ora la stessa fantasia s'incentrava su Cora. Ma era sciocco a sentirsi in colpa nei confronti di Lizzie: era sposata con un altro, e quindi non c'era nulla da fare. Ciononostante la sua eccitazione aveva una sfumatura di disagio.

Falmouth sembrava una versione più piccola di Fredericksburg; c'erano gli stessi pontili e magazzini, taverne e case di legno dipinto. Con ogni probabilità, Mack avrebbe potuto fare il giro di tutte le abitazioni in un paio d'ore. Ma naturalmente poteva darsi che Cora vivesse nei dintorni.

Entrò nella prima taverna che vide e chiese al padrone: «Sto cercando una ragazza che si chiama Cora Higgins».

«Cora? Sta nella casa bianca qui all'angolo. Dovresti vedere tre gatti che dormono sotto il portico.»

Per Mack era un giorno fortunato. «Grazie!»

Il padrone tirò fuori l'orologio dal taschino del panciotto e lo guardò. «Però adesso non dev'essere in casa. Sarà in chiesa.»

«So dov'è, l'ho vista. Ci vado subito.»

Cora non era mai stata molto osservante, ma forse il padrone la costringeva ad andare, pensò Mack mentre usciva. Attraversò la strada, percorse tre isolati e raggiunse la chiesetta di legno.

La funzione religiosa era terminata e i fedeli, vestiti coi loro abiti migliori, uscivano, si scambiavano strette di mano e si soffermavano a chiacchierare.

Mack vide subito Cora.

La vide e sorrise. Era stata davvero fortunata. Non sembrava la stessa donna affamata e sporca che era scesa dalla *Rosebud*. Cora era tornata quella di un tempo: pelle perfetta, capelli lucenti, figura tornita. Era ben vestita come sempre, con una giacca marrone scuro, gonna di lana, stivali di ottima qualità. D'un tratto Mack fu contento di aver indossato la camicia e il panciotto nuovi che gli aveva dato Lizzie.

Cora parlava animatamente a una vecchia signora che si appoggiava a un bastone. S'interruppe quando lo vide avvicinarsi. «Mack!» esclamò sorridendo felice. «È un miracolo!»

Mack spalancò le braccia, ma lei gli tese la mano da stringere, e lui intuì che non voleva dare nell'occhio davanti alla chiesa. Le prese la mano fra le sue e disse: «Hai un aspetto magnifico». Aveva anche un profumo delizioso: non il profumo speziato che usava a Londra, ma una leggera fragranza floreale, più adatta a una signora.

«Cosa ti è successo?» gli chiese ritirando la mano. «Chi ti ha comprato?»

«Sono nella piantagione dei Jamisson... e Lennox è il sovrintendente.»

«È stato lui a ferirti la faccia?»

Mack si toccò il punto dolorante dove Lennox l'aveva colpito. «Sì, ma gli ho strappato la frusta e l'ho spezzata in due.»

Cora sorrise. «Il solito Mack. Sempre nei guai.»

«Già. Sai qualcosa di Peg?»

«L'hanno portata via i due *soul drivers*, Bates e Makepiece.»

Mack provò una stretta al cuore. «Maledizione! Sarà difficile trovarla.»

«Chiedo sempre di lei, ma non ho saputo niente.»

«E tu? Chi ti ha comprata? Dev'essere un buon padrone, basta guardarti!»

In quel momento si avvicinò un uomo grasso e ben vestito, sulla cinquantina. Cora disse: «Eccolo. Alexander Rowley, mediatore di tabacco».

«Vedo che ti tratta proprio bene!» mormorò Mack.

Rowley strinse la mano alla vecchia signora, le disse qualcosa, poi si girò verso Mack.

Cora fece le presentazioni: «Malachi McAsh, un mio vecchio amico di Londra. Mack, ti presento il signor Rowley... mio marito».

Mack sgranò gli occhi, sbalordito.

Rowley cinse da padrone con un braccio le spalle di Cora e tese l'altra mano a Mack. «Molto lieto, McAsh» disse, e senza aggiungere una parola condusse via Cora.

Perché no? pensò Mack mentre si trascinava verso la piantagione dei Jamisson. Cora non sapeva se l'avrebbe rivisto. Evidentemente era stata comprata da Rowley e l'aveva fatto innamorare. Dovevano aver dato scandalo, il mercante e la deportata che si sposavano, anche in un piccolo centro coloniale come Falmouth. Ma alla fine l'attrazione sessuale aveva sconfitto le regole sociali, e Mack non faticava a immaginare com'era stato sedotto Rowley. Forse era stato difficile convincere persone come la vecchia signora col bastone ad accettare Cora come una donna rispettabile: ma Cora aveva abbastanza faccia tosta ed evidentemente l'aveva spuntata. Meglio per lei. Forse avrebbe dato a Rowley qualche figlio.

Mack trovava giustificazioni per Cora, ma era deluso. In un momento di panico gli aveva fatto promettere che l'avrebbe cercata, ma l'aveva dimenticato non appena aveva avuto la possibilità di sistemarsi.

Era strano. Aveva avuto due amanti, Annie e Cora, e tutt'e due avevano sposato un altro. Cora andava a letto ogni notte con un grasso mediatore di tabacco che aveva il doppio della sua età, e Annie era incinta del figlio di Jimmy Lee. Si chiese se sarebbe mai riuscito ad avere una vita normale, con moglie e figli.

Si scosse. Se l'avesse voluta veramente, l'avrebbe avuta. Ma aveva rifiutato di mettersi tranquillo e di accettare ciò che il mondo gli offriva. Voleva di più.

Voleva essere libero.

30

Jay partì per Williamsburg con grandi speranze.

Era rimasto molto deluso quando aveva scoperto che i suoi vicini erano tutti whig liberali e che fra loro non c'era neppure un tory conservatore; ma era certo di trovare nella capitale della colonia uomini fedeli al re, uomini che l'avrebbero accolto come un alleato prezioso e lanciato in politica.

Williamsburg era piccola ma splendida. La via principale, Duke of Gloucester Street, era lunga un chilometro e mezzo e larga trenta metri. A un'estremità c'era il Campidoglio e all'altra il College di Guglielmo e Maria: due maestose costruzioni di mattoni il cui stile architettonico inglese diede a Jay la sensazione rassicurante della potenza della monarchia. C'erano un teatro e molte botteghe dove gli artigiani fabbricavano candelieri d'argento e tavoli in mogano. Nella stamperia di Purdie & Dixon comprò la "Virginia Gazette", un giornale pieno di annunci di schiavi fuggiaschi.

I ricchi piantatori che costituivano l'élite dominante della colonia risiedevano nelle loro proprietà, ma si recavano a Williamsburg quando l'Assemblea Generale era riunita nel Campidoglio, perciò la città era piena di locande. Jay prese alloggio alla taverna Raleigh, una bassa costruzione bianca di legno con le camere da letto in mansarda.

Lasciò al palazzo del governatore un biglietto da visita

e una breve nota, ma dovette attendere per tre giorni un incontro col nuovo governatore, il barone di Botetourt. Quando finalmente ricevette l'invito, non fu per un'udienza personale come aveva sperato, bensì per un ricevimento con altri cinquanta ospiti. Evidentemente il governatore non aveva ancora capito che Jay era un alleato importante in un ambiente ostile.

Il palazzo era in fondo a un lungo viale che si dipartiva verso nord dal punto centrale di Duke of Gloucester Street. Era un'alta costruzione di mattoni in stile inglese, con alti comignoli e abbaini sul tetto come una casa di campagna. L'atrio imponente era decorato con coltelli, pistole e moschetti disposti in elaborate composizioni, quasi per sottolineare la potenza militare del re.

Botetourt, purtroppo, era il contrario di ciò che aveva sperato Jay. La Virginia aveva bisogno di un governatore energico e austero che incutesse paura ai coloni insoddisfatti. Botetourt, invece, era un uomo grasso e cordiale con l'aria del ricco mercante di vino che riceve i clienti per un assaggio.

Jay lo guardò accogliere gli invitati nella grande sala da ballo. Era evidente che non aveva il minimo sentore delle trame sovversive che potevano covare nelle menti dei piantatori.

C'era anche Bill Delahaye, che andò a stringere la mano a Jay. «Cosa pensa del nuovo governatore?»

«Non sono sicuro che si sia reso conto della situazione» rispose Jay.

Delahaye commentò: «Forse è più intelligente di quanto sembri».

«Me lo auguro.»

«Domani sera ci sarà un torneo di carte, Jamisson... Vuole che la presenti?»

Jay non aveva più trascorso una serata ai tavoli di gioco dopo la partenza da Londra. «Certamente.»

Nella sala da pranzo che comunicava con quella da ballo venivano serviti vini e dolciumi. Delahaye presentò Jay a vari uomini. Uno di loro, massiccio e dall'aria prospera, sulla cinquantina, chiese: «Jamisson? Dei Jamisson di Edimburgo?». Il tono era un po' ostile.

La faccia aveva un che di familiare, ma Jay era certo di non aver mai incontrato quell'uomo. «La residenza di famiglia è Jamisson Castle, nel Fife» rispose.

«Il castello che un tempo era di William McClyde?»

«Infatti.» Jay si rese conto che l'uomo gli ricordava Robert: gli stessi occhi chiari, la stessa bocca decisa. «Purtroppo non ho sentito il suo nome...»

«Sono Hamish Drome. Il castello doveva essere mio.»

Jay era sbalordito. Drome era il cognome della famiglia della madre di Robert, Olive. «Allora lei è il parente che si trasferì in Virginia e non diede più notizie!»

«E lei dev'essere il figlio di George e Olive.»

«No, quello è il mio fratellastro Robert. Olive morì e mio padre si risposò. Io sono il figlio minore.»

«Ah! E Robert l'ha buttato fuori dal nido, come la madre fece con me.»

Le parole di Drome erano insolenti, ma Jay era affascinato dall'insinuazione di quell'uomo. Ricordò le rivelazioni che Peter McKay ubriaco si era lasciato sfuggire al suo matrimonio. «Avevo sentito dire che Olive falsificò il testamento.»

«Già... e assassinò lo zio William.»

«Cosa?»

«Non c'è il minimo dubbio. William non era ammalato, era ipocondriaco, e gli piaceva credersi carico di malanni. Sarebbe morto centenario. Ma sei settimane dopo l'arrivo di Olive cambiò il testamento e morì. Quella donna era un demonio.»

«Ah!» Jay provava una straordinaria soddisfazione. Olive la santa, il cui ritratto era appeso al posto d'onore nel salone di Jamisson Castle, era un'assassina che avrebbe dovuto finire impiccata. Jay aveva sempre provato risentimento per la reverenza con cui si parlava di lei, e adesso accoglieva con gioia la rivelazione che era stata un'anima dannata. «E lei non ha avuto niente?» chiese a Drome.

«Neppure un ettaro di terra. Venni qui con sei dozzine di paia di calze di lana shetland, e adesso sono il maggiore mercante di confezioni per uomo di tutta la Virginia. Ma non ho mai scritto a casa. Avevo paura che Olive riuscisse a togliermi anche questo.»

«Ma come avrebbe potuto?»

«Non lo so. Forse è soltanto superstizione. Mi fa piacere sapere che è morta. Però sembra che il figlio sia come lei.»

«Avevo sempre pensato che fosse come mio padre. È di un'avidità insaziabile con chiunque.»

«Se fossi in lei, non gli darei l'indirizzo.»

«Erediterà tutte le attività di mio padre... non credo proprio che vorrà anche la mia piccola piantagione.»

«Non ne sia troppo sicuro» affermò Drome, ma Jay pensò che esagerasse.

Non riuscì a parlare col governatore Botetourt fino alla conclusione del ricevimento, quando gli invitati stavano uscendo dalla parte del giardino. Lo prese per la manica e disse a voce bassa: «Ci tengo a farle sapere che sono fedele a lei e alla Corona».

«Magnifico, magnifico» commentò Botetourt a voce alta. «Lei è molto gentile.»

«Sono arrivato di recente e mi sono scandalizzato per l'atteggiamento degli uomini più eminenti della colonia... molto scandalizzato. Quando deciderà di stroncare il tradimento e l'opposizione sleale, sarò al suo fianco.»

Botetourt lo fissò come se finalmente lo prendesse sul serio, e Jay intuì che dietro l'aria affabile si celava un abile politico. «Lei è molto gentile... ma speriamo che non sia necessario stroncare nulla. Penso che la persuasione e il negoziato siano preferibili e abbiano effetti più durevoli, no? Ah, maggiore Wilkinson, arrivederla! Signora Wilkinson, grazie per la visita.»

Persuasione e negoziato, pensò Jay mentre usciva nel giardino. Botetourt era finito in un nido di vipere e voleva trattare. Disse a Delahaye: «Mi domando quanto ci metterà a capire come stanno veramente le cose».

«Credo che l'abbia già capito» rispose Delahaye. «Ma non mostrerà i denti prima di esser pronto a mordere.»

Infatti l'indomani l'amabile governatore sciolse l'Assemblea Generale.

Matthew Murchman abitava in una casa di legno dipinta di verde accanto alla libreria di Duke of Gloucester Street. Lavorava nel salotto che dava sulla strada, circondato da carte e testi giuridici. Era un ometto grigio e nervoso che sembrava uno scoiattolo nel modo di spostarsi rapido per la stanza per prendere una carta da un mucchio e nasconderla in un altro.

Jay firmò i documenti che ipotecavano la piantagione. L'entità del prestito lo deluse: appena quattrocento sterline. «È stata una fortuna ottenere tanto» cinguettò Murchman. «Ora che il tabacco rende così poco, non so neppure se la piantagione troverebbe un compratore per quella somma.»

«Chi ha fatto il prestito?» chiese Jay.

«Un'associazione, capitano Jamisson. È così che vanno le cose al giorno d'oggi. C'è qualche conto che vuole regolare subito?»

Jay aveva portato i conti di tutti i debiti fatti da quando era arrivato in Virginia quasi tre mesi prima. Li consegnò a Murchman che li sfogliò in fretta e disse: «Sono circa cento sterline. Le darò le note di addebito di tutti questi prima che riparta. E me lo faccia sapere, se compra qualcosa durante la sua permanenza».

«È probabile» rispose Jay. «Un certo signor Smythe vende una carrozza con un bel paio di cavalli grigi. E ho bisogno di due o tre schiavi.»

«Farò sapere in giro che ha un deposito presso di me.»

Jay non era entusiasta all'idea di essersi fatto prestare tanto denaro per lasciarlo nelle mani dell'avvocato. «Mi

dia cento sterline d'oro» disse. «Stasera si gioca a carte alla locanda Raleigh.»
«Certamente, capitano Jamisson. È denaro suo!»

Non era rimasto molto delle quattrocento sterline quando Jay tornò alla piantagione col nuovo equipaggio. Aveva perso a carte, aveva comprato quattro schiave e non era riuscito a convincere il signor Smythe a ridurre il prezzo della carrozza e dei cavalli.

Ma almeno aveva pagato tutti i debiti. Avrebbe potuto acquistare di nuovo a credito dai mercanti del posto come in passato. Il primo raccolto di tabacco sarebbe stato pronto per la vendita poco dopo Natale, e col ricavato avrebbe pagato i nuovi debiti.

Era preoccupato per ciò che Lizzie avrebbe potuto dire nel vedere la carrozza, ma con suo grande sollievo non ne parlò neppure. Aveva in mente qualcosa e non vedeva l'ora di dirglielo.

Come sempre, quando si animava diventava più attraente: gli occhi scuri brillavano, la carnagione aveva uno splendore rosato. Ma non provava più un impeto di desiderio ogni volta che la vedeva. Si sentiva insicuro da quando era rimasta incinta. Immaginava che facesse male al bambino, se la madre aveva rapporti sessuali durante la gravidanza. Tuttavia la ragione profonda era un'altra. Il fatto che Lizzie stesse per diventare madre lo scoraggiava. Non gli piaceva l'idea che le madri avessero desideri sessuali. Comunque fosse, ormai stava diventando impossibile: la pancia di Lizzie era troppo ingombrante.

Le aveva appena dato un bacio quando lei disse: «Bill Sowerby se n'è andato».

«Davvero?» Jay ne fu sorpreso. Non aveva atteso di incassare gli stipendi arretrati. «È una fortuna che abbiamo Lennox per sostituirlo.»

«Credo che sia stato Lennox a metterlo in fuga. Sembra che Sowerby gli dovesse parecchio per debiti di gioco.»

Più che plausibile. «Lennox è un giocatore molto abile.»

«Lennox vuole diventare sovrintendente.»

Erano sotto il portico anteriore, e proprio in quel momento Lennox sbucò da dietro l'angolo della casa. Scortese come al solito, non rispose al saluto di Jay, e invece disse: «È appena arrivato un carico di merluzzo salato».

«L'ho ordinato io» disse Lizzie. «Per i braccianti.»

Jay s'irritò. «Perché vuoi dargli da mangiare il pesce?»

«Il colonnello Thumson dice che così lavorano meglio. Lui dà ai suoi schiavi pesce salato tutti i giorni e carne una volta la settimana.»

«Il colonnello Thumson è più ricco di me. Rimandi indietro il carico, Lennox.»

«Quest'inverno dovranno lavorare sodo, Jay» protestò Lizzie. «Dobbiamo diboscare Pond Copse per seminare il tabacco la prossima primavera.»

Lennox intervenne. «Non è necessario. I campi andranno benissimo con una buona concimazione.»

«Non si può continuare a concimare in eterno» ribatté Lizzie. «Il colonnello disbosca un tratto di terreno ogni inverno.»

Jay ricordò che avevano già discusso quell'argomento.

Lennox disse: «Non abbiamo braccianti a sufficienza. Anche con gli uomini della *Rosebud*, riusciremo appena a seminare i campi che ci sono. Il colonnello Thumson ha più schiavi di noi».

«Perché guadagna di più grazie ai suoi metodi migliori» obiettò trionfante Lizzie.

Lennox ghignò. «Le donne non capiscono mai niente di queste cose.»

Lizzie scattò. «Per favore, signor Lennox, ci lasci soli... immediatamente.»

Con aria indignata, Lennox si allontanò.

«Devi sbarazzarti di lui, Jay» disse Lizzie.

«Non vedo perché.»

«Non è soltanto brutale. L'unica cosa che sa fare è spaventare la gente. Non s'intende di agricoltura e non sa nulla del tabacco, e il peggio è che non gli interessa imparare.»

«Sa come far lavorare i braccianti.»

«È inutile farli sgobbare sul lavoro sbagliato!»

«Sei diventata un'esperta della coltivazione del tabacco?»

«Jay, sono cresciuta in una grande proprietà e l'ho vista andare in malora... non per la pigrizia dei contadini, ma perché mio padre era morto e mia madre non era in grado di dirigerla. E adesso vedo che stai ripetendo gli stessi errori... rimani lontano troppo tempo, scambi la durezza per disciplina, lasci ad altri il compito di prendere decisioni importanti. Non comanderesti mai un reggimento in questo modo!»

«Tu non sai come si comanda un reggimento.»

«E tu non sai come si dirige una tenuta!»

Jay si stava arrabbiando, ma si trattenne. «Quindi, cosa mi chiedi di fare?»

«Liberati di Lennox.»

«Ma chi dovrebbe sostituirlo?»

«Potremmo farlo insieme io e te.»

«Non voglio fare l'agricoltore!»

«Allora lascia che me ne occupi io.»

Jay annuì. «Lo immaginavo.»

«Cosa vorresti dire?»

«Ti comporti così perché vuoi comandare, no?»

Temette che Lizzie esplodesse. Invece si calmò. «Lo pensi veramente?»

«Sì.»

«Sto cercando di salvarti. Tu corri incontro alla rovina. Lotto per evitarlo e tu credi che voglia soltanto dare ordini. Se è questo che pensi di me, perché diavolo mi hai sposata?»

A Jay non piaceva quel linguaggio energico, troppo mascolino. «A quel tempo eri un vero tesoro» disse.

Lei gli lanciò un'occhiata fulminante, ma non disse nulla. Si girò ed entrò in casa.

Jay sospirò di sollievo. Non gli capitava spesso di spuntarla con sua moglie.

La seguì dopo un momento, e rimase sorpreso nel vedere nell'atrio McAsh che, in panciotto e scarpe da casa, metteva un vetro nuovo a una finestra. Cosa ci faceva, lì dentro?

«Lizzie!» chiamò. Andò a cercarla in salotto. «Lizzie, ho appena visto McAsh nell'atrio.»

«L'ho incaricato della manutenzione. Deve dipingere la nursery.»

«Non voglio quell'uomo in casa mia.»

La sua reazione lo colse di sorpresa. «Be', allora dovrai rassegnarti!»

«Ma...»

«Non intendo restare qui sola finché c'è Lennox. Mi rifiuto nel modo più assoluto, chiaro?»

«Va bene...»

«Se va via McAsh, me ne vado anch'io!» E uscì tempestosamente dal salotto.

«Va bene!» disse Jay alla porta che sbatteva. Non intendeva combattere una guerra per uno stramaledetto deportato. Se lei voleva che dipingesse la nursery, pazienza.

Vide su una consolle una lettera ancora chiusa, indirizzata a lui. La prese e riconobbe la scrittura della madre. Sedette accanto alla finestra e l'aprì.

7, Grosvenor Square
Londra
15 settembre 1768

Mio caro figlio,
la nuova miniera di carbone nell'High Glen è stata riattivata dopo l'incidente, e l'estrazione è ricominciata.

Jay sorrise. Quando voleva, sua madre sapeva andare al sodo.

Robert ha passato lassù diverse settimane per fondere le due tenute e organizzarle in modo che funzionino come se fossero una proprietà unica.

Ho detto a tuo padre che dovresti avere una percentuale sul carbone, dato che quella terra è tua. Mi ha risposto che sta pagando gli interessi delle ipoteche. Temo comunque che il fattore decisivo sia stato il fatto che ti sei preso i deportati più robusti della *Rosebud*. Tuo padre si è infuriato e anche Robert.

Jay si rese conto di aver fatto la figura dello stupido. Aveva creduto di poter prendere impunemente quegli uomini. Doveva sapere bene che era meglio non sottovalutare Sir George.

Continuerò a insistere con tuo padre. Sono sicura che con l'andar del tempo finirà per cedere.

«Che tu sia benedetta, madre mia» mormorò Jay. Continuava a prodigarsi nel suo interesse sebbene fosse tanto lontano e forse non l'avrebbe più rivista.

Dopo aver discusso le cose importanti, Alicia passava a parlare di sé, dei parenti e degli amici, e della vita di società a Londra. Alla fine tornava agli affari.

Ora Robert è andato a Barbados, non so per quale ragione. L'istinto mi dice che sta tramando contro di te. Non so immaginare cosa potrebbe farti, ma è astuto e spietato. Sta sempre in guardia, figlio mio.

La tua affezionatissima madre *Alicia Jamisson*

Jay posò la lettera pensieroso. Aveva il massimo rispetto per l'intuito della madre, ma pensava che fosse troppo apprensiva. Barbados era molto lontana. E anche se Robert fosse venuto in Virginia, non avrebbe potuto fargli nulla... oppure sì?

31

Nella vecchia ala della nursery, Mack trovò una mappa.

Aveva ridipinto due delle tre stanze e stava sgombrando quella adibita a scuola. Il pomeriggio volgeva al termine e l'indomani avrebbe cominciato a lavorare sul serio. C'era una cassapanca piena di libri ammuffiti e di boccette d'inchiostro vuote. Vi frugò, chiedendosi se valeva la pena di conservare qualcosa. E la mappa era lì, ripiegata con cura in una custodia di pelle. L'aprì e la studiò.

Era una mappa della Virginia.

In un primo momento avrebbe voluto saltare di gioia, ma l'euforia passò man mano che la studiava e gli sembrava che non avesse né capo né coda.

I nomi lo sconcertarono, ma poi capì che erano in una lingua straniera... forse francese. Virginia era scritto "Virginie", il territorio a nord-est portava la dicitura "Partie de New Jersey" e tutto ciò che si trovava a ovest delle montagne era chiamato "Louisiane", anche se quella parte della mappa era bianca.

A poco a poco cominciò a capirci qualcosa. Le linee sottili erano fiumi, quelle più spesse erano i confini fra una colonia e l'altra, quelle ancora più grosse indicavano le catene montuose. La studiò, affascinato ed emozionato: era il suo passaporto per la libertà.

Scoprì che il Rapahannock era uno dei numerosi fiumi che scendevano dalle montagne a ovest, attraversavano la

Virginia e si gettavano nella baia di Chesapeake a est. Trovò Fredericksburg sulla riva meridionale del Rapahannock. Era impossibile calcolare le distanze, ma Pepper Jones aveva detto che c'erano meno di duecento chilometri per arrivare alle montagne. Se la mappa non sbagliava, c'era la stessa distanza per arrivare dall'altra parte della catena. Ma niente indicava che ci fosse una strada.

Si sentiva al tempo stesso euforico e frustrato. Sapeva finalmente dov'era, però la mappa sembrava dirgli che non esisteva una via di fuga.

La catena si restringeva verso il sud. Mack studiò quella parte, seguì a ritroso i fiumi fino alle sorgenti e cercò un passaggio. Molto a sud trovò quello che sembrava un valico, dove nasceva il fiume Cumberland.

Ricordò che Whitey aveva parlato del Cumberland Gap.

Eccola: quella era la via d'uscita!

Era un viaggio molto lungo. Mack calcolò che dovevano essere seicento chilometri, quanto la distanza da Edimburgo a Londra, che richiedeva due settimane in diligenza e ancora di più a cavallo. Chissà quanto tempo ci sarebbe voluto sulle strade appena abbozzate e sulle piste dei cacciatori della Virginia.

Però al di là di quelle montagne un uomo poteva essere libero.

Mack piegò con cura la mappa, la rimise nella custodia e continuò a lavorare. L'avrebbe guardata di nuovo più tardi.

Se almeno fosse riuscito a trovare Peg, pensò mentre spazzava la stanza. Doveva accertarsi che stesse bene, prima di fuggire. Se era felice, l'avrebbe lasciata dov'era, ma se aveva un padrone crudele doveva portarla con sé.

Ormai era troppo buio per lavorare.

Uscì dalla nursery e scese la scala. Prese il suo vecchio mantello di pelliccia appeso a un gancio accanto alla porta sul retro e se lo mise addosso. Fuori faceva freddo. Mentre usciva, vide un gruppetto di schiavi venire verso di lui. C'era anche Kobe, e portava fra le braccia una donna. Mack la riconobbe dopo un momento: era Bess, la giovane schiava svenuta nel campo qualche settimana prima. Aveva gli occhi chiusi e macchie di sangue sulla tunica. Andava spesso soggetta a incidenti.

Mack tenne aperta la porta e seguì Kobe dentro casa. I Jamisson dovevano essere in sala da pranzo, al termine della cena. «Mettila in salotto. Vado a chiamare la signora Jamisson» disse Mack.

«In salotto?» chiese dubbioso Kobe.

Era l'unica stanza, a parte la sala da pranzo, dove veniva acceso il camino. «Fidati di me... la signora Jamisson sarebbe d'accordo.»

Kobe annuì.

Mack bussò alla porta della sala da pranzo ed entrò.

Lizzie e Jay erano seduti a un tavolino rotondo, e le loro facce erano illuminate da un candeliere. Lizzie era rotondetta e graziosa nell'abito scollato che rivelava le curve del seno e si allargava come una tenda sull'addome. Mangiava uva passa mentre Jay schiacciava noci. Mildred, la cameriera alta dalla magnifica carnagione color tabacco, stava versando il vino a Jay. Il fuoco ardeva nel camino. Era una tranquilla scena domestica e per un momento Mack fu colto alla sprovvista, come se fosse stato costretto a ricordare che quei due erano marito e moglie.

Poi li guardò meglio. Jay era seduto d'angolo, girato in senso opposto a Lizzie: guardava dalla finestra la notte che scendeva sul fiume. Lizzie era rivolta dalla parte opposta e guardava Mildred che versava il vino. Nessuno dei due sorrideva. Si comportavano come due estranei in una taverna, costretti a dividere un tavolo ma del tutto disinteressati l'una all'altro.

Jay vide Mack e chiese: «Cosa diavolo vuoi?».

Mack si rivolse a Lizzie: «Bess ha avuto un incidente... Kobe l'ha portata in salotto».

«Vengo subito» disse Lizzie, scostando la sedia.

Jay protestò: «Non lasciare che sporchi di sangue il sofà di seta gialla!».

Mack tenne aperta la porta per lasciar passare Lizzie, poi la seguì.

Kobe stava accendendo le candele. Lizzie si chinò sulla ragazza ferita. La pelle scura di Bess era pallida, le labbra esangui. Aveva gli occhi chiusi, il respiro poco profondo. «Cos'è successo?» chiese Lizzie.

«Si è tagliata» rispose Kobe, che ansimava ancora per la fatica. «Stava tranciando una corda con un machete. La lama è scivolata sulla corda e l'ha ferita al ventre.»

Mack rabbrividì. Rimase a guardare mentre Lizzie allargava lo strappo nella tunica di Bess e osservava la ferita. Sembrava grave: perdeva molto sangue e doveva essere profonda.

«Uno di voi vada in cucina e mi porti qualche straccio pulito e un catino d'acqua calda.»

Mack non poté fare a meno di ammirare la sua prontezza. «Vado io» disse.

Si affrettò ad andare in cucina. Sarah e Mildred stavano lavando i piatti. Sarah, che sudava come al solito, chiese: «Come sta?».

«Non lo so. La signora Jamisson vuole stracci puliti e acqua calda.»

Sarah gli porse una bacinella. «Ecco, prendi l'acqua dal fuoco. Ora ti porto gli stracci.»

Dopo pochi istanti Mack tornò in salotto. Lizzie aveva tagliato l'abito di Bess intorno alla ferita. Immerse uno straccio nell'acqua e lavò lo squarcio che divenne più chiaramente visibile e apparve più grave. Mack temette che avesse leso gli organi interni.

Anche Lizzie aveva lo stesso timore. «Non posso far niente» disse. «Ha bisogno di un dottore.»

Jay entrò, diede un'occhiata e impallidì.

Lizzie gli disse: «Dovrò mandare a chiamare il dottor Finch».

«Come vuoi» le rispose. «Io vado alla Ferry House... c'è un combattimento di galli.» E uscì.

Che liberazione! pensò sprezzante Mack.

Lizzie guardò lui e Kobe. «Uno di voi due deve andare a Fredericksburg anche se è buio.»

Kobe rispose: «Mack non cavalca bene. Vado io».

«Ha ragione» ammise Mack. «Potrei andare col calesse, ma è più lento.»

«Allora d'accordo» concluse Lizzie. «Non essere imprudente, Kobe, ma va' più in fretta che puoi... questa ragazza potrebbe morire.»

Fredericksburg distava quindici chilometri, ma Kobe conosceva la strada. Tornò dopo due ore.

Quando entrò in salotto aveva un'espressione infuriata. Mack non l'aveva mai visto così arrabbiato.

«Dov'è il dottore?» chiese Lizzie.

«Il dottor Finch non vuol venire a quest'ora per una negra» rispose, e la voce gli tremava.

«Maledetto idiota!» esclamò Lizzie.

Si voltarono a guardare Bess. Era madida di sudore, e il respiro era diventato irregolare. Ogni tanto gemeva, ma non apriva gli occhi. Il sofà foderato di seta gialla era arrossato dal sangue. Stava per morire.

«Non possiamo star qui senza far niente» proruppe Lizzie. «Bisogna cercare di salvarla!»

Kobe rispose: «Non credo che le resti molto da vivere».

«Se il dottore non vuol venire, dobbiamo portarla da lui» decise Lizzie. «Carichiamola sul calesse.»

Mack obiettò: «Sarebbe meglio non spostarla».

«Se non lo facciamo, morirà comunque!» gridò Lizzie.

«D'accordo, d'accordo. Porto fuori il calesse.»

«Kobe, prendi il materasso del mio letto e sistemalo in modo che possa stare sdraiata. E porta qualche coperta.»

Mack corse nella scuderia. Gli stallieri erano andati nei loro alloggi, ma non impiegò molto ad attaccare Stripe, il pony. Prese uno stecco dal fuoco della cucina e accese le lampade del calesse. Quando si presentò alla porta, Kobe lo stava aspettando.

Mentre Kobe sistemava a bordo materasso e coperte,

Mack rientrò in casa. Lizzie stava indossando la giacca. «Vieni anche tu?» le chiese Mack.

«Sì.»

«Pensi di farcela nelle tue condizioni?»

«Ho paura che quel maledetto dottore si rifiuti di curarla, se non vengo anch'io.»

Mack sapeva che non era il caso di discutere con lei quando era in quello stato d'animo. Sollevò con delicatezza Bess e la portò fuori, l'adagiò sul materasso, e Kobe l'avvolse nelle coperte. Lizzie salì e sedette accanto alla ragazza ferita, reggendole la testa fra le braccia.

Mack salì a cassetta e prese le redini. Tre persone erano molto pesanti per il pony, e Kobe dovette spingere il calesse per avviarlo. Mack raggiunse la strada e svoltò in direzione di Fredericksburg.

Non c'era la luna, ma la luce delle stelle gli permetteva di vedere dove andava. La strada era piena di sassi e solchi, e il calesse sobbalzava. Mack era preoccupato per Bess, ma Lizzie continuava a ripetere: «Più svelto! Più svelto!». La strada si snodava lungo la riva del fiume, passava fra i boschi e i confini delle piantagioni. Non videro nessuno. La gente non si spostava di notte, se poteva evitarlo.

Arrivarono a Fredericksburg verso l'ora di cena. C'era gente per le strade, e le finestre delle case erano illuminate. Mack fermò il calesse davanti all'abitazione del dottor Finch. Lizzie andò a bussare mentre Mack avvolgeva Bess nelle coperte e la sollevava. Era priva di sensi, ma viva.

La porta fu aperta dalla signora Finch, una donna scialba sulla quarantina che fece entrare Lizzie nel salotto. Mack la seguì reggendo Bess. Il dottore, un uomo tozzo dai modi sbrigativi, assunse un'espressione colpevole quando si rese conto di aver costretto una donna incinta a viaggiare di notte per portargli una paziente. Nascose l'imbarazzo dandosi da fare e impartendo ordini bruschi alla moglie.

Esaminò la ferita, poi invitò Lizzie ad accomodarsi

nell'altra stanza. Mack l'accompagnò mentre la signora Finch restava per aiutare il marito.

Sul tavolo c'erano i piatti coi resti della cena. Lizzie sedette con cautela su una sedia. «Cosa c'è?» le chiese Mack.

«Mi è venuto un mal di schiena tremendo. Credi che Bess guarirà?»

«Non lo so. Non è molto robusta.»

Entrò una cameriera che propose a Lizzie di portarle tè e una fetta di torta, e Lizzie accettò. Poi la cameriera squadrò Mack dalla testa ai piedi, lo identificò per un servitore e disse: «Se vuoi un po' di tè, puoi venire in cucina».

«Prima devo occuparmi del cavallo» rispose lui.

Uscì, condusse il cavallo nella scuderia del dottor Finch e gli diede acqua e un po' di avena. Poi andò in cucina. La casa era piccola, e sentiva il dottore e la moglie parlare tra loro mentre lavoravano. La cameriera, una negra di mezza età, rimise in ordine la sala da pranzo e portò il tè a Lizzie. Mack decise che era una stupidaggine stare in cucina mentre Lizzie era in sala da pranzo, e andò a raggiungerla nonostante gli sguardi di disapprovazione della cameriera. Lizzie era pallida e decise di portarla a casa al più presto possibile.

Finalmente il dottor Finch entrò asciugandosi le mani. «È una brutta ferita, ma credo di aver fatto del mio meglio» disse. «Ho arrestato l'emorragia e ricucito il taglio e le ho dato una pozione. È giovane. Guarirà.»

«Grazie al cielo» commentò Lizzie.

Il dottore annuì. «Sono sicuro che è una schiava di grande valore. Non deve viaggiare, per questa notte. Dormirà nella stanza della mia cameriera, la mandi a prendere domani o dopo. Quando la ferita si rimarginerà toglierò i punti... e fino ad allora, niente lavori pesanti.»

«Naturalmente.»

«Ha cenato, signora Jamisson? Posso offrirle qualcosa?»

«No, la ringrazio. Voglio solo tornare a casa e mettermi a letto.»

Mack disse: «Vado a prendere il calesse».

Qualche minuto più tardi erano in viaggio. Lizzie sedette a cassetta finché furono in città, ma non appena superarono l'ultima casa si sdraiò sul materasso.

Mack procedeva lentamente, e questa volta lei non lo incitò con impazienza. Dopo circa mezz'ora, le chiese: «Dormi?».

Non rispose, e pensò che si fosse addormentata.

Ogni tanto si voltava a guardarla. Sembrava inquieta, cambiava spesso posizione e mormorava nel sonno.

Stavano percorrendo un tratto deserto a circa quattro chilometri dalla piantagione quando il silenzio della notte fu spezzato da un grido.

Era Lizzie.

«Cosa c'è? Cosa c'è?» chiese frenetico Mack, e tirò le redini. Prima ancora che il cavallo si fermasse, si era arrampicato sul retro.

«Oh, Mack, che male!» gridò Lizzie.

Le cinse le spalle con un braccio e la sollevò leggermente. «Dove? Dove ti fa male?»

«Oh, Dio, credo che il bambino stia per nascere.»

«Ma non dovrebbe...?»

«Sì, dovrebbe nascere fra due mesi.»

Mack non ne capiva molto, ma intuì che il parto era stato anticipato dall'ansia per l'incidente a Bess o dal viaggio disagevole fino a Fredericksburg, o da entrambe le cose.

«Quanto tempo abbiamo?»

Lizzie emise un lungo gemito, poi rispose: «Non molto».

«Credevo che ci volessero ore e ore.»

«Non lo so. Credo che il male alla schiena fossero le doglie. Forse il bambino si preparava a nascere.»

«Devo proseguire? Arriveremo fra un quarto d'ora.»

«È troppo. Resta qui e stammi vicino.»

Mack si accorse che il materasso era bagnato d'un liquido vischioso. «Cos'è successo?»

«Si sono rotte le acque, credo. Vorrei che fosse qui mia madre.»

Mack aveva l'impressione che si trattasse di sangue, ma non lo disse.

Lizzie gemette di nuovo. Quando la contrazione passò, rabbrividì. Mack la coprì con la pelliccia. «Ti restituisco il tuo mantello» disse, e lei sorrise fuggevolmente prima di essere assalita da una nuova fitta dolorosa.

Quando fu di nuovo in grado di parlare, gli disse: «Devi prendere il bambino, quando esce».

«Va bene» rispose lui, ma non sapeva bene cosa gli avesse chiesto.

«Inginocchiati fra le mie gambe» gli ordinò.

Mack s'inginocchiò ai suoi piedi e le sollevò le gonne. Le mutande erano fradice. Mack aveva spogliato solo due donne in vita sua, Annie e Cora, e nessuna delle due portava le mutande, quindi non sapeva come fossero allacciate. Ma riuscì a toglierle, bene o male. Lizzie alzò le gambe e gli appoggiò i piedi contro le spalle per puntellarsi.

Lui le guardò il folto pelo scuro fra le gambe e si sentì afferrare dal panico. Com'era possibile che un bambino passasse di lì? Non sapeva come andavano quelle cose. Poi si impose di stare calmo: succedeva mille volte al giorno in tutto il mondo. Non era necessario che capisse. Il bambino sarebbe nato senza il suo aiuto.

«Ho paura» disse Lizzie durante una breve tregua.

«Avrò cura di te» la rassicurò Mack, e le accarezzò le gambe, l'unica parte del suo corpo che poteva raggiungere.

Il bambino arrivò molto in fretta.

Mack non ci vedeva molto alla luce delle stelle, ma quando Lizzie proruppe in un gemito fortissimo, qualcosa cominciò a emergere da lei. Mack tese le mani tremanti e sentì uscire un oggetto caldo e scivoloso. Dopo un momento si trovò fra le mani la testa del bambino. Lizzie parve riposare per qualche istante, poi riprese. Mack sostenne la testolina con una mano e mise l'altra sotto le minuscole spalle che entravano nel mondo. Ancora un attimo, e la creaturina uscì del tutto.

La tenne fra le mani, la guardò: gli occhi chiusi, i capelli neri, gli arti in miniatura. «È una bambina» disse.

«Deve piangere!» esclamò Lizzie febbrilmente.

Mack aveva sentito dire che bisognava dare una sculacciata ai neonati per farli respirare. Non era piacevole, ma doveva farlo. Girò la bambina fra le mani e le diede una brusca sculacciata

Non successe niente.

Mentre teneva il minuscolo petto nel palmo della mano si accorse che qualcosa non andava: non sentiva il battito del cuore.

Con uno sforzo, Lizzie si sollevò a sedere. «Dalla a me!» ordinò.

Mack le porse la piccina.

Lei la prese, le guardò il viso. Accostò le labbra alle labbra della creatura come se volesse baciarla, e soffiò.

Mack sperò con tutto se stesso che la bimba aspirasse l'aria nei polmoni e gridasse, ma non accadde nulla.

«È morta» disse Lizzie. La strinse al seno e avvolse il mantello di pelliccia intorno al corpicino nudo. «La mia bambina è morta.» Cominciò a piangere.

Mack le cinse con entrambe le braccia e rimase così mentre Lizzie piangeva disperata.

32

Da quando la bambina era nata morta, Lizzie viveva in un mondo di colori grigi, di gente silenziosa, di pioggia e nebbia. Lasciava che in casa la servitù facesse ciò che voleva; dopo un po' si accorse vagamente che Mack ne aveva assunto la direzione. Non faceva più il giro della piantagione ogni giorno: lasciava che fosse Lennox a occuparsi del tabacco. A volte andava a far visita alla signora Thumson o a Suzy Delahaye perché erano disposte a parlare della bambina finché lei voleva, ma non andava ai ricevimenti e ai balli. La domenica si recava in chiesa a Fredericksburg e dopo la funzione passava un paio d'ore nel camposanto a fissare la piccola lapide e a pensare a ciò che avrebbe potuto essere.

Era sicura che la colpa era sua. Aveva continuato ad andare a cavallo fino al quarto o quinto mese, non aveva riposato quanto le consigliavano gli altri, aveva fatto quindici chilometri in calesse insistendo perché Mack andasse più in fretta, la notte che la bambina era nata morta.

Era in collera con Jay perché quella notte era assente, con il dottor Finch che aveva rifiutato di venire alla piantagione per curare una schiava, e con Mack perché le aveva obbedito e aveva fatto correre il cavallo. Ma era in collera soprattutto con se stessa. Si detestava e si disprezzava per essere stata così incapace come futura madre, per l'impulsività, l'impazienza e l'abitudine a non ascoltare i consigli. Se non mi fossi comportata così, pensava, se avessi agito come una persona normale, sensata, ragionevole e prudente, adesso la mia bimba sarebbe qui con me.

Non poteva parlarne con Jay. All'inizio era andato su tutte le furie, aveva inveito contro di lei, aveva giurato di sparare al dottor Finch e di far frustare Mack, però la rabbia era passata quando aveva saputo che era una bambina, e adesso si comportava come se Lizzie non fosse mai stata incinta.

Per un po' aveva parlato con Mack. Il parto li aveva avvicinati. Lui l'aveva avvolta nel mantello, le aveva tenuto le ginocchia e aveva maneggiato con tenerezza la povera bambina. All'inizio le era stato di grande conforto, ma dopo qualche settimana si era accorta che diventava impaziente. La bambina non era sua, pensava Lizzie, e non poteva condividere veramente il suo dolore. Nessuno poteva. Perciò si chiuse in se stessa.

Un giorno, tre mesi dopo il parto, andò nell'ala della nursery, ancora lucida di vernice fresca, e si sedette. Immaginò la piccola in una culla mentre farfugliava felice o piangeva per la fame, vestita di graziosi abitini bianchi e scarpine di maglia. E lei la allattava o le faceva il bagnetto... La visione era così intensa che le lacrime le inondarono gli occhi e le scorsero sul viso, silenziosamente.

Mack entrò in quel momento. Durante un temporale un po' d'intonaco era caduto nel camino: s'inginocchiò e incominciò a pulire. La vide piangere ma non fece commenti.

«Sono tanto infelice» disse Lizzie.

Lui non smise di lavorare. «Tutto questo non ti fa bene» rispose in tono duro.

«Mi aspettavo più comprensione da parte tua» replicò Lizzie, avvilita.

«Non puoi passare la vita seduta nella nursery a piangere. Tutti muoiono, prima o poi. E gli altri devono continuare a vivere.»

«Ma io non voglio. Che ragione ho per vivere?»

«Non essere così patetica, Lizzie... non è nel tuo carattere.»

Lizzie fu scossa da quelle parole. Nessuno le aveva parlato con durezza dopo il parto. Che diritto aveva, Mack, di renderla ancora più infelice? «Non dovresti parlarmi così» protestò.

Mack si voltò di scatto cogliendola di sorpresa. Lasciò cadere il pennello, l'afferrò per le braccia e la sollevò di peso dalla sedia. «Non dirmi cosa posso o non posso fare!» esclamò.

Era così furioso che Lizzie temette di vederlo diventare violento. «Lasciami stare!»

«C'è già troppa gente che ti lascia stare» ribatté Mack, ma la rimise a sedere.

«Cosa dovrei fare?» chiese lei.

«Quello che preferisci. Imbarcati su una nave, torna in Inghilterra e va' a vivere ad Aberdeen con tua madre. Prenditi come amante il colonnello Thumson. Scappa alla frontiera con un mascalzone.» Si interruppe e la fissò con durezza. «Oppure... rassegnati a fare la moglie di Jay e fa' un altro figlio.»

Quelle parole la sorpresero. «Credevo...»

«Cosa credevi?»

«Niente.» Da qualche tempo sapeva che era un po' innamorato di lei. Dopo la mancata festa dei braccianti l'aveva toccata con tenerezza, accarezzata in un modo che poteva essere solo da innamorato. Le aveva baciato le guance rigate dalle lacrime ardenti. Nel suo abbraccio c'era stato qualcosa di più della compassione.

E nella reazione di Lizzie c'era qualcosa di più del bisogno di comprensione. Si era aggrappata al suo corpo solido, aveva assaporato il contatto delle sue labbra sulla pelle, e non soltanto perché era triste.

Ma tutti quei sentimenti erano svaniti dopo il parto. Aveva il cuore vuoto. Non provava più passioni, solo rimpianti.

Si vergognò e si sentì a disagio per aver avuto quei desideri. La moglie lasciva che cerca di sedurre il bel domestico era un personaggio tipico dei romanzi umoristici.

Mack non era soltanto un bel domestico, comunque. A poco a poco si era resa conto che era l'uomo più straordinario che avesse mai conosciuto. Era anche testardo e arrogante. Si credeva importante e questo lo metteva nei guai. Ma non poteva fare a meno di ammirare il modo in cui si opponeva ai soprusi dei potenti, dalla miniera scozzese alle piantagioni della Virginia. E quando si metteva nei guai, spesso accadeva perché si esponeva per qualcun altro.

Ma Jay era suo marito. Era debole e sciocco e le aveva mentito, ma l'aveva sposato e doveva essergli fedele.

Mack continuava a fissarla e lei si chiese cosa gli passava per la mente. Forse aveva alluso a se stesso quando aveva detto "Scappa alla frontiera con un mascalzone".

Mack tese la mano, incerto, e le accarezzò la guancia. Lizzie chiuse gli occhi. Se sua madre avesse visto quella scena, avrebbe saputo cosa dire: "Hai sposato Jay e hai promesso di essergli fedele. Sei una donna o una bambina? Una donna mantiene la parola data quando è difficile, non solo quando è facile. È questo il significato di una promessa".

E adesso lei lasciava che un altro uomo le accarezzasse la guancia. Aprì gli occhi e guardò a lungo Mack. Vide il desiderio nei suoi occhi verdi e rese insensibile il proprio cuore. Spinta da un impulso improvviso, lo schiaffeggiò con tutte le sue forze.

Fu come schiaffeggiare una roccia. Mack non si mosse, ma cambiò espressione. Non gli aveva fatto male alla faccia: gli aveva ferito il cuore. Sembrava così sconvolto e sgomento che Lizzie provò l'incontenibile impulso di chiedergli perdono e abbracciarlo, ma resistette con tutte le sue forze. Con voce tremante, gli disse: «Non azzardarti a toccarmi!».

Mack non aprì bocca, ma continuò a fissarla, turbato e offeso. Lizzie non riuscì a tollerare la sua espressione ferita. Si alzò e uscì.

Le aveva detto: "Rassegnati a fare la moglie di Jay e fa' un altro figlio". Lizzie ci pensò intensamente per un giorno intero. L'idea di andare a letto con Jay era sgradevole, ma era il suo dovere di moglie. Se rifiutava, non meritava un marito.

Quel pomeriggio fece il bagno. Era una faccenda complicata: bisognava far portare una tinozza metallica in camera da letto e avere a disposizione cinque o sei ragazze robuste che salissero di corsa dalla cucina con le brocche d'acqua calda. Quando ebbe finito, si cambiò prima di scendere a cena.

Era una fredda serata di gennaio e il fuoco ruggiva nel camino. Lizzie bevve un po' di vino e cercò di conversare allegramente con Jay come faceva prima del matrimonio. Ma lui non reagiva. Era prevedibile, pensò lei, dato che per tanto tempo era stata una compagnia poco vivace.

Quando finirono di mangiare, lei disse: «Sono passati tre mesi dal parto. Ora sto bene».

«Cosa vuoi dire?»

«Il mio corpo è tornato normale.» Lizzie non intendeva fornire i particolari. Aveva smesso di avere il latte pochi giorni dopo il parto, ma aveva sanguinato un po' ogni giorno assai più a lungo, tuttavia anche questo era passato. «Voglio dire... non ho più la pancia piatta di prima, ma... sotto altri aspetti sono guarita.»

Jay continuava a non capire. «Perché lo racconti proprio a me?»

Lei cercò di non far trasparire l'esasperazione nella voce. «Possiamo fare di nuovo l'amore, ecco.»

Jay borbottò e accese la pipa.

Non era esattamente la reazione che una donna poteva augurarsi.

«Vieni nella mia stanza, questa notte?» insistette Lizzie.

Lui la guardò irritato. «Questo tipo di proposte spetta all'uomo farle.»

Lei si alzò. «Volevo solo farti sapere che sono pronta» replicò. Offesa, salì in camera sua.

Mildred andò ad aiutarla a spogliarsi. Mentre si toglieva le sottovesti chiese, col tono più noncurante di cui fu capace: «Il signor Jamisson è andato a letto?».

«No, non mi pare.»

«È ancora giù?»

«Credo che sia uscito.»

Lizzie guardò negli occhi la graziosa cameriera. Qualcosa nella sua espressione la sconcertò. «Mildred, mi nascondi qualcosa?»

Mildred era giovane, sui diciotto anni, e non era abile a dissimulare. Distolse gli occhi. «No, signora Jamisson.»

Lizzie fu certa che mentiva. Ma perché?

Mildred cominciò a spazzolarle i capelli, e lei si chiese dov'era andato Jay. Spesso usciva dopo cena. A volte diceva che andava a giocare a carte o a un combattimento di galli, a volte non diceva nulla. Lizzie immaginava vagamente che andasse a bere rum nelle taverne con altri uomini. Ma se fosse stato veramente così, Mildred l'avrebbe detto. Allora Lizzie valutò un'altra possibilità.

Suo marito aveva un'amante?

Dopo una settimana, Jay non era ancora venuto nella sua camera.

Lizzie era ossessionata dall'idea che avesse un'amante. L'unica donna che riusciva a vedere in quel ruolo era Suzy Delahaye. Era giovane e bella, e suo marito era sempre assente: come tanti virginiani, aveva la passione delle corse di cavalli ed era disposto a fare un viaggio di due giorni per vederne una. Jay se la svignava dunque dopo cena per raggiungere a cavallo la casa dei Delahaye e andare a letto con Suzy?

Lizzie si disse che aveva troppa fantasia, ma non riusciva a scacciare il pensiero.

La settima sera era alla finestra della sua camera quando vide il guizzo di una lanterna che si muoveva attraverso il prato buio.

Decise di seguirla.

Era una notte fredda e buia, ma non perse tempo a vestirsi. Prese uno scialle e se lo mise sulle spalle mentre scendeva di corsa le scale.

Sgusciò fuori di casa. I due levrieri scozzesi che dormivano sotto il portico alzarono il muso incuriositi. «Vieni, Roy! Vieni, Rex!» chiamò. Attraversò di corsa il prato seguendo la scintilla della lanterna, coi cani alle calcagna. La luce sparì quasi subito nel bosco, ma ormai era abbastanza vicina per vedere che Jay, se era lui, aveva imboccato il sentiero che portava ai capannoni del tabacco e agli alloggi del sovrintendente.

Forse Lennox teneva pronto un cavallo già sellato perché Jay potesse andare dai Delahaye. Lizzie era convinta che Lennox fosse coinvolto in quella storia: era sempre coinvolto, quando Jay si comportava male.

Non vide più la lanterna, ma trovò con facilità le due casette. Lennox ne occupava una, quella di Sowerby adesso era libera.

Ma dentro c'era qualcuno.

Le imposte erano chiuse per non far passare il freddo, tuttavia la luce brillava dalle fessure.

Lizzie si fermò nella speranza che il suo cuore si calmasse, ma era la paura e non la fatica a farlo battere così in fretta. Aveva paura di ciò che poteva vedere. L'idea che Jay prendesse fra le braccia Suzy Delahaye come aveva preso lei e la baciasse con le labbra che lei aveva baciato la faceva impazzire di rabbia. Pensò addirittura di tornare indietro. Ma non sapere sarebbe stato peggio.

Provò ad aprire la porta. Non era chiusa a chiave. La spinse ed entrò.

La casetta aveva due stanze. La cucina, sul davanti, era vuota, ma una voce sommessa giungeva dalla camera sul retro. Erano già a letto? Si avvicinò in punta di piedi, afferrò la maniglia, respirò a fondo e spalancò la porta.

Suzy Delahaye non c'era.

C'era Jay. Stava sdraiato sul letto in camicia e calzoni, senza giacca e senza calze.

In fondo al letto c'era una schiava.

Lizzie non ne conosceva il nome: era una delle quattro che Jay aveva comprato a Williamsburg. Aveva circa la stessa età di Lizzie, era snella e bellissima, con dolci occhi castani. Era completamente nuda, e Lizzie poté vedere i seni orgogliosi dai capezzoli scuri e il pelo pubico nero e crespo.

Mentre la fissava, la ragazza le lanciò uno sguardo che non avrebbe mai dimenticato: altezzoso, sprezzante, trionfale. Sarai anche la padrona, diceva quello sguardo, ma ogni notte lui viene nel mio letto, non nel tuo.

La voce di Jay sembrò giungere da una distanza immensa: «Lizzie, oh, mio Dio!».

Lizzie girò la testa per guardarlo e lo vide trasalire. Ma la paura di Jay non le diede la minima soddisfazione. Da molto tempo sapeva che era un debole.

Ritrovò la voce: «Va' all'inferno, Jay» disse calma, senza alzare la voce. Si girò e uscì.

Andò in camera sua, prese le chiavi dal cassetto e scese nell'armeria.

I suoi fucili Griffin erano nella rastrelliera accanto a quelli di Jay, ma non li toccò. Prese invece una coppia di pistole tascabili nella custodia di cuoio. Controllò il contenuto della custodia e trovò una fiaschetta piena di polvere da sparo, stoppacci di lino e qualche acciarino di scorta, ma non pallottole. Cercò in tutta l'armeria ma non ne trovò. C'erano solo alcuni lingotti di piombo. Prese un lingotto e uno stampo per pallottole, un piccolo attrezzo simile a una pinza, e uscì chiudendo di nuovo la porta a chiave.

In cucina, Sarah e Mildred la fissarono sgranando gli occhi con aria spaventata quando entrò stringendo sotto il braccio la custodia delle pistole. Senza una parola, andò alla credenza e prese un coltello robusto e un tegamino di ferro col beccuccio. Salì in camera sua e chiuse la porta a chiave.

Attizzò il fuoco finché il calore divenne così intenso che non riusciva a stargli vicino per più di qualche secondo.

Mise il lingotto di piombo nel tegame e il tegame sulle fiamme.

Ricordò che Jay era tornato da Williamsburg con quattro giovani schiave. Quando gli aveva chiesto perché non aveva comprato quattro uomini, le aveva risposto che le ragazze costavano meno ed erano più obbedienti. Non ci aveva più pensato: era più preoccupata per la spesa della carrozza nuova. Adesso, purtroppo, capiva.

Sentì bussare, poi la voce di Jay: «Lizzie?». La maniglia girò inutilmente. Quando si accorse che la porta era chiusa a chiave, insistette: «Lizzie... vuoi farmi entrare?».

Lei non gli badò. In quel momento era spaventato e in preda al rimorso, ma in seguito si sarebbe convinto di non aver fatto niente di male, e si sarebbe arrabbiato. Per adesso, comunque, era innocuo.

Jay continuò a bussare e a chiamare per circa un minuto, poi si arrese e se ne andò.

Quando il piombo fuse, Lizzie tolse il tegame dal fuoco. Versò un po' di metallo liquido nello stampo attraverso il beccuccio. Nella testa dell'attrezzo c'era una cavità sferica che si riempì di piombo; tuffò allora lo stampo nel catino pieno d'acqua del suo lavabo perché il piombo si raffreddasse e indurisse. Quando strinse i bracci dell'attrezzo, la testa si aprì lasciando cadere una liscia pallottola rotonda. La prese. Era perfetta, a parte una minuscola coda formata dal piombo colato dal beccuccio. La tranciò col coltello da cucina.

Continuò a fabbricare proiettili finché ebbe consumato tutto il piombo. Poi caricò le pistole e le mise sul comodino. Controllò la serratura della porta.

Poi andò a letto.

33

Mack non poteva perdonare a Lizzie lo schiaffo. Ogni volta che ci pensava si infuriava. Gli aveva inviato messaggi sleali, e quando lui c'era cascato l'aveva punito. Era una puttana, si diceva, una civetta aristocratica senza cuore che giocava coi suoi sentimenti.

Ma sapeva che non era così, e dopo un po' cambiò punto di vista. La riflessione gli fece comprendere che in realtà Lizzie era preda di emozioni contrastanti. Era attratta da lui, ma era sposata a un altro. Aveva un forte senso del dovere, e si era spaventata perché lo sentiva incrinarsi. Per disperazione aveva cercato di mettere fine al dilemma litigando con lui.

Avrebbe voluto dirle che la sua fedeltà verso Jay era mal riposta. Da mesi tutti gli schiavi sapevano che passava le notti in una casetta con Felia, una senegalese bella e disponibile. Ma era certo che Lizzie l'avrebbe scoperto da sé, prima o poi, e infatti era accaduto, due notti prima. La sua reazione era stata estrema, come sempre: aveva chiuso a chiave la porta della sua camera da letto e si era armata di due pistole.

Per quanto avrebbe continuato? Come sarebbe finita? «Scappa alla frontiera con un mascalzone» le aveva detto pensando a se stesso. Ma lei non aveva reagito al suggerimento. Naturalmente non le sarebbe mai passato per la testa di vivere con Mack McAsh. Le piaceva, senza dubbio, e per lei era stato più di un servitore: l'aveva aiutata a partorire e le era piaciuto essere abbracciata da lui. Ma l'idea di abbandonare il marito per scappare con lui non la sfiorava nemmeno.

Mack era disteso sul letto prima dello spuntar del giorno e rimuginava questi pensieri quando udì il nitrito sommesso di un cavallo.

Chi poteva essere a quell'ora? Aggrottò la fronte, si alzò dalla branda e andò alla porta della baracca in maglietta e calzoni.

Fuori faceva freddo e quando aprì la porta rabbrividì. Era una mattina nebbiosa e cadeva una pioggerella sottile, ma stava spuntando l'alba perciò poté vedere, nella luce argentea, due donne che si avvicinavano. Una conduceva un pony per la briglia.

Dopo un attimo riconobbe la più alta: era Cora. Perché era venuta fin lì in piena notte? Di sicuro era successo qualcosa di brutto.

Poi riconobbe l'altra.

«Peg!» esclamò felice.

Lei lo vide e gli corse incontro. Era cresciuta di qualche centimetro, pensò, ed era un po' cambiata nel fisico, ma il viso era lo stesso. Gli si buttò fra le braccia. «Mack!» disse. «Oh, Mack, ho avuto tanta paura!»

«Temevo che non ti avrei più rivista» disse lui. «Cos'è successo?»

Fu Cora a rispondere: «È nei guai. Era stata comprata da un contadino delle colline, un certo Burgo Marler. Ha cercato di violentarla, e lei l'ha colpito con un coltello da cucina».

«Povera Peg» commentò Mack abbracciandola. «È morto?»

Peg annuì.

Cora continuò: «La notizia è stata pubblicata dalla "Virginia Gazette" e tutti gli sceriffi della colonia la stanno cercando».

Mack rimase sconvolto. Se l'avessero presa, di sicuro l'avrebbero impiccata.

Gli altri schiavi si svegliarono nel sentirli parlare. Alcuni deportati uscirono, riconobbero Peg e Cora e le salutarono con calore.

Mack chiese a Peg: «Come sei arrivata a Fredericksburg?».

«A piedi» rispose lei con un riflesso dell'atteggiamento di sfida di un tempo. «Sapevo che dovevo andare a est e trovare il fiume Rapahannock. Viaggiavo di notte e chiedevo indicazioni a quelli che circolano col buio... schiavi, fuggiaschi, soldati disertori, indiani.»

Cora spiegò: «L'ho nascosta per qualche giorno in casa mia... Mio marito è a Williamsburg per affari. Poi ho saputo che lo sceriffo di qui aveva intenzione di capitare senza preavviso da tutti quelli che erano sulla *Rosebud*».

«Ma allora verrà anche qui!» esclamò Mack.

«Sì... non è molto lontano.»

«Cosa?»

«Sono quasi sicura che sta per arrivare... quando ho lasciato la città, stava radunando un gruppo di uomini per darle la caccia.»

«Allora perché l'hai portata qui?»

Il viso di Cora s'indurì. «Perché è un problema tuo. Io ho un marito ricco, una bella casa e un banco riservato in chiesa, e non voglio che lo sceriffo trovi un'assassina nel fienile della mia dannata scuderia!»

Gli altri deportati borbottarono la loro disapprovazione. Mack la fissò sgomento. Un tempo aveva pensato di passare tutta la vita con quella donna. «Perdio, hai il cuore di pietra» commentò irosamente.

«L'ho salvata, no?» ribatté sdegnata Cora. «Adesso devo salvare me stessa!»

Peg intervenne: «Grazie di tutto, Cora. Mi hai salvata».

Kobe aveva assistito in silenzio alla scena. Mack si rivolse automaticamente a lui per discutere il problema. «Potremmo nasconderla nella proprietà dei Thumson» propose.

«Sì, finché lo sceriffo non andrà a cercarla anche là» rispose Kobe.

«Accidenti, non ci avevo pensato.» Dove si poteva nasconderla? «Passeranno al setaccio gli alloggi, le scuderie, i capannoni del tabacco...»

Cora chiese: «Hai già scopato Lizzie Jamisson?».

Mack rimase allibito. «Come sarebbe a dire "già"? Non l'ho fatto, naturalmente.»

«Non fare l'idiota. Scommetto che lei lo vorrebbe.»

Mack fu offeso dal cinismo di Cora, ma non poteva fare l'innocente. «E con questo?»

«Sarebbe disposta a nascondere Peg... per amor tuo?»

Mack non ne era sicuro. Come faccio a chiederglielo? pensò. Non avrebbe potuto amare una donna che rifiutasse di aiutare una ragazzina in una simile situazione. Tuttavia dubitava che Lizzie acconsentisse, e per qualche ragione inspiegabile la prospettiva lo irritava. «Potrebbe farlo per bontà d'animo» rispose seccamente.

«Sì, può darsi. Ma il sesso è un movente più affidabile.»

Mack sentì abbaiare dei cani: sembravano i levrieri scozzesi sotto il portico della casa. Perché erano agitati? Poi dalla riva del fiume rispose l'abbaiare di altri cani,.

«Ci sono cani estranei nella zona» spiegò Kobe. «Ecco cosa disturba Roy e Rex.»

«È possibile che siano già lo sceriffo e la sua squadra?» chiese Mack con ansia crescente.

«Credo di sì» rispose Kobe.

«Speravo di avere un po' di tempo per studiare un piano!»

Cora si girò e montò sul pony. «Me ne vado prima che mi vedano.» Si allontanò dalle baracche tenendo il pony al passo. «Buona fortuna» disse, e sparì nel bosco nebbioso simile a un messaggero spettrale.

Mack si rivolse a Peg. «Abbiamo pochissimo tempo. Vieni alla casa con me. È la migliore possibilità.»

Peg aveva l'aria atterrita. «Farò tutto quel che vuoi.»

Kobe disse: «Vado a vedere chi sono i visitatori. Se sono lo sceriffo e i suoi, cercherò di trattenerli».

Peg tenne stretta la mano di Mack mentre attraversavano di corsa i campi freddi e i prati umidi nella luce grigia. I cani scesero a balzi dal portico per andar loro incontro. Roy leccò la mano di Mack e Rex fiutò incuriosito Peg, ma nessuno dei due fece il minimo rumore.

Le porte non venivano mai chiuse a chiave e Mack fece entrare Peg dall'ingresso posteriore. Salirono in silenzio la scala. Mack guardò dalla finestra del pianerottolo e vide le sagome, bianche e nere nella luce dell'alba, di cinque o sei uomini e alcuni cani che salivano dalla direzione del fiume. Il gruppo si divise: due uomini si avviarono verso la casa, gli altri, preceduti dai cani, voltarono verso gli alloggi degli schiavi.

Mack andò alla porta della camera di Lizzie. Non mi deludere proprio adesso, pensò. Cercò di aprire.

La porta era chiusa a chiave.

Bussò piano, per non svegliare Jay che dormiva nella stanza accanto.

Non successe nulla.

Bussò più forte.

Udì un rumore leggero di passi, poi la voce chiara di Lizzie: «Chi è?».

«Ssst! Sono Mack!» mormorò lui.

«Cosa diavolo sei venuto a fare?»

«Non certo quel che pensi tu... apri!»

Udì la chiave girare e la porta si aprì. Nella semioscurità riusciva appena a vederla. Lei si girò per rientrare nella stanza, e Mack la seguì, trascinandosi dietro Peg. La camera era immersa nel buio.

Lizzie attraversò la stanza e aprì un'imposta. Nella luce pallida, Mack vide che indossava una specie di vestaglia ed era deliziosamente spettinata. «Spiegati in fretta» gli disse. «E augurati di avere una giustificazione seria.» Poi vide Peg e cambiò atteggiamento. «Non sei solo.»

«È Peg Knapp» disse Mack.

«La ricordo» rispose Lizzie. «Come va, Peggy?»

«Sono di nuovo nei guai» rispose la ragazzina.

Mack spiegò: «È stata venduta a un contadino delle colline che ha cercato di violentarla...».

«Oh, mio Dio!»

«E lei l'ha ucciso.»

«Povera piccola» commentò Lizzie, e l'abbracciò. «Povera piccola.»

«Lo sceriffo la sta cercando. Adesso è qui e perquisisce gli alloggi degli schiavi.» Mack guardò il viso tirato di Peg e con gli occhi della mente vide la forca di Fredericksburg. «Dobbiamo nasconderla!»

Lizzie disse: «Lascia che parli io con lo sceriffo».

«Cosa vuoi dire?» chiese Mack. S'innervosiva quando lei cercava di prendere in pugno la situazione.

«Gli spiegherò che Peg si è difesa da un tentativo di stupro.»

Quando era sicura di qualcosa, Lizzie si comportava come se nessuno potesse contraddirla. Era un lato fastidioso del suo carattere. Mack scosse la testa. «Sarebbe inutile. Lo sceriffo risponderà che spetta al tribunale, e non a te, decidere se è colpevole.»

«Allora Peg può restare qui fino al processo.»

Le idee di Lizzie erano così fuori dalla realtà che Mack dovette compiere uno sforzo per parlare con calma e ragionevolezza. «Non puoi impedire a uno sceriffo di arrestare qualcuno accusato di omicidio, qualunque cosa tu pensi su chi ha ragione e chi ha torto.»

«Forse Peg dovrebbe presentarsi al processo. Se è innocente non possono condannarla...»

«Lizzie, un po' di realismo!» esclamò Mack, esasperato. «Quale tribunale virginiano assolverebbe una deportata che ha ucciso il suo padrone? Hanno tutti il terrore di essere aggrediti dagli schiavi. Anche se credessero alla sua versione dei fatti la impiccherebbero comunque per far paura agli altri.»

Lei parve arrabbiarsi e stava per ribattere quando Peg

scoppiò in lacrime. Lizzie esitò. Si morse le labbra e chiese: «Cosa pensi che dovremmo fare?».

Fuori, uno dei cani ringhiò e Mack udì la voce di un uomo che gli parlava per calmarlo. «Voglio che tu nasconda qui Peg mentre perquisiscono la piantagione» rispose. «Sei disposta a farlo?»

La guardò dritto negli occhi. Se dici di no, pensò, allora mi sono innamorato della donna sbagliata.

«Ma certo» disse lei. «Per chi mi prendi?»

Mack sorrise felice, sopraffatto dal sollievo. L'amava tanto che dovette reprimere le lacrime. Deglutì con uno sforzo. «Sei meravigliosa» disse con voce spezzata.

Avevano parlato sommessamente, e adesso Mack udì un suono provenire dalla camera di Jay, al di là della parete. C'era ancora molto da fare prima che Peg fosse al sicuro. «Devo andare» disse. «Buona fortuna!» E uscì.

Attraversò il ballatoio e scese di corsa le scale ma senza far rumore. Quando raggiunse l'atrio gli parve di sentire la porta della camera di Jay aprirsi, ma non si voltò.

Si fermò e respirò a fondo. Sono un domestico e non ho idea di cosa può volere lo sceriffo, si disse. Sfoggiò un sorriso educato e aprì la porta.

Sotto il portico c'erano due uomini, vestiti nel modo tipico dei virginiani benestanti: stivali da cavallo, panciotto lungo e tricorno. Erano entrambi armati di pistole che portavano appese alle spalle nelle fondine di cuoio. Esalavano odore di rum: avevano bevuto per affrontare l'aria fredda della notte.

Mack si fermò sulla soglia bloccando il passaggio per scoraggiarli dall'entrare. «Buongiorno, signori» disse. Il cuore gli batteva all'impazzata. Si sforzò di mantenere un tono di voce calmo e noncurante. «State cercando qualcuno?»

Il più alto rispose: «Sono lo sceriffo della contea di Spotsylvania e sto cercando una ragazza, una certa Peggy Knapp».

«Ho visto i cani. Li ha mandati agli alloggi degli schiavi?»

«Sì.»

«Ottima idea, sceriffo. Così sorprenderà nel sonno i negri, e non potranno nascondere la ragazza.»

«Mi fa piacere che tu approvi» disse lo sceriffo con una sfumatura di sarcasmo. «Ora vorremmo entrare.»

Un deportato non poteva far altro che obbedire quando un uomo libero gli dava un ordine, e Mack dovette scostarsi e lasciarli entrare nell'atrio. Sperava ancora che non ritenessero necessario perquisire la casa.

«Come mai sei già alzato?» chiese lo sceriffo con una sfumatura di sospetto nella voce. «Ci aspettavamo di dover svegliare tutti quanti.»

«Mi alzo sempre presto.»

Lo sceriffo borbottò, evitando commenti: «Il tuo padrone è in casa?».

«Sì.»

«Portaci da lui.»

Mack non voleva che salissero, perché si sarebbero avvicinati troppo a Peg. «Mi sembra di aver sentito il signor Jamisson muoversi» rispose. «Devo pregarlo di scendere?»

«No... non voglio che si disturbi a vestirsi.»

Mack imprecò fra sé. Era chiaro che lo sceriffo era deciso a cogliere tutti di sorpresa, se possibile. Ma non poteva discutere. Disse: «Da questa parte, prego» e precedette i due su per la scala.

Bussò alla porta di Jay che dopo un momento aprì, avvolto in una veste da camera. «Cosa diavolo succede?» chiese irritato.

«Sono lo sceriffo Abraham Barton, signor Jamisson. Scusi se la disturbo, ma stiamo cercando l'assassina di Burgo Marler. Il nome Peggy Knapp le dice qualcosa?»

Jay guardò Mack con durezza. «Certo. È sempre stata una ladra e non mi sorprende che sia diventata un'assassina. Ha chiesto a McAsh, qui, se sa dov'è?»

Barton guardò Mack sorpreso. «Dunque tu sei McAsh! Non l'hai detto.»
«Non me l'ha chiesto» si difese Mack.
Barton non fu soddisfatto della risposta. «Sapevi che sarei venuto qui stamattina?»
«No.»
Jay chiese, insospettito: «Allora perché sei già alzato?».
«Quando lavoravo nella miniera di suo padre cominciavo alle due del mattino. Ormai ho l'abitudine di svegliarmi molto presto.»
«Non me ne sono mai accorto.»
«Perché non si alza mai a quest'ora.»
«Piantala con la tua maledetta insolenza.»
Barton chiese a Mack: «Quando hai visto Peggy Knapp per l'ultima volta?».
«Quando sono sbarcato dalla *Rosebud*, sei mesi fa.»
Lo sceriffo si rivolse a Jay: «Forse l'hanno nascosta i negri. Abbiamo portato i cani».
Jay agitò una mano in un gesto magnanimo. «Proceda pure. Faccia tutto quello che ritiene necessario.»
«Dobbiamo perquisire anche la casa.»
Mack trattenne il respiro. Aveva sperato che non lo ritenessero indispensabile.
Jay aggrottò la fronte. «Non è plausibile che la ragazza sia qui.»
«Comunque, per scrupolo...»
Jay esitò e Mack si augurò che si irritasse e mandasse al diavolo lo sceriffo. Invece dopo un momento scrollò le spalle e disse: «Certamente».
Mack si sentì stringere il cuore.
Jay continuò: «Ci siamo soltanto io e mia moglie. Il resto della casa è vuoto. Comunque, frugate pure dappertutto. Lascio fare a voi». E chiuse la porta.
Barton chiese a Mack: «Dov'è la camera della signora Jamisson?».
Mack deglutì. «La porta accanto.» Avanzò sul ballatoio

e bussò delicatamente. Col cuore in gola disse: «Signora Jamisson, è sveglia?».

Dopo una breve attesa, Lizzie aprì con aria assonnata. «Cosa vuoi a quest'ora?»

«Lo sceriffo sta cercando una fuggiasca.»

Lizzie spalancò la porta. «Be', qui non c'è.»

Mack guardò nella stanza e si domandò dov'era nascosta Peg.

Barton chiese: «Possiamo entrare un momento?».

Negli occhi di Lizzie passò un lampo quasi impercettibile di paura, e Mack si chiese se Barton l'aveva notato. Lizzie scrollò le spalle con fare indifferente e rispose: «Accomodatevi».

I due uomini entrarono, impacciati. Lizzie lasciò che la vestaglia si allentasse leggermente, come per caso. Mack non poté fare a meno di notare che la camicia da notte metteva in risalto il seno tornito. Gli altri due reagirono nello stesso modo. Lizzie guardò negli occhi lo sceriffo che girò la testa con aria colpevole. Si comportava deliberatamente in quel modo per farli sentire a disagio e spingerli a sbrigarsi.

Lo sceriffo si sdraiò sul pavimento e guardò sotto il letto mentre il suo aiutante apriva l'armadio. Lizzie sedette sul letto e con un gesto rapido afferrò un angolo della sovraccoperta e la tirò. Per una frazione di secondo Mack scorse un piedino sporco prima che venisse coperto.

Peg era nel letto.

Era così magra da risultare quasi invisibile sotto le coperte.

Lo sceriffo aprì una cassapanca, l'altro uomo guardò dietro un paravento. Non c'erano molti posti da controllare. Avrebbero scoperto il letto?

Lo stesso pensiero dovette attraversare la mente di Lizzie, perché disse: «Ora, se avete finito, vorrei riprendere a dormire» e s'infilò fra le coperte.

Barton guardò fisso il letto e Lizzie. Aveva il coraggio di chiederle di alzarsi di nuovo? Ma non pensava seriamente che i padroni di casa nascondessero un'assassina... era venuto a fare la perquisizione solo per escludere quella eventualità. Dopo un attimo di esitazione disse: «Grazie, signora Jamisson. Ci scusi per averla disturbata. Andremo a cercare negli alloggi degli schiavi».

Mack si sentì venir meno per il sollievo. Tenne aperta la porta per lasciar passare i due, nascondendo la sua gioia.

«Buona fortuna» augurò Lizzie. «Ah, sceriffo, quando ha finito il suo lavoro, porti qui gli uomini a far colazione!»

34

Lizzie rimase nella sua camera mentre gli uomini e i cani setacciavano la piantagione. A voce bassa, Peg le raccontò la storia della sua vita. Lizzie era inorridita e sconvolta. Peg era soltanto una ragazzina, magra, graziosa e sfrontata. E lei aveva perduto la sua bambina.

Si confidarono i loro sogni. Lizzie rivelò che desiderava vivere all'aria aperta, vestirsi da uomo e passare le giornate a cavallo armata di fucile. Peg prese dall'interno della camicia un foglio piegato e sciupato. Era un disegno colorato a mano che mostrava un padre, una madre e una bambina davanti a un grazioso villino di campagna. «Ho sempre voluto essere la bambina del disegno» disse. «Però adesso qualche volta vorrei essere la madre.»

Alla solita ora Sarah, la cuoca, si presentò col vassoio della colazione. Quando sentì bussare, Peg si nascose sotto le coperte, ma la donna entrò e disse a Lizzie: «So tutto di Peggy, quindi non si preoccupi».

Peg si riaffacciò e Lizzie, sorpresa, chiese: «Chi non lo sa?».

«Il signor Jamisson e il signor Lennox.»

Lizzie divise la colazione con Peg, che divorò il prosciutto alla griglia e le uova strapazzate come se non mangiasse da un mese.

Lo sceriffo e i suoi se ne andarono mentre finiva di mangiare. Lizzie e Peg andarono alla finestra e li guardarono attraversare il prato e scendere verso il fiume. Erano delusi e taciturni e camminavano con le spalle curve. I cani, che percepivano il loro malumore, li seguivano obbedienti.

Quando gli uomini furono fuori di vista, Lizzie sospirò di sollievo e disse: «Sei al sicuro».

Si abbracciarono felici. Peg era di una magrezza impressionante e Lizzie provò per lei uno slancio di affetto materno.

Peg commentò: «Sono sempre al sicuro, con Mack».

«Dovrai restare in questa camera finché non saremo certe che Jay e Lennox se ne sono andati».

«Non ha paura che entri il signor Jamisson?» chiese Peg.

«No. Qui non viene mai.»

Peg la guardò perplessa, ma non fece altre domande. Disse soltanto: «Quando sarò più grande sposerò Mack».

Lizzie ebbe la bizzarra sensazione che la ragazzina l'avesse avvertita di lasciar perdere.

Mack era seduto nella vecchia nursery, dove poteva essere sicuro che nessuno l'avrebbe disturbato, ed esaminava il suo corredo per la sopravvivenza. Aveva un gomitolo di spago rubato e sei ami che gli aveva fatto il fabbro Cass, così avrebbe potuto pescare. Aveva una tazza di latta e un piatto del tipo che veniva distribuito agli schiavi. C'era una scatola con esca, acciarino e pietra focaia per accendere il fuoco e una padella di ferro per cucinare. Aveva una scure e un coltello pesante trafugati mentre gli schiavi abbattevano gli alberi per fabbricare barili.

In fondo al sacco, avvolta in un pezzo di tela, c'era una chiave dell'armeria. L'ultima cosa che avrebbe fatto prima di fuggire sarebbe stata rubare un fucile e munizioni.

Nel sacco c'erano anche *Robinson Crusoe* e il collare di ferro portato dalla Scozia. Prese il collare e ricordò quando l'aveva spezzato nella fucina la notte della fuga da Heugh. Aveva ballato al chiaro di luna per la gioia di essere libero. Ma era passato più di un anno e non era ancora libero per davvero. Però non si era arreso.

Il ritorno di Peg aveva eliminato l'ultimo ostacolo che gli impediva di fuggire da Mockjack Hall. Si era installata negli alloggi degli schiavi e dormiva nella capanna delle ragazze nubili. Tutte avrebbero tenuto la bocca chiusa. Si proteggevano sempre a vicenda. Non era la prima volta che un fuggiasco si nascondeva nel quartiere degli schiavi: poteva contare su una ciotola di *hominy* e su un letto in qualunque piantagione della Virginia.

Durante il giorno Peg vagava nei boschi tenendosi nascosta fino al cader della notte, poi tornava agli alloggi per mangiare con i braccianti. Mack sapeva che non poteva durare per molto tempo. Presto la noia l'avrebbe fatta diventare imprudente, e allora l'avrebbero catturata. Ma non sarebbe stata costretta a vivere in quel modo per molti giorni.

Mack fremeva nell'attesa. Cora era sposata, Peg era salva, e la mappa gli aveva mostrato dove doveva andare. Desiderava la libertà con tutto se stesso. Appena possibile, lui e Peg si sarebbero allontanati dalla piantagione al termine di una giornata di lavoro. Prima dell'alba potevano essere lontani una quarantina di chilometri. Si sarebbero nascosti durante il giorno e avrebbero viaggiato di notte. Come tutti i fuggiaschi, ogni mattina e ogni sera avrebbero mendicato qualcosa da mangiare nel quartiere degli schiavi della piantagione più vicina.

Diversamente dalla maggior parte dei fuggiaschi, Mack non avrebbe cercato un lavoro dopo nemmeno duecento chilometri. Era così che si facevano catturare. Doveva andare molto più lontano. La sua destinazione era il territorio selvaggio oltre le montagne. Là sarebbe stato libero.

Tuttavia Peg era ricomparsa da una settimana e lui era ancora a Mockjack Hall.

Guardò la mappa, gli ami e la scatola con esca, acciarino e pietra focaia. Era a un passo dalla libertà, ma non riusciva a compiere quel passo.

Era innamorato di Lizzie e non sopportava l'idea di lasciarla.

Lizzie era nuda davanti al grande specchio a bilico della sua camera e si guardava.

Aveva detto a Jay che era ridiventata normale dopo la gravidanza, ma per la verità non sarebbe stata più quella di un tempo. I seni erano tornati alle dimensioni precedenti, ma erano meno sodi e sembravano pendere un po'. Il ventre non sarebbe più ridiventato normale, ora se ne rendeva conto: la linea un po' sporgente e la pelle un po' rilassata sarebbero rimaste per sempre. C'erano sottili linee argentee dove la pelle si era tirata: erano meno evidenti, adesso, ma aveva la sensazione che non si sarebbero mai cancellate. E anche là sotto, dove era uscita la bambina, era diversa. Un tempo era così stretta che faticava a infilarvi un dito: adesso si era dilatata.

Si chiese se era per questo che Jay non la voleva più. Non l'aveva più vista nuda dopo il parto ma forse sapeva come si era ridotta, o l'aveva intuito, e la trovava disgustosa. Felia, la sua schiava, evidentemente non aveva mai avuto un bambino e il suo corpo era ancora perfetto. Jay l'avrebbe messa incinta, prima o poi. E più tardi l'avrebbe scartata come aveva fatto con lei, e si sarebbe preso un'altra donna. Era così che intendeva vivere? Tutti gli uomini si comportavano così? Lizzie avrebbe voluto chiederlo a sua madre.

Si sentiva trattata come un oggetto usato e ormai inutile, come un paio di scarpe consumate o un piatto incrinato. E questo la riempiva di rancore. La creatura che era cresciuta dentro di lei e le aveva modificato la vagina era figlia di Jay. Lui non aveva il diritto di respingerla, adesso. Sospirò. Era inutile prendersela con lui. L'aveva voluto e aveva commesso una pazzia.

Si chiese se qualcuno avrebbe mai giudicato il suo corpo ancora attraente. Rimpiangeva le sensazioni suscitate dalle mani di un uomo che le scorrevano avidamente sulla pelle come se lui non potesse mai saziarsene. Voleva qualcuno che la baciasse con tenerezza, le stringesse i seni, spingesse le dita dentro di lei. Non sopportava l'idea che non sarebbe accaduto mai più.

Respirò profondamente, tirò indietro lo stomaco e sporse il petto. Ecco... era quasi così, prima della gravidanza. Si soppesò i seni, si toccò il pelo fra le gambe e giocherellò col bottone del desiderio.

La porta si aprì.

Mack doveva riparare una piastrella rotta nel camino della stanza di Lizzie. Aveva chiesto a Mildred: «La signora Jamisson si è già alzata?». Mildred aveva risposto: «È appena andato alle scuderie». Doveva aver capito "il signor Jamisson".

Tutto ciò gli passò nella mente in una frazione di secondo. Poi non pensò ad altro che a Lizzie.

Era bella da impazzire. Stava in piedi davanti allo specchio e quindi vedeva il suo corpo da tutti i lati. Gli voltava la schiena, e a lui prudevano le mani per la voglia di accarezzarle la curva dei fianchi. Nello specchio vedeva la curva dei seni torniti e i capezzoli rosei. I peli dell'inguine avevano lo stesso colore dei riccioli ribelli spettinati che aveva sul capo.

Rimase ammutolito. Sapeva che avrebbe dovuto scusarsi e uscire in fretta, ma gli sembrava d'essere inchiodato al pavimento.

Lizzie si voltò verso di lui. Aveva un'espressione turbata e lui si chiese perché. Spogliata, gli sembrava vulnerabile, quasi impaurita.

Finalmente ritrovò la voce: «Mio Dio, come sei bella!» mormorò.

Lei cambiò espressione, come se avesse trovato la risposta a un interrogativo.

«Chiudi la porta» disse.

Mack spinse la porta dietro di sé e attraversò la stanza in tre passi. Dopo un momento, Lizzie fu tra le sue braccia, e lui strinse a sé il corpo nudo e sentì contro il petto i seni morbidi. Le baciò le labbra e subito lei schiuse la bocca. Le lingue si incontrarono e Mack si sentì travolto dall'avidità del bacio di lei. L'eccitazione di lui cresceva, e lei attirò verso di sé i suoi fianchi e gli si strofinò contro.

Mack si staccò ansimando per il timore di raggiungere subito l'orgasmo. Lizzie gli scostò il panciotto e la camicia per toccargli la pelle.

Si tolse il panciotto e sfilò la camicia da sopra la testa. Lei piegò la testa e gli cercò il capezzolo con la bocca, lo baciò, lo leccò con la punta della lingua, lo morse leggermente. La sofferenza era sublime e Mack si lasciò sfuggire un gemito di piacere.

«Adesso fallo a me» sussurrò lei. Inarcò la schiena offrendo il seno alla sua bocca. Mack lo sollevò con una mano e baciò il capezzolo inturgidito dal desiderio. Assaporò quel momento.

«Non essere così delicato» mormorò lei.

Mack succhiò con ardore, poi la morse come lei l'aveva morso. La sentì soffocare un grido. Temeva di ferire il suo morbido corpo, ma lei disse: «Più forte. Voglio che mi fai male». Mack morse più forte. «Sì, oh sì» disse lei, e gli attirò la testa contro il seno.

Mack si fermò per il timore di farla sanguinare. Quando si raddrizzò fu lei a curvarsi e a tirare il cordone che gli sosteneva i calzoni. Li abbassò e il pene balzò fuori, libero. Lo prese con le mani, lo strofinò contro le guance morbide, lo baciò. Sopraffatto dal piacere, ancora una volta Mack dovette staccarsi: non voleva che finisse troppo presto.

Guardò il letto.

«Là no» disse Lizzie. «Qui.» E si stese sul tappeto davanti allo specchio.

Mack le si inginocchiò fra le gambe, si riempì gli occhi di ciò che vedeva.

«Presto, adesso» lo incitò lei.

Le si sdraiò addosso, si puntellò sui gomiti e lei lo guidò dentro di sé. Mack contemplò il viso adorabile: le guance erano arrossate, la bocca leggermente aperta mostrava le labbra umide e i denti minuti. «Mack» gemette.

«Oh, Mack.» Il suo corpo si mosse al ritmo di quello di lui mentre gli affondava le dita nei muscoli della schiena.

La baciò e si mosse delicatamente, ma ancora una volta lei voleva di più. Gli prese fra i denti il labbro inferiore, lo morse, e lui sentì il sapore del sangue. «Più in fretta!» lo incitò frenetica, e il suo ardore lo contagiò, lo spinse a muoversi con maggior velocità, a penetrare dentro di lei in modo quasi brutale, e lei disse: «Sì, sì, così!». Chiuse gli occhi abbandonandosi alla sensazione, poi gridò. Mack le coprì la bocca con la mano per farla tacere, e lei gli morse un dito, gli attirò i fianchi contro i suoi con tutte le sue forze e si contorse sotto di lui, e gridò nella mano di lui, sollevò i fianchi più e più volte finché si fermò e si abbandonò esausta.

Mack le baciò le palpebre, il naso e il mento e continuò a muoversi dolcemente dentro di lei. Quando il respiro di Lizzie ridiventò normale, lei aprì gli occhi e gli disse: «Guarda lo specchio».

Lui alzò il volto verso il grande specchio e vide un altro Mack addosso a un'altra Lizzie. I loro corpi erano congiunti. Guardò il pene entrare e uscire dal corpo di lei. «È meraviglioso» mormorò Lizzie.

Mack la contemplò: com'erano scuri i suoi occhi... quasi neri. «Mi ami?» le chiese.

«Oh, Mack, come puoi chiedermelo?» Gli occhi le si riempirono di lacrime. «Certo che ti amo. Ti amo. Ti amo.»

E allora, finalmente, venne anche lui.

Quando il primo carico del raccolto di tabacco fu pronto per la vendita, Lennox ne portò quattro barili a Fredericksburg con una chiatta. Jay attese con impazienza il suo ritorno. Era ansioso di sapere quale prezzo avrebbe spuntato.

Non sarebbe stato pagato in contanti: non era così che funzionava il mercato. Lennox avrebbe portato il tabacco a un magazzino pubblico dove l'ispettore avrebbe rilasciato un certificato che lo dichiarava "vendibile". Quei certificati venivano usati come denaro in tutta la Virginia. A suo tempo l'ultimo detentore del certificato l'avrebbe riscattato consegnandolo al capitano di una nave in cambio di denaro o, molto più spesso, di merci importate dalla Gran Bretagna. Poi il capitano avrebbe portato il certificato al magazzino pubblico e l'avrebbe scambiato con tabacco.

Nel frattempo Jay avrebbe usato il documento per pagare i debiti più urgenti. La fucina era inattiva da un mese perché non avevano più metallo per fabbricare ferri di cavallo e utensili.

Per fortuna Lizzie non si era accorta che erano rimasti senza denaro. Dopo la morte della bambina, per tre mesi era vissuta in uno stato di torpore. Poi, quando l'aveva sorpreso con Felia, si era chiusa in un silenzio rabbioso.

Quel giorno era diversa. Sembrava più felice e quasi cordiale. «Che novità ci sono?» gli chiese a cena.

«Guai nel Massachusetts» le rispose Jay. «C'è un gruppo di teste calde che si fanno chiamare i Figli della Libertà... Hanno avuto il coraggio di mandare denaro a quello stramaledetto John Wilkes a Londra.»

«Mi sorprende che sappiano chi è.»

«Pensano che sia schierato in favore della libertà. Intanto, i commissari della Dogana hanno paura di mettere piede a Boston. Si sono rifugiati a bordo della *Romney*.»

«A quanto sembra i coloni sono sul punto di ribellarsi.»

Jay scrollò la testa. «Hanno bisogno della stessa medicina che abbiamo somministrato agli scaricatori di carbone... un assaggio di colpi di fucile e qualche bella impiccagione.»

Lizzie rabbrividì e non fece altre domande.

Finirono di cenare in silenzio. Jay stava accendendo la pipa quando entrò Lennox.

Jay si accorse subito che a Fredericksburg doveva aver bevuto. «Tutto bene, Lennox?»

«Non proprio» rispose Lennox con l'abituale insolenza.

Spazientita, Lizzie chiese: «Cos'è successo?».

Lennox rispose senza guardarla. «Il nostro tabacco è stato bruciato, ecco cos'è successo.»

«Bruciato!» esclamò Jay.

«Come?» chiese Lizzie.

«È stato l'ispettore. L'ha bruciato come immondizia. Non vendibile.»

Jay provò un senso di nausea alla bocca dello stomaco. Deglutì e disse: «Non sapevo che potessero fare una cosa simile».

Lizzie chiese: «Cosa c'era che non andava?».

Lennox sembrava agitato, contrariamente alle sue abitudini. Per un momento non disse nulla.

«Avanti, sentiamo» lo incitò Lizzie in tono rabbioso.

«Hanno detto che sa di stalla» rispose alla fine.

«Lo sapevo!» esclamò lei.

Jay non aveva idea di cosa stessero dicendo. «Come sarebbe a dire? Stalla? Cosa significa?»

Lizzie spiegò freddamente: «Significa che il bestiame è stato recintato nel terreno dov'è cresciuto il tabacco. Quando è troppo concimato, il tabacco assume un aroma forte e sgradevole».

Jay ribatté, irritato: «E chi sono questi ispettori che hanno il diritto di bruciare il mio raccolto?».

«Sono stati nominati dalla Camera dei burgess» rispose Lizzie.

«È uno scandalo!»

«Devono mantenere elevata la qualità del tabacco della Virginia.»

«Gli farò causa!»

Lizzie disse: «Jay, invece di fargli causa, perché non gestisci la tua piantagione nel modo giusto? Qui potresti coltivare tabacco ottimo, se te ne curassi».

«Non ho bisogno che sia una donna a dirmi come devo occuparmi dei miei affari!» gridò.

Lizzie lanciò un'occhiata a Lennox. «Non hai bisogno neppure di uno stupido.»

Un pensiero terribile colpì Jay. «Quanto tabacco abbiamo coltivato in quel modo?»
Lennox non rispose.
«Allora?» insistette Jay.
Fu Lizzie a dire: «Tutto».
Allora Jay comprese di essere rovinato.
La piantagione era ipotecata, era indebitato fin sopra i capelli e l'intero raccolto di tabacco non valeva niente.
Non riusciva quasi a respirare. Un nodo gli stringeva la gola. Aprì la bocca come un pesce ma non riuscì ad aspirare neppure un po' d'aria.
Finalmente ci riuscì, come un uomo che sta annegando e risale in superficie per l'ultima volta.
«Che Dio mi aiuti» disse, e si nascose la faccia tra le mani.

Quella notte bussò alla porta della camera di Lizzie.
Lei era seduta in camicia da notte accanto al fuoco e pensava a Mack. Era felice, una felicità d'estasi. Lo amava e Mack amava lei. Ma cos'avrebbero fatto? Fissò le fiamme. Si sforzava di essere pratica ma ogni volta la sua mente tornava ai momenti in cui avevano fatto l'amore sul tappeto davanti al grande specchio. Voleva rifarlo.
Trasalì quando sentì bussare. Si alzò di scatto dalla sedia e fissò la porta chiusa a chiave.
La maniglia si mosse rumorosamente ma lei chiudeva a chiave tutte le sere da quando aveva sorpreso Jay in compagnia di Felia. Poi la voce di Jay: «Lizzie... apri!».
Lei non rispose.
«Parto per Williamsburg domattina presto per cercare un altro prestito» disse Jay. «Voglio vederti prima di partire.»
Lei continuò a tacere.
«So che ci sei, apri!» Sembrava ubriaco.
Dopo un momento si sentì un tonfo come se avesse dato una spallata alla porta. Lei sapeva che non sarebbe riuscito ad aprirla: i cardini erano di bronzo, il chiavistello molto pesante.
Sentì i passi allontanarsi, ma intuì che Jay non si era ar-

reso. Aveva ragione. Dopo tre o quattro minuti lui tornò e disse: «Se non apri, butto giù la porta».

Si udì un suono secco e poderoso quando qualcosa si abbatté contro l'uscio. Lizzie immaginò che fosse andato a prendere un'accetta. Un altro colpo sfondò il legno e lei vide spuntar la lama.

Cominciò ad aver paura. Desiderò avere Mack vicino: ma era giù, nel quartiere degli schiavi, e dormiva su una branda. Doveva difendersi da sola.

Scossa da un tremito, andò al comodino e prese le pistole.

Jay continuò ad attaccare la porta, a sfondare il legno con una successione di colpi assordanti, a far volare schegge tutt'intorno e a far tremare l'intera struttura della casa. Lizzie controllò che le pistole fossero cariche. Con mano malferma versò un po' di polvere da sparo negli scodellini, tolse le sicure delle pietre focaie e le armò entrambe.

Ormai non m'importa più di niente, pensò con rassegnazione. Sarà quel che sarà.

La porta si spalancò e Jay, rosso in faccia e ansimante, irruppe nella stanza. Avanzò verso di lei impugnando l'accetta.

Lei tese il braccio sinistro e gli sparò un colpo sopra la testa.

In quello spazio circoscritto lo sparo rimbombò come una cannonata. Jay si fermò e alzò le mani in un gesto difensivo, con aria impaurita.

«Sai che sono un'ottima tiratrice» disse lei. «Ma mi rimane un colpo solo, e questa volta mirerò al cuore.» Non riusciva a credere di poter essere dura al punto da rivolgere parole tanto violente a qualcuno che aveva amato. Avrebbe voluto piangere, ma strinse i denti e lo fissò senza batter ciglio.

«Sei una puttana frigida» disse lui.

La frecciata arrivò a segno. La freddezza era l'accusa che rivolgeva a se stessa. Abbassò la pistola, adagio. Naturalmente non gli avrebbe sparato. «Cosa vuoi?»

Jay lasciò cadere l'accetta. «Venire a letto con te prima di partire.»

Lizzie si sentì assalire dalla nausea. Le si affacciò alla mente l'immagine di Mack. Era il solo che potesse far l'amore con lei, ormai. Il pensiero di lasciarsi anche solo sfiorare da Jay la sconvolgeva.

Jay afferrò le pistole per la canna e gliele tolse dalle mani. Poi disarmò quella che non aveva ancora sparato e le buttò entrambe sul pavimento.

Lizzie lo guardava inorridita. Non riusciva a credere a ciò che stava per accadere.

Lui si avvicinò e la colpì allo stomaco con un pugno.

Lei gridò per il dolore e lo sbalordimento e si piegò su se stessa.

«Non mi puntare mai più addosso una pistola!» urlò Jay.

Le diede un pugno in faccia e la fece cadere a terra.

Poi la prese a calci in testa e lei svenne.

35

La mattina seguente Lizzie rimase a letto con un mal di testa così feroce che riusciva appena a parlare.

Sarah entrò a portarle la colazione. Aveva l'aria spaventata. Lizzie bevve qualche sorso di tè, poi richiuse gli occhi.

Quando la cuoca tornò a prendere il vassoio, Lizzie le chiese: «Il signor Jamisson è partito?».

«Sì, signora. È partito per Williamsburg alle prime luci dell'alba. Il signor Lennox è andato con lui.»

Lizzie si sentì un po' meglio.

Qualche minuto più tardi Mack piombò nella stanza. Si fermò accanto al letto e la fissò fremente di rabbia. Le sfiorò il viso con dita tremanti. I lividi erano doloranti, ma il tocco leggero non le fece male, anzi le fu di conforto. Gli prese la mano e gli baciò il palmo. Rimasero così vicini a lungo senza parlare. I dolori di Lizzie cominciarono a placarsi e si addormentò. Quando si svegliò, era sola.

Nel pomeriggio Mildred venne ad aprire le persiane. Lizzie si sollevò a sedere mentre la pettinava. Poi arrivò Mack col dottor Finch.

«Non l'ho mandato a chiamare» disse Lizzie.

Mack spiegò: «Sono andato io».

Lizzie si vergognava di ciò che era successo e avrebbe preferito che Mack non fosse andato a cercare il dottore. «Cosa ti fa pensare che io stia male?»

«Hai passato la mattina a letto.»

«Potrei averlo fatto per pigrizia.»

«E io potrei essere il governatore della Virginia.»

Lei sorrise e si rilassò. Mack si preoccupava per lei e questo la rendeva felice. «Te ne sono grata» disse.

Il dottore intervenne. «Mi è stato detto che ha mal di testa.»

«Ma non sono ammalata» rispose Lizzie. Al diavolo, pensò, perché non dire la verità? «La testa mi fa male perché mio marito mi ha presa a calci.»

«Uhm.» Finch era imbarazzato. «Com'è la vista...? Appannata?»

«No.»

Le toccò le tempie e premette con delicatezza. «Si sente confusa?»

«L'amore e il matrimonio mi confondono, ma non perché ho preso dei colpi in testa. Ahi!»

«È qui che è stata colpita?»

«Sì, accidenti.»

«È una fortuna che abbia tanti riccioli. Hanno fatto da cuscino e attutito l'urto. Sente un senso di nausea?»

«Solo quando penso a mio marito.» Lizzie si accorse che la voce le tremava un po'. «Ma questo non la riguarda, dottore.»

«Le darò qualcosa per calmare i dolori. Ma non esageri perché dà assuefazione. Mi mandi a chiamare subito se nota qualche disturbo alla vista.»

Quando il dottore se ne fu andato, Mack sedette sul bordo del letto e le prese la mano. Dopo un po' disse: «Se non vuoi che quello continui a prenderti a calci in testa, devi lasciarlo».

Lei si sforzò di trovare una ragione per restare. Suo marito non l'amava. Non avevano figli e a quanto pareva non ne avrebbero mai avuti. Quasi sicuramente avevano perduto la casa. Non c'era nulla che la trattenesse.

«Non saprei dove andare» mormorò.

«Io sì.» Il suo viso tradiva un'emozione profonda. «Ho deciso di scappare.»

Il cuore di Lizzie si fermò. Non sopportava il pensiero di perderlo.

«Peg viene con me» continuò Mack.

Lizzie lo fissò in silenzio.

«Vieni con noi.»

Ecco... l'aveva detto. Vi aveva già alluso una volta, quando aveva detto «Scappa alla frontiera con un mascalzone», ma adesso non alludeva più. Avrebbe voluto rispondergli «Sì, sì, oggi stesso, ora!». Ma si trattenne. Aveva paura. «Dove andrete?»

Mack prese dalla tasca una custodia di pelle e mostrò una mappa. «Meno di duecento chilometri a ovest di qui c'è una lunga catena di montagne. Comincia in Pennsylvania e prosegue verso sud, nessuno sa fin dove. Ed è alta, anche. Però dicono che c'è un passo, il Cumberland Gap, qui, dove nasce il fiume Cumberland. Oltre i monti c'è il territorio selvaggio. Pare che non ci siano neppure gli indiani perché i sioux e i cherokee se lo sono disputato per generazioni, ma nessuna delle due tribù è riuscita ad avere la meglio abbastanza a lungo per metterci radici.»

Lizzie cominciava a sentirsi emozionata. «E come conti di arrivarci?»

«A piedi. Punterò a ovest, da qui alle prime colline. Pepper Jones mi ha detto che c'è una pista che va a sud-ovest, più o meno parallela alla catena. La seguirò fino al fiume Holston, questo qui sulla mappa. Poi taglierò verso le montagne.»

«E... se non fossi solo?»

«Se vieni con me, possiamo prendere un carro coperto e una maggior quantità di provviste: attrezzi, sementi e viveri. Io non sarei più un fuggiasco, ma un servitore che viaggia con la padrona e la sua cameriera. In questo caso andrei a sud fino a Richmond, poi a ovest fino a Staunton. Il percorso è più lungo, ma Pepper dice che le strade sono migliori. Forse sbaglia, ma le sue sono le informazioni più credibili che ho avuto.»

Lizzie era spaventata ma anche eccitata. «E una volta raggiunte le montagne?»

Mack sorrise. «Cercheremo una valle con un fiume ricco di pesci e boschi popolati di cervi, e magari un paio di aquile che fanno il nido sugli alberi più alti. Là ci costruiremo la casa.»

Lizzie preparò coperte, calze di lana, forbici, aghi e filo. Mentre lavorava, nel suo animo si alternavano come un'altalena l'euforia e il terrore. Era indicibilmente felice al pensiero di fuggire con Mack. Nella mente le passavano immagini di loro due che cavalcavano fianco a fianco nella campagna boscosa e dormivano insieme, avvolti in una coperta sotto gli alberi. Poi pensava ai rischi. Avrebbero dovuto cacciare la selvaggina giorno per giorno per mangiare, costruire una casa, piantare il mais, curare i cavalli. E poteva darsi che gli indiani fossero ostili. Potevano esserci vagabondi che si aggiravano nel territorio. E se fossero rimasti bloccati da una nevicata? Avrebbero rischiato di morire di fame!

Guardò dalla finestra della sua camera e vide venire avanti il calesse della taverna di MacLaine, a Fredericksburg. Dietro c'erano dei bagagli e una sola persona sul sedile dei passeggeri. Il vetturino, un vecchio ubriacone che si chiamava Simmins, evidentemente aveva sbagliato piantagione. Lizzie scese per dargli indicazioni.

Ma quando uscì sul portico, riconobbe la passeggera.

Era la madre di Jay, Alicia.

Ed era vestita di nero.

«Lady Jamisson!» esclamò inorridita Lizzie. «Dovrebbe essere a Londra!»

«Ciao, Lizzie» disse sua suocera. «Sir George è morto.»

«Il cuore ha ceduto» spiegò qualche minuto dopo, mentre sedeva in salotto davanti a una tazza di tè. «Ha avuto un collasso in ufficio. L'hanno portato a Grosvenor Square, ma è morto lungo il percorso.»

Non c'era emozione nella sua voce, né traccia di làcrime nei suoi occhi mentre parlava della morte del marito.

Lizzie ricordava Alicia giovane, più graziosa che bella, ma ormai conservava ben poco del fascino di un tempo. Era una donna di mezza età giunta alla fine di un matrimonio deludente. Lizzie provò compassione per lei. Non sarò mai così, giurò a se stessa. «Sente la sua mancanza?» chiese esitando.

Alicia le lanciò un'occhiata dura. «L'avevo sposato per la ricchezza e la posizione sociale, ed è ciò che ho avuto. Olive è stata l'unica donna che lui abbia amato, e non ha mai permesso che lo dimenticassi. Non cerco compassione. È un destino che ho voluto e l'ho sopportato per ventiquattro anni. Ma non chiedermi di piangerlo. Provo soltanto un senso di liberazione.»

«È terribile» mormorò Lizzie. Quello era il destino che attendeva lei, pensò con un brivido di paura. Ma non l'avrebbe accettato. Sarebbe fuggita. Ma doveva guardarsi da Alicia.

«Dov'è Jay?» chiese Lady Jamisson.

«È andato a Williamsburg per cercare un prestito.»

«Allora la piantagione non va bene.»

«Il nostro raccolto di tabacco è stato distrutto per ordine delle autorità.»

Un'ombra di tristezza passò sul viso di Alicia. Lizzie comprese che Jay era una delusione per la madre come lo era per la moglie... anche se Alicia non l'avrebbe mai ammesso.

«Immagino che vorrai sapere cosa c'è nel testamento di Sir George» disse Alicia.

Lizzie non ci aveva pensato. «Aveva molto? Credevo che gli affari andassero male.»

«Sì, ma li ha salvati il carbone dell'High Glen. Sir George è morto ricchissimo.»

Lizzie si chiese se aveva lasciato qualcosa ad Alicia: in caso contrario, probabilmente avrebbe preteso di vivere col figlio e la nuora. «Sir George ha provveduto a lei?»

«Oh, sì... la mia parte mi è stata assegnata prima che ci sposassimo, e sono felice di questo.»

«E Robert ha ereditato tutto il resto?»

«È quanto ci aspettavamo tutti. Ma mio marito ha lasciato un quarto dei suoi beni da dividere fra tutti i nipoti legittimi in vita entro un anno dalla sua morte. Quindi il tuo bambino sarà ricco. Quando potrò vederlo... o vederla? È maschio o femmina?»

Evidentemente Alicia era partita da Londra prima che arrivasse la lettera di Jay. «Una bambina» rispose Lizzie.

«Bene. Sarà ricca.»

«È nata morta.»

Alicia non mostrò il minimo dispiacere.

«Diavolo!» imprecò. «Devi fare in modo di avere un altro figlio, e subito.»

Mack aveva caricato il carro con le sementi, gli attrezzi, le corde, i chiodi, la farina di mais e il sale. Aveva aperto l'armeria con la chiave di Lizzie e aveva preso tutti i fucili e le munizioni. Aveva caricato anche un vomere. Una volta a destinazione, intendeva trasformare il carro in un aratro.

Decise di attaccare quattro cavalle e di portar via anche due stalloni perché potessero riprodursi. Jay sarebbe andato su tutte le furie per il furto dei suoi preziosi cavalli: di sicuro gli sarebbe dispiaciuto più della fuga di Lizzie.

Stava legando le provviste quando Lizzie uscì.

«Chi è venuta a trovarti?» le chiese.

«La madre di Jay, Alicia.»

«Mio Dio! Non sapevo che era in arrivo.»

«Nemmeno io.»

Mack aggrottò la fronte. Alicia non era un pericolo per i loro piani, ma poteva esserlo suo marito. «Viene anche Sir George?»

«È morto.»

Era un sollievo saperlo. «Dio sia lodato. Il mondo sarà migliore senza di lui.»

«Possiamo andar via comunque?»

«Non vedo perché no. Alicia non può impedircelo.»

«E se va dallo sceriffo e gli dice che siamo scappati e abbiamo rubato tutta questa roba?» e indicò il materiale ammassato sul carro.

«Ricorda la nostra versione. Stai andando a far visita a un cugino che ha appena cominciato a coltivare una proprietà nel North Carolina. E gli porti questi regali.»

«Anche se siamo sull'orlo del fallimento?»

«I virginiani sono generosi anche quando non possono permetterselo... lo sanno tutti.»

Lizzie annuì. «Metterò al corrente della cosa il colonnello Thumson e Suzy Delahaye.»

«Spiega loro che tua suocera non è d'accordo e potrebbe cercare di metterti i bastoni fra le ruote.»

«Ottima idea. Lo sceriffo non vorrà essere coinvolto in una bega di famiglia.» Lizzie esitò e la sua espressione fece battere più forte il cuore di Mack. Con voce incerta chiese: «Quando... quando partiamo?».

Mack sorrise: «Prima dell'alba. Stanotte porterò il carro al quartiere degli schiavi, così non faremo molto chiasso quando ce ne andremo. Quando Alicia si sveglierà, saremo lontani».

Lizzie gli strinse fuggevolmente il braccio e si affrettò a rientrare in casa.

Quella notte Mack andò da lei.

Era sveglia, piena di paura e di eccitazione, e stava pensando all'avventura che sarebbe iniziata l'indomani mattina quando all'improvviso Mack entrò senza far rumore. Le baciò le labbra, si spogliò e s'infilò nel letto accanto a lei.

Fecero l'amore, poi parlarono a bassa voce dell'indomani, e infine fecero nuovamente l'amore. All'avvicinarsi dell'alba Mack si assopì, ma Lizzie rimase sveglia a guardarlo alla luce del fuoco e a pensare al viaggio nello spazio e nel tempo che li aveva portati dall'High Glen fino a quel letto.

Dopo un po' lui si scosse. Si baciarono di nuovo, un lungo bacio di contentezza, e si alzarono.

Mack andò alle scuderie mentre Lizzie si preparava. Il cuore le batteva forte mentre si vestiva. Raccolse i capelli e li fermò con forcine, indossò calzoni, stivali da cavallo, camicia e panciotto. Mise in una borsa un abito che poteva indossare in fretta, se si fosse presentata la necessità di ridiventare una ricca signora. Aveva paura del viaggio che stavano per iniziare, ma non aveva dubbi su Mack. Si sentiva così vicina a lui che gli avrebbe affidato la propria vita.

Quando andò a prenderla, la trovò seduta accanto alla finestra in giacca e tricorno. Sorrise al vederla abbigliata nel modo che preferiva. Tenendosi per mano, scesero le scale in punta di piedi e uscirono.

Il carro coperto aspettava in fondo alla strada, fuori vista. Peg era già a bordo, avviluppata in una coperta. Jimmy, lo stalliere, aveva attaccato quattro cavalli e ne aveva legati dietro altri due. Tutti gli schiavi erano venuti a salutare. Lizzie baciò Mildred e Sarah, e Mack strinse la mano a Kobe e Cass. Bess, la bracciante che si era ferita la notte in cui la bambina era nata morta, abbracciò Lizzie singhiozzando. Poi tutti rimasero in silenzio nel chiaro di luna mentre Mack e Lizzie salivano sul carro.

Mack fece schioccare le redini e disse: «Su! Avanti!».

I cavalli tirarono, il carro sobbalzò. Si avviarono.

Raggiunsero la strada e Mack fece voltare i cavalli in direzione di Fredericksburg. Lizzie si girò. Nel silenzio più assoluto, gli schiavi agitavano le mani per salutarli.

Dopo un momento scomparvero alla vista.

Lizzie guardò davanti a sé. In lontananza stava spuntando l'alba.

36

Matthew Murchman era fuori città quando Jay e Lennox arrivarono a Williamsburg. Forse sarebbe rientrato l'indomani, disse il servitore. Jay scrisse un biglietto spiegando che aveva bisogno di un altro prestito e che desiderava vedere l'avvocato il più presto possibile. Poi se ne andò di malumore. I suoi affari erano un disastro, ed era impaziente di fare qualcosa per rimediare.

Il giorno dopo, per ammazzare il tempo, si recò al palazzo del Campidoglio, una costruzione di mattoni rossi e grigi. L'assemblea, che era stata sciolta l'anno precedente dal governatore, era stata riconvocata dopo le nuove elezioni. La Camera dei burgess era una sala buia e modesta con file di panche su entrambi i lati e, al centro, una specie di garitta per il presidente. Jay si unì ad altri curiosi che stavano in fondo, dietro una balaustra.

Si rese subito conto che fra i rappresentanti della colonia c'era grande agitazione. La Virginia, il più vecchio insediamento inglese sul continente, sembrava sul punto di sfidare il suo legittimo sovrano.

I rappresentanti discutevano la minaccia più recente pervenuta da Westminster: il parlamento britannico sosteneva che chiunque fosse accusato di tradimento poteva essere costretto a tornare a Londra per venirvi giudicato, in base a una legge che risaliva ai tempi di Enrico VIII.

Gli animi dei presenti erano surriscaldati. Jay assistette

disgustato mentre un rispettabile proprietario terriero dopo l'altro si alzava in piedi e attaccava il re. Alla fine fu approvata una risoluzione in cui si affermava che la legge sul tradimento era in contrasto col diritto di ogni suddito britannico a essere giudicato da una giuria di suoi pari.

Ci furono le solite proteste sul fatto che le colonie dovevano pagare le tasse senza aver voce in capitolo nel Parlamento di Westminster. «Niente tasse senza rappresentanza» ripetevano tutti di continuo come pappagalli. Ma questa volta si spinsero più in là e affermarono il diritto di unire la loro voce a quella di altre assemblee coloniali per opporsi alle pretese reali.

Jay era sicuro che il governatore non l'avrebbe lasciata passare liscia, e non sbagliava. Poco prima dell'ora di pranzo, mentre i rappresentanti discutevano una questione locale di secondaria importanza, il comandante della guardia interruppe i lavori annunciando: «Signor presidente, un messaggio del governatore».

Consegnò un foglio al cancelliere che lo lesse e riferì: «Signor presidente, il governatore ordina che i rappresentanti si presentino immediatamente in camera di consiglio».

Adesso sono nei guai, pensò soddisfatto Jay.

Seguì i rappresentanti che salivano la scala e si avviavano nel corridoio. Gli spettatori si fermarono davanti alla camera di consiglio e sbirciarono attraverso la porta aperta. Il governatore Botetourt, incarnazione del metodo del pugno di ferro nel guanto di velluto, era seduto a un'estremità di un tavolo ovale. Pronunciò poche parole. «Ho saputo delle vostre risoluzioni» disse. «Voi mi costringete a sciogliere l'assemblea, e io la sciolgo.»

Ci fu un silenzio costernato.

«È tutto» disse spazientito il governatore.

Jay nascose la propria gioia mentre i rappresentanti uscivano adagio uno dopo l'altro dalla camera. Andarono al piano inferiore a riprendere le loro carte e uscirono alla spicciolata nel cortile.

Jay andò alla taverna Raleigh e sedette nel bar. Ordinò

il pranzo e flirtò con una banconiera che si stava innamorando di lui. Mentre aspettava, ebbe la sorpresa di veder passare molti dei rappresentanti che andavano dritti in uno dei locali più grandi, sul retro. Si chiese se stavano meditando altri tradimenti.

Quando finì di mangiare, andò a vedere.

Come aveva immaginato, i rappresentanti erano in riunione e non cercavano di nascondere la loro sedizione. Erano ciecamente convinti di essere dalla parte della ragione, e questo conferiva loro una specie di folle sicurezza. Ma non capiscono, si chiese Jay, che si stanno attirando le ire di una delle più grandi monarchie del mondo? Credono davvero di potersela cavare impunemente? Non si rendono conto che prima o poi la potenza dell'esercito britannico li spazzerà via?

Evidentemente non capivano: erano così arroganti che nessuno protestò quando Jay sedette in fondo al locale, anche se molti conoscevano la sua fedeltà alla corona.

Stava parlando una delle teste calde. Jay lo riconobbe: era George Washington, un ex ufficiale dell'esercito che aveva guadagnato un sacco di soldi con le speculazioni immobiliari. Non era un grande oratore, ma aveva una ferrea determinazione che colpì Jay.

Washington aveva un piano. Nelle colonie del Nord, disse, gli uomini più eminenti avevano costituito associazioni i cui membri si impegnavano a non importare merci britanniche. Se i virginiani volevano veramente far pressione sul governo di Londra, dovevano fare altrettanto.

Se mai ho sentito un discorso che incita al tradimento è questo, pensò Jay con rabbia.

Le attività di suo padre avrebbero sofferto ulteriormente se Washington l'avesse spuntata. Oltre ai deportati, Sir George trasportava tè, mobili, cordame, macchinari e una quantità di oggetti di lusso e di manufatti che i coloni non potevano produrre da sé. I suoi commerci col Nord erano già una frazione minima rispetto a un tempo: per questo la sua compagnia armatoriale era andata in crisi circa un anno prima.

Non tutti erano d'accordo con Washington. Qualche rappresentante fece notare che le colonie del Nord avevano più industrie e potevano fabbricare molti prodotti indispensabili mentre il Sud dipendeva in misura maggiore dalle importazioni. Cosa faremo, chiesero molti, senza filo per cucire e senza stoffe?

Washington rispose che si potevano fare eccezioni, e l'assemblea cominciò a discutere i dettagli. Qualcuno propose di vietare la macellazione degli agnelli per aumentare la produzione locale della lana. Quasi subito Washington intervenne di nuovo e suggerì di costituire una commissione ristretta per discutere le questioni tecniche. La proposta fu approvata e furono subito nominati i membri della commissione.

Jay lasciò il locale disgustato. Mentre attraversava l'atrio, Lennox lo raggiunse con un messaggio. Era di Murchman. Era rientrato in città, aveva trovato il biglietto del signor Jamisson e sarebbe stato onorato di riceverlo l'indomani mattina alle nove.

La crisi politica l'aveva distratto per un po', ma ben presto i suoi problemi personali lo riassalirono e lo tennero sveglio tutta la notte. A volte incolpava il padre per avergli dato una piantagione tutt'altro che redditizia. Poi malediceva Lennox per aver concimato troppo i campi invece di diboscare nuovi terreni. Si chiedeva anche se il suo tabacco non fosse in realtà perfetto, e gli ispettori virginiani l'avessero bruciato per punire la sua fedeltà al re d'Inghilterra. E mentre si agitava e si rigirava nel letto, cominciò a pensare perfino che Lizzie avesse partorito una figlia morta apposta per indispettirlo.

Arrivò presto a casa di Murchman. Era la sua ultima speranza. Di chiunque fosse la colpa, non era riuscito a far rendere la piantagione. Se non otteneva un nuovo prestito, i creditori avrebbero chiesto il pagamento immediato dell'ipoteca e si sarebbe trovato senza denaro e senza casa.

Murchman sembrava nervoso. «Ho combinato un incontro col suo creditore» disse.

«Un solo creditore? Mi aveva detto che era una società.»

«Oh, sì, un piccolo sotterfugio insignificante. Mi scusi. L'interessato desiderava restare anonimo.»

«Allora perché ha deciso di rivelarsi proprio ora?»

«Non... non saprei dirlo.»

«Bene, immagino che intenda prestarmi la somma che mi occorre... altrimenti perché si prende il disturbo di incontrarmi?»

«Penso che lei abbia ragione... ma per la verità non si è confidato con me.»

«Chi è, comunque?»

«Credo sia meglio che si presenti da solo.»

La porta si aprì ed entrò suo fratello Robert.

Jay si alzò di scatto, sbalordito. «Tu!» esclamò. «Quando sei arrivato?»

«Qualche giorno fa» rispose Robert.

Jay tese la mano e il fratello gliela strinse in modo sbrigativo. Non si vedevano da circa un anno e Robert stava diventando sempre più simile al padre: grasso, accigliato, brusco. «Dunque sei stato tu a farmi il prestito?» chiese Jay.

«È stato nostro padre» rispose Robert.

«Dio sia ringraziato! Temevo di non riuscire a ottenere altri prestiti da un estraneo.»

«Ma nostro padre non è più il tuo creditore» disse Robert. «È morto.»

«Morto?» Jay ricadde sulla sedia. Il trauma era profondo. Suo padre non aveva ancora sessant'anni. «Come...?»

«Il cuore ha ceduto.»

Jay si sentì mancare la terra sotto i piedi. Suo padre l'aveva trattato male, ma era sempre stato coerente e in apparenza indistruttibile. D'un tratto il mondo era diventato più insicuro. Avrebbe voluto appoggiarsi a qualcosa, nonostante fosse già seduto.

Guardò di nuovo il fratello. Sulla sua faccia c'era un'espressione di trionfo vendicativo. Perché era tanto soddisfatto? «C'è qualcos'altro» disse. «Come mai hai quell'aria maledettamente beata?»

«Adesso il tuo creditore sono io» rispose Robert.

Jay intuì ciò che stava per accadere. Ebbe la sensazione di aver ricevuto un pugno nello stomaco. «Porco» mormorò.

Robert annuì. «Ti privo del diritto di cancellare l'ipoteca. La piantagione è mia. Ho fatto lo stesso con l'High Glen. Ho rilevato le ipoteche ed escluso la loro cancellazione. Adesso appartiene a me.»

Jay stentava a parlare. «Dovevi aver pianificato tutto» disse con grande sforzo.

Robert annuì.

Jay dominò le lacrime. «Tu e nostro padre...»

«Sì.»

«Sono stato rovinato dalla mia famiglia.»

«Ti sei rovinato con le tue stesse mani. Sei pigro, sciocco e debole.»

Jay non badò agli insulti. Riusciva solo a pensare che suo padre aveva tramato per distruggerlo. Gli venne in mente che la lettera di Murchman gli era arrivata pochi giorni dopo essere sbarcato in Virginia. Suo padre doveva avere scritto in anticipo ordinando all'avvocato di offrirgli un'ipoteca. Aveva previsto che la piantagione avrebbe avuto difficoltà e aveva messo a punto il piano per sottrargliela. Suo padre era morto, ma dall'oltretomba gli mandava quel messaggio di rifiuto.

Si alzò lentamente, con uno sforzo quasi doloroso, come un vecchio. Robert rimase chiuso in un silenzio altero e sprezzante. Murchman ebbe il buon gusto di assumere un'aria colpevole. Con grande imbarazzo, si affrettò ad andare alla porta e la tenne aperta. Jay attraversò lentamente il corridoio e uscì sulla via fangosa.

All'ora di pranzo Jay era ubriaco.

Era così ubriaco che perfino Mandy, la banconiera un

po' innamorata di lui, perse ogni interesse. Quella sera si addormentò nel bar del Raleigh. Certo fu Lennox a metterlo a letto, perché l'indomani mattina si svegliò nella sua camera.

Pensò di uccidersi. Non aveva più una sola ragione per vivere: niente casa, niente futuro, niente figli. In Virginia non avrebbe mai contato nulla, adesso che era alla bancarotta, e non sopportava l'idea di tornare in Gran Bretagna. Sua moglie lo odiava e perfino Felia, ormai, era proprietà di suo fratello. L'unico dubbio era se piantarsi una palla in testa o bere fino a morire.

Stava bevendo di nuovo brandy anche se erano le undici del mattino quando nel bar entrò sua madre.

Quando la vide, pensò di essere impazzito. Si alzò e la fissò, spaventato. Lei gli lesse nella mente, come sempre, e disse: «No, non sono un fantasma». Lo baciò e sedette.

Quando ritrovò il controllo di sé, le chiese: «Come sei riuscita a trovarmi?».

«Sono andata a Fredericksburg e mi hanno detto che eri qui. Preparati a un colpo. Tuo padre è morto.»

«Lo so.»

La risposta sorprese Alicia. «E come lo sai?»

«Robert è qui.»

«Perché?»

Jay le raccontò tutto e le spiegò che ormai Robert era padrone anche della piantagione e dell'High Glen.

«Sospettavo che quei due tramassero qualcosa del genere» commentò amaramente lei.

«Sono rovinato» disse Jay. «Stavo pensando al suicidio.»

Alicia sgranò gli occhi. «Allora Robert non ti ha detto cosa c'era scritto nel testamento.»

All'improvviso Jay intravide un bagliore di speranza. «Mi ha lasciato qualcosa?»

«Non a te. A tuo figlio.»

Jay provò una nuova stretta al cuore. «La bambina è nata morta.»

«Un quarto dell'asse ereditario andrà ai nipoti di tuo

padre che nasceranno entro un anno dalla sua morte. Se entro un anno non nascono nipoti, andrà tutto a Robert.»

«Un quarto? È una fortuna!»

«Non devi far altro che mettere di nuovo incinta Lizzie.»

Jay riuscì a sogghignare. «Be', almeno questo sono capace di farlo.»

«Non esserne tanto sicuro. È scappata con quel minatore.»

«Cosa?»

«È scappata con McAsh.»

«Mio Dio! Mi ha lasciato? Se n'è andata con un deportato?» L'umiliazione era profonda, e Jay distolse lo sguardo. «Non posso sopportarlo. Mio Dio!»

«Hanno preso un carro coperto e sei dei tuoi cavalli e provviste sufficienti per avviare diverse fattorie.»

«Maledetti ladri!» Jay era fuori di sé e impotente: «Non potevi fermarli?».

«Ho provato a rivolgermi allo sceriffo... Ma Lizzie è stata furba. Ha raccontato in giro che portava quella roba in regalo a un cugino nel North Carolina. I vicini hanno detto allo sceriffo che sono una suocera litigiosa e che cerco di seminare zizzania.»

«Mi odiano tutti perché sono fedele al re.» L'altalena di speranza e disperazione l'aveva sfinito, e Jay sprofondò nell'apatia. «È inutile» disse. «Il destino è contro di me.»

«Non devi arrenderti!»

Mandy, la banconiera, venne a chiedere ad Alicia cosa prendere e lei ordinò un tè. Mandy lanciò a Jay un'occhiata civettuola.

«Potrei avere un figlio da un'altra donna» disse lui mentre la ragazza si allontanava.

Alicia guardò con disprezzo il sedere ancheggiante di Mandy e disse: «Non servirebbe a niente. Il nipote dev'essere legittimo».

«Posso divorziare da Lizzie?»

«No. Ci vogliono una legge del Parlamento e una somma enorme, e comunque non ne abbiamo il tempo. Finché Lizzie è viva, il figlio devi averlo da lei.»

«Non ho idea di dove può essere andata.»

«Lo so io.»

Jay fissò la madre. La sua abilità non finiva mai di sbalordirlo. «Come fai a saperlo?»

«Li ho seguiti.»

Lui scrollò la testa con incredula ammirazione. «Come hai fatto?»

«Non è stato difficile. Ho continuato a chiedere a tutti se avevano visto un carro coperto tirato da quattro cavalli con un uomo, una donna e una ragazzina. Non c'è un gran viavai e la gente non dimentica.»

«Dove sono andati?»

«Verso sud fino a Richmond. Poi hanno preso una strada che si chiama Three Notch Trail e si sono diretti a ovest, verso le montagne. Io ho voltato verso est e sono venuta qui. Se parti subito, avranno appena tre giorni di vantaggio su di te.»

Jay rifletté. Detestava l'idea di inseguire la moglie fuggita: faceva la figura dell'imbecille. Ma era l'unica possibilità di ereditare. E un quarto del patrimonio di suo padre rappresentava una fortuna enorme.

Cosa avrebbe fatto dopo averla raggiunta? «E se Lizzie non vuol tornare?» chiese.

La faccia di Alicia assunse un'espressione dura e decisa. «C'è solo un'altra possibilità, naturalmente.» Guardò Mandy, poi tornò a fissare con fermezza il figlio. «Puoi mettere incinta un'altra donna, sposarla ed ereditare... se Lizzie muore inaspettatamente.»

Jay fissò la madre per un lungo momento.

Lei continuò: «Sono diretti verso il territorio selvaggio, dove la legge non esiste. Là può succedere qualunque cosa: non ci sono sceriffi né coroner. Le morti inaspettate sono normali e nessuno indaga».

Jay deglutì, ma aveva la gola secca e tese la mano per prendere il bicchiere. Fu però sua madre a mettere la mano sul bicchiere per impedirglielo. «Basta» gli disse. «Devi partire.»

Riluttante, Jay tirò indietro la mano.

«Porta con te Lennox» gli consigliò. «Nella peggiore delle ipotesi, se non riesci a convincere o a costringere Lizzie a tornare con te... lui sa cosa fare.»

Jay annuì. «Sta bene» disse. «Vado.»

37

L'antica pista per la caccia ai bisonti conosciuta come Three Notch Trail procedeva dritta verso ovest per chilometri e chilometri nel paesaggio ondulato della Virginia. Come Lizzie poteva vedere sulla mappa di Mack, si snodava parallela al fiume James. Attraversava una quantità innumerevole di creste e di valli modellate dalle centinaia di torrenti che scendevano a sud per gettarsi nel fiume. All'inizio oltrepassarono grandi tenute simili a quelle della regione di Fredericksburg, ma più avanzavano verso ovest più le case e i campi diventavano piccoli, e più estesi erano per contro i boschi originari.

Lizzie era felice. Per quanto spaventata, ansiosa e piena di rimorsi, non riusciva a reprimere il sorriso. Era all'aperto, in sella a un cavallo, a fianco dell'uomo che amava e all'inizio di una grande avventura. La sua mente era preoccupata per ciò che poteva accadere, ma il suo cuore cantava.

Spingevano i cavalli al massimo nel timore che qualcuno li seguisse. Alicia Jamisson non sarebbe rimasta buona buona a Fredericksburg ad aspettare il ritorno di Jay. Avrebbe mandato un messaggio a Williamsburg o vi sarebbe andata di persona per riferirgli quanto era accaduto. Se Alicia non avesse portato la notizia del testamento di Sir George, forse Jay si sarebbe stretto nelle spalle e li avrebbe lasciati perdere. Ma adesso aveva bisogno che la moglie mettesse al mondo il prezioso nipote, e quasi sicuramente le avrebbe dato la caccia.

Avevano qualche giorno di vantaggio, ma Jay poteva viaggiare più in fretta perché non aveva bisogno di un carico di provviste. Come avrebbe seguito le loro tracce? Avrebbe dovuto chiedere in tutte le case e le taverne lungo il percorso, sperando che la gente facesse caso a chi passava. C'erano pochi viaggiatori, ed era facile che qualcuno ricordasse il carro.

Il terzo giorno, la campagna diventò più collinosa. I campi coltivati lasciarono il posto ai pascoli, e una catena di montagne azzurrine si delineò nella foschia lontana. Col passare dei chilometri i cavalli si stancarono, presero a inciampare sulla strada accidentata e rallentarono l'andatura. Nelle salite, Mack, Lizzie e Peg scendevano dal carro e procedevano a piedi per alleggerire il carico, ma non era sufficiente. Gli animali avanzavano a testa bassa, rallentavano ancora di più e non reagivano neppure alle frustate.

«Cos'hanno?» chiese Mack preoccupato.

«Hanno bisogno di cibo migliore» rispose Lizzie. «Tirano avanti con l'erba che riescono a brucare di notte. Ma per questo genere di fatica, per trainare un carro tutto il giorno, hanno bisogno d'avena.»

«Avrei dovuto portarne un po'» disse Mack in tono di rammarico. «Non ci ho proprio pensato... non ci capisco molto di cavalli.»

Quel pomeriggio arrivarono a Charlottesville, un insediamento nuovo spuntato dove la Three Notch Trail incrociava la Seminole Trail, una vecchia pista indiana che andava da nord a sud. La cittadina era stata pianificata in vie parallele che salivano la collina, ma la grande maggioranza degli appezzamenti era ancora disabitata e c'era appena una dozzina di case. Lizzie vide un tribunale con un palo per le fustigazioni davanti alla facciata e una taverna con la rozza insegna di un cigno. «Qui possiamo trovare l'avena» disse.

«Non dobbiamo fermarci» obiettò Mack. «Non voglio che la gente si ricordi di noi.»

Lizzie sapeva cosa voleva dire. Il crocevia sarebbe stato un problema per Jay. Avrebbe dovuto accertare se i fuggiaschi si erano diretti a sud o se avevano proseguito verso ovest. Se avessero richiamato l'attenzione fermandosi alla taverna per rifornirsi gli avrebbero facilitato il compito. I cavalli dovevano resistere ancora per un po'.

Si fermarono qualche chilometro dopo Charlottesville, dove la strada incrociava una pista a malapena visibile. Mack accese il fuoco e Peg cucinò un po' di *hominy*. Senza dubbio c'erano pesci nei fiumicelli e cervi nei boschi, ma non avevano il tempo di pescare e cacciare, perciò mangiavano quella specie di polenta. Lizzie scoprì che non aveva sapore e che la consistenza glutinosa era ripugnante. Si vergognava all'idea che i suoi braccianti l'avessero mangiata ogni giorno.

Mentre Mack lavava le ciotole nel ruscello, Lizzie impastoiò i cavalli in modo che potessero pascolare durante la notte ma non fuggire. Poi tutti e tre si avvolsero nelle coperte e si sdraiarono sotto il carro, fianco a fianco. Lizzie rabbrividì mentre si stendeva, e Mack le chiese: «Cosa c'è?».

«Mi fa male la schiena.»

«Sei abituata a un letto di piume.»

«Preferisco dormire con te all'addiaccio piuttosto che in un letto di piume da sola.»

Non fecero l'amore perché accanto a loro c'era Peg. Ma quando pensarono che si fosse addormentata parlarono sottovoce di tutto ciò che avevano passato insieme.

«Quando ti tirai fuori dal fiume e ti asciugai con la sottoveste» disse Lizzie. «Ti ricordi?»

«Certo. Come potrei dimenticarlo?»

«Ti asciugai la schiena, e quando ti voltasti...» Lizzie esitò, intimidita. «Eri... eccitato.»

«Oh, sì, molto. Ero così esausto che stentavo a reggermi in piedi, ma avrei voluto far l'amore con te.»

«Non avevo mai visto un uomo in quello stato. Mi sono

emozionata. Più tardi ho sognato quel momento. Mi sento in imbarazzo se penso a quanto mi piaceva.»

«Sei molti cambiata. Eri così arrogante.»

Lizzie rise sommessamente. «Io pensavo la stessa cosa di te!»

«Ero arrogante?»

«Certo! Ti sei alzato in piedi in chiesa e hai letto quella lettera al tuo padrone!»

«Sì, forse è vero.»

«Forse siamo cambiati tutti e due.»

«Ne sono contento.» Mack le toccò la guancia. «È stato allora, credo, che mi sono innamorato di te... davanti alla chiesa, quando mi hai detto di piantarla.»

«E io ti ho amato per tanto tempo senza rendermene conto. Ricordo l'incontro di pugilato. Ogni pugno che ti colpiva colpiva anche me. Non sopportavo di veder maltrattare il tuo bel corpo. Più tardi, quando eri ancora svenuto, ti ho accarezzato. Ti ho toccato il petto. Ti desideravo anche allora, prima di sposarmi. Ma non volevo ammetterlo.»

«Ti dirò quando è cominciato per me, invece. Nella miniera, quando mi cadesti fra le braccia e per caso ti toccai il petto e capii chi eri.»

Lei ridacchiò. «Mi hai tenuta stretta un po' più a lungo di quanto sarebbe stato necessario?»

Mack aveva un'aria un po' intimidita nella luce del fuoco. «No. Ma più tardi rimpiansi di non averlo fatto.»

«Adesso puoi tenermi abbracciata quanto vuoi.»

«Sì.» Mack l'attirò a sé. Per un po' rimasero in silenzio, poi si addormentarono in quella posizione.

L'indomani superarono una catena attraverso un valico che scendeva ripido nella pianura sottostante. Lizzie e Peg fecero la discesa a bordo del carro, mentre Mack andava in avanscoperta con uno dei cavalli di ricambio. Lizzie era indolenzita per aver dormito per terra, e cominciava a sentire la mancanza di cibi nutrienti. Ma doveva abituarsi: avevano ancora molta strada da fare. Strinse i denti e pensò al futuro.

Si era accorta che Peg rimuginava qualcosa. Lizzie le era affezionata, e ogni volta che la guardava pensava alla sua bambina nata morta. Un tempo Peg era stata una bimba, amata da sua madre, e in memoria di quella madre Lizzie le avrebbe voluto bene e si sarebbe presa cura di lei.

«C'è qualcosa che ti preoccupa?» le chiese.

«Queste fattorie di collina mi ricordano la proprietà di Burgo Marler.»

Doveva essere spaventoso, pensò Lizzie, aver assassinato qualcuno. Ma intuì che c'era qualcos'altro e Peg non tardò a parlare. «Perché hai deciso di scappare con noi?»

Era difficile trovare una risposta semplice a quella domanda. Lizzie ci pensò per qualche istante e rispose: «Soprattutto perché mio marito non mi ama più, immagino». Qualcosa nell'espressione di Peg la spinse ad aggiungere: «A quanto pare, avresti preferito che restassi a casa».

«Ecco, non ti va quello che mangiamo e non ti piace dormire per terra, e se non ci fossi tu non avremmo il carro e potremmo andare più svelti.»

«Mi abituerò. E le provviste che sono sul carro ci verranno molto utili per metter su casa nei territori selvaggi.»

Peg era ancora imbronciata e Lizzie capì che non aveva detto tutto. Infatti, dopo un breve silenzio, Peg chiese: «Sei innamorata di Mack, vero?».

«Certamente!»

«Ma ti sei appena sbarazzata di tuo marito... non è un po' presto?»

Lizzie rabbrividì. Era quello che si diceva anche lei, nei momenti in cui dubitava di se stessa. Ma era irritante ricevere simili critiche da parte di una ragazzina. «Mio marito non mi toccava da sei mesi... quanto tempo avrei dovuto aspettare, secondo te?»

«Mack ama me.»

La situazione si andava ingarbugliando. «Ama tutt'e due, credo» disse Lizzie. «Ma in modi diversi.»

Peg scosse la testa. «Lui ama me. Lo so.»

«Per te è stato come un padre e io cercherò di essere una madre, se me lo permetterai.»

«No!» esclamò con rabbia Peg. «Non è così che deve andare!»

Lizzie non sapeva cosa dire. Guardò davanti a sé e vide un fiumicello poco profondo e, sulla riva, una bassa costruzione di legno. Evidentemente la strada superava il fiume a un guado, proprio lì, e la costruzione era una taverna per i viaggiatori. Mack stava legando il cavallo a un albero fuori di essa.

Lizzie fermò il carro. Un uomo grande e grosso uscì. Era senza camicia e portava pantaloni di pelle e un tricorno malconcio. «Abbiamo bisogno di avena per i cavalli» disse Mack.

L'uomo rispose con una domanda. «Volete far riposare le bestie ed entrare a bere qualcosa, ragazzi?»

All'improvviso Lizzie pensò che un boccale di birra era la cosa che più desiderava al mondo. Aveva portato un po' di denaro da Mockjack Hall, non molto, ma sufficiente per gli acquisti indispensabili durante il viaggio. «Sì» disse in tono deciso, e balzò dal carro.

«Io sono Barney Tobold, ma mi chiamano Baz» disse il taverniere guardandola incuriosito. Era vestita da uomo, ma non aveva completato il travestimento e il suo viso era evidentemente quello di una donna. Baz, comunque, non fece commenti e li precedette nella taverna.

Quando i suoi occhi si abituarono alla semioscurità, Lizzie vide che la taverna era una stanza dal pavimento di terra battuta con due panche e un bancone, e qualche boccale di legno su uno scaffale. Baz si avvicinò a un barile di rum, ma lei lo prevenne. «Niente rum... solo birra, per favore.»

«Io prendo rum» dichiarò Peg.

«No, visto che pago io» la contraddisse Lizzie. «Birra anche per lei, Baz.»

Il taverniere versò la birra da un barilotto nei boccali di

legno. Mack entrò con la mappa tra le mani e chiese: «Che fiume è questo?».

«Lo chiamiamo South River.»

«E la strada che lo attraversa dove porta?»

«A una cittadina, Staunton, distante una trentina di chilometri. Più avanti non c'è molto: qualche pista, qualche forte di frontiera e poi le montagne vere che nessuno ha mai attraversato. Voi dove siete diretti, ragazzi?»

Mack esitò e fu Lizzie a rispondere: «Vado a far visita a un cugino».

«A Staunton?»

La domanda la disorientò. «Uhm... nelle vicinanze.»

«Davvero? Come si chiama?»

Lei disse il primo nome che le venne in mente. «Angus... Angus James.»

Baz aggrottò la fronte. «Strano. Credevo di conoscere tutti, a Staunton, ma non ho mai sentito questo nome.»

Lizzie improvvisò. «Può darsi che la sua fattoria sia un po' lontana dalla cittadina... io non ci sono mai stata.»

Dall'esterno giunse uno scalpitio di zoccoli e Lizzie pensò a Jay. Possibile che li avesse raggiunti così presto? Il rumore mise a disagio anche Mack, che disse: «Se vogliamo arrivare a Staunton prima di notte...».

«Non abbiamo tempo da perdere» concluse Lizzie. E vuotò il boccale.

«Vi siete appena bagnati la gola» protestò Baz. «Su, bevetene un'altra.»

«No» rispose Lizzie in tono deciso. Prese il borsellino. «Quanto le devo?»

Entrarono due uomini che socchiusero gli occhi nella luce fioca. Sembravano del posto: entrambi indossavano pantaloni di pelle e stivali fatti in casa. Con la coda dell'occhio Lizzie vide Peg trasalire e voltare le spalle ai nuovi arrivati, come se volesse nascondere loro la faccia.

Uno dei due disse allegramente: «Salve, forestieri!». Era brutto, col naso fratturato e un occhio chiuso. «Io sono Chris Dobbs, ma tutti mi chiamano Dobbs Occhiomorto.

Lieto di conoscervi. Che notizie portate dall'est? I burgess continuano a spendere le nostre tasse in palazzi e pranzi di lusso? Ehi, vi offro da bere. Baz, rum per tutti.»

«Stiamo andando via» rispose Lizzie. «Grazie comunque.»

Dobbs la guardò più attentamente ed esclamò: «Una donna in pantaloni di pelle!».

Lei non gli badò e disse: «Arrivederci, Baz... e grazie per le informazioni».

Mack uscì e Lizzie e Peg si avviarono verso la porta. Dobbs guardò Peg ed esclamò, sorpreso: «Ma io ti conosco. Ti ho vista in compagnia di Burgo Marler, pace all'anima sua».

«Mai sentito nominare» disse Peg con voce ferma, e gli passò davanti.

Un attimo dopo, l'uomo arrivò alla conclusione logica. «Gesù Cristo, devi essere la puttanella che l'ha ammazzato!»

«Un momento» intervenne Lizzie. Rimpiangeva che Mack fosse già uscito. «Non so che idea assurda si sia messo in testa, signor Dobbs, ma Jenny è cameriera nella mia famiglia da quando aveva dieci anni, e non ha mai conosciuto nessuno che si chiamasse Burgo Marler, e tanto meno l'ha ucciso.»

Dobbs non si lasciava scoraggiare facilmente. «Non si chiama Jenny, anche se ha un nome che gli somiglia: Betty o Milly o Peggy. Sì, ecco... è Peggy Knapp.»

Lizzie si sentiva male per la paura.

Dobbs si rivolse al compagno per avere la conferma. «Non è lei?»

L'altro alzò le spalle. «Ho visto la deportata di Burgo solo una volta o due, e poi le ragazzine si assomigliano tutte» rispose quello in tono dubbioso.

Baz intervenne. «Però corrisponde alla descrizione della "Virginia Gazette".» Allungò una mano sotto il banco e afferrò un moschetto.

La paura abbandonò Lizzie e lasciò il posto alla collera.

«Spero che non starà pensando di minacciarmi, Barney Tobold» disse, sorpresa di udire la propria voce così piena di forza.

Baz rispose: «Forse dovreste restare tutti qui mentre mandiamo un messaggio allo sceriffo di Staunton. C'è rimasto assai male per non aver preso l'assassina di Burgo. Sono sicuro che vorrà controllare quello che state raccontando».

«Non intendo aspettare finché avrete scoperto di esservi sbagliati.»

Baz puntò il moschetto contro Lizzie. «E io credo che dovrete aspettare.»

«Allora lasci che le spieghi una cosa. Io uscirò di qui con questa ragazzina, ed è tutto quello che deve sapere. Se spara alla moglie di un ricco gentiluomo virginiano, nessuna giustificazione al mondo le eviterà la forca.» Lizzie posò le mani sulle spalle di Peg, si piazzò fra lei e il moschetto e la spinse avanti.

Baz armò la pietra focaia con un "clic" che sembrò assordante.

Peg fremeva sotto le mani di Lizzie, come se volesse mettersi a correre, e Lizzie la strinse più forte.

Meno di tre metri le separavano dalla porta, ma sembrò che impiegassero un'ora per raggiungerla.

Non ci furono spari.

Lizzie sentì il sole sulla faccia.

Non riuscì più a controllarsi. Spinse avanti Peg e si mise a correre.

Mack era già in sella. Peg balzò a cassetta del carro e Lizzie la seguì.

«Cos'è successo?» chiese Mack. «Sembra che abbiate visto un fantasma.»

«Via di qui!» esclamò Lizzie, facendo schioccare le redini. «L'orbo ha riconosciuto Peg!» Girò il carro verso est. Se si fossero diretti a Staunton avrebbero dovuto guadare il fiume perdendo troppo tempo e sarebbero finiti fra le braccia dello sceriffo. Dovevano tornare indietro.

Si voltò e vide i tre uomini sulla soglia della taverna. Baz impugnava ancora il moschetto. Frustò i cavalli per farli procedere al trotto.

Baz non sparò.

Dopo pochi secondi furono fuori tiro.

«Mio Dio» disse Lizzie con fervore. «È stato gran un brutto momento.»

La strada svoltò addentrandosi nel bosco e non videro più la taverna. Dopo un po' Lizzie mise i cavalli al passo. Mack si affiancò. «Abbiamo dimenticato di comprare l'avena» le disse.

Per Mack fu un sollievo rimettersi in marcia, ma gli dispiaceva che Lizzie avesse deciso di tornare indietro. Avrebbero dovuto guadare il fiume e proseguire. Evidentemente la fattoria di Burgo Marler si trovava a Staunton, ma forse c'era una pista che aggirava l'abitato o comunque avrebbero potuto passare inosservati durante la notte. Tuttavia non la criticò perché era stata costretta a decidere sui due piedi.

Si fermarono dove si erano accampati la notte precedente, nel punto in cui la Three Notch Trail era attraversata da una pista secondaria. Portarono il carro lontano dalla strada e lo nascosero nel bosco: adesso stavano sfuggendo alla giustizia.

Mack consultò la mappa e decise che dovevano tornare a Charlottesville e prendere la Seminole Trail verso sud. Potevano puntare di nuovo a ovest dopo un giorno o due tenendosi sempre ad almeno una settantina di chilometri da Staunton.

La mattina dopo, però, gli venne in mente che Dobbs poteva essere andato a Charlottesville. Era possibile che fosse passato presso il loro campo dopo l'imbrunire e avesse raggiunto la cittadina prima di loro. Confidò a Lizzie i suoi timori e propose di andare a Charlottesville da solo per accertare che ci fosse via libera. Lizzie fu d'accordo con lui.

Mack viaggiò rapidamente e raggiunse l'abitato prima del levar del sole. Mise al passo il cavallo quando si avvicinò alla prima casa. Era tutto tranquillo: c'era soltanto un vecchio cane che si grattava in mezzo alla strada. La porta della taverna del Cigno era aperta e dal comignolo usciva fumo. Smontò, legò il cavallo a un cespuglio, poi si avvicinò cauto all'entrata.

Nel bar non c'era nessuno.

Forse Dobbs e il suo amico si erano diretti verso Staunton, dalla parte opposta.

Nell'aria c'era un odore che gli fece venire l'acquolina. Girò intorno alla costruzione e sul retro vide una donna di mezza età che friggeva il bacon. «Devo comprare un po' di avena» le disse.

La donna non alzò neppure gli occhi. «C'è un emporio di fronte al tribunale.»

«Grazie. Ha visto Dobbs Occhiomorto?»

«E chi diavolo è?»

«Non importa.»

«Vuol fare colazione prima di ripartire?»

«No, grazie... mi piacerebbe, ma non ho tempo.»

Lasciò il cavallo dov'era, salì la collina e arrivò al tribunale, un edificio di legno. Di fronte, al di là della piazza, ce n'era uno più piccolo con un'insegna dipinta in modo rozzo: Mercante di sementi. Era chiuso, ma in una baracca sul retro trovò un uomo semivestito che si faceva la barba. «Ho bisogno di avena» gli disse.

«E io ho bisogno di radermi.»

«Non posso aspettare. Mi venda due sacchi di avena, subito, o li comprerò al guado del South River.»

L'uomo borbottò, si asciugò la faccia e condusse Mack nell'emporio.

«C'è qualche forestiero in città?» chiese Mack.

«Lei» rispose l'uomo.

A quanto pareva, Dobbs non era venuto lì durante la notte.

Pagò col denaro che gli aveva dato Lizzie e si caricò sulla schiena i due sacchi. Mentre usciva sentì uno scalpitio di zoccoli. Alzò gli occhi e vide tre cavalieri che arrivavano da est ad andatura sostenuta.

Il suo cuore si fermò per un attimo.

«Amici suoi?» chiese il mercante di sementi.

«No.»

Scese in fretta la collina. I tre si fermarono al Cigno. Mack si avvicinò rallentando il passo e si calcò il cappello sugli occhi. Mentre smontavano, studiò le loro facce.

Uno dei tre era Jay Jamisson.

Imprecò sottovoce. Jay li aveva quasi raggiunti, grazie all'incidente del giorno prima al South River.

Per fortuna Mack era stato prudente e non si era fatto cogliere di sorpresa. Ora doveva tornare al cavallo e allontanarsi senza farsi vedere.

All'improvviso ricordò che il "suo" cavallo in realtà l'aveva rubato a Jay, ed era legato a un cespuglio a meno di tre metri dal legittimo proprietario.

Jay amava i cavalli. Se l'avesse guardato, si sarebbe subito accorto che era suo. E avrebbe capito in un lampo che i fuggitivi non erano lontani.

Mack scavalcò uno steccato rotto, entrò in un appezzamento invaso dalle erbacce e spiò stando nascosto dietro i cespugli. Con Jay c'erano Lennox e un altro uomo che non conosceva. Lennox legò il suo cavallo accanto a quello di Mack e in questo modo lo nascose in parte alla vista di Jay. Lennox non amava i cavalli e non l'avrebbe riconosciuto. Jay legò il proprio accanto a quello di Lennox. Entra, entra! gridò mentalmente Mack, ma Jay si voltò per dire qualcosa a Lennox. Questi rispose e il terzo uomo rise. Una goccia di sudore rotolò dalla fronte di Mack e gli cadde nell'occhio. Batté le ciglia per liberarsene. Quando la vista gli si schiarì, vide che i tre stavano entrando al Cigno.

Respirò di sollievo. Ma non era ancora finita.

Uscì dai cespugli, curvo sotto il peso dei due sacchi d'avena, attraversò la strada e si avvicinò alla taverna. Caricò l'avena sul cavallo.

Udì qualcuno alle sue spalle.

Non osò voltarsi a guardare. Infilò un piede nella staffa, e una voce disse: «Ehi... tu!».

Mack si voltò lentamente. Era lo sconosciuto. Respirò a fondo e chiese: «Cosa c'è?».

«Vogliamo fare colazione.»

«Andate dalla donna che sta dietro la taverna.» Mack montò in sella.

«Ehi!»

«Cos'altro c'è?»

«È passato di qui un carro coperto tirato da quattro cavalli con una donna, una ragazzina e un uomo?»

Mack finse di riflettere. «Ultimamente no» rispose. Batté i calcagni contro i fianchi del cavallo e si allontanò.

Non osò voltarsi.

Dopo un minuto si era lasciato l'abitato alle spalle.

Non vedeva l'ora di tornare da Lizzie e Peg, ma era costretto a procedere più lentamente perché l'avena pesava. Il sole era caldo quando arrivò al crocicchio. Lasciò la strada e avanzò sulla pista secondaria fino al loro campo nascosto. «Jay è a Charlottesville» disse a Lizzie non appena la vide.

Lei impallidì. «Così vicino!»

«È probabile che oggi segua la Three Notch Trail attraverso le montagne. Ma quando raggiungerà il guado del South River scoprirà che siamo tornati indietro. Così avremo appena un giorno e mezzo di vantaggio. Dobbiamo abbandonare il carro.»

«E tutte le provviste!»

«Quasi tutte. Abbiamo tre cavalli in più: possiamo caricarli con tutto quello che riescono a portare.» Mack guardò la stretta pista che dal campo puntava a sud. «Invece di tornare a Charlottesville possiamo seguire questa pista verso sud. Probabilmente è una scorciatoia che incrocia la Seminole Trail a qualche chilometro dalla cittadina. E mi pare che vada bene per i cavalli.»

Lizzie non era tipo da piagnucolare. Strinse le labbra in

una piega decisa. «Va bene» disse. «Cominciamo a scaricare.»

Dovettero abbandonare il vomere, il baule pieno di biancheria pesante e parte della farina di mais, ma riuscirono a tenere i fucili, gli attrezzi e le sementi. Legarono insieme i cavalli da soma e montarono.

Si misero in marcia verso metà mattina.

38

Seguirono per tre giorni la vecchia pista dei seminole in direzione sud-ovest, attraverso una serie maestosa di valli e passi che si snodavano fra i monti ammantati di boschi. Passarono davanti a fattorie isolate, ma videro poche persone e non incontrarono centri abitati. Procedevano affiancati, tutti e tre, seguiti dai cavalli da soma. Mack era indolenzito a forza di stare in sella, ma nonostante questo si sentiva euforico. Le montagne erano magnifiche, il sole splendeva e lui era un uomo libero.

La mattina del quarto giorno giunsero in cima a un'altura e nella valle sottostante videro un ampio fiume bruno con una serie di isole nel mezzo. Sull'altra riva c'era un gruppo di costruzioni di legno. Un traghetto dal fondo piatto era ormeggiato a un pontile.

Mack fermò il cavallo. «Credo che sia il fiume James, e che il posto sia Lynch's Ferry.»

Lizzie intuì il suo pensiero. «Vorresti puntare di nuovo a ovest.»

Lui annuì. «Non abbiamo visto quasi nessuno negli ultimi tre giorni... Jay faticherà a scoprire le nostre tracce. Ma se attraversiamo il fiume incontreremo il traghettatore, e sarà difficile evitare il taverniere, il padrone dell'emporio e i ficcanaso del posto.»

«Giusto» disse Lizzie. «Se invece lasciamo la strada in

questo punto, Jay non riuscirà a capire da che parte siamo andati.»

Mack consultò la mappa. «La valle sale verso nord-ovest e conduce a un passo. Al di là del passo dovremmo raggiungere la pista che da Staunton va verso sud-ovest.»

«Bene.»

Mack sorrise a Peg, che era taciturna e sembrava indifferente. «Sei d'accordo?» le chiese per coinvolgerla nella decisione.

«Come vuoi tu» rispose.

Sembrava avvilita, e Mack pensò che avesse paura di venire catturata. Doveva essere anche stanca: a volte dimenticava che era così piccola. «Coraggio» le disse. «Stiamo per farcela!» Lei distolse lo sguardo, e Mack scambiò un'occhiata con Lizzie, che reagì con un gesto rassegnato.

Lasciarono la pista e scesero un declivio boscoso per raggiungere il fiume circa settecento metri a monte del gruppo di costruzioni. Mack pensava che con ogni probabilità nessuno si era accorto di loro.

Un sentiero pianeggiante procedeva per diversi chilometri lungo la riva, poi si allontanava dal fiume e rasentava una catena di colline. Procedere diventò faticoso; spesso dovettero smontare per guidare i cavalli sulle alture sassose, ma l'inebriante sensazione di libertà non abbandonava mai Mack.

Al termine della giornata si fermarono sulla sponda di un tumultuoso ruscello di montagna. Lizzie uccise un piccolo cervo che era andato a bere. Mack lo tagliò a pezzi e improvvisò uno spiedo per arrostire una coscia. Lasciò a Peg il compito di badare al fuoco e andò a lavarsi le mani insanguinate.

Scese lungo il ruscello fino al punto in cui una cascatella si gettava in una conca profonda. S'inginocchiò su un cornicione e si lavò le mani sotto il getto d'acqua. Poi decise di fare il bagno e si spogliò. Si sfilò i calzoni, alzò la testa e vide Lizzie.

«Ogni volta che mi spoglio e mi tuffo in un fiume...»

«... io sono lì che ti guardo!»

Risero.

«Vieni a fare il bagno con me» propose lui.

Il cuore gli batté più forte quando Lizzie si svestì. La guardò teneramente e lei gli si parò davanti, nuda, con un sorriso malizioso. Si abbracciarono e si baciarono.

Quando s'interruppero per respirare, Mack fu colpito da un'idea pazza. Guardò l'acqua profonda, tre metri più sotto, e disse: «Tuffiamoci».

«No!» esclamò Lizzie. Ma poi: «E va bene!».

Si presero per mano, indugiarono sul ciglio e saltarono ridendo. Piombarono nell'acqua tenendosi ancora per mano. Mack andò sotto e lasciò Lizzie. Quando riaffiorò, la vide a circa un metro di distanza: sbuffava e soffiava e rideva contemporaneamente. Nuotarono insieme verso la riva fino a quando sentirono sotto i piedi il fondo del fiume e si fermarono per riposare.

Mack l'attirò a sé e con un fremito d'eccitazione sentì le cosce nude di lei contro le proprie. Non voleva baciarla, in quel momento: voleva guardarla in faccia. Le accarezzò i fianchi. Lei gli strinse il pene inturgidito, lo guardò negli occhi e sorrise felice. Mack si sentiva esplodere.

Lei gli cinse il collo con le braccia, sollevò le gambe e gli avvinghiò le cosce intorno alla vita. Lui puntellò saldamente i piedi sul letto del fiume e la sostenne. La sollevò un poco. Lizzie si mosse leggermente e si assestò su di lui, e lui la penetrò agevolmente come se fossero abituati a farlo da anni.

Dopo il contatto dell'acqua fredda, la pelle di Lizzie era come olio caldo. E d'un tratto Mack ebbe la sensazione di sognare. Stava facendo l'amore con la figlia di Lady Hallim in una cascata della Virginia: possibile che fosse vero?

Lizzie gli insinuò la lingua nella bocca e Mack la succhiò. Lei rise, poi ridivenne seria, concentrata. Gli si aggrappò al collo, si sollevò e si riabbassò ripetutamente. Con un profondo gemito gutturale, socchiuse gli occhi. Mack le guardava il viso come ipnotizzato.

Con la coda dell'occhio scorse qualcosa muoversi sulla riva. Girò la testa, intravide un lampo colorato che subito scomparve. Qualcuno li aveva spiati. Era Peg, capitata lì per caso? O un estraneo? Sapeva che avrebbe dovuto preoccuparsi, ma Lizzie gemette più forte e Mack non ci pensò più. Lei cominciò a gridare, lo strinse con le cosce in un ritmo sempre più rapido, si avvinghiò a lui e urlò, e Mack la tenne stretta, scosso dalla passione, finché si sentì svuotato.

Quando tornarono al campo, Peg era sparita.

Mack ebbe un brutto presentimento. «Mi è sembrato di vedere qualcuno mentre eravamo in acqua e facevamo l'amore. È stato solo un attimo e non saprei dire neppure se era un uomo, una donna o un bambino.»

«Sono sicura che era Peg» disse Lizzie. «Credo che sia scappata.»

Mack socchiuse gli occhi. «Perché ne sei tanto sicura?»

«È gelosa di me perché mi ami.»

«Cosa?»

«Ti ama, Mack. Mi ha detto che ti avrebbe sposato. Naturalmente è solo una fantasia infantile, ma non se ne rende conto. Era avvilita da giorni, e credo che sia scappata dopo averci visti far l'amore.»

Mack ebbe la terribile sensazione che fosse vero. Immaginava ciò che provava Peg ed era un pensiero tormentoso. Adesso la povera ragazzina avrebbe vagato sola di notte fra le montagne. «Oh, Dio, cosa dobbiamo fare?» disse.

«Cerchiamola.»

«Sì.» Mack si riscosse. «Almeno non ha preso un cavallo. Non può essere lontana. La cercheremo insieme. Prepariamo qualche torcia. È probabile che sia tornata indietro. La troveremo addormentata sotto un cespuglio, ci scommetto.»

Cercarono per tutta la notte.

Per ore seguirono a ritroso il percorso che avevano fatto

ed esplorarono con le torce i boschi ai due lati della pista tortuosa; poi tornarono al campo, prepararono altre torce e seguirono i ruscelli su per il fianco della montagna, inerpicandosi sulle rocce. Non c'era traccia di Peg.

All'alba mangiarono qualche fetta di cervo, caricarono le provviste sui cavalli e proseguirono.

Era possibile che Peg si fosse diretta a ovest, e Mack si augurava di raggiungerla sulla pista. Ma procedettero per tutta la mattina senza trovarla.

A mezzogiorno incontrarono un'altra pista. Era soltanto una strada sterrata, ma più larga di un carro e nel fango c'erano impronte di zoccoli. Andava da nord-est a sud-ovest, e in lontananza si scorgeva una catena di monti maestosi che s'innalzavano verso il cielo azzurro.

Era la strada che stavano cercando: la strada che portava al Cumberland Gap.

Col cuore stretto dall'angoscia, svoltarono verso sud-ovest e proseguirono.

39

La mattina del giorno dopo Jay Jamisson fece scendere il cavallo fino al fiume James e guardò il gruppo di costruzioni che sorgeva sull'altra sponda e si chiamava Lynch's Ferry.

Era esausto, indolenzito e depresso. Detestava Binns, la canaglia che Lennox aveva ingaggiato a Williamsburg. Era stufo del cibo disgustoso, degli abiti sporchi, delle lunghe giornate in sella e delle brevi notti passate sulla nuda terra. Negli ultimi giorni le sue speranze erano salite e discese come gli interminabili sentieri di montagna su cui stava viaggiando.

Era stato eccitante, quando era arrivato al guado del South River, scoprire che Lizzie e i suoi complici erano stati costretti a tornare indietro. Ma non sapeva spiegarsi come mai non li avevano incontrati lungo la strada.

«Hanno lasciato la pista in qualche punto» aveva detto in tono sicuro Dobbs Occhiomorto mentre erano nella taverna in riva al fiume. Dobbs aveva visto i fuggiaschi il giorno prima e aveva riconosciuto in Peg Knapp la deportata che aveva ucciso Burgo Marler.

Jay pensava che avesse ragione. «Ma sono andati verso nord o verso sud?» aveva chiesto, preoccupato.

«Se si vuole sfuggire alla legge, bisogna andare a sud... lontano da sceriffi, tribunali e magistrati.»

Jay non era altrettanto sicuro. C'erano molti posti, nelle

tredici colonie, dove un gruppo familiare dall'apparenza rispettabile, formato da marito, moglie e serva, poteva stabilirsi tranquillamente e scomparire. Ma l'ipotesi di Dobbs sembrava più verosimile.

Jay aveva detto a Dobbs, come aveva detto a tutti, che avrebbe pagato cinquanta sterline inglesi a chi avesse arrestato i fuggiaschi. Il denaro, che da quelle parti sarebbe bastato per acquistare una piccola fattoria, gliel'aveva dato sua madre. Quando si erano separati, Dobbs aveva attraversato il guado ed era andato a ovest, verso Staunton. Jay sperava che spargesse la voce della ricompensa. Se i fuggiaschi riuscivano a non cadere nelle le sue mani, rimaneva sempre la possibilità che venissero presi da altri.

Jay era tornato a Charlottesville, aspettandosi di scoprire che Lizzie era passata di lì e si era diretta a sud. Ma nessuno aveva rivisto il carro. L'unica possibilità era che avessero aggirato Charlottesville e trovato un altro percorso per raggiungere la Seminole Trail. Aveva puntato su quella possibilità e condotto la sua squadra lungo la pista. Ma la campagna diventava sempre meno popolata, e non incontrarono nessuno che ricordasse di aver visto un uomo, una donna e una ragazzina.

Comunque, sperava di ottenere qualche informazione lì, a Lynch's Ferry.

Raggiunsero la riva e chiamarono a gran voce. Un uomo uscì da una costruzione e salì su una barca. C'era una corda tesa fra le due sponde, e il traghetto era fissato a essa in modo che la pressione della corrente lo spingesse attraverso il fiume. Quando si accostò, Jay e i suoi compagni condussero a bordo i cavalli. Il traghettatore regolò le funi e la chiatta ripartì nella direzione opposta.

L'uomo aveva gli abiti scuri e i modi riservati dei quaccheri. Jay lo pagò e cominciò a interrogarlo mentre attraversavano il fiume. «Stiamo cercando tre persone: una donna giovane, uno scozzese della stessa età e una ragazzina di quattordici anni. Sono passati di qui?»

L'uomo scosse la testa.

Jay provò una stretta al cuore. Si chiese se era sulla pista sbagliata. «È possibile che siano passati senza che lei li abbia visti?»

L'uomo rifletté a lungo e alla fine disse: «Lui dovrebbe essere un ottimo nuotatore».

«Non potrebbero aver attraversato il fiume in qualche altro punto?»

Un altro silenzio, poi l'uomo rispose: «Allora non sono passati da qui».

Binns ridacchiò e Lennox lo zittì con un'occhiata minacciosa.

Jay guardò il fiume e imprecò fra sé. Da sei giorni nessuno aveva visto Lizzie. Chissà come, era riuscita a sfuggirgli. Poteva essere chissà dove. Poteva essere in Pennsylvania. Poteva essere tornata all'est ed essere su una nave diretta a Londra. L'aveva perduta. L'aveva messo nel sacco e defraudato dell'eredità. Se mai la rivedrò, per Dio, le sparerò alla testa, pensò.

In realtà non sapeva cos'avrebbe fatto se l'avesse raggiunta. Continuava a domandarselo mentre procedeva sulle piste accidentate. Sapeva che non sarebbe mai tornata spontaneamente da lui. Avrebbe dovuto riportarla a casa legata mani e piedi. E forse non gli avrebbe ceduto neppure allora: probabilmente avrebbe dovuto violentarla. La prospettiva gli procurava un'inattesa eccitazione. Era turbato da ricordi erotici: loro due che si scambiavano carezze nella soffitta della casa di Chapel Street mentre le rispettive madri erano nel corridoio; Lizzie che saltava sul letto, nuda e senza vergogna; Lizzie che faceva l'amore con lui standogli sopra e fremeva e gemeva. Ma quando fosse rimasta incinta, come avrebbe potuto costringerla a restare? Avrebbe potuto rinchiuderla fino al momento del parto?

Sarebbe stato tutto più semplice se fosse morta. Non era improbabile: senza dubbio lei e McAsh avrebbero lottato. Jay non credeva di essere capace di assassinare sua moglie a sangue freddo, ma poteva sperare che restasse uccisa in uno scontro. Allora avrebbe potuto sposare una banconiera sana e robusta, metterla incinta e partire per Londra per rivendicare la sua eredità.

Ma era solo un bel sogno. La realtà era un'altra: quando se la sarebbe trovata di fronte, avrebbe dovuto prendere una decisione. O riportarla a casa viva, lasciandole tutte le possibilità di vanificare i suoi piani, o ucciderla.

Come avrebbe fatto? Non aveva mai ucciso nessuno e una sola volta aveva usato la spada per ferire... durante la rivolta al deposito di carbone quando aveva catturato McAsh. Anche nei momenti in cui odiava di più Lizzie, non riusciva a immaginare di piantare la spada nel corpo di una donna con cui aveva fatto l'amore. Una volta aveva puntato il fucile contro il fratello e aveva premuto il grilletto. Se avesse dovuto uccidere Lizzie, sarebbe stato meglio da una certa distanza, come se fosse un cervo. Ma non era sicuro di trovare il coraggio neppure così.

Il traghetto raggiunse l'altra sponda. Accanto al pontile c'era una solida costruzione di legno a due piani e con soffitta. Altre solide case salivano allineate in bell'ordine su per lo scosceso pendio che si elevava dal fiume. Sembrava una comunità commerciale piccola ma prospera. Quando sbarcarono, il traghettatore disse con noncuranza: «C'è qualcuno che vi aspetta nella taverna».

«Ci aspetta?» chiese sbalordito Jay. «Com'è possibile che qualcuno sapesse del nostro arrivo?»

Il traghettatore rispose a una domanda che Jay non gli aveva rivolto. «Un tipo con l'aria della carogna e un occhio chiuso.»

«Dobbs! Come ha fatto ad arrivare prima di noi?»

Lennox aggiunse: «E perché?».

«Domandatelo a lui» tagliò corto il traghettatore.

La notizia migliorò l'umore di Jay, che divenne impaziente di risolvere l'enigma. «Voi badate ai cavalli» ordinò. «Vado a parlare con Dobbs.»

La taverna era la costruzione a due piani accanto al pontile. Entrò e vide Dobbs che, seduto a un tavolo, mangiava una ciotola di stufato.

«Dobbs, cosa diavolo ci fai qui?»

Dobbs alzò l'occhio sano e rispose con la bocca piena: «Sono venuto a incassare la ricompensa, capitano Jamisson».

«Di cosa stai parlando?»

«Guardi là.» Dobbs indicò l'angolo.

C'era Peg Knapp, legata a una sedia.

Jay la guardò sbalordito. Era un colpo di fortuna. «Da dove diavolo spunta?»

«L'ho trovata sulla strada a sud di Staunton.»

Jay aggrottò la fronte. «Dov'era diretta?»

«A nord, verso la cittadina. Io venivo di là per andare a Miller's Mill.»

«Chissà come c'era arrivata.»

«Gliel'ho chiesto, ma non parla.»

Jay guardò di nuovo la ragazzina e vide che aveva la faccia piena di lividi. Dobbs non era stato gentile con lei.

«Le dirò cosa penso» proseguì Dobbs. «Sono arrivati fin qui, ma invece di attraversare il fiume hanno voltato verso ovest. Devono aver abbandonato il carro da qualche parte. Hanno risalito a cavallo la valle del fiume fino alla strada di Staunton.»

«Ma quando l'hai trovata Peg era sola.»

«Sì.»

«Così l'hai presa.»

«Non è stato facile» protestò Dobbs. «Correva come il vento e ogni volta che l'afferravo mi scappava dalle mani. Ma io ero a cavallo e lei no, e alla fine si è stancata.»

Comparve una quacchera e chiese a Jay se voleva mangiare qualcosa. La mandò via con un cenno impaziente: era troppo ansioso di interrogare Dobbs. «Ma come hai fatto ad arrivare qui prima di noi?»

Dobbs sogghignò. «Ho disceso il fiume su una zattera.»

«Devono aver litigato» disse Jay eccitato. «Questa puttanella assassina ha lasciato gli altri ed è andata a nord. Perciò quelli devono essere andati a sud.» Aggrottò la fronte. «Dove possono essere diretti?»

«La strada porta a Fort Chiswell. Più oltre non ci sono molte terre colonizzate. Più a sud c'è un posto chiamato Wolf Hills, e ancora oltre è territorio cherokee. Non hanno certo intenzione di diventare cherokee, quindi direi che volteranno verso ovest a Wolf Hills e si addentreranno fra le colline. I cacciatori parlano di un passo, il Cumberland Gap, che taglia le montagne, ma io non ci sono mai stato.»

«Cosa c'è dall'altra parte?»

«Territorio selvaggio, dicono. Selvaggina abbondante. Una specie di terra di nessuno fra i cherokee e i sioux. Lo chiamano il paese dell'erba azzurra.»

A Jay fu tutto chiaro. Lizzie intendeva cominciare una nuova vita in una regione inesplorata. Ma non ci riuscirà, pensò. La raggiungerò e la riporterò indietro... viva o morta.

«Da sola, la ragazzina non vale molto» disse a Dobbs. «Devi aiutarci a prendere gli altri due, se vuoi le cinquanta sterline.»

«Vuole che le faccia da guida?»

«Sì.»

«In questo momento hanno un paio di giorni di vantaggio e possono viaggiare veloci, senza il carro. Ci vorrà una settimana o più per raggiungerli.»

«Avrai le cinquanta sterline se ce la faremo.»

«Speriamo di accorciare le distanze prima che lascino la pista e si addentrino nel territorio selvaggio.»

«Speriamo» gli fece eco Jay.

40

Dieci giorni dopo la fuga di Peg, Mack e Lizzie attraversarono una vasta pianura e raggiunsero il maestoso fiume Holston.

Mack era euforico. Avevano attraversato molti ruscelli e torrenti, ma senza dubbio il fiume che stavano cercando era quello. Era molto più largo degli altri, e al centro c'era una lunga isola. «Eccolo» disse a Lizzie. «Ecco il confine della civiltà.»

Da diversi giorni si sentivano quasi soli al mondo. Il giorno prima avevano visto un trapper bianco e tre indiani su una collina lontana; quel giorno neppure un bianco e diversi gruppi di indiani. Questi non erano né amichevoli né ostili: si tenevano a distanza.

Da molto tempo non passavano accanto a un campo coltivato. Via via che le fattorie diventavano meno numerose, aumentava la selvaggina: bisonti, cervi, conigli e milioni di uccelli commestibili... tacchini, anitre, galli cedroni e quaglie. Lizzie ne uccideva più di quanti riuscissero a mangiarne.

Il tempo si era mostrato clemente. Una volta sola era piovuto: erano avanzati nel fango per tutto il giorno, e durante la notte avevano battuto i denti, ma l'indomani il sole li aveva asciugati. Erano indolenziti e stanchissimi per l'ininterrotto cavalcare, ma i cavalli reggevano bene, rafforzati dall'erba lussureggiante che cresceva dovunque e dall'avena che Mack aveva comprato a Charlottesville.

Non avevano visto segno di Jay, ma questo non significava molto: bisognava dare per scontato che continuasse a seguirli.

Abbeverarono i cavalli nell'Holston e sedettero a riposare sulla riva sassosa. La pista era sparita mentre attraversavano la pianura e al di là del fiume non ce n'era traccia. A nord il terreno saliva con regolarità e in lontananza, a una quindicina di chilometri, un'altra dorsale dall'aspetto impervio si elevava verso il cielo. Erano diretti proprio là.

Mack disse: «Dev'esserci un passo».

«Non lo vedo» osservò Lizzie.

«Neppure io.»

«Se non c'è...»

«Ne cercheremo un altro» rispose lui in tono deciso.

Parlava con sicurezza, ma in fondo al cuore aveva paura. Stavano per addentrarsi in un territorio inesplorato. Correvano il rischio di essere aggrediti da puma o da orsi feroci. Gli indiani potevano diventare ostili. Per il momento c'era cibo in abbondanza per chiunque avesse un fucile, ma cosa sarebbe accaduto d'inverno?

Tirò fuori la mappa, anche se si andava rivelando sempre più inesatta.

«Vorrei tanto aver incontrato qualcuno che conosce la strada» commentò Lizzie.

«Ne abbiamo incontrati parecchi» rispose Mack.

«E ognuno ha raccontato una storia diversa.»

«Tutti però ci hanno fatto lo stesso quadro. La valle del fiume taglia da nord-est a sud-ovest, come indica la mappa, e noi dobbiamo puntare a nord-ovest, ad angolo retto rispetto ai fiumi, attraverso tutta una serie di alti monti.»

«Il problema sarà trovare i passi che attraversano le catene.»

«Dovremo procedere a zigzag. Quando vedremo un passo che potrebbe condurci a nord, andremo da quella parte. Quando incontreremo un monte che sembra insormontabile svolteremo verso ovest, seguiremo la valle e continueremo a cercare una possibilità di girare verso nord. Può darsi che i passi non siano dove li indica la mappa, ma devono esserci comunque.»

«Bene, non resta che tentare» concluse Lizzie.

«Se ci troveremo in difficoltà, torneremo indietro e proveremo un percorso differente, ecco tutto.»

Lei sorrise. «Sempre meglio che andare a prendere il tè in qualche salotto di Berkeley Square.»

Lui ricambiò il sorriso. Era davvero pronta a tutto, e lui l'amava per questo. «Sempre meglio che estrarre il carbone.»

Lizzie ridivenne seria. «Vorrei soltanto che Peg fosse qui con noi.»

Mack la pensava allo stesso modo. Non avevano trovato traccia di Peg. Avevano sperato di raggiungerla il primo giorno, ma non era accaduto.

Per tutta quella notte Lizzie aveva pianto, con la sensazione di avere perduto due figlie: prima la sua, poi Peg. Non sapeva dove fosse, non sapeva neppure se era viva. Avevano fatto il possibile per trovarla, ma ciò non era una grande consolazione. Dopo tutto quello che Mack e Peg avevano passato insieme, alla fine lui l'aveva perduta. Ogni volta che pensava a lei, gli venivano le lacrime agli occhi.

Ma adesso lui e Lizzie potevano far l'amore ogni notte sotto le stelle. Era primavera e il clima era mite. Per fortuna non c'erano state altre piogge. Presto si sarebbero costruiti una casa e avrebbero fatto l'amore al coperto. Poi avrebbero dovuto salare la carne e affumicare il pesce per l'inverno. Intanto lui avrebbe preparato il terreno e piantato le sementi...

Mack si alzò in piedi.

«Abbiamo riposato molto poco» commentò Lizzie mentre lo imitava.

«Mi sentirò più tranquillo quando non saremo più in

vista del fiume» le spiegò lui. «Può darsi che Jay abbia intuito il nostro percorso fino ad ora, ma qui ce lo possiamo togliere di torno.»

Istintivamente si voltarono a guardare nella direzione da cui erano venuti. Non si vedeva nessuno, ma Jay doveva essere in qualche punto di quella strada: Mack ne era sicuro.

Poi si accorse che qualcuno li osservava.

Aveva intravisto un movimento con la coda dell'occhio. Lo vide di nuovo. Girò lentamente la testa, allarmato.

Due indiani erano fermi a pochi metri di distanza.

Si trovavano al confine settentrionale del territorio cherokee e da tre giorni vedevano in distanza gli indiani, ma nessuno di loro li aveva avvicinati.

Questi erano due ragazzi sui diciassette anni coi capelli neri e lisci e la tipica carnagione abbronzata e rossastra; indossavano la tunica e i pantaloni di pelle di cervo che gli europei immigrati avevano copiato.

Il più alto dei due mostrò un grosso pesce che sembrava un salmone. «Voglio un coltello» disse.

Mack immaginò che i due l'avessero pescato nel fiume «Vuoi commerciare?» chiese.

Il ragazzo sorrise. «Voglio un coltello.»

Lizzie disse: «Il pesce non ci occorre, ma ci sarebbe utile una guida. Scommetto che lui sa dov'è il passo».

Era un'ottima idea. Sarebbe stato un enorme sollievo sapere dove stavano andando. Mack chiese: «Vuoi farci da guida?».

Il ragazzo sorrise, ma era evidente che non capiva. Il suo compagno restava immobile e muto.

Mack ritentò: «Vuoi farci da guida?».

Il ragazzo sembrava confuso. «Niente affari oggi» disse in tono dubbioso.

Mack sospirò, frustrato e disse a Lizzie: «È un ragazzo intraprendente che ha imparato qualche frase in inglese ma non parla veramente la nostra lingua». Sarebbe stato tremendo smarrirsi solo perché non erano in grado di comunicare con la popolazione locale.

Lizzie disse: «Lascia che provi io».

Si avvicinò a uno dei cavalli da soma, aprì una sacca di pelle e prese un coltello a lama lunga. Era stato fabbricato nella fucina della piantagione, e nel legno del manico era impressa a fuoco la "J" di Jamisson. Era rozzo in confronto a quelli che si potevano acquistare a Londra, ma senza dubbio migliore di quelli che erano in grado di fabbricare i cherokee.

Lo mostrò al ragazzo, che sorrise soddisfatto. «Lo compro» disse, e tese la mano per prenderlo.

Lizzie tirò indietro il coltello.

Il ragazzo offrì il pesce, lei lo respinse, e lui parve di nuovo confuso.

«Guarda» disse Lizzie. Si chinò su una grossa pietra piatta. Con la punta del coltello cominciò a tracciare segni. Prima una linea irregolare: quindi indicò ripetutamente le montagne e la linea disegnata. «Questa è la catena» disse.

Mack non avrebbe saputo dire se il ragazzo capiva o no.

Sotto la catena, Lizzie tracciò due figure e indicò se stessa e Mack. «Questi siamo noi» spiegò. «E adesso... guarda bene.» Tracciò una seconda catena, quindi un profondo segno a forma di V che la congiungeva alla precedente. «Questo è il passo» disse, e aggiunse una figura nella V. «Dobbiamo trovare il passo» disse, e guardò il ragazzo con aria d'attesa.

Mack trattenne il respiro.

«Lo compro» disse il ragazzo, e offrì di nuovo il pesce a Lizzie.

Mack gemette.

«Non scoraggiarti» gli intimò lei, e tornò a rivolgersi al ragazzo. «Questa è la catena. Questi siamo noi. Qui c'è il passo. Dobbiamo trovare il passo.» Indicò il ragazzo e concluse: «Tu ci porti al passo... e noi ti diamo il coltello».

Il ragazzo guardò le montagne, il disegno e Lizzie. «Passo» disse.

Lizzie indicò le montagne.

Il ragazzo tracciò nell'aria una V e puntò il dito attraverso di essa. «Passo» ripeté.

«Lo compro» disse Lizzie.

Il ragazzo sorrise e annuì con energia.

Mack chiese: «Credi che abbia capito?».

«Non lo so.» Lizzie esitò, quindi prese le briglie del suo cavallo e s'incamminò. «Andiamo?» chiese al ragazzo con un gesto d'invito.

Il ragazzo cominciò a camminarle al fianco.

«Alleluia!» esclamò Mack.

Anche l'altro indiano si accodò.

Si avviarono lungo la riva di un ruscello. I cavalli adottarono l'andatura regolare che aveva fatto percorrere loro settecentocinquanta chilometri in ventidue giorni. A poco a poco la catena lontana si ingrandiva, però Mack non vedeva traccia di un passo.

Il terreno saliva con regolarità, ma sembrava meno accidentato e i cavalli procedevano un po' più svelti. Mack si rese conto che i ragazzi seguivano una pista che loro soltanto vedevano. Lasciarono perciò a loro il compito di guidarli verso la catena.

Continuarono ad avanzare ai piedi della montagna e all'improvviso svoltarono verso est. Con immenso sollievo di Mack, videro il passo. «Bravo, Ragazzo Pesce!» esclamò felice.

Guadarono un fiume e aggirarono la montagna fino ad arrivare sull'altro versante della catena. Mentre il sole calava, si trovarono in una stretta valle con un ruscello tumultuoso largo sette o otto metri che scorreva verso nord-est. Davanti a loro c'era un'altra catena montuosa. «Accampiamoci» disse Mack. «Domattina risaliremo la valle in cerca di un altro passo.»

Era pienamente soddisfatto. Non avevano seguito una pista visibile e il passo non si scorgeva dalla riva del fiume: era impossibile che Jay li seguisse fin lì. Cominciò a credere di essere finalmente al sicuro.

Lizzie consegnò il coltello al ragazzo più alto. «Grazie, Ragazzo Pesce» disse.

Mack sperava che gli indiani restassero. Avrebbero dato loro tutti i coltelli che volevano se li guidavano fra i monti. Invece se ne andarono nella direzione da cui erano arrivati. Il più alto portava ancora il suo pesce.

Dopo qualche istante i due sparirono nel crepuscolo.

41

Jay era convinto che quel giorno avrebbe raggiunto Lizzie. Procedeva ad andatura molto sostenuta senza risparmiare i cavalli. «Non possono essere lontani» continuava a ripetere.

Ma non c'era ancora alcuna traccia dei fuggiaschi quando, all'imbrunire, arrivarono al fiume Holston. Era fuori di sé. «Non possiamo proseguire al buio» disse mentre i suoi uomini abbeveravano i cavalli. «Ero convinto che a quest'ora li avremmo già presi.»

«Non siamo molto indietro, stia tranquillo» disse seccamente Lennox, che diventava sempre più insolente via via che si allontanavano dalla civiltà.

Dobbs intervenne: «Ma non sappiamo da che parte sono andati. Non ci sono piste attraverso le montagne... se qualche pazzo vuol passare deve trovarsi la strada».

Impastoiarono i cavalli e legarono Peg a un albero mentre Lennox preparava l'*hominy* per la cena. Da quattro giorni non vedevano una taverna e Jay non ne poteva più di mangiare quella porcheria che dava agli schiavi, ma ormai era troppo tardi per andare a caccia.

Erano tutti esausti e tormentati dalle vesciche. Binns li aveva lasciati a Fort Chiswell e adesso anche Dobbs si stava scoraggiando. «Dovrei rinunciare e tornare indietro» disse. «Perdersi fra le montagne e morire per cinquanta sterline non è un affare.»

Jay non voleva che se ne andasse: era l'unico che avesse una certa conoscenza della zona. «Ma non abbiamo ancora raggiunto mia moglie» obiettò.

«Non me ne importa niente di sua moglie.»

«Aspetta ancora un giorno. Tutti dicono che le montagne si possono attraversare un po' più a nord. Vediamo se riusciamo a trovare il passo. Può darsi che domani la prendiamo.»

«E può darsi che perdiamo tempo.»

Lennox versò nelle ciotole la polenta grumosa. Dobbs slegò le mani di Peg perché mangiasse, poi la legò di nuovo e le buttò addosso una coperta. Nessuno si preoccupava per lei, ma Dobbs voleva consegnarla allo sceriffo di Staunton: sembrava convinto che la cattura della ragazzina gli avrebbe fruttato una grande ammirazione.

Lennox tirò fuori una bottiglia di rum. Si avvolsero nelle coperte e si passarono di mano in mano la bottiglia, ma parlarono poco. Passarono le ore e la luna si alzò nel cielo. Jay si assopì, ma il suo sonno era agitato. A un certo momento aprì gli occhi e vide una faccia sconosciuta al margine del cerchio di luce del fuoco.

Si spaventò al punto che non riuscì a fiatare. Era una faccia strana, giovane ma diversa, e dopo qualche istante comprese che era un indiano.

La faccia sorrideva, ma non a lui. Jay seguì lo sguardo e vide che era fisso su Peg. Lei faceva smorfie all'indiano, e dopo un attimo Jay intuì che cercava di convincerlo a slegarla.

Restò immobile a spiare la scena.

Vide che gli indiani erano due. Due ragazzi.

Uno avanzò nel cerchio di luce del fuoco senza far rumore. Teneva in mano un grosso pesce. Lo posò a terra, sguainò un coltello e si chinò su Peg.

Lennox si mosse con la rapidità di un serpente e Jay vide a malapena cosa succedeva. Con un movimento fulmineo, Lennox avvinghiò il ragazzo. Il coltello cadde a terra e Peg lanciò un grido di delusione.

Il secondo indiano sparì.

Jay si alzò. «Chi è?»

Dobbs si stropicciò gli occhi e guardò. «È solo un ragazzo indiano che cercava di derubarci. Dovremmo impiccarlo per dare una lezione agli altri.»

«Per il momento no» disse Lennox. «Può darsi che abbia visto quelli che cerchiamo.»

Le speranze di Jay ripresero quota. Si piazzò davanti al ragazzo. «Di' qualcosa, selvaggio.»

Lennox torse con forza il braccio dell'indiano che gridò e protestò nella sua lingua. «Parla inglese!» gli gridò Lennox.

«Ascolta» disse Jay alzando la voce: «Hai visto due persone, un uomo e una donna, su questa strada?».

«Niente affari oggi» rispose il ragazzo.

«Parla inglese!» esclamò Dobbs.

«Ma non credo che possa dirci qualcosa» commentò Jay, depresso.

«Oh sì che può» affermò Lennox. «Tienilo fermo, Dobbs.» Dobbs afferrò il ragazzo e Lennox raccolse il coltello caduto a terra. «Guardi. È uno dei nostri... C'è la "J" impressa a fuoco sul manico.»

Jay guardò. Era vero. Il coltello era stato fabbricato nella sua piantagione. «Allora deve avere incontrato Lizzie!»

«Proprio così» disse Lennox.

Jay ricominciò a sperare.

Lennox agitò il coltello sotto gli occhi dell'indiano e chiese: «Da che parte sono andati, ragazzo?».

L'indiano si dibatté, ma Dobbs lo tenne stretto. «Niente affari oggi» fu la risposta terrorizzata.

Lennox afferrò la mano sinistra del ragazzo e infilò la punta della lama sotto l'unghia dell'indice. «Da che parte?» chiese, e divelse l'unghia.

Il ragazzo e Peg urlarono nello stesso istante.

«Basta!» gridò Peg. «Lasciatelo stare!»

Lennox prese l'altra mano del ragazzo e strappò un'altra unghia. L'indiano cominciò a singhiozzare.

«Da che parte è il passo?» chiese Lennox.

«Passo» disse il ragazzo, e indicò il nord con la mano sanguinante.

Jay sospirò soddisfatto. «Puoi portarci là» disse.

42

Mack sognava di guadare un fiume per raggiungere un luogo chiamato Libertà. L'acqua era fredda, l'alveo irregolare e c'era una forte corrente. Continuava ad avanzare, ma la riva non si avvicinava mai e il fiume diventava più profondo a ogni passo. Tuttavia sapeva con certezza che se avesse continuato sarebbe arrivato a destinazione. Ma l'acqua era sempre più profonda e alla fine si chiuse sopra la sua testa.

Si svegliò boccheggiando.

Udì il nitrito di uno dei cavalli.

«Qualcosa deve averli disturbati» disse. Non ebbe risposta. Si girò e vide che Lizzie non era accanto a lui.

Forse era andata a fare i suoi bisogni dietro un cespuglio... però aveva un brutto presentimento. Si liberò in fretta della coperta e si alzò.

Il cielo era striato di grigio. Riusciva a scorgere le quattro giumente e i due stalloni, immobili come se avessero sentito altri cavalli in lontananza. Stava arrivando qualcuno.

«Lizzie!» chiamò.

In quel momento Jay uscì dal riparo di un albero e gli puntò un fucile al cuore.

Mack si sentì raggelare.

Dopo un istante comparve Sidney Lennox, con una pistola per mano.

Mack era incapace di reagire. La disperazione lo sommerse come l'acqua del fiume nel sogno. Non era riuscito a fuggire, dopotutto. L'avevano ripreso.

Ma dov'era Lizzie?

L'orbo del guado del South River, Dobbs Occhiomorto, sopraggiunse a cavallo imbracciando un fucile. Peg era su un altro cavallo, coi piedi legati insieme in modo che non potesse scendere. Sembrava illesa, ma aveva un'espressione disperata, e comprese che si considerava responsabile di quanto era successo. Ragazzo Pesce camminava a fianco del cavallo di Dobbs; era legato alla sella con una lunga corda. Doveva essere stato lui a condurli fin lì. Aveva le mani coperte di sangue. Per un momento Mack rimase sbalordito: quando l'aveva incontrato, il ragazzo non era ferito. Poi si rese conto che l'avevano torturato, e fu assalito da un'ondata di disgusto per Jay e Lennox.

Jay fissava le coperte stese a terra. Era chiaro che Mack e Lizzie avevano dormito insieme. Porco schifoso» sibilò, la faccia stravolta dalla rabbia. «Dov'è mia moglie?» Strinse il fucile per la canna e lo colpì violentemente alla testa. Mack barcollò e cadde. «Dov'è, lurido minatore che non sei altro? Dov'è mia moglie?»

Mack sentì in bocca il sapore del sangue. «Non lo so.»

«Se non lo sai, tanto vale che mi tolga la soddisfazione di cacciarti una palla in testa!»

Mack capì che parlava sul serio e cominciò a sudare. Provò l'impulso di supplicare per avere salva la vita, ma strinse i denti.

Peg urlò: «No! Non sparare, ti prego!».

Jay gli puntò il fucile alla testa. La sua voce raggiunse un tono isterico. «Questo per tutte le volte che mi hai sfidato!» gridò.

Mack lo guardò negli occhi e vi lesse la voglia di uccidere.

Lizzie stava stesa a pancia in giù in mezzo all'erba dietro una roccia, e attendeva col fucile tra le mani.

Aveva scelto quel punto la notte precedente, dopo aver ispezionato la riva del fiume e aver visto orme e feci di cervi. Adesso, mentre la luce aumentava, stava immobile e aspettava che gli animali scendessero ad abbeverarsi.

La sua abilità di tiratrice li avrebbe mantenuti in vita, pensava. Mack avrebbe costruito la casa e ripulito e seminato i campi, ma ci sarebbe voluto almeno un anno prima che potessero coltivare prodotti sufficienti per sfamarsi per tutto un inverno. Fra le provviste avevano tre grossi sacchi di sale. Nella cucina dell'High Glen House Lizzie era stata spesso a guardare Jeannie, la cuoca, che salava prosciutti e grossi pezzi di selvaggina e li riponeva nei barili. E sapeva affumicare il pesce. Avrebbero avuto bisogno di viveri in abbondanza: a giudicare dal modo in cui lei e Mack si comportavano, ci sarebbero state tre bocche da sfamare nel giro di un anno. Sorrise felice.

Scorse un movimento fra gli alberi. Dopo un po' un giovane cervo uscì dal bosco e si avvicinò con eleganza all'acqua. Chinò la testa, sporse la lingua e cominciò a bere.

Senza far rumore, Lizzie armò la pietra focaia del fucile.

Prima che potesse prendere la mira, un altro cervo seguì il primo e in pochi istanti ne sopraggiunsero una quindicina. Se tutto il territorio selvaggio è così, pensò Lizzie, finiremo per ingrassare.

Non le interessava un cervo grosso. I cavalli erano già a pieno carico e non potevano portare scorte di carne, e comunque gli animali più giovani erano più teneri. Scelse il bersaglio e prese la mira, puntando alla spalla, subito sopra il cuore. Respirò con regolarità e rimase immobile, come aveva imparato in Scozia.

Come sempre, ebbe un attimo di rammarico per il magnifico animale che stava per uccidere.

Premette il grilletto.

Lo sparo veniva da una distanza di due o trecento metri più a monte, lungo la valle.

Jay rimase immobile ma continuò a tenere il fucile puntato contro Mack.

I cavalli sussultarono, ma lo sparo era troppo lontano per spaventarli veramente.

Dobbs riuscì a riprendere il controllo del suo e commentò con voce strascicata: «Se spara adesso, Jamisson, la metterà in guardia e la farà scappare».

Jay esitò, poi abbassò lentamente il fucile.

Mack barcollò per il sollievo.

Jay annunciò: «Vado a prenderla. Voi restate tutti qui».

Mack si rese conto che se fosse riuscito ad avvertirla, Lizzie avrebbe potuto fuggire. Quasi gli rincresceva che Jay non gli avesse sparato. Poteva salvare Lizzie.

Jay lasciò la radura e risalì la valle col fucile tra le mani.

Devo fare in modo che uno di loro spari, pensò Mack.

C'era un sistema facile per riuscirci: darsi alla fuga.

E se mi colpiscono?

Non importa. Preferisco morire, piuttosto che essere ripreso.

Senza lasciare che la prudenza incrinasse la sua decisione, si mise a correre.

Ci fu un momento di attonito silenzio prima che qualcuno si rendesse conto di ciò che succedeva.

Poi Peg urlò.

Mack corse verso gli alberi, aspettandosi una pallottola nella schiena.

Ci fu uno sparo, seguito da un altro.

Non sentì nulla. L'avevano mancato.

Prima che i due sparassero ancora, si fermò e alzò le mani.

C'era riuscito. Aveva messo in guardia Lizzie.

Si voltò lentamente, le mani alzate. Ora tocca a te, Lizzie, pensò. Buona fortuna, amore mio.

Jay si fermò quando udì lo sparo. Era venuto da un punto dietro di lui. Non era stata Lizzie, ma qualcuno che si trovava nella radura. Attese, ma non ci furono altri colpi d'arma da fuoco.

Cosa significava? Non era verosimile che McAsh si fosse impadronito di un fucile e l'avesse caricato. E poi era un minatore, non capiva niente di armi. Era più probabile che Lennox o Dobbs gli avessero sparato.

Qualunque cosa fosse successa, l'importante era catturare Lizzie.

Purtroppo lo sparo l'aveva messa in guardia.

Jay conosceva sua moglie. Cos'avrebbe fatto?

Non sapeva cos'erano la pazienza e la prudenza. Esitava molto di rado. Reagiva con prontezza e decisione. In quel momento stava senza dubbio accorrendo. Sarebbe arrivata fin quasi alla radura prima che le venisse in mente di rallentare, guardarsi intorno e mettere a punto un piano.

Trovò un posto da dove vedeva chiaramente la riva del fiume per trenta o quaranta metri. Si nascose fra i cespugli, poi armò la pietra focaia del fucile.

L'indecisione lo colpì come una fitta improvvisa di dolore. Cos'avrebbe fatto quando se la fosse trovata davanti? Se le avesse sparato, tutti i suoi problemi sarebbero finiti. Cercò di immaginare che fosse una caccia al cervo. Avrebbe mirato al cuore, appena sotto la spalla, per ucciderla al primo colpo.

Lizzie comparve.

Camminava veloce, quasi correndo, e inciampava sulla riva accidentata del fiume. Anche questa volta era vestita da uomo, ma Jay vedeva il seno sollevarsi per l'agitazione e lo sforzo. Aveva due fucili sotto il braccio.

Jay mirò al cuore, ma la rivide nuda mentre gli stava sopra nel letto della casa di Chapel Street, con i seni frementi finché facevano l'amore, e non riuscì a sparare.

Quando Lizzie arrivò a dieci metri da lui, uscì dal sottobosco.

Lei si fermò di colpo e proruppe in un grido d'orrore.

«Ciao, tesoro» la salutò lui.

Lizzie lo squadrò con odio. «Perché non mi hai lasciata andare?» gli chiese. «Tanto, non mi ami.»

«No, ma ho bisogno di un figlio» le rispose lui.

L'espressione di Lizzie divenne sprezzante. «Preferisco morire.»

«L'alternativa è proprio questa» disse lui.

Ci fu un momento di confusione dopo che Lennox ebbe sparato a Mack con entrambe le pistole.

I cavalli si spaventarono per i colpi così vicini. Quello di Peg fuggì. Legata com'era, lei restò in groppa, tirò le redini con le mani legate, ma non riuscì a trattenerlo. Sparirono in mezzo agli alberi. Il cavallo di Dobbs si impennava e l'uomo cercava di calmarlo. Lennox si affrettò a ricaricare le pistole.

In quel momento Ragazzo Pesce si mosse.

Corse verso il cavallo di Dobbs, balzò dietro di lui e lo disarcionò.

Con un soprassalto di euforia, Mack si rese conto che non tutto era perduto.

Lennox lasciò cadere le pistole e corse ad aiutare Dobbs.

Mack allungò il piede e gli fece lo sgambetto.

In quel momento Dobbs cadde dal cavallo ma restò impigliato con una caviglia nella fune che legava Ragazzo Pesce alla sella. Terrorizzato, il cavallo fuggì. Ragazzo Pesce gli si aggrappò disperatamente al collo. L'animale sparì tra la vegetazione, trascinandosi dietro Dobbs.

In preda a un'esultanza selvaggia, Mack si voltò per affrontare Lennox. Nella radura erano rimasti soltanto loro. Finalmente si sarebbero battuti a pugni. Lo ammazzerò, pensò Mack.

Lennox rotolò su se stesso. Quando si rialzò, stringeva in pugno un coltello.

Si scagliò contro Mack, che schivò il colpo, sferrò un calcio al ginocchio di Lennox e si scostò agilmente.

Lennox avanzò zoppicando. Questa volta fece una finta col coltello, lasciò che Mack schivasse nella direzione sbagliata e sferrò un altro colpo. Mack sentì un dolore lancinante al fianco sinistro. Avventò un destro e centrò Lennox alla testa. Lennox batté le palpebre e alzò il coltello.

Mack indietreggiò. Era più forte e più giovane, ma probabilmente Lennox era un esperto in fatto di combattimenti coi coltelli. Con una fitta di panico si rese conto che a quella distanza ravvicinata non sarebbe mai riuscito a batterlo. Doveva cambiare tattica.

Si voltò, si allontanò correndo per qualche metro e cercò un'arma. Il suo sguardo si posò su un sasso grande circa quanto il suo pugno. Lo raccolse e si voltò.

Lennox caricò nello stesso istante.

Mack lanciò il sasso, colpì Lennox in mezzo alla fronte e gettò un grido di trionfo. Lennox vacillò, stordito. Ora Mack doveva approfittare del vantaggio. Era il momento buono per disarmare l'avversario. Sferrò un calcio al gomito destro di Lennox.

Lennox lasciò cadere il coltello con un gemito di sconforto.

Adesso Mack l'aveva in pugno.

Lo colpì al mento con tutte le sue forze. L'impatto gli indolenzì la mano, ma gli diede una soddisfazione profonda. Lennox indietreggiò con gli occhi colmi di paura. Mack non gli diede tregua. Gli sferrò un pugno al ventre, poi lo colpì ai lati della testa. Intontito e terrorizzato, Lennox barcollò. Era spacciato, tuttavia Mack non riusciva a fermarsi. Voleva ucciderlo. Lo afferrò per i capelli, gli abbassò la testa con violenza e lo colpì alla faccia con una ginocchiata. Lennox urlò e il sangue gli sprizzò dal naso. Cadde in ginocchio, tossì, vomitò. Mack stava per colpirlo ancora quando udì la voce di Jay: «Fermati o la uccido».

Lizzie entrò nella radura. Jay la seguiva tenendole il fucile puntato alla nuca.

Paralizzato, Mack sgranò gli occhi. Il fucile era armato e se Jay fosse incespicato, il colpo avrebbe fatto esplodere la testa di Lizzie. Mack voltò le spalle a Lennox e si mosse per avvicinarsi a Jay. Era ancora invaso da un furore selvaggio. «Hai un colpo solo» sibilò. «Se spari a Lizzie, ti ammazzo.»

«Allora forse dovrei uccidere te» replicò Jay.

«Sì» disse Mack pazzo di rabbia, continuando ad avvicinarsi. «Sparami.»

Jay spostò il fucile.

Mack si sentì invadere da una gioia selvaggia. Il fucile non era più puntato contro Lizzie. Si avvicinò ancora di più a Jay.

Jay prese con cura la mira.

Poi si sentì un suono insolito e un sottile cilindro di legno si piantò nella guancia di Jay.

Con un urlo di dolore, Jay lasciò cadere il fucile che sparò fragorosamente. La pallottola passò sibilando accanto alla testa di Mack.

Jay era stato colpito al volto da una freccia.

Mack si sentì mancare le ginocchia.

Il suono si ripeté, e una seconda freccia trapassò il collo di Jay, che stramazzò a terra.

Nella radura entrarono Ragazzo Pesce, il suo compagno e Peg, seguiti da cinque o sei indiani adulti, tutti armati di arco.

Mack fu scosso da un tremito di sollievo. Intuì che quando Jay aveva catturato Ragazzo Pesce, il suo amico era corso a cercare aiuto. Il gruppo dei soccorritori doveva aver incontrato i cavalli in fuga. Non sapeva cos'era successo a Dobbs, ma uno degli indiani portava i suoi stivali.

Lizzie si accostò a Jay e lo fissò coprendosi la bocca con la mano. Mack la raggiunse e l'abbracciò. Guardò l'uomo steso a terra che perdeva sangue dalla bocca. La freccia gli aveva squarciato una vena del collo.

«Sta morendo» disse Lizzie, sconvolta.

Mack annuì.

Ragazzo Pesce indicò Lennox, che era ancora in ginocchio. Gli altri indiani lo afferrarono, lo gettarono riverso e lo tennero fermo. Ci fu un breve dialogo fra Ragazzo Pesce e l'indiano più anziano. Ragazzo Pesce continuava a mostrare le dita. Sembrava cne le unghie fossero state strappate, e Mack comprese che era stato Lennox a torturarlo.

L'indiano adulto impugnò l'accetta che portava alla cintura e con un colpo fulmineo e possente tranciò la mano destra di Lennox all'altezza del polso.

Mack mormorò: «Gesù!».

Il sangue uscì a fiotti dal moncherino. Lennox svenne.

L'indiano raccolse la mano recisa e la porse solennemente a Ragazzo Pesce.

Ragazzo Pesce la prese con altrettanta solennità, si voltò e la lanciò lontano. La mano volò nell'aria sopra gli alberi, e cadde nel bosco.

Gli indiani proruppero in mormorii di approvazione.

«Mano per mano» disse Mack sottovoce.

«Che Dio li perdoni» disse Lizzie.

Ma gli indiani non avevano finito. Sollevarono il sanguinante Lennox e lo portarono sotto un albero, gli legarono una caviglia e passarono il capo della corda sopra un ramo, poi tirarono. Lennox rimase appeso a testa in giù. Il sangue sgorgava dal polso tranciato e si raccoglieva a terra in una pozza. Gli indiani gli stavano attorno e assistevano al macabro spettacolo. Sembrava che intendessero restare a guardare mentre Lennox moriva. A Mack la scena ricordava un'impiccagione a Londra.

Peg si avvicinò. «Dovremmo curare le dita del ragazzo.»

Lizzie staccò gli occhi dal marito agonizzante.

Peg chiese: «Hai qualcosa per fasciargli le mani?».

Lizzie batté le palpebre e annuì. «Ho un unguento e un fazzoletto che possiamo usare come benda. Ci penso io.»

«No» disse Peg con fermezza. «Lascia fare a me.»

«Come vuoi.» Lizzie trovò il barattolo di unguento e un fazzoletto di seta e glieli consegnò.

Peg fece allontanare Ragazzo Pesce dal gruppo intorno all'albero. Anche se non parlava la sua lingua, sembrava in grado di comunicare con lui. Lo condusse al fiume e cominciò a lavargli le ferite.

«Mack» disse Lizzie.

Lui si voltò e vide che stava piangendo.
«Jay è morto.»
Mack lo guardò: era cereo, immobile, e non perdeva più sangue. Si chinò per controllare se il cuore batteva ancora. Ma si era fermato.
«Una volta lo amavo» disse Lizzie.
«Lo so.»
«Voglio seppellirlo.»
Mack prese una vanga. Mentre gli indiani guardavano Lennox che moriva dissanguato, scavò una fossa poco profonda. Poi, con l'aiuto di Lizzie, sollevò il corpo di Jay e lo depose nella tomba. Lizzie si chinò e delicatamente estrasse le frecce dal cadavere. Poi Mack lo coprì con la terra e Lizzie cominciò a sistemare qualche pietra.
All'improvviso, Mack fu assalito dall'impulso di allontanarsi da quel luogo insanguinato.
Radunò i cavalli, che adesso erano dieci: i sei che avevano portato dalla piantagione, più i quattro di Jay e dei suoi compari. Pensò che era diventato ricco: possedeva dieci cavalli. Cominciò a caricare le provviste.
Gli indiani si mossero. Lennox doveva essere morto. Si staccarono dall'albero e raggiunsero Mack. Il più vecchio gli parlò. Mack non comprese le parole, ma il tono era formale, solenne. Immaginò che l'indiano gli dicesse che giustizia era stata fatta.
Erano pronti per ripartire.
Ragazzo Pesce e Peg salirono insieme provenienti dal fiume. Mack guardò le mani del giovane: Peg lo aveva bendato a dovere.
Ragazzo Pesce disse qualcosa, e ci fu una discussione in lingua indiana, una discussione dai toni piuttosto accesi. Alla fine tutti gli indiani, tranne Ragazzo Pesce, se ne andarono.
«Lui resta?» chiese Mack a Peg.
Peg si strinse nelle spalle.
Gli altri indiani si erano avviati verso est, lungo la valle, e poco dopo scomparvero nel bosco.

Mack montò a cavallo. Ragazzo Pesce ne slegò uno degli altri e gli saltò in groppa, poi si mosse per primo. Peg gli si affiancò e Mack e Lizzie li seguirono.

«Credi che Ragazzo Pesce vorrà farci da guida?» chiese Mack a Lizzie.

«Sembra proprio di sì.»

«Ma non ha chiesto niente in cambio.»

«No.»

«Chissà cosa vuole.»

Lizzie guardò i due giovani che cavalcavano fianco a fianco. «Non lo indovini?» chiese.

«Oh!» esclamò Mack. «Pensi che sia innamorato di lei?»

«Penso che voglia passare con lei ancora un po' di tempo.»

«Bene, bene.» Mack diventò pensieroso.

Mentre si avviavano verso ovest, lungo la valle del fiume, il sole sorse alle loro spalle. Sul terreno si allungarono, precedendoli, le loro ombre.

Era una valle ampia, al di là della catena più alta, ma sempre fra le montagne. C'era un ruscello tumultuoso d'acqua fredda e pura che scorreva gorgogliando e brulicava di pesci. I pendii erano boscosi e ricchi di selvaggina. Sulla cresta più alta, due aquile reali andavano e venivano portando al nido il cibo per i piccoli.

«Mi ricorda casa mia» disse Lizzie.

«Allora la chiameremo High Glen» rispose Mack.

Scaricarono i cavalli nel tratto più pianeggiante del fondovalle, dove avrebbero costruito la casa e coltivato la terra. Si accamparono su un tratto di erba secca sotto l'ampia chioma di un albero.

Peg e Ragazzo Pesce frugavano in un sacco per cercare una sega quando Peg trovò il collare di ferro spezzato. Lo prese e lo guardò perplessa, scrutò la scritta senza capire: non aveva mai imparato a leggere. «Perché l'hai portato con te?» chiese.

Mack scambiò un'occhiata con Lizzie. Ripensarono entrambi al momento in riva al fiume nella vecchia High Glen, in Scozia, quando Lizzie gli aveva rivolto la stessa domanda.

Ora Mack diede a Peg la stessa risposta, e questa volta non c'era amarezza nella sua voce, ma soltanto speranza. «Per non dimenticare mai» disse con un sorriso. «Mai.»

Ringraziamenti

Per l'aiuto prezioso ricevuto nella realizzazione di questo libro ringrazio:

le mie editor Suzanne Baboneau e Ann Patty;
i ricercatori Nicholas Courtney e Daniel Starer;
gli storici Anne Goldgar e Thad Tate;
Ramsey Dow e John Brown-Wright di Longannet Colliery;
Lawrence Lambert dello Scottish Mining Museum;
Gordon e Dorothy Grant di Glen Lyon;
i parlamentari Gordon Brown, Martin O'Neill e il compianto John Smith;
Ann Duncombe;
Colin Tett;
Barbara Follett, Emanuele Follett, Katya Follett e Kim Turner;
e, come sempre, Al Zuckerman.

OSCAR BESTSELLERS

Follett, Il Codice Rebecca
Follett, L'uomo di Pietroburgo
Ludlum, Il treno di Salonicco
Cruz Smith, Gorky Park
Krantz, La figlia di Mistral
Forsyth, Il giorno dello sciacallo
Follett, Triplo
Follett, La cruna dell'Ago
Tacconi, La verità perduta
Fruttero & Lucentini, Il palio delle contrade morte
Follett, Sulle ali delle aquile
Forsyth, Il Quarto Protocollo
De Crescenzo, Così parlò Bellavista
Forsyth, L'alternativa del diavolo
Robbins, Ricordi di un altro giorno
Forsyth, Dossier Odessa
Lapierre - Collins, Il quinto cavaliere
Forsyth, I mastini della guerra
Bevilacqua, Il Curioso delle donne
Fruttero & Lucentini, A che punto è la notte
Agnelli, Vestivamo alla marinara
Lapierre - Collins, «Parigi brucia?»
Lapierre - Collins, Gerusalemme! Gerusalemme!
Tacconi, Lo schiavo Hanis
De Crescenzo, Storia della filosofia greca. I presocratici
De Crescenzo, Storia della filosofia greca. Da Socrate in poi
Lapierre - Collins, Alle cinque della sera
Bevilacqua, La Donna delle Meraviglie
Krantz, Conquisterò Manhattan
Fruttero & Lucentini, L'amante senza fissa dimora
Follett, Un letto di leoni
Lapierre - Collins, Stanotte la libertà
Pilcher, I cercatori di conchiglie
Russo, Uomo di rispetto
Manfredi, Lo scudo di Talos
Harris T., Il silenzio degli innocenti
Le Carré, La spia perfetta
De Crescenzo, Oi dialogoi
Bevilacqua, Una città in amore
Follett, Lo scandalo Modigliani

Dolto, Adolescenza
Weis - Hickman, La stella degli elfi
Dolto, Quando i genitori si separano
Angela - Pinna, Oceano
Williams M., La leggenda di Weasel
Buscaglia, La coppia amorosa
Pasini, Intimità
Schelotto, Strano, stranissimo, anzi normale
Parsi, I quaderni delle bambine
Buscaglia, Amore
Dolto, Come allevare un bambino felice
Allegri, Padre Pio
Asimov, Destinazione cervello
Asimov, Cronache della Galassia
Asimov, Il tiranno dei mondi
Silvestri, Caporetto
Mandruzzato, Il piacere del latino
Asimov, Tutti i racconti (vol. I, parte I)
Heinlein, Fanteria dello spazio
Asimov, Il sole nudo
Asimov, L'orlo della Fondazione
Asimov, Lucky Starr e gli anelli di Saturno
Spinosa, Edda. Una tragedia italiana
Gibson, Monna Lisa Cyberpunk
Sgarbi, Onorevoli fantasmi
Curcio - Scialoja, A viso aperto
Brooks, I talismani di Shannara
Greer, La seconda metà della vita
D'Orta, Romeo e Giulietta si fidanzarono dal basso
Utley, Toro Seduto
Rocca, Avanti, Savoia!
Ellroy, White Jazz
Durrani, Schiava di mio marito
Cornwell, Postmortem
Asimov, La fine dell'eternità
Grisham, Il cliente
Vacca, Medioevo prossimo venturo
Asimov, Tutti i racconti (vol. I, parte II)
Pilcher, La camera azzurra
Regan, Il Guinness dei fiaschi militari
Resca - Stefanato, Scoppia il maiale, ferito un contadino
Chang, Il Tao dell'amore
Sterling, Cronache del basso futuro
Turow, Ammissione di colpa
Asimov, Il meglio di Asimov
Sclavi, Tutti i misteri di Dylan Dog
Cruz Smith, Red Square
Sclavi, Tutti gli incubi di Dylan Dog
Gibson, La notte che bruciammo Chrome
Campbell, Il racconto del mito
Sgorlon, Il trono di legno
Pasini, Volersi bene, volersi male
Motta (a cura di), Vita di padre Pio attraverso le lettere
Asimov, Preludio alla Fondazione
Zavoli, La notte della Repubblica
De Crescenzo, Raffaele
Asimov, Il paria dei cieli
Asimov, Il crollo della Galassia centrale

Asimov, Fondazione e Terra
Asimov, I robot dell'alba
Asimov, Abissi d'acciaio
Asimov, Il club dei Vedovi Neri
Pasini, La qualità dei sentimenti
McBain, Mary Mary
Forattini, Bossic Instinct
Gibson - Sterling, La macchina della realtà
Angela, La straordinaria storia della vita sulla Terra
Della Pena, Stupidario giuridico
Wood, Vergini del Paradiso
Gibson, Giù nel Ciberspazio
Dolto, Il desiderio femminile
Vespa, Telecamera con vista
Angela, La straordinaria storia dell'uomo
Tacconi, Il pittore del Faraone
Forattini, Il mascalzone
Brooks, Il ciclo di Shannara
Venè, Mille lire al mese
Monduzzi, Manuale per difendersi dalla mamma
Asimov, Azazel
Mafai, Pane nero
Asimov, Lucky Starr e gli oceani di Venere
Asimov, Il libro di biologia
Asimov, Lucky Starr e il grande sole di Mercurio
Gies, Si chiamava Anna Frank
Bonelli - Galleppini, Tex l'implacabile
Asimov, I robot e l'Impero
Rea, Ninfa plebea
Olivieri, Hotel Mozart
Pasini, Il cibo e l'amore
Forsyth, Il pugno di Dio
Follett, Una fortuna pericolosa
Nolitta - Ferri, Zagor contro il Vampiro
Masini, Le battaglie che cambiarono il mondo
Pilcher, Le bianche dune della Cornovaglia
Sclavi - Castelli, Dylan Dog & Martin Mystère
Asimov, Il libro di fisica
Irving, Göring, il maresciallo del Reich
Sclavi, Tutti i mostri di Dylan Dog
Asimov, Le correnti dello spazio
Asimov, Neanche gli Dèi
Asimov, L'altra faccia della spirale
Buscaglia, Nati per amare
Ka-Tzetnik 135633, La casa delle bambole
Loy, Sogni d'inverno
Zecchi, Sillabario del nuovo millennio
Grisham, L'appello
Zimmer Bradley (a cura di), Storie fantastiche di spade e magia (vol. I)
Castellaneta, Le donne di una vita
Resca - Stefanato, Il ritorno del maiale
Sgorlon, Il regno dell'uomo
McBain, Kiss
Asimov, Tutti i racconti (vol. II, parte I)
Asimov, Tutti i racconti (vol. II, parte II)
Rendell, La morte non sa leggere

Manfredi, Le paludi di Hesperia
Di Stefano, Stupidario medico
Daniele, Chi è felice non si ammala
Sgorlon, La fontana di Lorena
Zimmer Bradley (a cura di), Storie fantastiche di spade e magia (vol. II)
Vespa, Il cambio
Olivieri, Piazza pulita
Petacco, La Signora della Vandea
Schelotto, Una fame da morire
Sgarbi, Le mani nei capelli
Disegni, Esercizi di stile
Sgorlon, L'armata dei fiumi perduti
Asimov, Lucky Starr, il vagabondo dello spazio
Fromm, L'arte di amare
García Márquez, Dell'amore e di altri demoni
Buscaglia, La via del toro
Olivieri, Villa Liberty
Thompson, L'angelo bruciato
Katzenbach, La giusta causa
Castellaneta, Progetti di allegria
Olivieri, Maledetto ferragosto
Rendell, I giorni di Asta Westerby
Allegri, I miracoli di Padre Pio
Forattini, Il garante di Lady Chatterley
Brooks, La sfida di Landover
Brooks, La scatola magica di Landover
Bocca, Il sottosopra
Follett, I pilastri della terra
Buscaglia, Vivere, amare, capirsi
Giussani, I mille volti di Diabolik
Sgorlon, Il costruttore
Le Carré, Il direttore di notte
Sclavi, Tutte le donne di Dylan Dog
Lapierre, La città della gioia
García Márquez, Taccuino di cinque anni 1980-1984
Høeg, Il senso di Smilla per la neve
Bonelli - Galleppini, Tex, Sangue Navajo
Carr, L'alienista
Zorzi, Il Doge
Olivieri, La fine di Casanova
Lovett, Legami pericolosi
Nasreen, Vergogna (Lajja)
Madre Teresa, Il cammino semplice
Dick, Memoria totale
Rendell, La leggerezza del dovere
Regan, Il Guinness dei fiaschi militari 2
Bonelli - Galleppini, Tex. Città senza legge
Castellaneta, La città e gli inganni
Krantz, Amanti
Dolto, I problemi dei bambini
Weis - Hickman, La mano del caos
James P.D., Morte sul fiume
Grisham, L'uomo della pioggia
Lagostena Bassi, L'avvocato delle donne
Pasini, A che cosa serve la coppia
Buscaglia, Autobus per il Paradiso
De Filippi, Amici
Salvatore, Il mago di Azz
Vespa, Il duello

Cornwell, Insolito e crudele
Madre Teresa, La gioia di darsi agli altri
MacBride Allen, Il calibano di Asimov
Sclavi, La circolazione del sangue
Zavoli, Viva l'Itaglia
Smith, Nell'interesse della legge
Quilici, Il mio Mediterraneo
Boneschi, Poveri ma belli
Forattini, Berluscopone
Rendell, La notte dei due uomini
Friday, Donne sopra
Sgorlon, La poltrona
Monduzzi, Della donna non si butta via niente
Olivieri, L'indagine interrotta
Olivieri, Il caso Kodra
Sgorlon, L'ultima valle
Sclavi, Mostri
Allegri, A tu per tu con Padre Pio
Messaoudi, Una donna in piedi
Schelotto, Certe piccolissime paure
Hyde, Le acque di Formosa
Mafai, Botteghe Oscure, addio
Vergani, Caro Coppi
Curzi, Il compagno scomodo
Hogan, Lo stallo
Follett, Un luogo chiamato libertà
Zecchi, Sensualità
Ellroy, American tabloid
Castellaneta, Porta Romana bella
Asimov, Lucky Starr e le lune di Giove
Asimov, Fondazione anno zero
Gallmann, Il colore del vento
Rota, Curs de lumbard per terùn
Høeg, I quasi adatti
Dick, Il disco di fiamma
Hatier (a cura di), Samsāra
Simmons, I figli della paura
D'Orta, Il maestro sgarrupato
Bevilacqua, Questa specie d'amore
Manfredi, La torre della solitudine
Katzenbach, Il carnefice
Le Carré, La passione del suo tempo
Olivieri, Madame Strauss
Sclavi, Tutti i demoni di Dylan Dog
Bonelli - Galleppini, Tex. I figli della notte
Medda, Serra & Vigna, Nathan Never. I killer del futuro
Madre Teresa, La gioia di amare
Giussani, Diabolik. Le rivali di Eva
Gallmann, Notti africane
Cotroneo, Presto con fuoco
Isaacs, Ora magica
AA.VV., 25 storie di magia nera per adulti
Rendell, La morte mi ama
McBain, Romance
Fosnes Hansen, Corale alla fine del viaggio
Rossi, Diario di bordo del Capitano
De Crescenzo, Panta rei
Rushdie, L'ultimo sospiro del Moro
Asimov, Lucky Starr e i pirati degli Asteroidi
Weis - Hickman, L'ala del drago
Nolitta, Mister No. Inferno verde e magia nera
Castelli, I mondi impossibili di Martin Mystère

De Crescenzo, Il dubbio
Milsted, Il Guinness delle gaffe
Cornwell, La fabbrica dei corpi
Bevilacqua, I sensi incantati
Augias, I segreti di Parigi
Bocca, Il viaggiatore spaesato
Olivieri, Il Dio danaro
Dolto, Solitudine felice
Evangelisti, Il mistero dell'inquisitore Eymerich
Dujovne Ortiz, Evita
Harris, Enigma
Brooks, Il primo re di Shannara
Vespa, La svolta
Forattini, Il forattone
Allegri, Il catechismo di Padre Pio
Rota, Padania fai da te
Schelotto, Perché diciamo le bugie
Follett, Il terzo gemello
Pasini, I tempi del cuore
Rendell, Il tarlo del sospetto
Bevilacqua, Lettera alla madre sulla felicità
Costanzo, Dietro l'angolo
Simmons, La caduta di Hyperion
Di Stefano, Mal cognome mezzo gaudio
Weis - Hickman, La settima porta
Baldacci Ford, Il potere assoluto
Laurentin, Lourdes
Cruz Smith, La rosa nera
Gates, La strada che porta a domani
Spaak, Oltre il cielo
Fruttero & Lucentini, Il nuovo libro dei nomi di battesimo
Forattini, Giovanni Paolo secondo Forattini
McCarthy, Il falconiere
McFarlan - Bishop, Il Guinness dei perché
Forsyth, Icona
Pilcher, Ritorno a casa
García Márquez, Scritti costieri 1948-1952
Volcic, Est
De Crescenzo, Ordine e Disordine
Sgorlon, La malga di Sîr
Maurensig, Canone inverso
De Mello, Chiamati all'amore
Bonelli - Letteri, Tex. El Morisco
Gibson, Aidoru
Angela P. e A., La straordinaria avventura di una vita che nasce
Dalai Lama, Incontro con Gesù
Høeg, La donna e la scimmia
Cardini, L'avventura di un povero crociato
Dolto - Hamad, Quando i bambini hanno bisogno di noi
Sclavi, Tutti gli orrori di Dylan Dog
Simmons, Il canto di Kali
Krantz, Collezione di primavera
Bocca, Italiani strana gente
AA.VV., Tutti i denti del mostro sono perfetti
Giussani, Diabolik. Le grandi evasioni
Citati, La colomba pugnalata
Guccini- Machiavelli, Macaronì
Grisham, La giuria
De Filippi, Amici di sera
Bevilacqua, Anima amante

Sgarbi, Lezioni private 2
Saul, I misteri di Blackstone
Willocks, Re macchiati di sangue
De Crescenzo, Socrate
Iacchetti, Questo sì che è amore
Jackson, Il Guinness dei cos'è
Salvi, Storia della cultura mondiale
Greggio, Chi se ne fut-fut
Høeg, Racconti notturni
Baldacci Ford, Il controllo totale
García Márquez, Notizia di un sequestro
Castelli, I mondi segreti di Martin Mystère
Schelotto, Il sesso, probabilmente
Di Stefano - Buscemi, Signor giudice, mi sento tra l'anguria e il martello
Ravera, Nessuno al suo posto
Knight - Lomas, La chiave di Hiram
Boneschi, La grande illusione
Forattini, Io e il bruco
Alten, Meg
Quilici, Cielo verde
Leroux, Il fantasma dell'Opera
Citati, La luce della notte
Vespa, La sfida
Bonelli - Galleppini, Tex e il figlio di Mefisto
Clancy, Stormo da caccia
Katzenbach, Il Cinquantunesimo Stato
Silva, La spia improbabile
Barbero, Bella vita e guerre altrui di Mr. Pyle, gentiluomo
Regan, Il Guinness delle gaffe reali
Zecchi, L'incantesimo
Fede, Finché c'è Fede
Grisham, Il partner
Rendell, Il segreto della casa
De Crescenzo, Nessuno
Cornwell, Il cimitero dei senza nome
Matheson, Al di là dei sogni
Galli, Gli Agnelli
Milingo, Guaritore d'anime
Bettiza, Esilio
Robertson, Oasis
Solavi, Non è successo niente
Evangelisti, Cherudek
Di Stefano, Alle sogliole del Duemila
Cornwell, Il nido dei calabroni
Gervaso, I sinistri
Harrer, Sette anni nel Tibet
De Crescenzo, Sembra ieri
Braghetti, Il prigioniero
Jacq, Il faraone nero
Castellaneta, Racconti d'amore
Zadra, Tantra
Messori, Qualche ragione per credere
Blauner, Il nero dell'arcobaleno
Bevilacqua, Gialloparma
Collins M.A., Salvate il soldato Ryan